# La sauvage

*tome 2*

Dépôt légal :
Bibliothèque nationale du Canada
Bibliothèque nationale du Québec
ISBN 978-2-922512-09-0

# André Mathieu

# *La*

# *sauvage*

tome 2

**L'Éditeur**
9-5257, Frontenac
Lac-Mégantic
G6B 1H2

*"Nous sommes faits de matériaux du passé afin de construire l'avenir."*

# *1757*

**Boston (janvier)**

    —Delenda est Carthago ! Delenda est Carthago ! s'exclama l'homme pour lui-même pour la nième fois de sa vie.

    Shirley, l'oeil fixé sur le givre de sa fenêtre, ruminait sur les causes réelles ou imaginaires qui avaient amené sa disgrâce. On s'était débarrassé de lui comme d'une vieille chaussette parce que les militaires avaient manqué d'audace. Et, comble du ridicule, c'est entre les mains d'un militaire de carrière qu'on a remis la direction de la campagne de 1757, soit le comte Loudoun.

    *"Les Anglais n'auront dans peu d'années ni peuple ni colonies dans le nord de l'Amérique. La pauvre colonie affamée du Canada conquiert tout ce qu'elle attaque,"* disait l'article d'un journal qu'il a rejeté rageusement sur son bureau avant de tourner sa chaise vers la fenêtre bouchée.

    Il s'enveloppa de sa couverture afin de se protéger du froid et de l'avenir, cherchant à comprendre les caprices dans les fleurs de givre, à les transformer en stratégies et en plans de campagnes militaires.

"Pourquoi ce rappel de Winslow alors qu'il était en mesure, bien mieux que Johnson, de percer la route du lac Champlain pour enfin trucider tous ces scalpeurs canadiens et sauvages ?"

"Pourquoi l'abandon de l'expédition de la Chaudière qui eût permis de piquer le Canada d'un coup de sabre en plein coeur ?"

L'homme pensa à son épée qui se trouvait dans sa gaine, appuyée à l'extrémité de son bureau. Il s'en empara, la tira et toucha de la pointe l'épaisse couche de givre de la vitre. Et il la fit tournoyer en soutenant son geste de sa pensée.

"Le Canada... c'est le Canada qui doit être détruit. S'en prendre directement au coeur. Delenda est Carthago ! Delenda est..."

Avant qu'il n'ait pu terminer sa répétition mentale, la vitre céda. Il s'en détacha un morceau long, recourbé et acéré qui tomba par terre aux pieds de l'ex-gouverneur. Et par le trou, s'engouffra dans la pièce un souffle glacial qui vint chercher une vapeur blanche dans la bouche de l'homme déçu.

## Fort William-Henry (janvier)

Le commandant des compagnies indépendantes, le major Robert Rogers et son bras droit, John Stark, cherchaient à convaincre le colonel Munro, commandant du fort, de la pertinence d'une attaque de Carillon en plein hiver.

Un poing toujours roulé sur la hanche, le front soucieux, le nez large, épais, écrasé, le visage carré, tel apparaissait le major dans des vêtements semblables à ceux des miliciens canadiens : capot court, mitasses, bottes en cuir de vache.

L'argument principal invoqué revenait sans cesse sur le tapis à savoir que le fort était mal défendu l'hiver et que la surprise jouerait en faveur des attaquants. Stark se contentait d'approuver de sa voix froide et de ses regards plus rigides encore.

Pour leur malheur, les rangers ont mal espionné, car Vaudreuil a déjà envoyé deux cents Canadiens et Abénakis à Carillon pour prévenir justement un coup de main imprévu.

–Et... de quelle manière avez-vous l'intention de voyager par ce temps ? demanda le commandant sceptique, en homme convaincu qu'il fallait une armée d'au moins quinze mille hommes pour s'emparer de la forteresse d'entre les lacs.

–En raquettes, tout comme les Canadiens et leurs Indiens.

–En raquettes ? dites-vous.

–C'est la seule façon d'arriver vite là-bas à ce temps-ci de l'année.

–Pardieu ! messieurs, faites ce que vous voulez; après tout, je n'ai aucune autorité sur vous et vos rangers, et vous le savez fort bien.

–Mais, colonel, si vous ne signez pas l'autorisation, qui paiera les hommes ?

–Ah ! voilà donc la question ! sourit Munro. En somme, vos rangers ne veulent pas chômer jusqu'au printemps. Pour leurs intérêts, c'est de bonne guerre d'aller faire la guerre... si je peux m'exprimer ainsi.

Le jour suivant, Stark prenait la tête d'un détachement qui descendit le lac Saint-Sacrement et se rendit jusqu'aux portes de Carillon.

Au fort, on les savait venir. Et on avait la tranquille conviction que les attaquants seraient taillés en pièces, accablés par le nombre de défenseurs et parce que nul ranger ne saurait, sur des raquettes, se mesurer avec un Canadien ou un Sauvage.

Avant même que les hommes de Stark n'aient pu tirer un seul coup de feu, les Abénakis et les Canadiens sortaient du fort au pas de course, poussant leurs cris de guerre qui, bien plus que la froidure, saisissaient le coeur des rangers.

Un quart d'heure plus tard, un attaquant sur deux gisait dans la neige et le sang tandis que l'autre détalait, affolé, s'enfargeant dans ses raquettes, trébuchant misérablement, semant derrière lui tous les objets qu'il possédait pour ainsi retarder des poursuivants occupés à ramasser du butin.

Stark fut fait prisonnier et envoyé à Montréal sous la garde de trois Canadiens qui avaient également pour mission d'informer le gouverneur sur tous les détails de ce que l'on considérait pourtant comme une escarmouche. Simple accrochage à l'intérieur d'une guerre qui promettait d'être longue encore et de mobiliser autrement plus de moyens que ceux employés par ces compagnies indépendantes, mauvaises émules des milices canadiennes dans la guerre à l'indienne.

### Versailles (janvier)

Le maréchal de Belle-Isle marchait d'un pas ferme, excédé, sur les pavés inégaux de la cour du palais. Il émergeait des locaux du ministère situés à droite du corps central du château et se dirigeait vers son coche en maugréant son mécontentement à son aide, un éphèbe à visage fin.

—Toutes les représentations que j'ai faites ont été vaines. J'aurais dû jeter la requête de monsieur de Vaudreuil dans un plan d'eau plutôt que de la voir tripotée par des politiciens à la petite semaine et aux propos dilatoires... et dérisoires. Quatre mille soldats de plus qu'il faut au Canada et qu'est-ce qu'on nous offre ? Une maigre escadre pour protéger Louisbourg. Quelle farce de mauvais goût ! Louisbourg... la seule place française d'Amérique capable de se défendre par ses propres forces.

### Londres (janvier)

Le nouveau commandant en chef des troupes d'Amérique et principal responsable de la prochaine campagne militaire sur ce continent, le comte Loudoun, conférait avec le ministre William Pitt dans une pièce étroite aux murs couverts de livres bruns et noirs, bureau de l'homme d'État.

Les deux s'entendaient parfaitement sur la nécessité d'une guerre à outrance contre le Canada, et qui en finirait une bonne fois avec la stratégie de la défensive. L'élément principal de la campagne : une expédition sur le Saint-Laurent avec Québec pour objectif.

–Le coeur, s'écria Loudoun, un homme au visage plus vif que son habit rouge.

Il pointait la forteresse canadienne sur une carte tendue devant la bibliothèque.

–Certes, mais il faut d'abord déverrouiller la porte, en éliminer le cadenas qui est Louisbourg, dit le ministre. Et pour cela, vous réunirez cinq mille réguliers à New York, passerez à Halifax, y opérerez une jonction avec huit mille hommes que je vous promets, donnerez l'assaut de Louisbourg puis réduirez Québec en poussière.

–Comment saurez-vous convaincre le roi puisque, ainsi que vous le déplorez vous-même, notre bon souverain vous... comment dire... surveille ?

–Demain, les négociants de cette cité de Londres engagés dans le trafic des colonies de la Virginie et du Maryland présenteront une pétition et remontrance à notre bon roi. Ils feront valoir toutes leurs craintes pour le plus important commerce du royaume. De plus, j'ai des amis convaincus au London Magazine et, ma foi, dans maints journaux, qui se chargeront dans les semaines à venir de façonner l'opinion. Il sera sans arrêt démontré que la prospérité des colonies augmente d'autant celle de la mère patrie. L'appât du gain n'est-il point le plus grand moteur de l'agir humain, l'indécis à persuader fût-il le roi d'Angleterre lui-même ?

–Surtout... surtout.

## Montréal (janvier)

À la résidence du gouverneur, le château Vaudreuil, dans une pièce brillamment éclairée quoique peu fastueuse, s'ornant de tapisseries et des portraits des souverains, Vaudreuil s'entretenait avec son frère ainsi qu'avec le marquis de Lotbinière.

À nouveau, il forcerait la main du général Montcalm, évitant de la sorte d'avoir à lui donner des ordres formels contre lesquels le commandant en chef de l'armée s'insurgerait, qu'il dénoncerait véhémentement en écrivant au roi, qu'il n'exécuterait sans doute pas par la faute de son entêtement pédant et prodigue de prétextes justifiant l'inaction.

Il y avait deux façons de renforcer Carillon, et les deux hommes qu'il avait convoqués y verraient, chacun à la sienne. L'une consistait à raser les forts jumeaux William-Henry et Edward, pour ainsi libérer la route du New-York et rendre pratiquement dérisoire toute avance par l'Hudson d'une armée en marche vers les lacs Saint-Sacrement et Champlain. L'autre serait de remplacer par de la pierre les pièces de bois des murs de la forteresse afin d'enlever à Montcalm un autre sujet à récrimination. Cette tâche serait menée à bien par monsieur de Lotbinière dès l'arrivée des beaux jours.

À la tête de quinze cents hommes, Rigaud se mit en route en février. Il avait pour mission de nettoyer les abords de William-Henry s'il ne parvenait pas à s'en emparer, préparant ainsi la campagne d'été conduite forcément par Montcalm. Bref, le général serait mis dans l'obligation de gagner une autre bataille.

## Saint-François (avril)

Moins sévère mais plus entêté, l'hiver s'était réinstallé autour des cabanes qu'il pénétrait profondément quand les feux baissaient. C'est qu'un dégel avait tout déchaussé et réduit les bancs de neige en amas de glace noirâtre et de sel grisâtre.

Jacataqua avait été mourante pendant la moitié au moins d'une lune. Et les hommes de la cabane avaient murmuré entre eux. Peut-être vaudrait-il mieux qu'elle meure ? se disaient-ils parfois. Cette enfant avait été conçue pour porter la chance et, depuis son arrivée, tous les malheurs avaient fondu sur la hutte comme une bande de loups affamés. D'abord, cela avait été une fille au lieu du guerrier attendu. Puis, le jour de sa naissance, le seul garçon de la cabane s'était noyé dans la rivière. La chasse aux chevelures anglaises avait été bien maigre les deux étés précédents; quant à celle de prisonniers, elle n'avait donné aucun résultat. Durant l'automne et l'hiver, le gibier avait déserté le pays; à ce point qu'il avait été question de partir pour Sartigan, d'émigrer en plein froid. Mais l'épidémie qui, semblait-il, régnait là-bas, avait retenu la matrone et Natanis de prendre la décision. Et voilà maintenant que l'enfant avait introduit la maladie dans la cabane.

Natanis et Sabatis n'ont pas osé soulever la question au conseil de famille. Qui plus est, ils ont gardé pour eux cette peur superstitieuse. Car ils étaient témoins de l'immense ferveur que les quatre femmes mettaient à prendre soin de la petite malade. Pas une seule fois depuis le début de la maladie, Jacataqua n'avait été laissée seule. Pas une seule minute la femme de garde, y compris la fillette de neuf ans, ne s'était permis de fermer l'oeil pour s'endormir, assise devant le feu, adossée à un montant de lit, là où on attendait vingt-quatre heures sur vingt-quatre que le mal daigne prendre la porte.

Jacataqua occupait le lit de la naissance et de la mort au centre de la hutte. On la frictionnait. On lui faisait avaler des tisanes. On chassait d'elle la fumée que le feu dégageait, ce qui étouffait parfois les hommes et les obligeait à courir dehors pour apaiser leur toux.

15

Par une nuit de grand vent, Natanis se mit à tousser sans que la boucane n'en soit la cause. Il voulut se réchauffer en ajoutant une peau d'ours sur celle qui le recouvrait déjà. Ce fut en vain. Alors il demanda à Front-Brisé et à la fillette de venir se coller à lui sous les couvertures afin de chasser le froid et le frisson de ses os et de sa chair. Car les deux autres femmes se séparaient la nuit auprès de Jacataqua. Il tourna, se retourna, fut poursuivi par des Mohicans assoiffés de sang, attaqué par des loups et des ours, pendu vif à un arbre comme il l'avait fait avec le corps du vieil homme, se réveilla en sursaut, brandissant une hache imaginaire. Son front brûlait. Sa tête cognait comme si le coeur y fut déménagé. Son corps dégouttait. Il rejeta les couvertures et renvoya les femmes. Les convulsions, en rangs serrés, se ruèrent à nouveau sur lui.

Le lendemain apparurent dans son visage les mêmes signes qui avaient marqué la peau de Jacataqua, soit des papules qui ne tardèrent pas à se transformer en poches de liquide transparent que le jeune homme crevait parfois rageusement avec la pointe de son couteau comme pour extirper de lui une part de cette vengeance du mauvais esprit.

L'enfant cessa d'avoir de la fièvre. Des croûtes apparurent sur ses pustules. On la savait maintenant sur le chemin de la guérison. Elle fut emportée sur sa couche habituelle, la même que celle de sa mère. On donna sa place à l'autre malade.

Pour fuir la maladie, Sabatis demanda au conseil la permission de partir rejoindre les hommes de Rigaud de Vaudreuil sur le lac Champlain. Avec de la chance, il rapporterait peut-être des chevelures avant l'été, ce qui permettrait d'acheter de la fleur.

Car la disette rôdait. Les approvisionnements du village avaient été réduits de moitié, l'autre part passant à l'armée qui dévorait bien au-delà des surplus que la colonie pouvait produire.

–Qui chassera pour nous ? demanda Petit-Soleil.

–Il n'y a rien à chasser. Nos bois sont déserts. Nous n'avons rien pris, rien rapporté depuis deux lunes.

–Natanis guérira vite, présuma la matrone, et il pourra chasser en attendant le retour de Sabatis. Ainsi, l'un ou l'autre récoltera bien quelque chose.

–Voilà des paroles de sagesse ! dit Sabatis en les répétant dans ses mots propres.

Et il partit une heure plus tard.

Natanis passa par les mêmes affres que Jacataqua : face tuméfiée, paupières gonflées, fièvre, exanthème, pustules qui se dessèchent. On lui prodigua la même attention : peau souvent badigeonnée, nettoyage de la bouche avec de l'huile eucalyptolée, tisanes, aspersion du corps à l'eau froide pour faire baisser la température, affusion des pieds.

Enfin, le jour du second anniversaire de naissance de Jacataqua, le guerrier sortit de la cabane et put se laisser caresser la peau par un soleil ardent.

## Sartigan (avril)

Ce jour même, la mort continuait de planer au-dessus du village, cherchait à plonger comme un aigle rapace sur une hutte, pour s'y emparer d'une proie. Sartigan avait payé bien plus cher que Saint-François son tribut à la petite vérole. Douze guerriers, vingt-deux enfants, trois femmes avaient pris le chemin d'une éminence sur la rive gauche de la rivière Mataka (Famine) où se trouvait une cabane servant de charnier. Car même l'été, on ne pouvait enterrer les morts dans les journées suivant leur décès puisque le missionnaire n'y venait qu'une fois par quinzaine ou par mois.

Tête-Brûlée agonisait, emporté par la maladie confluente. Les pustules, tels des animaux en copulation, s'envahissaient mutuellement sur toute sa peau en constante suppuration. Il se savait au bord de la mort, et dans les tourbillons violents et brûlants qui l'assaillaient, il gardait du temps et des regains de lucidité pour regretter de n'avoir jamais pu prendre sa revanche sur l'Anglais. Le vieux massacre de Narantsouak, des femmes, des vieillards, des enfants et du père Rasle, resterait à jamais impuni. Le Grand-Esprit et les morts le prendraient-ils pour de la faiblesse ou bien pour de la sagesse ?

C'est en se posant la question qu'il mourut avant la fin de la maladie, d'une cause secondaire, d'un arrêt du coeur qui laissa ses yeux ouverts, sa pensée suspendue, sa bouche au milieu d'un soupir, sa main levée vers une hache inexistante qui avait taillé des milliers de chevelures angl...

### Québec (mai)

—Enfin les bottines neuves ! gloussa soeur Sainte-Barbe en posant son petit oeil en biais sur le judas.

—Huit belles paires, dit triomphalement la visiteuse en levant les chaussures brunes à hauteur de ses yeux.

C'était la fille du cordonnier Plessis. Elle fut aussitôt introduite dans le monastère, conduite à la supérieure qui paya illico la commande en monnaie de cartes.

Au repas du midi, comme il était d'usage après le bénédicité, et alors que les soeurs commençaient à manger, soeur de la Nativité les entretint, juchée sur son estrade, des dernières nouvelles d'ordre militaire et politique. Puis, elle les alarma sur la situation économique de la colonie :

—Trois fléaux règnent dans notre pays : la peste, la famine et la guerre; mais la famine est le plus terrible d'entre eux. Mes soeurs, si la récolte de cette année n'est pas prodigieuse, il faudra que monsieur l'intendant ordonne un rationnement général, même dans les campagnes. Je le tiens de la bouche même de monsieur Bigot.

De la table s'éleva une rumeur faite de sons à bouche fermée, rumeur qui remplit le réfectoire, une pièce dépouillée et blanche. Il était défendu de parler tant que la supérieure n'en avait pas donné l'autorisation.

–Il faudra prier très fort, mes soeurs, car si cela devait se produire, comment pourrions-nous alors garder nos pensionnaires ? Que pourrions-nous leur servir à manger si nous-mêmes n'avons rien à nous mettre sous la dent ?

Soeur Sainte-Barbe souffla des mots de côté vers sa voisine, une jeune personne encore plus spontanée que la portière et qui ne put s'empêcher d'éclater de rire.

–Soeur Sainte-Barbe, fit sévèrement la supérieure, savez-vous que certaines tribus indiennes, pas toutes Dieu merci ! mettent à la chaudière ceux –ou celles– qui interrompent un chef quand il adresse la parole ?

Tous les regards se tournèrent vers la petite portière qui baissa la tête jusqu'à sentir la chaleur du navet abondant fumer dans son assiette et la vapeur humidifier sa guimpe.

–Veuillez répondre, ma soeur, le savez-vous ?

–Oui, ma mère.

–Alors vous accepterez bien une légère punition pour votre... frasque... je ne dirai point désobéissance à la règle.

–Oui, ma mère.

–Cette punition, c'est de nous dire tout haut ce que vous avez glissé à soeur Sainte-Croix et qui a failli lui faire avaler tout rond le contenu de son assiette.

–J'ai dit que...

–Que ?

–Que nous pourrions toujours manger les semelles de nos vieilles bottines puisque nos neuves sont maintenant arrivées.

Toute l'assemblée se mit à rire à bouche fermée, et cela se voyait par les à-coups des épaules.

−Rions, rions, mes soeurs, en attendant de pleurer. Vous savez, ce n'est pas sûr du tout, que nous devions en rire. L'armée est nourrie vous savez comment ? Croyez-le ou non, avec de la viande de... de cheval.

Des 'oh' scandalisés fusèrent de partout. Et résonna une seconde pouffe de rire de soeur Sainte-Croix à qui soeur Sainte-Barbe n'avait pu s'empêcher de glisser autre chose.

−Mère Sainte-Barbe, fit sèchement la supérieure en se levant, menaçante, afin de contrôler sa propre envie de rire à l'ingénuité de la portière. Vous allez trop loin... Même punition que tout à l'heure.

−Ce que j'ai dit... n'est pas beau, ma mère. Je n'y ai pas pensé.

−Dites, dites !

−Il vaudrait mieux que je vous le dise... privément.

−Dites ici et maintenant, ma soeur.

−Pardonnez...

−Faites, faites...

−J'ai dit que... soupira-t-elle, la moue torturée. Que si les soldats mangent du cheval, ils iront plus aisément à... à la... à la selle.

−Ohhhhh ! s'écria la supérieure à bouche arrondie tandis que les autres gardaient le silence, chacune inquiète du sort qui serait fait à leur consoeur.

−Cette parole frise le péché, ma fille. Et c'est un péché, considérant qu'il s'agit au surplus d'une seconde infraction à la règle en moins de deux minutes. Soeur Sainte-Barbe, vous êtes priée de vous rendre de suite à la chapelle pour demander au Seigneur de vous pardonner.

L'interpellée fit un mouvement.

−Quand je vous le dirai, quand je vous le dirai, fit la supérieure avec une voix intimidante.

Elle poursuivit sa remontrance tandis que soeur Sainte-Barbe enfouissait son visage dans ses mains pour pleurer. Le geste irréfléchi tournait au drame. Toute son âme était envahie par un profond sentiment de culpabilité. Monseigneur le saurait. Il la regarderait durement quand elle lui ouvrirait la porte. Peut-être même qu'on la relèverait de ses fonctions ? Elle se reprit d'attention pour la supérieure qui en devisait précisément.

–Je pense que c'est le trop grand air du fleuve qui enflamme votre imagination, si je peux m'exprimer ainsi. Pour la rafraîchir un peu, votre folle du logis, nous donnerons votre place de portière à une autre. Pour l'heure, rendez-vous à la chapelle et priez pour racheter votre insubordination.

Soeur Sainte-Barbe se leva. La mort dans l'âme, elle se dirigea vers la sortie. Que lui adviendrait-il, elle pourtant si heureuse chez les Ursulines depuis qu'on lui avait confié cette tâche où elle trouvait juste assez de regards sur le monde pour vivre pleinement le reste de sa vie moniale. Car elle était incapable d'enseigner faute de connaissances.

Plus de jeunes filles à consoler ! Plus d'enfants perdus à rassurer ! Plus de visiteuses d'Acadie à écouter ! Plus de marchandise à recevoir ! On l'éloignerait donc à jamais de tout cela.

–Ma soeur, dit la supérieure avant que la fautive ne quitte, vous serez remplacée par soeur Sainte-Croix à la porte.

–Oui, ma mère, murmura l'autre. Merci, ma mère.

–Pour deux semaines, termina la supérieure en fronçant des sourcils peu convaincus de l'ire qu'ils voulaient montrer.

–Oui, ma mère.

Ce n'est qu'une fois rendue à la chapelle que soeur Sainte-Barbe prit conscience des derniers mots de soeur de la Nativité, de sa sentence absolutoire. Une joie si forte revint l'habiter qu'elle en oublia de prier.

**L'Islet (juin)**

Deux fonctionnaires à cheval entraînant à leur suite chacun une vingtaine de bêtes liées les unes aux autres par un câble passé de licou en licou, arrivèrent chez les Bernard. Pendant que l'un voyait aux chevaux, l'autre, un homme jeune à sourcils blonds et aux yeux volontairement mi-fermés, frappa à la porte. Joseph le reçut aussitôt. Il ne mit qu'un pied à l'intérieur avant de s'identifier puis de dérouler un papier officiel et d'en lire le contenu.

C'était un acte de réquisition signé par l'intendant. Une partie des chevaux de la Côte-du-Sud était ramassée pour les besoins de l'armée.

—Vous en possédez un ou deux ?

—Un seul.

—Et il n'est pas à donner, dit une voix rude par-dessus l'épaule de Joseph.

Le visiteur bougea la tête en même temps que Joseph se déplaçait d'un pas. Il aperçut le père Bernard qui, pipe à la bouche, le fusillait du regard.

—Vous ne le donnez pas, vous le vendez.

—Il n'est pas à vendre non plus.

—Vous êtes très bien payé par le gouvernement ou si vous voulez, par le roi, et rubis sur l'ongle.

—Comment ? s'enquit Joseph plus intéressé par cela que par le combien.

—En monnaie de cartes bien entendu.

—Cartons sans valeur ! fit le père en poussant sa fumée bleue au visage du fonctionnaire.

—Mais non, voyons, mais non ! Allez chez le seigneur et vous aurez de la fleur avec cet argent. Allez à Québec et vous aurez des chaussures, des chaudrons, de la lingerie, du vin, tout ce qui se vend là-bas.

–On n'a pas vu passer une grosse flotte de voiles françaises sur le fleuve depuis le commencement de l'année. Il ne faudrait pas nous prendre pour des arriérés. Il nous arrive d'aller à Québec, vous savez, et les magasins ne paraissent pas crouler sous le poids des effets par les temps qui vont. Les produits fins de la mère patrie y sont plutôt... clairsemés.

–Vous savez, il en passe la nuit, des bateaux. Et il en vient d'autres. C'est long parce qu'il leur faut faire des détours sur la mer à cause des Anglais. L'été commence à peine.

–En tout cas, notre cheval Tranquille est dans l'étable : il bougera point de là.

–Papa, c'est un ordre du gouvernement.

–Et vous risquez la prison pour refus d'obtempérer.

–Ordre ou pas, Tranquille partira point. D'abord, c'est un cheval qui est pas fort, fort, qui vieillit et en plus, qui commence à faire de la gourme. Quel usage l'armée pourrait-elle en faire ? C'est une rosse, une haridelle.

–Justement, c'est pas pour l'ouvrage, c'est pour la nourriture des soldats.

–Quoi ! Vous voudriez abattre Tranquille pour sustenter les soldats de Sa Majesté ? Jamais ! s'étouffa l'homme.

–Mon bon ami, vous n'avez pas le choix, hélas !

–On n'a pas le choix, répéta Joseph.

–On a toujours le choix. Prenez une vache à la place.

–L'ordre de réquisition porte sur les chevaux. Paraîtrait-il que c'est fondé sur des bonnes raisons. Si le cheptel bovin était trop réduit, la production agricole en souffrirait, ce qui pourrait acculer le pays à la famine.

–Mais c'est déjà la famine puisqu'il faut mettre de la viande de cheval dans les assiettes.

–Non. C'est que l'armée comporte six mille bouches à nourrir sans compter les miliciens et les Sauvages.

La discussion se poursuivit ainsi. Le fonctionnaire et Joseph conduisirent peu à peu l'homme récalcitrant à la résignation. Si bien qu'en fin de compte, c'est lui-même qui se rendit chercher la bête, un cheval élancé, blond, et qui ne correspondait guère à la description qu'il en avait faite. Il le bouchonnait avec ses doigts écartés, lui parlait comme à un vieil ami tandis que son fils et les deux hommes du gouvernement restés en retrait aux abords de la maison échangeaient leurs vues sur l'évolution de la guerre.

Bouleversée par ce qu'elle a entendu plus tôt à l'intérieur, elle-même attachée à ce cheval qui éveillait en elle un sentiment de confiance et lui faisait parfois penser qu'il devait lui couler quelques gouttes de sang acadien dans les veines, chagrinée pour son beau-père, Marguerite sortit de la maison avec son jeune enfant dans les bras.

Devant ses regards méfiants et vindicatifs, son mari lui expliqua le rôle ingrat des fonctionnaires. Peine perdue car elle abhorrait ceux qui exécutaient des ordres. Ils avaient tous la même odeur : celle de Winslow ou Deschamps.

—Tu sais, ils sont des Canadiens comme nous autres. Et c'est pour la défense du pays qu'ils font cela.

—C'est toujours pour la défense qu'on réquisitionne, qu'on pille, qu'on incendie, qu'on attaque, qu'on déporte, qu'on tue, qu'on fait la guerre.

—Tranquille était pas ben utile à part que pour aller à Saint-Thomas ou à la Pointe-Lévy. On se servira un peu plus de nos canots, de nos semelles.

—Quand la guerre sera finie, madame, c'est par pleins navires que des chevaux arriveront de France.

—Les secours de la mère patrie, peuh ! fit-elle dédaigneuse. Pis la guerre, elle va finir quand ? À l'avantage de qui ?

Le fonctionnaire était ahuri d'entendre une personne du beau sexe se mêler d'une pareille conversation. Il voulut détourner habilement le sujet et à son profit en disant :

–Votre fils a des grands yeux intelligents... comme ceux de sa mère. Faut dire qu'il ressemble à son père itou.

Marguerite dévisagea le flatteur et lui déclara froidement en mâchant tous ses mots :

–Il ne ressemble à personne d'autre qu'à lui-même.

Et elle rentra en donnant des coups de pied à sa robe qu'elle ne pouvait soulever autrement à cause du bébé qui occupait ses bras et questionnait de son regard bleu les gestes anormalement brusques de sa mère.

## Montréal (juillet)

Les Indiens affluaient de partout. Trente-trois nations depuis le golfe Saint-Laurent jusqu'au lac Supérieur. Et d'autres de l'Hudson. Et d'autres du Connecticut. Et tant d'autres d'Acadie. Jamais l'on n'avait vu autant de Sauvages rassemblés à Montréal. Ou n'importe où ailleurs en Amérique.

Au soir du quatre, Vaudreuil se rendit à leur lieu de rencontre et de campement situé sur le mont Royal du côté nord. Il leur parla avec grandiloquence :

–Le ciel bénira ce lieu pour des générations à venir, ce lieu qui aura été le témoin de la plus grande réunion jamais tenue de braves guerriers qui ont répondu à l'appel de leur père. Leur père (l'orateur se désigna lui-même de la main) a beaucoup de présents pour ses fils les Wendats, pour ses fils les Abénakis, pour ses fils les Iroquois, pour les Missisquois, les Odawas, les Nipissings et les Potawatomis, les Têtes de Boule, les Iowas et les Ojibways, les Algonquins et les Agniers, les Saulteux et les Micmacs, les Etchemins et les Penobscots, les Acadias et les Sokokis, les Illinois et les Mohawks, les Renards et les Folles-Avoines, les Oneidas et les Michillimackinacs, les Chicachas et les Kikapous, les Mascoutins et les Senecas, les Miamis et les Delawares, les

Chippewas et les Cris, les Montagnais et les Outaouais...

Le gouverneur remit alors précautionneusement la liste dans la poche de son pourpoint, un vêtement rouge liseré d'or qu'un ardent soleil piquait de mille feux, ce qui ajoutait à l'émerveillement des aborigènes. Il promena son regard sur l'assistance qui gardait un silence total. On avait soif de l'entendre encore, d'écouter des promesses, des rêves.

C'était une assemblée bigarrée, multicolore de deux mille braves ivres de leur voyage, de l'amour du gouverneur et du roi, de leur puissance réunie, de la plus formidable course anticipée et d'un juillet chaud mais léger et sans humidité.

Sur l'estrade se trouvaient à la gauche et à la droite de l'orateur respectivement, Bougainville et Montcalm, puis les représentants de chacune des tribus, la plupart arborant un costume de chef, debout, dans une attention rigide et solennelle.

–Les Anglais, ennemis des Français, ennemis de chacun de vous, *"ont bâti un fort sur les terres d'Ononthio"* Il est de notre devoir de le détruire et de chasser notre ennemi commun. Chacun de vous a-t-il dans le coeur et dans le bras le feu nécessaire pour faire taire, pour agenouiller ces Anglais qui veulent nous détruire tous ? Que ceux qui veulent nous suivre lèvent un bras au ciel et lancent leur cri de guerre, et cela aussi longtemps que j'aurai ma main brandie, tenant dans mon poing l'Anglais écrabouillé...

Ceux des Indigènes qui ne comprenaient pas la langue de leur père furent entraînés par les autres et par leurs chefs dans un concert de hurlements répétitifs et horrifiants, et qui se tut longtemps après, lorsque Vaudreuil y coupa par un geste net d'une main qui tranche à l'horizontale.

Puis le gouverneur procéda à une longue apologie des actions indiennes des dernières années. Il vanta les courages, prôna les persévérances, donna à croire à chacun qu'il était le protecteur indispensable d'Ononthio. Suivirent deux chefs délégués par les autres pour parler au nom de tous. L'un déclara dans une longue harangue que l'on acceptait les présents et que l'on voulait faire la volonté du père. Le second fit tournoyer sa hache au-dessus de sa tête et finit son discours en criant : *"Nous allons essayer la hache de notre Père sur les Anglais pour voir si elle coupe bien."*

Natanis oublia alors le chagrin que lui causait l'absence de Sabatis et la hâte qu'il avait de le retrouver : il vit s'effacer de sa tête l'image de tous ceux de sa maison; une émotion irrésistible, sensation de tous les éclats, de toutes les couleurs, vint l'habiter, le remuer, le bouleverser, fit de lui un prédateur frénétique capable de tuer par simple plaisir.

De retour dans ses quartiers, Bougainville écrivit ce soir-là : *"Nous avons mille Sauvages nus mais demandant du bouillon, c'est-à-dire du sang, attirés de cinq cents lieues par l'odeur de la chair fraîche et l'occasion d'apprendre à la jeunesse comment on découpe un humain destiné à la chaudière. Voilà nos camarades qui jour et nuit, seront notre ombre. Je frémis des spectacles affreux qu'ils nous préparent."*

Dans sa chambre, Montcalm notait, lui : *"Ces Sauvages m'aiment beaucoup."*

Pendant une semaine encore, les rues de Montréal retentirent des cris et des chants de guerre des braves, dont la plupart s'enivraient chaque jour à partir du rhum que le gouverneur faisait dispenser libéralement.

Après maintes hésitations, récriminations, tergiversations, le général donna enfin le signal du départ de l'expédition. Rigaud de Vaudreuil se mit en route le premier avec une partie des Indiens sous ses ordres. Les autres furent confiés à Bougainville qui suivit avec bon nombre de Canadiens, et parmi ceux-là, Jean-Daniel Dumas de Saint-Thomas, héros obscur de la Monongahéla.

À la fin du mois, huit mille hommes dont trois mille réguliers autant de Canadiens et deux mille Sauvages se trouvaient sur les hauteurs de Carillon, sous le haut commandement d'un marquis toujours hésitant.

Une messe solennelle, grandiose, fut célébrée par des missionnaires accompagnant les troupes. La ferveur exceptionnelle manifestée par les Abénakis édifia les Sauvages infidèles venus de loin.

### Atlantique (août)

Loudoun rentrait en catastrophe d'une expédition avortée. En fait trop minutieusement préparée : camp formidablement propre et ordonné, exercices militaires devant une foule de spectateurs ébahis, répétition de la prise de Louisbourg avant la générale.

Mais Versailles, au début de l'année, a fini par émerger de sa torpeur et révisé ses positions suite aux représentations de Belle-Isle. Et à la lumière des renseignements fournis par le réseau d'espionnage sur les déplacements et intentions de Loudoun, on a envoyé à Louisbourg des secours plus importants que ceux prévus. Que viennent les forces anglaises disponibles en Amérique, on avait de quoi les tenir en échec ! Troupes de renfort promises plus deux régiments plus une solide défense navale sous Du Bois de la Motte, un amiral chargé d'expérience et d'honneurs. On savait où l'ennemi s'apprêtait à frapper et avec quels moyens, et on lui a opposé le feu et les bras en équipollent.

Voilà pourquoi Vaudreuil en a profité pour organiser la percée de la route de l'Hudson qui lui donnera le contrôle du New-York, du New Jersey et du Connecticut au moins.

Munro et ses trois mille hommes pourraient-ils tenir le coup à William-Henry contre les forces ennemies regroupées? Si William-Henry tombait, le fort Edward, à quinze milles de là, dernier point de défense du New-York, tiendrait-il mieux grâce aux quatre mille soldats du général Webb ? Ces questions rongeaient le stratège qui, chaque minute, regrettait la lenteur de la flotte décimée par une tempête quelques jours auparavant, ce qui avait forcé maints navires à rallier un port d'Angleterre pour y faire radouber leurs avaries.

## Norwich

Dimanche paisible sous un soleil pas toujours fidèle, mouché parfois par des nuages épars, gris et qui pleuraient sans se faire prier. Des coups de rayons chauds qui brossaient le feuillage diamanté et lui ôtaient ses paillettes d'émeraude. Une ville au ralenti que les églises avaient avalée puis dégorgée par vagues successives. Une paix scintillante qui planait au-dessus des eaux tranquilles de la Thames. Et de petites averses pour se souvenir que tout n'est pas toujours au beau fixe.

Mais que de commotions dans les demeures ! Que de tourbillons dans les âmes ! Les pasteurs ont annoncé le pire. Les hordes barbares venues du nord s'apprêtent à fondre sur William-Henry et Edward. Rien ne les arrêtera plus ensuite. Elles mettront à feu et à sang tout le New-York et le Connecticut.

Dans ses dehors calmes, proprement ordonnés, le jeune Benedict Arnold a bondi comme une bête traquée. Il répondra à l'appel. Personne ne pourra plus l'en empêcher, car il a l'âge maintenant. On a besoin de tous les bras valides au lac George (Saint-Sacrement). Il y sera aussi vite que sa monture pourra l'y conduire.

Les Lathrop lui ont offert un cheval au printemps. Par reconnaissance pour son dévouement à son travail, pour sa chaleur avec la clientèle, sa façon de guider l'achat, de se faire aimer, pour l'amour de sa patrie qui transcende chaque fois qu'il parle de la guerre. Mais aussi pour accompagner Amélia quand elle se fait cavalière et qu'elle ne peut compter sur Joshua ou Judith pour partager son plaisir.

L'adolescent est devenu un cavalier hors pair. Il est fort; il est agile; il est acrobate. Il tire juste avec un mousquet et même avec un pistolet. Si juste qu'on dit qu'il pourrait abattre un Abénakis à cinquante pas d'une balle entre les deux yeux.

Fort heureusement, il n'y a pas de raids cet été-là. Les Indiens sont regroupés autour de l'armée franco-canadienne. Mais sait-on jamais avec tout ce bouillonnement sur l'Hudson et aux lacs ?

Quatre fois, ils ont chevauché ensemble. De longues et belles randonnées au bord de la Thames. Avec goûter sur l'herbe. En toute amitié. Car il a mis un frein à sa propre passion, s'est muselé le coeur, dompté, pris en mains. Jamais plus il ne tentera une nouvelle approche avec Amélia. Il se contentera de se sentir bien à ses côtés.

Sous prétexte d'un besoin personnel, il s'est éloigné, un jour, pour lui composer un bouquet de marguerites et d'hyacinthes. C'était un avant-midi de juin qui sentait bon, aux brillantes fraîcheurs coulant sur la rivière en restes de vapeur. Amélia devina que l'adolescent tramait quelque chose, un complot qui lui vaudrait de l'agrément. Car il était toujours si attentionné avec elle. Mais si distant quand il était proche. Peut-être trop ! se murmura-t-elle en l'entendant revenir puis en l'apercevant, un bras caché derrière le dos. Il lui dit :

–J'ai pris le printemps dans ma main, l'été dans mes doigts et j'en ai fait un bouquet pour l'être le plus pur et le plus beau que je connaisse.

Il tendit brusquement les fleurs, termina d'un ton exclamatoire :

–...en Amérique !

–Merci, Benedict, merci ! Tu vas faire des ravages dans le coeur de ces dames. Au prochain bal, tu nous accompagneras, Joshua et moi.

Elle eût voulu qu'il s'approche davantage, mais le jeune homme faisait déjà des pas vers une autre idée, cherchant des cailloux plats qu'il lançait vers la rivière de manière à les faire rebondir sur l'eau.

–Quand j'étais jeune, je gagnais toujours à ce jeu-là. Trois, quatre bonds chaque fois.

Ayant réussi à si bien encager sa passion pour Amélia, il était resté de grands espaces en son âme pour d'autres élans. Son goût pour l'aventure n'était maintenant surpassé que par cette flamme patriotique si bien nourrie par les discussions des Lathrop. Ce dimanche matin, sa décision a donc été rapide et finale.

Au retour à la maison, il se confia à Hannah qui l'exhorta à en parler à leur mère. Ce qu'il fit. La femme n'avait plus assez de forces intérieures pour s'y opposer fermement. Il fit voir l'assurance de sa décision.

–J'aimerais bien que tu demandes la permission de Joshua, furent les derniers mots que lui dit la femme quand il partit.

Les Lathrop comprirent aussi sa détermination. Joshua s'enthousiasma. Amélia resta silencieuse. Il ne fut tout d'abord que cinq minutes à leur table. Il mangerait en route, n'avait pas faim. Il se rendit saluer les esclaves dans la cuisine. Lydia le serra sur elle en pleurant. Puis il entra dans la salle à manger, écouta le propos de Joshua sur ce qu'il lui fallait emporter ou laisser pour ne pas s'encombrer mais avoir l'essentiel. Il lui parla de la route Albany-Hartford, lui confia une carte détaillée et une seconde de certitude faite de sa propre main quelques minutes plus tôt. Où traverser l'Hudson. Quoi faire avec son cheval une fois là-bas. Comment ne pas s'exposer inutilement aux balles de l'ennemi. Avoir des yeux tout le tour de la tête pour prévenir une attaque par derrière de la part d'un Indien. Comment se confondre ou ne pas être confondu avec un Canadien : question de coiffure, de cris, de chaussures, de mousquet.

Amélia resta dans l'ombre, picochant sans conviction dans un mets refroidi, jetant parfois une rare oeillade discrète du côté des deux hommes. C'était bien qu'il parte. Elle prierait pour lui. Dieu le protégerait. Il rencontrerait son destin. Sa présence devenait de plus en plus dangereuse pour... pour leur âme.

Tel un vieux routier, Benedict fit le récapitulatif des choses utiles à un soldat, puis il se rendit à sa chambre en prendre quelques-unes tandis que Joshua lui préparait des concoctions médicinales.

Une heure plus tard, ils achevaient de tout attacher sur la monture. Joshua vérifia une dernière fois les pistolets dans les fontes. Benedict embrassa Amélia sur les joues comme il l'avait fait avec sa soeur, dit :

—Le ciel me pardonne de donner une accolade le jour du Seigneur !

—C'est pour la patrie, rit Joshua.

Amélia rentra précipitamment sans dire un mot.

—Elle est très... peinée de te voir partir. La guerre lui fait horreur. Elle a grand-peur pour toi.

Benedict réagit en insufflant une large dose d'énergie à ses bras et ses jambes. Il mit un pied sur le montoir et, bondissant presque, il enfourcha la bête qui donna un coup de tête au ciel comme pour faire comprendre qu'elle savait.

Joshua détacha la longe et la garda un bon moment afin de pouvoir multiplier les recommandations de dernière minute.

Le jeune homme était assis le corps droit, le port altier, le chapeau à la pointe bien centrée devant ses yeux, sur son cheval bai aux jambes nerveuses qui en disaient long sur sa fougue.

L'oncle tendit la corde et la main. Le cavalier clappa. Le cheval entreprit un demi-tour.

Benedict jeta un oeil à la fenêtre d'Isabella. Puis à la sienne sans le faire exprès, comme pour se dire adieu à lui-même. Il y aperçut Amélia qui avait un mouchoir à la main.

## Province du New-York

À Albany, les recruteurs laissèrent l'adolescent moisir dans un camp de recrues. Pendant une semaine, on calma son impatience en lui répétant qu'il serait incorporé au premier détachement de renfort envoyé par Loudoun au lac George.

Ce détachement n'arriva à Albany depuis New York, que le matin du dimanche suivant alors que la partie en était déjà rendue à sa phase finale à William-Henry.

Depuis cinq jours qu'on s'y battait après que les Franco-Canadiens eurent coupé les communications entre les deux forts. Le second jour de siège, Webb, au fort Edward, écrivit au commandant Munro à William-Henry pour lui faire savoir qu'il ne marcherait pas à son secours, et pour l'informer du nombre des attaquants, et lui demander de chercher à obtenir la meilleure capitulation possible, s'il n'était point capable de tenir jusqu'à l'arrivée des secours demandés à Albany.

La lettre fut interceptée puis réacheminée à Munro. Le feu des assiégeants fut extrêmement vif jusqu'au dimanche matin alors que le commandant de William-Henry demanda à capituler.

Une partie des troupes anglaises put quitter les lieux durant la journée avec armes et bagages, mais sans munitions. Les autres restèrent sur place comme prisonniers, pour s'occuper des blessés. Ils s'en iraient le lendemain, escortant femmes et enfants, vers le fort Edward.,

Les Indiens s'adonnèrent au pillage. Ils trouvèrent un entrepôt de marchandises, l'éventrèrent, y découvrirent de grandes quantités de rhum qu'ils se partagèrent dans une sorte de démence à la frustration et ingurgitèrent dans une rage bizarre et inquiétante.

Natanis et Sabatis, qui s'étaient retrouvés à Carillon, furent de ceux qui dansèrent, festoyèrent, murmurèrent une partie de la nuit contre Montcalm et ses officiers qui leur avaient donné ordre de ne point toucher aux Anglais du fort. Eux, plus encore que d'autres, restaient sur leur soif de sang. Leur féroce appétit réveillé par les temps durs vécus à Saint-François l'hiver précédent, aiguisé par les promesses d'une abondante récolte de chevelures, brimé par une capitulation hâtive, débridé par le rhum et par la vue de tous ces ennemis captifs, explosa tout à coup à l'aube du jour suivant après que l'Abénakis le plus fervent qui ait assisté à la messe de Carillon se soit rué sur un jeune soldat et lui eut ouvert le crâne avec sa hache.

Fut alors déclenché le plus horrible massacre de toute cette guerre. De tous les côtés à la fois, des prisonniers, hommes, femmes, enfants, furent traînés dans un coin de l'enceinte pour s'y faire tailler en pièces, disloquer comme des pantins.

Il se forma une haie humaine de guerriers habillés d'un peu de peinture et de quelques cuirs, mouvante, hurlante, autour de l'abattoir improvisé. Ce furent d'abord quatre jeunes gens arrachés à leur sommeil, hébétés, poussés par bourrades de coups de poing et de pied. Néanmoins, ils arrivèrent intacts plus ou moins au lieu du supplice. L'un d'eux pouvait avoir l'âge de Benedict Arnold, sa taille, sa carnation foncée, son oeil bleu, sa force de caractère. Il se relevait d'un saut leste aussitôt qu'on le jetait par terre en lui faisant subir un croc-en-jambe. Et il se remettait à marcher, la tête haute, le regard fier.

Dans leurs rires tordus, deux guerriers plaquèrent sur la palissade un prisonnier fou de terreur. Les trois autres étaient mis en réserve, maîtrisés par d'autres braves. Ce premier meurtre serait rapide, car il fallait du sang au plus tôt pour exciter la foule qui n'en avait guère vu encore. Celui des blessés ne faisait point saliver. Quant au meurtre précédent, il avait été discret, juste suffisamment public pour déclencher les mécanismes de l'horreur montés dans les basses-fosses de l'animalité humaine.

Un troisième Abénakis, venu de nulle part, fit virevolter sa hache devant le visage implorant; il s'adonna à un énorme saut nerveux. Et alors même que ses pieds écartés touchaient le sol, l'instrument tenu d'une main s'abattait en biais sur le front de la victime. Le corps s'affaissa. On le laissa choir par terre. L'assaillant mit son pied nu sur le visage ensanglanté pour mieux retirer sa hache bien pénétrée. Puis comme si la tête avait été une bûche à fendre, il lui assena des coups à deux mains tant qu'elle ne s'ouvrit pas tout à fait et qu'il n'eut pas frappé une dernière fois dans le cerveau qui jaillit blanc et rouge sur l'herbe verte.

Il sortit un couteau rageur de sa ceinture, en serra le manche avec autant de violence que ses mâchoires en montraient à se contracter. Et le plongea dans l'orbite oculaire gauche du corps dont il fit le tour pour en extraire l'oeil sans le crever. Ce qu'il réussit mieux qu'un autopsieur de profession. Il retira l'organe avec l'index et le majeur de son autre main, coupa ce qui le retenait encore, nerf optique, ligaments, le tout en un tournemain, puis il le montra à la foule délirante avant de le jeter en l'air, très haut. Heureux comme des noceurs, les assistants se ruèrent en direction de la chose qui retomba dans une main preste. L'heureux élu, car il s'agissait d'un concours tacite visant à déterminer le prochain bourreau, se fraya un chemin sans peine jusqu'à son prédécesseur. Il montra triomphalement l'organe avant de se le jeter dans la bouche, de le crever et de le dévorer, des humeurs lui coulant aux commissures des lèvres.

Ce fut l'hilarité générale.

Un second prisonnier hurlant fut mis en place et assassiné aussi rapidement, son cadavre aussitôt scalpé. Puis le troisième. On avait gardé le plus brave des quatre, le seul qui, tel un Indien, n'avait ni imploré, ni crié, ni essayé de s'échapper. Il fut poussé au lieu du supplice contre le mur de bois, retenu. Un guerrier s'approcha pour donner le même spectacle que les trois précédents. Comme eux, il fit tournoyer sa hache devant les yeux du supplicié; comme eux, il sauta soudain, jambes écartées. Là se termina sa répétition imitative, car, avant même que ses pieds ne touchent le sol et donc que sa hache n'assomme sa victime, il lui fut administré entre les jambes, droit sur les organes génitaux, le plus formidable coup de pied à s'être jamais donné depuis le commencement de cette guerre. Ses pieds touchèrent quand même le sol, mais que le temps d'y prendre appui, car l'éclat d'une vocifération immense le fit rebondir trois fois plus haut que lors de son premier saut. La hache vola, tomba dans l'herbe plus loin : l'Indien se retrouva sur le dos, trois pieds derrière. Il roula sur lui-même, retenant ses mains de se porter au secours de ses organes éclatés par une douleur insupportable, sidérante, s'enfonçant jusque dans son estomac.

Le prisonnier avait gagné le droit de se battre. Ses geôliers le libérèrent. Aussitôt, il s'élança vers son bourreau qui marchait à quatre pattes vers sa hache. Il arriva alors qu'il l'atteignait, lui écrasa la main sur le manche avec sa botte dure. L'Abénakis, dans un geste d'une extrême vivacité, sortit son couteau de sa ceinture et le planta dans la botte, sur le dessus de cuir noir qui fut envahi par le sombre écarlate d'un flot de sang.

Aussi vif, le jeune Anglais, de son pied valide, frappa son ennemi en pleine arcade sourcilière, l'éclata d'un coup d'une brutalité inouïe, dicté par sa lutte pour la vie mariée à la souffrance que lui valait sa blessure. Le Sauvage fut repoussé de trois pas, le temps qu'il fallut à l'Anglais pour retirer le couteau et prendre la hache. L'Indien se remit sur ses pieds, un oeil déjà bouché par l'enflure, la joue tuméfiée.

Et les deux adversaires se retrouvèrent dans un face à face comme les aimaient tant les Indigènes, l'un armé de son seul tomahawk et l'autre fort des armes qu'il avait conquises sur son ennemi. L'un abasourdi, l'autre boiteux. Tous les deux au paroxysme de la souffrance et de la rage muettes. Se toisèrent. Prêts à s'entre-dévorer. L'Indien bougea. Sèchement. Sur sa droite. L'Anglais resta là. Immobile. Le souffle court. En alerte totale. L'Indien osa deux pas en avant. Casse-tête s'agitant. Dans des gestes éclatants. L'adversaire recula. Recul calculé. Il put frapper le tomahawk avec le taillant de la hache. Le manche fut largement entamé. L'instrument fut à moitié brisé. Perdit toute utilité. L'Abénakis le rejeta.

L'Anglais marcha en avant. Lentement. Repoussa l'autre sans le toucher. Jusqu'à la palissade. L'épaule vint en contact. L'Anglais s'élança. Attaque foudroyante. Hache devant. Mû par un seul désir fixe : montrer qu'il pouvait faire mieux que l'autre, maintenant que la situation était inversée, encore que l'autre eut alors les bras libres et que lui-même les avait retenus en pareille circonstance.

Mais l'Indien n'avait pas dit son dernier mot. Il attrapa le bras vengeur. Le retint un moment. Un court moment. Car une lame s'enfonça en lui. Dans le flanc. Comme dans de la viande mortifiée. La pointe atteignit le coeur qui se convulsionna dans une violente arythmie avant de s'arrêter à jamais.

L'Anglais recula d'un pas, regarda le corps tomber. Il leva ses bras désarmés au ciel en signe de victoire, entama un mouvement pour se tourner vers la foule. Le temps ne lui fut pas donné. Un jeune guerrier accourant lui assena sur la nuque un coup de son casse-tête puis l'acheva d'un second coup sur le crâne qu'il s'empressa de scalper.

Pas cinq minutes s'étaient écoulées depuis le commencement de la tuerie. Alertés par le tumulte, des soldats prévinrent des officiers. L'un d'eux courut chez Montcalm. Le marquis dormait paisiblement dans sa chambre sise dans les locaux du commandant Munro parti la veille pour le fort Edward.

Le général s'habilla tant bien que mal, mécontent qu'on lui gâchât la première vraie bonne nuit de sommeil qu'il ait eue depuis un mois. Pendant ce temps, des soldats anglais, des femmes et des enfants furent emmenés sur la place du carnage, dénudés, éventrés, charcutés.

Lorsqu'enfin Montcalm accourut sur la passerelle longeant l'enceinte et qu'il aperçut l'atroce boucherie, trente cadavres gisaient déjà dans l'amoncellement des morceaux gluants et chauds des autres. Il arriva alors même qu'un jeune Iroquois, le visage à la frénésie sanguinaire, s'emparait d'un jeune enfant dans les bras de sa mère, l'arrachait à sa désespérance, l'empoignait par les chevilles, le rabattait de toute sa folie furieuse contre le tronc d'un arbre qui avait déjà servi trois fois à cet horrible jeu.

Bougainville parut à son tour sur la passerelle, mais depuis l'autre direction. Il était à demi vêtu, mains nues, sans armes. Il jeta un coup d'oeil à Montcalm puis sauta en bas parmi les Sauvages qu'il écarta brutalement pour se rendre au lieu du massacre. Pendant qu'il sauvait des prisonniers un à un, le général donnait l'ordre à trois officiers accourus auprès de lui de faire cesser cette rage meurtrière.

–Comment ferons-nous ? En tirant sur eux ? Ce sont nos alliés. Faut-il tuer l'un des nôtres, même s'il est un Indien, pour défendre la vie d'un ennemi ?

–Ce ne sont pas des ennemis, ce sont des prisonniers. Voyez ces femmes qu'on égorge. Allez-y à mains nues comme Bougainville. À vous voir protéger les Anglais, la fureur des Indiens baissera peut-être.

Ce fut en vain. Les officiers et d'autres soldats qui se joignirent à eux furent repoussés à coups de poing et de manche de hache. Seulement Dumas et les Canadiens auraient pu modérer les ardeurs des Abénakis, mais la plupart d'entre eux dormaient dans la forêt, toujours de faction sur la route du fort Edward.

Montcalm entreprit de crier, de gesticuler, de chercher à se montrer, de marcher en long et en large, personne ne l'entendit et nul ne l'aperçut. Incapable de supporter plus longtemps la vue d'actes aussi cruels, frémissant à l'idée qu'en vertu d'un juste retour des choses, il pourrait un jour prochain avoir à son tour besoin de la protection de l'ennemi, il retourna à ses locaux pour y écrire ses annotations quotidiennes en espérant que ses officiers puissent reprendre le contrôle de la situation en bas.

Il nota : *"J'ai employé la prière, la menace, la promesse pour faire cesser ce désordre." Je leur ai dit : "Tuez-moi si vous le voulez, mais épargnez les Anglais qui sont sous ma protection. Que pouvais-je faire de plus ?"*

Le plus souvent vétillards, les journaux ne devaient pas s'entendre sur le nombre de tués à William-Henry ce matin du dix août 1757. Les propagandistes, de part et d'autre, s'empêtreraient dans des exagérations contradictoires, échevelées.

Natanis obtint deux chevelures et Sabatis une seule.

Bougainville sauva deux enfants puis deux femmes.

Elles furent une vingtaine à se faire massacrer. Par la grâce du Tout-Puissant, aucune ne fut violée...


## New York (août)

Pendant que le jeune Benedict Arnold retraversait l'Hudson pour retourner chez lui comme bien d'autres miliciens de Nouvelle-Angleterre suite au retrait inconséquent de Montcalm vers Carillon, un recul qui dépassait l'entendement aussi bien de Loudoun que de Vaudreuil, un jeune officier, l'air poupin, les joues rondes, attablé dans sa cabine d'un bateau de la flotte britannique, finissait de lire la Gazette de New York qui relatait l'affaire encore brûlante de William-Henry.

*"Les médecins indigènes ont procédé avec leurs casse-têtes, à guérir nos malades et nos blessés. Puis ils ont fait main basse sur les épées, les montres, les chapeaux, les habits et jusqu'aux chemises des officiers et des soldats avant de s'enhardir à lever des chevelures. Les assaillants coupèrent la gorge à la plupart des femmes sinon à toutes, leur ouvrirent le ventre, leur arrachèrent les entrailles et les jetèrent en tas sur la face de leur cadavre... Dorénavant, ne sera-t-il pas d'une rigoureuse justice et d'une nécessite absolue de faire des exemples sévères de nos ennemis inhumains lorsqu'ils nous tomberont entre les mains ?"*

L'homme poussa un soupir, força de l'air à sortir de son estomac, grimaça de sentir des aliments indigestes, comme tous ceux qu'il absorbait d'ailleurs, tournoyer et, tels des pointes de métal, lui lacérer l'intérieur.

Il prit sa plume, gratta sur du papier, signant une lettre qu'il avait fini d'écrire juste avant de commencer à lire le journal :

*"James Wolfe"*


## Mount Vernon (décembre)

Le serviteur noir fit un salut respectueux en se retirant après avoir introduit une jeune dame superbement allurée en tenue de cavalière, auprès de George Washington se mourant d'une double maladie ou ce qui semblait l'être aux yeux des médecins : la dysenterie et la tuberculose combinées, ce qui, vraisemblablement, avait aussi emporté son demi-frère Lawrence quelques années auparavant.

Terriblement enfoncé dans l'angoisse que la perspective

d'une mort prochaine augmente proportionnellement au désir de vivre, le jeune homme l'était encore davantage dans son lit et ses oreillers. En ouvrant les yeux, il trouva la force de se composer un sourire fragile pour accueillir la visiteuse à qui il trouvait tous les attraits depuis ce jour béni où il l'avait vue pour la première fois chez ses voisins, les Fairfax, quand elle était arrivée de Williamsburg au bras de son nouvel époux.

–Sally, très chère Sally !

–George, fit-elle tendrement, de sa voix à touche nasillarde, s'approchant d'un montant du lit à baldaquin.

–Je suis si heureux de te voir... enfin.

Les mots se transformèrent en une quinte de toux qu'il chercha à contrer en s'étouffant presque lui-même dans l'oreiller amortisseur de bruit.

–Ne parle pas, George, je vais faire la conversation. Ne te fatigue pas, sinon Sally devra s'en aller pour ne pas se sentir coupable.

–Je vais parler, Pardieu ! je vais parler... C'est la seule chose en ce bas monde que je suis encore capable de faire.

–Bientôt... à la Noël, tu vas pouvoir courir autour de la maison et jusqu'au fleuve.

–Ou bien je courrai à Belvoir pour... jouir de la vue plus... fréquente de ma belle voisine.

–George ! s'exclama-t-elle sur un ton de reproche.

–Je t'attendais avant aujourd'hui.

–George, oublierais-tu que je suis une femme mariée ? Et que je le suis à ton meilleur ami ?

–C'est précisément pour ces deux raisons que je t'attendais un peu plus vite.

–J'avais des nouvelles de toi par William.

–Je le sais... Will a été si fidèle, lui.

–Et si on parlait de toi ?

Il fit un 'hum' de dédain sur lui-même avant de dire :

—Je ne suis que George Washington.

—Ça ne te suffit pas non ? Tu es un homme... grand, beau... et habituellement fort.

—Fauché par les maladies à vingt-cinq ans.

—Les maladies ?

—Le docteur Craig pense que tout mon sang est corrompu. Il a eu beau m'en ôter la moitié, le vieux gâte à mesure le nouveau que mon corps fabrique. De plus, ce qui pourrait être bon pour guérir un mal augmente l'autre.

Elle soupira, fit deux pas vers la tête du lit. Il la détailla dans son costume rouge et noir à la tunique aux allures militaires sur sa jupe en futaine largement froncée. De l'ensemble, c'est le chapeau qu'il aimait le plus : si prestigieux dans ses élégantes décorations de rubans écarlates, de rosettes et de plumes d'autruche.

—Tu sais qu'on parle de toi encore dans la Gazette de Philadelphie ?

—Pour quel mérite, pardieu ! pour quel mérite ? Les Canadiens français avec leurs Indiens viennent massacrer nos gens là où ils le veulent. Aux portes des villes... Ils se promènent impunément par toute la Virginie et la Pennsylvanie. Ils frappent... Tuent... Scalpent... Disparaissent... Et ils sont insaisissables. Pour quel mérite, Sally, pour quel mérite ? C'est sur mes épaules que reposait la tâche de les tenir en échec. Pour quel mérite, dis-moi ?

—Celui d'être là simplement. Celui de rester debout, les deux pieds bien plantés dans ta détermination, ta volonté de les affronter comme tu l'as fait à Necessity au lieu de céder à la peur comme tant d'autres. C'est pour cela que les journaux font souvent ton éloge.

—Je ne peux même pas faire carrière avec les réguliers. Loudoun, le cher homme...

–Loudoun a fait la preuve de son incompétence. Il sera remplacé par le général James Abercromby, le savais-tu ?

–Sally... ne gaspillons pas des moments qui pourraient être divins autrement, à discuter d'affaires politiques, militaires ou à parler de la pauvre carrière de George Washington. Pour le temps qu'il me reste... Pour le temps qu'il nous reste.

–Bien au contraire, c'est de cela dont il faut parler.

–Sally...

–De quoi d'autre ?

–De... de toi.

–Non, pas de moi, George, pas de moi...

*\*\**

# *1758*

## Québec

Tandis que le gouvernement anglais de Pitt dépensait sans compter pour la guerre, que Londres incluait dans ses budgets le dédommagement des colonies pour la campagne de 1756, remettant aux gouvernements coloniaux le prix des armes, des munitions, des approvisionnements qu'ils ont fourni aux régiments levés dans leurs provinces, que des caisses remplies de pièces d'or et d'argent étaient expédiées à Boston, le Canada s'enfonçait encore plus profondément dans la misère.

Québec surtout avait faim. Et froid. Car il fallait encore chauffer les maisons bien qu'on fût le dix-neuf mai. Chaque fois que les Bernard y montaient, Marguerite visitait les Ursulines en espérant y glaner des nouvelles fraîches des Acadiens perdus sur les côtes de Virginie, des Carolines, de Georgie, de Louisiane.

Si les siens revenaient un jour au pays, sûr qu'on le saurait par Québec. Les arrivants étaient tous inscrits officiellement par l'administration de la colonie. Il y avait à l'intendance une liste publique que Joseph allait consulter tandis que soeur de la Nativité remuait les espérances de Marguerite.

Ce jour-là, il la retrouva transformée quand elle émergea sur la rue des Jardins. Il pensa qu'elle avait une heureuse nouvelle à lui apprendre tant son front était placide, contrairement à ce qu'il y trouvait généralement de soucis énormes et d'angoisse en rides, quand elle absorbait une nouvelle déception.

J'ai reçu de l'encouragement de la supérieure. Elle pense que l'avenir est ben sombre.

Joseph rit :

—Encouragement ? Avenir noir ?

—Ce que je veux dire... c'est que les Acadiens qui sont au loin vont manger moins de misère que ceux qui recommencent leur vie par icitte.

—Ça, c'est connu. La malchance porte pas rien que le malheur dans ses grands bras déplaisants. Sans elle, nous autres, on serait pas ensemble.

Marguerite rajusta son châle gris, s'y enveloppa les deux bras en les croisant devant elle.

—Mère de la Nativité dit qu'il y a des bonnes terres itou par là-bas, que ben des Acadiens ont pu s'en acheter, que les colonies anglaises sont pas dans la grosse misère comme le Canada. Elle m'a dit de dormir tranquille, qu'il va venir des temps meilleurs, de prier fort pour ça pis de sourire plus.

Ils se dirigèrent lentement à la place du marché que Joseph n'avait jamais vue aussi muette. Quelques étalages d'antiquailles que l'on cherchait à troquer pour de la nourriture. Des serviteurs et même des bourgeois brandissant de la monnaie de cartes en réclamant de la fleur à hauts cris répétés. Hélas ! personne n'avait de farine à vendre. Les seigneurs la redistribuent dans les campagnes après que l'intendance se soit servie au nom du roi pour les besoins de l'armée. Des allants et venants hébétés, affamés, et qui guettaient d'un oeil petit et farouche aux fins de trouver quelque part un quartier de viande fumée; ils ramasseraient avec empressement un vieux chou noirci ou quelques carottes ratatinées par le temps. Des enfants marchaient, l'air effaré; leurs deux onces de pain par jour ne suffisaient plus à supporter leurs cris et leurs gambades. Ni à soutenir leur innocence, car eux aussi, subtiliseraient bien un gigot mal surveillé.

–La supérieure a ben raison : la pauvreté est plus grande que je pensais, soupira Joseph.

–C'est quasiment une chance, comme tu disais, que ta jambe soit infirme pis t'empêche de retourner dans la milice.

–Oui, parce que sur une terre, ça prend un homme. Je te dis que la misère, elle commence à rôder pas loin de chez nous. Les trois enfants à Grand-Jacques, je suis pas sûr qu'ils mangent à leur faim tout le temps depuis qu'il est parti.

–Des fois, je me demande si on devrait pas offrir à la Geneviève d'en prendre un avec nous autres pour le temps de la guerre.

–C'est une idée que j'ai eue. Ça fait une secousse que je voulais t'en parler. Des voisins, c'est précieux. Peut-être qu'un jour, on aura besoin d'eux autres à notre tour. Parlant de ma jambe, je commence à l'avoir fatiguée à force de marcher sur le dur de même. C'est pas comme de fouler la terre.

–Allons prier à la cathédrale. Ça va nous reposer un peu pis ça sera pas de trop pour aider tout ce pauvre monde.

–Quand on sera en dedans, tu me regarderas pas parce qu'il va falloir que j'ôte ma tuque. Icitte, c'est pas comme à L'Islet, j'ai point de permission spéciale.

–Si tu veux la garder, c'est pas le bon Dieu qui va t'en demander des comptes, que je pense, moi.

Il releva la tête qu'il tenait toujours basse pour surveiller ses pas et ne point risquer de se tordre la jambe en mettant le pied dans quelque ornière malencontreuse.

La cathédrale, à coup sûr la plus belle église du Canada, lui apparut dans toute la force de son *"imposante façade en pierre de taille avec sa tour octogonale coiffée d'une flèche élevée d'une fine élégance."* Ça n'avait rien de comparable avec celles de France, il le savait de ses parents depuis qu'on l'avait achevée en 1748, mais pour une construction coloniale, il pouvait s'agir d'un chef-d'oeuvre. Et puis lui, le simple provincial, n'avait jamais vu mieux. En tout cas, possédait-elle toutes les splendeurs capables de donner plus de profondeur à la prière et très certainement de la rendre plus efficace.

Aucun lieu en Canada mieux que son intérieur n'était susceptible d'élever autant les coeurs vers Dieu. Marguerite l'admirait pour la première fois en avançant dans la grande nef entre les rangées de sièges. Chemin de croix sculpté, coloré, vivant. Collatéraux ornés de splendides peintures. Chaire dorée. *"Et au bord du choeur, le trône de l'évêque, le plus bel ornement de l'église, don de Louis XIV lui-même."*

La cathédrale, Joseph l'a appris à sa femme avant qu'ils n'y pénètrent, possède de précieuses reliques, les corps des martyrs Flavien et Félicité, chacun dans sa châsse, ainsi que la tombe du prestigieux et très vénéré monseigneur de Laval considéré par tous comme un saint canadien.

Marguerite et Joseph prièrent en mordant bien dans chacune de leurs invocations, n'ouvrant les yeux que pour s'abreuver aux beautés du temple, suppliant le ciel de ramener la paix et la prospérité d'antan, demandant au Tout-Puissant de bénir leurs proches à commencer par le petit Jean resté sous la garde de son grand-père, les voisins, tout L'Islet, l'abbé Dolbec, le curé Maisonbasse.

C'est lui qui mit fin à ces moments de recueillement par un grand signe de croix suivi d'une génuflexion à deux genoux dans l'allée. Marguerite le laissa partir pour lui éviter le malaise de se savoir vu cicatrice à nu. Et puis, elle avait plus de monde que lui à recommander à la protection de la divine Providence.

Quand elle le rejoignit à la sortie, il y avait frénésie sur la place publique. Des marchands abandonnaient leurs étals et couraient en direction du fleuve. Les enfants ayant retrouvé leurs cris faisaient de même. Jusqu'à des vols d'oiseaux qui passaient en V dans cette direction.

–Quoi c'est ? demanda Joseph à un passant pressé.

–Savez pas ? Il arrive un navire de France. Y en aura d'autres, c'est sûr. Nous sommes sauvés.

Joseph et son épouse se regardèrent. Leurs yeux se dirent que leur prière n'avait pas été vaine.

## L'Islet

Leur ferveur fut plus grande encore à la fête de la Saint-Jean qu'ils célébrèrent avec tout L'Islet sur la place de l'église.

Un grand nombre d'habitants sans beaucoup d'hommes dans la force de l'âge, tous partis pour défendre Carillon ou servir à Québec, prirent leur repas assis sur l'herbe. On se sépara des laitages et les derniers légumes de l'année précédente.

Le groupe des Bernard comptait aussi Geneviève et ses enfants. Durant la journée, elle se décida à confier à ses voisins sa fillette de deux ans, une petite au regard grand et inquisiteur, maladif et triste, prénommée Suzanne.

–On te la renverra l'été prochain si la guerre est finie, dit Marguerite, rassurante.

–Ou ben si tu tombes enceinte ? opina Geneviève.

–Ça ?

Joseph fit cuire à la poêle sur un feu qu'il improvisa habilement comme ça lui connaissait depuis la sauvagerie, des poissons pêchés au petit jour avec plus d'adresse encore. Les effluves alléchantes se rendirent chercher des regards d'envie tout autour d'eux. On se priva pour faire des restes qui furent distribués à des enfants quémandeurs.

Le jeune homme et son père avaient travaillé dans l'après-midi à la construction de la pyramide bâtie comme un gros wigwam, de perches réunies en leur sommet, recouvertes de branches de sapin elles-mêmes piquées d'éclats de cèdre.

À la tombée du jour, le curé Dolbec sortit par le portail, récita des prières, bénit la pyramide avant d'y mettre le feu au moyen d'un cierge. Quand la flamme s'éleva, jetant une sombre lumière sur les assistants, il prit la parole. Son allocution portait sur la guerre. Car l'on savait le Canada terriblement menacé une fois de plus, et maintenant par quinze mille hommes qui, sous la conduite du général Abercromby, se dirigeaient en ce moment même vers la forteresse de Carillon défendue par des effectifs quatre fois moindres. Le sentiment serait certes devenu de l'angoisse si le prêtre avait ajouté, comme il le pensait, que Montcalm ne pourrait, cette fois, gagner la bataille, quels que soient l'habileté de ses officiers et le courage de ses troupes.

Car la guerre était maintenant civilisée. Deux armées européennes avaient dessein de s'affronter selon des tactiques modernes, européennes. Les miliciens tant américains que canadiens et les Sauvages ne pourraient plus y prendre qu'une part négligeable malgré leur nombre encore assez important.

De retour à la maison, les Bernard endormirent les enfants et ils se retrouvèrent à la fenêtre de la chambre de Joseph pour compter les feux qui brûlaient encore sur la rive nord du Saint-Laurent. Ils se parlèrent des gens qu'ils avaient côtoyés ce jour-là, de la petite adoptée qu'on se promettait de remplumer avec du bon lait et des oeufs frais, du petit Jean sans cesse parti en exploration et qu'il fallait courir, rattraper, du bateau naufragé qu'elle avait bien repéré finalement ce soir de tempête.

–Mon âme est icitte asteur autant qu'en Acadie, dit-elle soudain dans un coq-à-l'âne en s'accoudant sur la tablette de l'allège. Quand tu voudras qu'on se reparle de notre mariage comme on se l'était dit icitte même quand j'étais enceinte, je t'écouterai.

Il s'approcha davantage, mit ses mains sur elle, sur l'arrondi de ses épaules, sur son cou, dans ses cheveux duveteux qu'il toucha avec respect et bonheur, disant :

–Si tu veux rester avec moi à soir...

Elle acquiesça d'un signe de tête qu'il vit malgré le faible éclairage d'une seule fine chandelle posée sur un meuble derrière eux, de l'autre côté de la pièce et du lit.


Par phrases allusives, ils firent comprendre à l'abbé Maisonbasse venu les visiter, que leur mariage avait pris le tournant qu'il avait lui-même souhaité. Pour le jeune prêtre plein d'allant, cela constituait simplement du vieil acquis. Il le savait depuis le premier jour, que les choses iraient ainsi; ne l'avait-il pas inscrit lui-même dans le ciel ?

Ce qui avait toute sa flamme en ce samedi de plein soleil, c'était le miracle survenu sept jours auparavant au fort Carillon.

Montcalm avait encore gagné !

–Nos troupes ont sûrement une force surnaturelle qui les guide ! commenta le prêtre avec un grand coup de poing d'enthousiasme dans sa main ouverte.

–Toute la colonie est à genoux et prie le ciel, approuva le père de Joseph.

L'on saurait plus tard que Montcalm, une fois de plus, ne s'était pas vraiment mérité la victoire; elle lui a été offerte sur un plat d'argent par le général Abercromby et sa totale ineptie. Le général français avait disposé ses hommes hors de la forteresse, dans la forêt, derrière des retranchements d'abatis qu'il a négligé de renforcer avec de l'artillerie. La position n'était valable que pour supporter une attaque de front. Elle était indéfendable autrement face à des forces quatre fois supérieures et susceptibles donc de se déployer pour envelopper tout à fait les Franco-Canadiens et transformer ainsi leurs défenses en une souricière parfaite, et les empaler sur leurs propres chevaux de frise.

Mais la guerre s'étant européanisée, Montcalm a eu la chance incroyable d'avoir affaire à un général encore moins brillant que lui-même et qui ordonna le seul mouvement qui ne pouvait pas réussir : l'attaque de front et uniquement cela. Résultat final : deux mille hommes tués ou blessés chez les Anglo-Américains et moins de quatre cents chez les Franco-Canadiens.


Ce qui avait conduit le curé de Saint-Thomas chez les Bernard, c'était un voyage qu'il faisait par toute la Côte-du-Sud afin de promouvoir une cause sacrée. Il fallait, malgré l'absence des hommes, que la population traverse le fleuve quand même, le vingt-six courant, pour aller honorer la bonne sainte Anne dans sa magnifique église de la côte de Beaupré. Un peuple à genoux, là-bas, ferait de l'église une forteresse aussi puissante que celle de Louisbourg. Les munitions : la prière.

Il convainquit sans peine les Bernard de voir à la traversée du curé Dolbec et de plusieurs dizaines de paroissiens de L'Islet. Ils devraient assurer plusieurs allers et retours sur la grande barge de la fabrique. Ce serait une fête aussi grandiose que les précédentes. On espérait de nouveaux miracles cette année encore.

Et il s'en passerait...

## Sartigan

Au retour de William-Henry, l'année précédente, Natanis et Sabatis avaient réuni le conseil de famille. La décision s'était prise d'aller hiverner à Sartigan où il y avait, disait-on, plusieurs cabanes laissées vides par la maladie que l'on ne craignait plus puisque l'épidémie s'était résorbée depuis un bon moment déjà.

La chasse pourrait y être plus fructueuse. Natanis sentait comme un appel au coeur vers le pays de ses ancêtres. Il voulait s'en rapprocher. Mais sans trop s'éloigner des amis français par crainte de l'ennemi anglais. En outre, il avait le sentiment que le danger était moindre là-bas qu'à Saint-François.

Et l'hiver fut bon !

Le sud-ouest de Sartigan, les hauteurs de l'autre côté de la rivière payèrent les deux chasseurs de retour pour leur quadrillage vaillant, les choyèrent. Jamais ils n'en revinrent les mains vides. Y récoltèrent du racoon, du vison, de la loutre, du castor, du lièvre, de l'ours, du chevreuil. Et depuis le retour de l'été, les rivières bouillonnaient de poissons que l'on cueillait à épuisettes remplies. On décida d'y estiver aussi.

Habitué de dormir à la belle étoile dans ses fréquentes courses, Natanis avait appris à lire encore plus savamment dans le ciel. Il observait les configurations célestes pour leur faire dévoiler ce qui devenait vite, pour toute la cabane, des certitudes absolues.

Voilà que depuis quelques nuits était apparue une nouvelle étoile dans le ciel. Non pas une étoile puisque la chose bougeait trop vite; non plus une étoile filante puisque sa vitesse n'était pas assez grande. Un corps inhabituel, étrange...

Il n'en parla à personne. Ce signe lui appartenait. Il le distribuerait aux autres le moment venu. Et lui seul saurait, tout comme lui seul comprendrait ce que le ciel voulait lui dire puisque c'était à lui que le ciel parlait en premier.

Il fallait déchiffrer, éclaircir. Il y affecta toutes les ressources de son cerveau. Alors il devint comme absent aux autres. On le crut malade à nouveau tant il s'enveloppait d'étrangeté le soir, dans sa couverture qu'il allait étaler sur l'éminence du cimetière. Les jours passaient. La lumière ne jaillissait pas, mais le corps céleste augmentait en magnitude.

Le missionnaire vint en visite, confessa, baptisa, inhuma un vieux cadavre de vieillard solitaire qui s'était laissé mourir de froid et qu'on avait oublié dans la cabane-charnier.

Natanis le questionna sur le ciel. Mais plutôt vaguement. Assez quand même pour comprendre que le prêtre non plus ne savait pas. Et ça lui confirma davantage son propre destin d'interprète des célestes augures.

Alors il se rendit sur le point le plus élevé des environs, à une demi-lieue vers le sud, pour se rapprocher de la voûte étoilée. Et pour la première fois depuis le début de sa recherche, le souvenir du récit de la naissance de Jésus lui revint en mémoire. Tout à coup, il se leva, l'oeil rouge, fixé sur l'étoile qui avait encore grossi depuis la veille, et changé de position, et il sut ce que le Grand-Esprit voulait lui communiquer. C'est un messie indien que ce signe annonçait, commandait. Un fils issu de son propre sang et qui deviendrait un grand chef, et qui saurait lire dans le grand livre du ciel, et qui combattrait l'Anglais, et qui ramènerait les Abénakis à Narantsouak. Voilà pourquoi l'on n'avait pas trouvé de fils de remplacement dans les courses au pays des Anglais; voilà pourquoi l'enfant de Petit-Soleil avait été une fille : le ciel avait voulu que ce soit son heure à lui, la bonne.

Il redescendit au village et annonça la vérité du ciel. Et la prouva en montrant le signe, en le distribuant à tous ceux de sa cabane. Dans les journées, les semaines qui suivirent, il s'adonna fébrilement à la fécondation des femmes tandis que Sabatis devait vivre dans une semi-quarantaine et assurait seul l'approvisionnement de la famille.

La matrone étant trop âgée et la fillette pas assez, et le ventre de Front-Brisé s'obstinant à demeurer muet comme une carpe, seule Petit-Soleil, qui avait cessé d'allaiter Jacataqua pour la bonne cause, devint enceinte.

Ce fut une grande joie pour tous de l'apprendre, car, en même temps, le ciel marquait son approbation de manière éclatante. Une formidable, gigantesque brillance née du corps repéré par Natanis, traçait le lit d'un fleuve de pierres précieuses s'élargissant comme à l'infini pour s'estomper en douceurs bleu nuit et jaune lune sur l'horizon.

## Sainte-Anne

Dès la veille, le dimanche, les environs de l'église s'étaient noircis de pèlerins venus des quatre coins du pays. Une multitude venue de Québec. Des Sauvages de partout. Des marins français. Et monseigneur de Pontbriand en personne qui logeait avec sa suite au presbytère du lieu vénérable.

Les plus forts contingents venaient pourtant des campagnes, des paroisses des deux rives du fleuve. On voulait remercier pour le miracle de Carillon. On voulait demander la victoire finale. On désirait implorer le ciel pour que le pays en finisse avec la guerre et la disette. Et cette comète en inquiétait bon nombre. Que laissait-elle présager ? Les prêtres, l'évêque expliqueraient bien, rassureraient.

Joseph et sa femme coucheraient sur un lit de couvertures aux abords du presbytère. On avait apporté une bâche pour le cas plus qu'improbable d'une averse. Car le ciel était net quand on avait traversé. Dès l'aube, Joseph, batelier d'un jour, retournerait sur l'autre rive y prendre son père, les enfants, la famille à Grand-Jacques et plusieurs personnes de L'Islet et de Cap Saint-Ignace.

En soirée, il y eut une belle célébration. En plein air. À la lumière des torches. Un vieux curé d'une paroisse voisine fit une allocution. Et elle porta naturellement sur le superbe spectacle que le ciel offrait.

–Mes bien chers frères, nous savons tous qu'une comète est un astre chevelu qui revient nous visiter périodiquement. Un Anglais, par de savants calculs, aurait prévu le retour de celle dont nous apercevons la queue au-dessus de nous. Au-delà de ces considérations scientifiques terre-à-terre, lorsque le coeur et la foi s'en mêlent, nos yeux ne devraient-ils point y voir la main divine ? Et ce corps céleste ne devrait-il pas être vu, interprété comme un signe de la Providence, comme un symbole de la protection de notre bonne sainte Anne ? D'accord, cet astre est fait de roches, de gaz, de matières inconnues; d'accord, comme le soutient monsieur Halley, nous revient-il tous les soixante-seize ans, mais ces données peuvent-elles nous faire oublier que dans chaque grain de poussière, dans le plus petit corps...

Comme le plus souvent par nuit étoilée, Joseph avait un coin de coeur aux frontières de Pennsylvanie. Marguerite en avait un, elle, du côté des colonies anglaises.


Le jour suivant, fête de la sainte, toutes les prières du pays réunies n'empêchèrent point un corps expéditionnaire anglais sous la conduite d'Amherst, appuyé par la flotte de guerre confiée à Boscawen, de s'emparer de la forteresse de Louisbourg. Ainsi, la porte du pays s'ouvrait brusquement et toute grande à l'ennemi.

La bonne sainte Anne avait jugé bon de ne pas intervenir. Ou bien favorisait-elle la libération du Canada du joug de la mère patrie ? C'est dans cette seule voie que devaient maintenant se diriger les chercheurs de miracles à tout prix.

L'explication de cette déplorable défaite fut donnée par l'évêque de Québec dans les mots suivants adressés au peuple : *"Dieu est irrité. Sa main est levée pour nous frapper. L'ivrognerie est ainsi punie. L'année qui vient sera à tous égards la plus triste parce que vous êtes plus criminels."*

James Wolfe, le principal officier d'Amherst dans cette campagne, eût voulu mettre le cap sur Québec le jour même de la bataille. Il écrivit : *"Je souhaite une guerre de destruction. Je ne peux regarder de sang-froid les incursions sanglantes de cette meute infernale, les Canadiens..."*

## Norwich

Devant la demeure familiale, par un jour de soleil lourd, tous deux sombrement vêtus, Benedict et sa soeur Hannah cherchaient des mots pour s'entretenir. Car il n'y avait pas grand-chose à dire sur ce qui venait de se passer. Et, de toute manière, les paroles n'en pourraient changer un iota.

Un passant, le cordonnier-bourrelier de la rue voisine, traversa celle le séparant des Arnold, ôta son tricorne poussiéreux et s'approcha, les yeux baissés avec des hochements de tête, balbutiant des excuses pour ne point s'être rendu à l'enterrement.

—C'était une sainte femme, marmonna-t-il en tendant la main vers la jeune fille assise dans une berçante qu'elle ne faisait pas bouger pour éviter qu'on l'accuse de s'amuser le jour des funérailles de sa mère.

Elle lui toucha à peine les doigts, remerciant avec un mince sourire triste, caché derrière son voile noir.

—Mes condoléances à toi aussi, Benedict, dit l'homme en dirigeant sa main timorée vers l'adolescent resté debout, droit, poing sur une hanche.

—Je vous en sais gré, monsieur Webb, répondit courtoisement le jeune homme.

—Ma femme a pu se rendre à l'enterrement... mais moi...

—Nous savons que vous aimiez notre mère avec la même... chaleur que madame votre épouse l'aimait elle-même, dit Benedict.

—Elles se parlaient souvent. L'été surtout. De jardin à jardin ou autrement.

—Si vous voulez voir notre père, il est à l'intérieur, dit Hannah en désignant la porte ouverte.

—Oui... je voudrais bien.

Il entra dans des pas de côté mal assurés comme pour s'excuser d'être encore de ce monde tandis que Hannah Arnold dormait, elle, pour l'éternité.

—J'espère qu'il n'est pas déjà trop soûl, jeta l'adolescent en s'accrochant un pied sur un banc de bois adossé au mur.

—Quelle différence ? Tout Norwich le connaît. Et parfois, je me demande si sa réputation n'est pas répandue par toute la province du Connecticut.

—Crois-tu qu'il a de la peine, au moins, pour la perte de notre mère ?

—Ne sois pas trop dur avec lui. Le Seigneur a dit : "Pardonne, et il te sera pardonné."

—Que le Seigneur me protège de pareille déchéance !

Il se fit un long silence, rompu par des éclats de voix à moitié retenus, venus de l'intérieur. La jeune fille cherchait à distraire le ressentiment de son frère. Elle dit :

—Le lithographe a demandé qu'on lui prépare le texte de l'épitaphe, tu veux le faire ?

—Cela te revient, Hannah, pas à moi.

—Il y aura plus de grandeur... dans tes mots à toi, Benedict.

—Non pas.

—J'en suis sûre. Je le sais.

—J'ai préparé quelque chose déjà, mais j'aimerais mieux que tu le fasses, toi.

—Non, non, je t'écoute.

—Attends, je l'ai, ici.

Il trouva un papier dans la poche de sa veste, derrière sa

montre, et le déplia avec soin.

*"En mémoire d'Hannah Arnold l'épouse bien-aimée du capitaine Benedict Arnold, et fille de monsieur John et de madame Elizabeth Waterman. Elle fut un modèle de piété, patience et vertu qui mourut le 15 août 1758. "*

Hannah éclata en sanglots.

—Si c'est pour te faire de la peine...

—Non... non, c'est très beau, très beau, fit-elle à voix brisée.

—Tu sais ce que nous devrions faire ? Entrer, nous débarrasser de ces vêtements chauds, en mettre des frais et propres, et ensuite nous partager une bonne bouteille de cidre. Voilà, je pense, ce que notre mère voudrait que nous fassions en ce moment !

—Et jaser au jardin ?

—Et jaser au jardin.

Dans l'après-midi, ils se reparlèrent de ce qui avait été décidé par leur mère agonisante. Benedict retournerait à son apprentissage. Hannah s'occuperait de son père.


Le soir même, Benedict réintégrait sa pension chez les Lathrop après un mois d'absence. Amélia se sentit rassurée. Car la maison n'était pas complète sans lui. Il s'en irait bien un jour, mais alors, le nouvel enfant dont elle était enceinte comblerait le vide.

Et lui décida qu'une partie de ses gages irait en économies laissées entre les mains de Joshua et Daniel jusqu'au jour où il pourrait se lancer en affaires à son tour. Se lancer et réussir...

Car il avait fait son deuil de son rêve de soldat. La guerre s'était civilisée : les habits rouges étaient maintenant les professionnels qui la menaient, la faisaient.

## Mount Vernon

Ainsi pensait George Washington !

Désormais et pour toujours fermier et homme d'affaires ! Il en avait fini, et pour de bon, avec ces militaires imbus d'eux-mêmes puisque sa Virginie, après la disparition du fort Duquesne, avait trouvé enfin la sécurité.

Qu'il en avait coulé, de l'eau, entre ce dernier jour de l'année et ce même jour de l'année précédente alors qu'il s'était trouvé à deux doigts de la mort !

En mars, il a retrouvé ses forces. Puis il s'est fiancé à Martha Dandridge Custis, veuve et mère de deux enfants. De retour dans la sauvagerie pour la campagne d'été et d'automne, il a été le premier à voir l'épaisse fumée se dégageant du fort Duquesne après que les Canadiens eurent fait sauter la baraque avant de disparaître eux-mêmes comme nuages poussés par grand vent.

Plus que six jours avant son mariage ! Il soupira, sourit, eut une pensée nostalgique pour Sally Fairfax, puis se pencha à nouveau sur le plan d'agrandissement de la maison déposé devant lui sur un meuble en écoinçon.

\*\*\*

# *1759*

**Paris**

Pour le Canada, l'année la plus calamiteuse de son histoire faisait son lit en Europe. Pendant que l'Angleterre agissait, la France gueulait.

Au coin d'une rue sombre, une jeune femme poudrée, fardée, parfumée, discutait avec une autre qui lui ressemblait en tous points sous sa perruque haute à boudins longs et blancs.

–Non, mais t'as vu mon dernier client comme il faisait provincial ! Il a fait ça comme un coco de la campagne, comme si j'avais été une brebis. Non, mais de ce qu'il y a de drôles de zélotes sur c'te boule du bon Dieu !

–Qui sait, peut-être qu'il venait du Canada ?

–Le Canada ?

–Oui, le Canada.

–Ah oui, le Canada ! Ah ! c'est bien possible, remarque, avec la gueule qu'il avait... Et puis l'odeur... On aurait dit un vrai Sauvage...

Dans un autre quartier de la ville, un bourgeois cossu qui aidait son épouse à descendre de leur coche disait :

*"C'est une colonie peuplée de galeux, de paysans pauvres, où les petites gens réunissent les meilleures qualités du brigand et de la prostituée. Ils sont conduits par des fonctionnaires tout à fait corrompus... Un pays de terres incultes ensevelies six mois sous la neige et auxquelles nous devons suppléer pour en sustenter les habitants... Voilà l'objet qui a coûté tant d'hommes et d'argent à la France..."* Appuyez-vous sur mon bras, marquise...

Soucieuse de ses jupes, la femme n'écoutait que ce qu'il fallait pour donner un certain éclat à sa réplique.

–Puisque les Anglais ont l'air d'y tenir autant, pourquoi la France ne leur offrirait-elle pas le Canada si cela pouvait nous apporter la paix ?

–Et la prospérité.

–Et la prospérité, soupira la femme en réussissant finalement à rééquilibrer sa forte corpulence sous une robe si large, si évasée, si brillante qu'elle y paraissait presque petite.

–Vous le savez bien, très chère, c'est Versailles qui pense. Mais croyez-moi, je sais qu'on y pense très fort là-bas.

Les derniers mots de la dame étaient monnaie courante. Elle les avait glanés de la bouche du marquis de Capellis qui, lors d'un bal en décembre, avait déclaré quant à l'abandon du Canada à l'ennemi : *"Ce sera une cause de plus qui accélérera sa ruine, en avançant la défection de ses colonies dans l'Amérique, elles surpasseront bientôt en richesse la vieille Angleterre et secoueront indubitablement le joug de leur métropole."*

En février, le ministre de la Marine écrivit à Vaudreuil pour lui annoncer que la Cour n'enverrait pas un seul vaisseau de guerre à la colonie. Le gouverneur n'aura qu'à *"faire marcher tous les hommes en état de porter les armes, en laissant aux vieillards, aux femmes et aux enfants le soin de continuer les travaux de la terre."*

Montcalm reçut aussi, avec la nouvelle qu'il ne lui serait envoyé aucun renfort de troupes, quantité de bons conseils. *"Vous bornerez votre plan de défense aux points les plus essentiels et les plus rapprochés afin que, rassemblés dans un plus petit espace de pays, vous soyez toujours à portée de vous entre-secourir, vous communiquer et vous soutenir."*

Pendant ce temps, le premier ministre anglais disait à son roi : *"C'est la guerre d'Amérique qui décidera de tout. À la paix, la Grande-Bretagne gardera le Canada si elle le prend parce que c'est un pays qui augmentera sa puissance, son commerce, sa navigation et indemnisera la nation des dépenses considérables qu'elle a faites pour cette guerre."*

Et dans les colonies anglaises, le mot d'ordre répandu sur toutes les lèvres par les journaux et les hommes politiques était : *"Aux armes ! L'heure n'est pas au plaisir mais à l'effort !"*

Et ainsi, à quelques mois de la campagne de 1759, les effectifs anglo-américains pouvaient déjà être prévus à cinquante mille hommes dont la moitié en réguliers. Le plan de Pitt : prendre le Canada dans une formidable pince, de trois côtés à la fois. Soit par le lac Ontario où les forces seraient conduites par le colonel Johnson, mais surtout par le lac Champlain où Amherst nettoierait la route jusqu'à Montréal qu'il prendrait alors, et par le Saint-Laurent où la flotte de l'amiral Saunders transporterait jusqu'à Québec même les troupes de terre. Il y aurait siège de la ville, bombardement, débarquement des troupes sous la conduite du jeune et violent James Wolfe.

Délégué à Versailles par Montcalm, Bougainville fit triompher ses vues. Si bien que le ministère enleva le commandement suprême à Vaudreuil pour le remettre au général victorieux. L'officier fut chargé de transmettre lui-même la nouvelle aux intéressés à son prochain retour en Amérique.

Ainsi Montcalm parvenait au faîte de sa puissance et de cette gloire qu'il était venu chercher au Canada. Il pouvait compter dans sa besace les victoires d'Oswego, de William-Henry et de Carillon. La confiance du roi lui était désormais acquise. Et il pouvait à bon droit s'enorgueillir de l'amour des Canadiens. Car le peuple le vénérait encore plus que sainte Anne elle-même.

Il ne lui restait plus qu'à mourir l'épée à la main pour graver dans l'éternité de l'Histoire son nom auréolé.

## Sartigan

Le dix avril, jour même qui avait vu naître Jacataqua, vit apparaître dans ce monde le deuxième enfant de Petit-Soleil: Enea, fille de la comète, mais baptisée d'après le nom d'un ami cher à tous, Enneas de Narantsouak.

Natanis se sentit obligé de fournir d'autres explications sur ses lectures dans le ciel. Tout ce second hiver à Sartigan, il a chanté sa propre gloire à travers celle de la comète à laquelle il a attribué tous les dons des lieux circonvoisins. Car les forêts des alentours n'avaient pas été moins prodigues de leurs fruits que l'année précédente.

"L'enfant femelle était un signe qu'il fallait partir, mais pas dans la direction anticipée. Un fils et c'eût été vers le sud, Narantsouak, le pays des ancêtres. Mais puisqu'il s'agissait d'une fille, alors il fallait retourner à Saint-François."

La matrone souligna la misère qui avait pesé sur la cabane là-bas, et qu'on avait voulu fuir en venant à Sartigan. Montcalm fut accusé par les deux braves que l'odeur de la guerre enivrait de nouveau. "Il nous a empêchés de nous enrichir de chevelures. Mais notre père Vaudreuil, notre père très chrétien qui est à Montréal, nous permettra des raids fructueux. Et nous trouverons le fils qu'il nous faut dans cette maison."

Et puis il y avait une église à Saint-François pour les sacrements. Et puis il y avait bien souvent du rhum envoyé par Bigot sur ordre du gouverneur.

Dès le lendemain, on se mit en route. Il fallait marcher jusqu'à Québec, car la Chaudière était encore revêtue de son manteau de glace tout plein de boursouflures et de craquelures menaçantes.

Petit-Soleil tint bon malgré la misère glauque et rosâtre qui continuait de s'écouler de son ventre. Mais quand on arriva à Saint-François, elle tomba d'épuisement et ne serait plus capable de tenir sur ses jambes pendant une lune.

Alors qu'elle n'était rétablie qu'à moitié, Natanis et Sabatis se joignirent à un détachement sous les ordres de Bourlamaque, et qui passait par là pour aller défendre Carillon.

Et la faim vint se loger avec les femmes dans leur petite hutte en bordure du village, du côté de la forêt, près de la rivière, car leur ancienne maison a été prise par une autre famille.

## Versailles

–Il est d'ores et déjà acquis que le Canada ne sera plus qu'un... souvenir au chapitre de nos préoccupations avant la fin de la présente année. Mais cela ne pourra pas se faire carrément, ouvertement... je veux dire l'abandon... débarras serait un mot plus adéquat. Les peuples de la France et du Canada doivent avoir quelque chose de croustillant à se mettre sous la dent. Il nous faudrait une tête de Turc, un bouc émissaire, un responsable de l'intérieur de nous-mêmes. Cela est toujours de bonne guerre. L'homme est ainsi fait que dans la déroute, il lui faille trouver un travers en lui-même et qu'il puisse haïr à son soûl... qu'il puisse brûler... en effigie ou sur le bûcher. Il s'agit là d'une vieille histoire que vous connaissez mieux que moi.

Le secrétaire d'État, Nicolas Berryer, conférait avec son bras droit. On préparait déjà les lendemains de la conquête du Canada par les Anglais.

—Monsieur de Montcalm est bien trop éminent maintenant pour que même l'Histoire ne puisse le rapetisser. Or, l'Histoire, monsieur, nous dépasse avant que d'être...

—Et monsieur de Vaudreuil, lui, est trop... disons canadien.

—Qui reste-t-il donc ?

—Bigot, l'intendant.

—Bien sûr, Bigot, le joueur, le brasseur d'affaires, le profiteur, le donneur de réceptions mondaines. Le peuple français, et sans doute aussi le peuple canadien, n'aiment pas trop ceux-là qui gagnent beaucoup d'argent. Qui plus est sur son dos. Qui plus est qui se pavanent dans l'ostentatoire. Et notre cher administrateur au Canada possède à fond toutes ces caractéristiques.

—J'ai épluché toute sa correspondance avec la Cour depuis l'année 1751.

—Et ?

—Il y a des éléments qui pourraient étançonner une argumentation contre lui.

—Cet... Abraham Gradis qui a la haute main sur l'approvisionnement du Canada, n'est-il point un ancien associé de notre cher intendant ?

—Exactement !

—Alors il faudra exercer sur lui le meilleur de notre collimation.

—Effectivement !

## Québec

La fête battait son plein dans la grande salle de bal du palais de l'intendance. Une frairie presque royale !

Bigot le fastueux que l'on aimait fréquenter mais pas de trop près à cause de son odeur, exultait. Une fois de plus, il avait chez lui le gratin du Canada : la haute bourgeoisie de la capitale, le gouverneur et des amis prestigieux, les haut gradés de l'armée actuellement disponibles, y compris la plus grande vedette de l'heure, le général Montcalm en personne, entouré de sa flamboyante coterie française.

Lustres, candélabres, chandeliers, bougeoirs se combinaient des plus agréablement pour répandre aux quatre coins de la pièce des brillances voluptueuses qui retombaient en de multiples nuances de tous les tons sur les cinquante personnes du beau sexe aux masques rieurs et charmants atours s'y trouvant, jacassant, rougissant discrètement sous les compliments qui glissaient d'une robe à l'autre, se détaillant avec une insistance envieuse sans pourtant qu'il n'y paraisse, si ce n'est à l'abri des visages de carton.

Des serviteurs blancs, d'autres noirs, tous poudrés, veillaient à desservir la longue table en U qui avait réuni les invités dans de fines agapes, et permis à l'intendant de se livrer à deux allocutions flatteuses pour le gouverneur et le général. Chacun a été applaudi par tous sauf par l'autre. La France et le Canada s'aimaient de moins en moins.

Maints petits groupes s'étaient formés çà et là. Les voix masculines dominaient, expliquaient le pays, la vie, l'avenir. Bigot allait et venait de l'un à l'autre pour soigner sa popularité, distribuant aux dames des fleurs depuis la brassée que tenait un jeune serviteur, multipliant les paroles ébahies sur la beauté des étoffes, incitant chacun à se servir à une table centrale que l'on remplissait de nouvelles bouteilles de vin, et d'eau minérale gazeuse pour les abstinents, et de maïs soufflé, d'arachides et de fromages français pour ceux qui eussent aimé coiffer d'un petit quelque chose un repas que tous ont qualifié de superbement garni.

Disert et courtois, l'intendant rappelait à tous les divertissements qui s'offraient à leur attente, répétant :

–Le menuet commence dans une heure ici même. Celles et ceux qui préfèrent le Passedix, le Biriby, ou la Roulette voudront bien se rendre à la salle de jeux. Et... ceux qui voudront choisir des agréments disons... plus intimes, pourront utiliser les pièces que vous savez. Et que l'on n'oublie surtout pas avant d'entrer dans une chambre de se servir du heurtoir, histoire de ne point heurter la modestie de ceux qui pourraient y être déjà.

Chaque fois, il recueillait des rires embarrassés sur lesquels il prenait congé. Rendu à Montcalm, il s'écria :

–S'il manque la fine fleur de nos armées en les personnes de messieurs de Lévis, de Bougainville et de Bourlamaque, nous avons l'honneur de compter parmi nous la fleur des fleurs devant laquelle le grand Scipion l'Africain lui-même ferait pâle figure. Général Montcalm, la France des siècles à venir saura-t-elle donner le jour à soldat plus glorieux que vous-même ? Ce n'est pas à vous que je pose la question, mais à l'avenir. Oh, que je suis tenté d'y répondre !

–N'êtes-vous point un ardent supporteur de notre cher gouverneur ? demanda Montcalm d'une voix qui, derrière son masque noir, devenait caverneuse.

–Qui ? Moi ? Général, ne suis-je point, tout comme vous, un gagnant ?

–On dit qu'au jeu, vous ne l'êtes guère.

–Bien au contraire puisque je trouve grand plaisir à perdre.

Le général leva les bras au ciel pour dire :

–Je pensais avoir tout entendu, mais je dois avouer que personne n'a jamais rien dit de tel devant moi. Trouver plaisir à perdre, plaisir à perdre, avez-vous dit ?

–Oh, pas toujours ! À l'occasion seulement. Car on se lasse de la victoire n'est-ce pas ?

–Moi, non.

–Je parle de victoire au jeu. Le jeu, ce n'est point la vie. Je vous redis ma question : ai-je l'air d'un perdant ?

Et l'intendant fit un long geste panoramique à main déployée pour montrer la richesse qui l'entourait.

–Croyez-vous que les seules gages du roi suffiraient à soutenir toutes ces dépenses ?

–Je sais que vous êtes un important fournisseur de Louis XV.

–Ce qui ne veut point dire que je m'adonne au péculat. À Versailles de refuser ce que mes associés et moi-même avons à lui offrir ! C'est Versailles qui signe les ordres d'achat et non point François Bigot.

–Je ne vous accuse de rien, mon cher intendant. Ne vous sentez pas obligé de vous défendre puisque je réserve mes attaques aux Anglais. Pour en revenir au jeu et à ce... plaisir de perdre, dites-moi...

Une heure plus tard, tandis que l'intendant terminait en sifflant et en silant un de ses gros rires au-dessus d'une table de jeu qui le choyait, un serviteur vint lui apporter une requête sur un plateau d'argent.

–Mais quelle surprise ! Et quel plaisir ! s'écria-t-il. Qu'on le fasse venir ici de suite ! Qu'il vienne partager nos amusements s'il lui reste de l'énergie après un si long voyage !

Et l'intendant annonça à tous ceux qui l'entouraient le retour de France de monsieur de Bougainville rentré à bord de la Chézine sur l'heure même.

Bigot s'excusa auprès de son entourage pour se mettre à la recherche de Montcalm que l'arrivant désirait voir au plus vite, ce qui avait constitué le motif de sa requête. Mais le général resta introuvable. Avait-il filé à l'anglaise ? se demandait l'intendant en jetant un dernier oeil sur les danseurs parmi lesquels un homme de sa taille et de son costume noir eût dû s'apercevoir aisément.

La bouche lippue de l'administrateur esquissa un sourire; Bigot devinait de quoi il retournait. Il commençait tout juste à imaginer les plaisirs vers lesquels le général devait certes se diriger, lorsque Bougainville parut devant lui.

—Vous auriez pu entrer sans requête, s'exclama l'intendant. Vous savez bien que ce palais vous est accessible en tout temps.

—Je sais, je sais... Est-ce que le général...

—Monsieur de Montcalm nous a fait l'honneur de sa présence, mais pour le moment, il n'est pas là.

—Qu'est-ce à dire ?

—Qu'il reviendra plus tard.

—Mais où se trouve-t-il donc ? Comment savoir avec tous ces masques ?

—Je connais fort bien le masque du général, si je peux m'exprimer ainsi. Et, croyez-moi, il n'est pas ici en cette minute. Venez, monsieur, venez m'entretenir des dernières nouvelles de la Cour. Berryer, comment est-il ? Et les renforts ? Et les vivres ? Venez, venez...

Bigot mit sa main dans le dos du visiteur et le fit avancer.

—Seize bâtiments de vivres arriveront demain.

—C'est bien peu.

—Et trois cents hommes viennent se mettre sous nos ordres...

—Cela est moins que bien peu. La France nous abandonnera-t-elle pour de bon ? Je me demande si je ne devrais pas commencer à préparer mes bagages.

–Je suis persuadé que vous avez dû y mettre un peu la main déjà.

Bigot haussa les épaules. Bougainville poursuivit :

–Tout ce que veut la France, c'est que nous gardions un pied, un seul pied ici, et qui lui permettra de négocier ensuite. Mais si tout devait être perdu, alors... J'ai un document important pour le général. Je crois qu'il apprécierait hautement d'en prendre connaissance ce soir même. Pourquoi ne me dites-vous pas où je pourrais le voir ?

–Je ne voudrais pas prendre le risque de le calomnier. Même galamment... si vous voyez ce que je sous-entends...


Rue du Parloir, rasant furtivement les murs, fondu dans la pénombre environnante, le général arriva à une porte, frappa quatre fois du heurtoir, en deux coups rapprochés suivis de deux autres plus distants. Signal convenu entre lui et sa confidente qu'il allait retrouver. Elle n'avait pas à vérifier par le judas, ou par une question, l'identité du visiteur. Elle ouvrit donc avec empressement pour éviter au général de rester trop longtemps au vu d'une langue longue.

La femme recula d'effroi et, en même temps, porta une main à sa bouche afin d'y emprisonner un cri.

–C'est moi, fit aussitôt le général, pensant à son masque surprenant.

–Je vois bien, mais sur le moment, j'ai cru...

–Qui voudrait jeter cette sorte d'émoi dans l'âme de madame de Beaubassin, la plus jolie créature de tout ce pays ?

–L'homme que j'ai devant moi, qui a vaincu trente mille Anglais, n'est-il point le plus dangereux de la terre ? Finissez d'entrer, Louis Joseph.

Le général suivit le geste de la femme quand elle referma

la porte et refit trois pas pour s'offrir à sa vue sous la lumière diffuse.

—Quelle gloire serait préférable au désir que j'ai rien qu'à vous voir, chère madame ?

—Peut-être bien celle... de me posséder, sourit-elle.

—Vos bonnes manières et votre grâce élèvent toute pensée charnelle par-delà l'intelligence, quelque part dans les hautes sphères de l'art. Oui, c'est cela... Vous voir, c'est contempler un chef-d'oeuvre et c'est faire de mes yeux ceux d'un Michel-Ange; vous entendre, c'est ouïr une symphonie et c'est faire de mon oreille celle d'un Mozart : vous toucher, c'est façonner le plaisir dans son intensité la plus grande et faire de mes mains celles... d'un Praxitèle.

—L'ensemble qui a pour nom Montcalm peut, à la fois, me voir, m'entendre et me goûter : voilà qui est bien mieux, bien mieux. Venez, général, que nous devisions au salon; il y fait grande douceur, vous verrez.

—Laissez-moi vous regarder encore...

—Faites, Michel-Ange, faites donc !

Il se livra à une brève exploration de sa large robe bleu sombre pour aussitôt plonger ses yeux sur le décolleté qui révélait la courbure des seins, d'une poitrine aux attraits veloutés, rehaussés par des bonnets armés. Elle commenta son regard jaune :

—Marquis, vous dégagez une ardeur peu commune ce soir. Serait-ce donc que votre masque vous aide à mieux scruter la place ? Désirez-vous sans attendre vous lancer à l'assaut de la forteresse ? Les défenses vous apparaissent-elles si faibles que vous soyez en mesure de l'investir sur-le-champ sans besoin de renforts ? Je ne vous connaissais point cette fougue qui m'étonne et qui m'enchante.

Le voix se faisait plus douce à chacune des questions. Et pourtant, le général faiblissait. Il faudrait que la femme vienne à sa rescousse, le conduise au salon, le rassure par des propos soyeux, lui parle comme à un fils, lui masse la nuque, les épaules, la poitrine, rebâtisse ses fières forces... Et alors, dans une attaque-éclair, il se jetterait sur elle en criant ses ordres, ne lui laissant que le temps de relever ses jupes, la terrasserait d'un formidable coup d'épée comme seule la France noble pouvait en donner un si juste et d'aussi longue portée. Et il repartirait victorieux une fois encore, laissant à madame de Beaubassin quelques louis d'or ainsi que les honneurs de la guerre qu'elle se serait d'ailleurs bien mérités.

Elle conduisit le général dans une pièce voisine, grand salon au mobilier à la mode, style Louis XV, à deux fenêtres drapées de vastes tentures bourgogne avec large cheminée surmontée d'un immense portrait des souverains. Montcalm ne cessait de gémir :

–Ah, que je vois noir ! Ah, qu'il me tarde de quitter ce pays ! Comme Voltaire dit vrai ! Toute cette corruption que je viens d'examiner une fois encore à l'intendance ! Et le peuple qui souffre, qui n'a rien à manger. Et les soldats qui doivent manger du cheval. *"Pâtés de cheval à l'espagnole. Escalope de cheval. Semelles de cheval au gratin. Langue de cheval au miroton. Frigousse de cheval. Gâteau de cheval... Ah, que je vois noir, que je vois donc noir !"*

–Vous voyez plutôt... cheval, me semble-t-il.

–Ne vous moquez point madame, c'est trop sérieux, un estomac vide et une table dégarnie.

–Étendez-vous. Ôtez votre épée : elle ne vous sera d'aucune utilité ce soir.

–Me permettrez-vous de garder... mon masque ? S'il ne vous effraie pas, bien entendu.

–Oh, que non ! C'est un masque tout à fait gentil et qui ne ferait pas peur aux oiseaux.

–Et pourtant, tout à l'heure, vous...

–C'est que votre Marie est plus peureuse, plus fragile qu'un petit oisillon, général. Et c'est pourquoi elle aime à un si haut degré la présence à ses côtés du plus grand soldat de France et d'Amérique.

–Vous dites bien le fond de votre coeur ? supplia Montcalm en détachant son baudrier.

–Général ! se scandalisa la femme sur un ton de reproche.

L'homme s'étendit sur une couche étroite et moelleuse, au matelas truffé d'une épaisse bourre en duvet d'oiseaux aquatiques, fait par une matelassière experte.

–N'y a-t-il point quelques... compensations en ce pays ? demanda-t-elle doucement en se taillant une petite place auprès de lui sur le rebord du lit.

–Fort heureusement !

Le masque du général s'éloigna quelque peu de ses yeux, de sorte qu'il obtint des choses un point de vue plus détaillé. Le regard fixé sur les lèvres féminines, il dit :

–Croyez-vous que je devrais me plaindre ?

–De qui, de votre Marie ou du gouverneur ?

–De l'intendant ?

–Ne jouit-il pas de solides appuis à Versailles ?

–Certes, mais... Je ne suis pas certain que le ministre... Si le Canada devait être perdu, ne seront-ce point les exactions de monsieur Bigot qui en auront été la cause patente ?

La femme entreprit de déboutonner la chemise en soie blanche, humide et odorante du général, murmurant d'une bouche arrondie aux lèvres lentes mais mobiles :

–Oubliez toutes vos tracasseries...

–Mais comment madame ? Tout va de travers ici...

–Chut...

–Je ne devrais plus venir vous voir.

–Et pourquoi donc ? susurra-t-elle en introduisant sa main fragile et puissante dans les vêtements relâchés jusqu'à la poitrine plus nue que celle d'un Indien.

–Vous me distrayez trop... de ma mission, pleura-t-il sans conviction.

–Taisez-vous, sinon je m'esquive, menaça-t-elle tendrement.

–Bon.

–Fermez les yeux.

Elle le pinça avec délicatesse.

–Fermez, fermez...

–Bon.

Le général commençait à peine à s'élever dans les brumes de la détente et de la volupté lorsque deux coups répétés et insistants se firent entendre à la porte d'entrée.

–Je n'attends pourtant personne, qui donc cela peut-il bien être ?

Elle ferma à demi la porte du salon avant que d'aller répondre à l'autre.

–Monsieur de Bougainville ! fit-elle d'une voix assez prononcée pour que Montcalm l'entende.

–Le général est-il ici ?

Elle rajusta le jabot du jeune officier en accordant des mots à un regard provocant :

–Serais-je en votre esprit la gardienne du général ?

–C'est qu'on ne le voit point chez Bigot où il devrait pourtant se trouver. Et l'intendant m'a dit...

–Tut, tut, tut, monsieur Bigot se livrerait-il à du caquetage ?

–J'ai un document de la plus haute importance...

Bougainville n'eut pas à terminer sa phrase que le général, déjà rhabillé et ceint de son baudrier, se présentait :

–Faites entrer l'homme de ce monde avec lequel je désire le plus m'entretenir.

–Général, qu'il me suffise de vous remettre ce document. Il consiste en l'une des plus heureuses nouvelles que vous puissiez espérer de notre chère France.

Dans un demi-sourire dessiné sur ses lèvres en bas du masque, Montcalm brisa le sceau. Il voulut lire lui-même afin d'être assuré, avant de la proclamer, qu'il s'agissait effectivement d'une nouvelle agréable.

–Le ciel soit béni ! Et vous, mon cher Bougainville, encore bien plus, s'écria-t-il triomphalement en levant le plus haut qu'il put le bras tenant la lettre.

De l'autre main, il donna un coup de poing joyeux à l'épaule de l'officier, disant :

–Vous avez réussi, vous avez réussi.

–J'ai pensé qu'il fallait vous porter cette lettre à l'heure même de mon retour à Québec, quitte à vous importuner.

–Et comme vous avez eu raison ! Si Lévis et les autres officiers avaient la même fidélité, la même droiture que vous, rien ne saurait ébranler cette armée.

Saisi du désir irrésistible de carillonner sa victoire sur le gouverneur, ce que la dépêche lui annonçait noir sur blanc, Montcalm mit soigneusement la lettre dans une poche intérieure de sa veste, déclarant qu'il s'en allait derechef et de suite chez Bigot. Depuis le temps qu'il se sentait empalé par l'image du gouverneur !

–Et vous m'abandonnez à ma solitude ? fit la Beaubassin faussement boudeuse.

–Non pas, très chère, puisque monsieur de Bougainville saura bien vous tenir compagnie en mon absence. N'est-ce pas, Louis Antoine ?

–Très volontiers... Louis Joseph.

–À dans deux heures et... amusez-vous bien, fit le général en quittant à la hâte.

–Et vous de même, dirent en chœur la femme et l'officier.

En retournant au salon des mondanités, madame de Beaubassin s'enquit de la teneur de la lettre, et Bougainville la lui révéla, ajoutant :

–Ne soyez pas offusquée par son départ précipité, car le général court vers un plaisir pour lui... extrême.

–Vous connaissez mon opinion sur ce pauvre Louis Joseph. Elle ne concorde pas trop avec celle qu'il nourrit si bien à l'égard de lui-même. Mais c'est pour cela qu'il est général.

–C'est un grand agrément de me revoir en ces lieux.

–L'hiver fut long sans vos visites, Louis Antoine.

Elle se rendit au lit, s'allongea, montra de la main la place qu'elle-même avait tenue auprès du général. Lorsque Bougainville y fut, elle ferma ses petits yeux céruléens légèrement cerclés de bistre d'une carrière à fleur d'âge, et soupira d'aise, disant :

–Enfin un homme !

## L'Islet, le 23 juin

–Comment est-ce possible ? pleurait Marguerite encadrée par Joseph et son père, la jupe tirée par les deux enfants qui s'y cachaient tour à tour pour s'éclater ensuite dans des rires de cristal.

Depuis l'aube qu'il passait des voiles sur le fleuve. Des voiles anglaises. Joseph les a dénombrées, classées par des cannelures tracées au couteau sur une écorce de bouleau. Et quand il a compris que la dernière voile, qui datait d'une demi-heure, était bien la dernière, il a refilé le document à sa femme pour qu'elle fasse les additions. Elle a trouvé vingt-neuf vaisseaux de ligne, douze frégates, deux galiotes à bombes, quatre-vingts transports et cinquante-sept bateaux et goélettes.

–Cent quatre-vingts voiles, a-t-elle jeté laconiquement, les yeux pourtant ras de larmes.

–C'est la plus grosse flotte de guerre que la mer aura jamais portée, dit le père de Joseph.

–En trois jours, Québec va y passer, dit Joseph.

Il y eut un long silence lamentable. Quelqu'un dit alors :

–La Geneviève doit se morfondre; faudrait aller la rassurer un peu...

## Sud de l'Ile d'Orléans

Québec bougeait doucement par l'ouverture au-dessus de la bouche d'un canon. De l'intérieur du vaisseau, Wolfe regardait. Il pensait à la chance inespérée qu'il avait eue de se voir confier le commandement de l'armée chargée de prendre la grande forteresse et, par voie de conséquence, le Canada. Combien étaient-ils, ceux qui avaient caressé le rêve d'arriver un jour là où lui-même se trouvait maintenant : Braddock, Johnson, Loudoun, Monckton, Abercromby, Munro, Winslow et même Amherst qui n'avait pas grand-chance d'aller plus loin que Montréal et qui, pour cela, devrait s'emparer de quatre forts importants soit Carillon, Saint-Frédéric, Isle-aux-Noix et Saint-Jean : commande importante pour un seul été de campagne.

Pitt avait eu le flair. Il savait, lui, qu'il s'adressait à un gagnant lorsque les deux hommes s'étaient rencontrés après la prise de Louisbourg.

–Trente-deux ans, vous êtes bien jeune pour envisager de conduire le siège de la plus grande place forte du monde !

avait dit le premier ministre anglais.

–Je le serais sans doute trop si je n'avais sous mes ordres les meilleurs soldats du monde, avait alors rétorqué Wolfe dans une réponse qui avait fait grimacer de plaisir l'homme politique.

Au fond de lui-même, Wolfe comptait sur de plus grandes difficultés, car son ascension ne lui avait pas permis de donner la pleine mesure de sa valeur. Et cette progression sur le Saint-Laurent sans aucune opposition, sans un seul coup de canon, pas même un petit coup de fusil ! N'a-t-il pas lui-même repéré trois endroits d'où, des batteries canadiennes auraient pu endommager sérieusement, sinon couler plusieurs vaisseaux de la flotte ? Il le savait d'avance par les renseignements fournis par le réseau d'espionnage organisé par le Suisse Deschamps, et qui fonctionnait bien *"tant les Canadiens plus encore que les Acadiens sont naïfs et benoîts"* a écrit l'espion dans son dernier rapport.

Wolfe n'ignorait pas l'incurie de l'ennemi, certes, mais il ne la comprenait pas. Québec tomberait peut-être comme un vulgaire château de cartes ?

"À quoi cela servirait-il de fortifier les rives puisque le coeur est ici, entre ces murs ?" a répondu Vaudreuil avec ironie mordante à Montcalm qui avait demandé que l'on construisît des redoutes et que l'on érigeât des batteries aux endroits propices jusqu'à la Malbay.

Mais Wolfe n'aurait pas pu imaginer que la stratégie des Franco-Canadiens pût souffrir de l'orgueil des chefs et de l'animosité personnelle des uns envers les autres.

Il retourna à sa table de travail dans sa cabine sombre à l'arrière du bateau, afin d'y mettre la dernière main aux préparatifs du conseil de guerre qu'il a convoqué dès lors que toute la flotte a jeté l'ancre. Il aurait lieu au coeur du lendemain, à la lumière des plus fraîches reconnaissances ainsi que des renseignements fournis par Deschamps.

Tout d'abord, l'on y décida que Wolfe établirait son propre camp sur la rive gauche de la rivière Montmorency, face aux troupes de Lévis. Un second poste sous le commandement de Townshend se fixerait à la pointe de l'Île d'Orléans. Et enfin, les batteries du siège seraient installées par Monckton à la Pointe-Lévy devant Québec.

Cela correspondait aux défenses de la ville. Les forces franco-canadiennes composées de trois mille réguliers et de treize mille miliciens et Indiens ont été déployées depuis Québec même jusqu'à la rivière Montmorency, sur une distance d'une lieue. Lévis à gauche; Vaudreuil à droite; Montcalm au centre soit à Beauport. Quant à la Pointe-Lévy, elle a été entièrement vidée de soldats ou miliciens dès l'annonce de la venue sur le fleuve de l'armada britannique.

Ils étaient une dizaine d'officiers autour du général, divisés entre partisans de la ligne dure à adopter envers les Canadiens et ceux qui jugeaient inutile de ravager les campagnes comme on en débattait l'idée.

–*"J'aurai plaisir à voir cette vermine canadienne saccagée, pillée et justement rétribuée de ses cruautés inouïes."* s'écria Wolfe en frappant la table d'un coup de poing qui se répercuta douloureusement au niveau de sa digestion.

–Sommes-nous ici pour livrer bataille et gagner une guerre ou bien pour exercer notre vengeance ? demanda fermement un officier au port digne.

–Monsieur Carleton, toutes les fermes, toutes les maisons où il manquera un seul homme valide seront rasées.

–Et le principal résultat sera de pousser les Canadiens à une cohésion décuplée, avança un autre officier.

–Monsieur Murray, nous entreprenons un siège qui promet d'être dur, long et coûteux en hommes, et cela non point en raison des forces régulières que nous avons devant nous, car il n'y a pas trois mille soldats français à Québec tandis que nous avons neuf mille hommes de débarquement, mais à cause des Canadiens. Nous le savons par monsieur Deschamps, ils accourent de partout, vieillards de soixante-dix ans ou garçons de quinze ans, pour former une incroyable armée surgie de la terre elle-même...

–Des mulots, interrompit Townshend pour le plus grand plaisir de tous.

–Des mulots, oui, mais pas n'importe lesquels. Le milicien canadien est l'homme le plus dangereux de la terre. Et pourquoi ? Parce qu'il n'a point d'honneur, parce qu'il refuse de combattre à découvert, d'affronter l'ennemi en face. Il frappe dans le dos comme un Indien et il disparaît. Voilà pourquoi les mulots devront être forcés de rentrer dans leurs terriers.

–Nous nous piquons d'être le peuple le plus civilisé de la terre, dit Murray, il ne faudrait pas nous comporter comme des chiens enragés... même... même si nous repensons à William-Henry et à ces milliers de raids effectués par les Canadiens français dans nos colonies. À la brutalité, un peuple civilisé se doit de répondre par la fermeté, rien de plus.

Wolfe savait la confiance que le premier ministre avait aussi en James Murray. Il lui concéda doucereusement :

–Nous nous rejoignons, général, nous nous rejoignons. J'ai préparé un texte que nous allons afficher à la porte de chaque église des deux rives du fleuve, et dans lequel nous assurons les habitants du libre exercice de leur religion et des douceurs de la paix à la condition qu'ils restent tranquilles chez eux, cultivent leurs terres et n'en acheminent point le fruit à la ville assiégée.

–Voilà qui me plaît ! s'exclama Carleton.

–Cela me convient aussi, commenta Murray.

Wolfe s'empressa alors de passer à d'autres sujets. Il fut

décidé qu'il établirait son quartier général en un endroit stratégique pour le commandement des troupes de la rive nord, de celles de la rive sud et du camp de l'île, soit en l'église de Saint-Laurent sur la côte sud de l'Île d'Orléans près de laquelle se trouvait ancrée la moitié de la flotte.

Lorsque la réunion fut ajournée, Wolfe se promit de n'en point tenir d'autre avant le jour où il pourrait la présider depuis le fauteuil du gouverneur Vaudreuil, au château Saint-Louis.

Dans les jours suivants fut placardé aux portes de quelques églises l'écrit dont il avait fait état mais qui contenait en seconde partie un paragraphe fort menaçant. *"Si un entêtement déplacé et une valeur imprudente vous inspirent de résister aux troupes, vous devrez vous attendre à souffrir ce que la guerre offre de plus cruel, s'il vous est aise de vous représenter à quel excès se porte la fureur d'un soldat effréné."*

Quatre jours après l'établissement du camp de Wolfe, deux cents Sauvages impatients, anxieux d'exercer leur hache, traversèrent la rivière Montmorency et attaquèrent l'ennemi, tuant trente Anglais avant de retourner avec un prisonnier qui fut remis à Montcalm après avoir été assailli et copieusement battu par des femmes et des enfants indiens.

Bien que blessé, l'homme put déposer. Il dit ce que Wolfe croyait des effectifs franco-canadiens, assura qu'il n'y avait pas plus de dix mille hommes de débarquement sur la flotte dont un grand nombre d'Irlandais catholiques, et troisièmement que les Anglais feraient leur descente à Beauport et que les troupes descendues à Pointe-Lévy n'étaient là que pour donner le change et inciter Montcalm à y envoyer du monde.

De tout cela. Montcalm crut ce qu'il voulait bien croire, Le chiffre vrai de dix mille hommes de débarquement doubla en son esprit. Quant à la stratégie consistant à affaiblir la garnison de Beauport, il y prêta foi immédiatement. N'y avait-il point lui-même songé en s'imaginant dans la tête du général ennemi ? On ne le prendrait pas dans ce piège; il resterait à Beauport.

Suite à cette même déposition, Vaudreuil donna quelques ordres. Désormais et jusqu'à la fin du siège, on battrait la générale chaque soir à neuf heures et l'on fermerait toutes les portes de la ville. Puis il se rendit conseiller à l'évêque de trouver refuge à Charlesbourg, à une lieue au nord, certes l'endroit le plus sécuritaire des environs.

Monseigneur quitta le séminaire sur l'heure et se retira au dit lieu.

## L'Islet

Le lendemain, dimanche, les Bernard se rendirent assister à la messe à Saint-Thomas.

Depuis une semaine, la maison était devenue l'enfer. Un enfer de silence, de tristesse, de malaise intérieur, de culpabilité. Chaque jour, sur la route, il avait passé des hommes, jeunes ou vieux, et qui criaient : "On a besoin de nous autres à Québec."

Et eux, père et fils, n'avaient point bougé. Pourtant, chacun pouvait fort bien tenir un fusil. Joseph n'avait nul besoin de sa jambe pour opérer une batterie sur un rempart ou même diriger une carcassière sur le fleuve. Et son père n'avait pas à en courir grand pour s'embusquer derrière une meurtrière et canarder l'ennemi s'approchant.

Néanmoins, chacun soupesait des raisons de ne pas y aller sous le coup d'élans irréfléchis. Le nombre de voiles anglaises laissait supposer que trente mille hommes pas moins, appuyés par une formidable artillerie de deux mille canons assiégeaient Québec, et que défendre la ville serait une entreprise aussi vaine que désespérée. Mais Joseph se répondait à lui-même au rappel des forces en présence à la bataille de la Monongahéla comme celles à Carillon, deux combats parfaitement inégaux et remportés par le plus faible.

Il y avait le devoir envers Marguerite. Mourir et l'abandonner encore une fois aux mains des Anglais ? Son désir de la défendre était bien plus important que celui de défendre Québec. Et les enfants, eux...

Pourtant, la nuit, dans son sommeil inquiet, il voyait devant lui, entre sa ferme et le fleuve, un aller-retour d'hommes armés. Des sains et solides, souriants, pressés d'aller protéger le coeur de leur pays. D'autres, sanglants et lourds, l'oeil triste, traînant leur misérable défaite dans des hardes déchirées, l'appuyant sur des béquilles... Alors il se réveillait en sursaut, en criant en silence à sa conscience troublée : "J'ai fait mon devoir. J'ai versé mon sang pour ma patrie. Mon corps est tout brisé d'avoir combattu pour elle. Mon coeur a été réduit en pièces à cause d'elle. Que chaque citoyen fasse sa part, en accomplisse autant que moi ! Patrie, que te faut-il encore de moi ?"

Son père, lui, nourrissait des pensées défaitistes. Devant les forces anglaises, il fallait un autre Goliath donc au moins la France. Mais où donc était-elle passée, la France ? Il n'y avait plus au Canada qu'une France de surface avec pas même trois mille soldats, fussent-ils des meilleurs régiments du Languedoc, de Guyenne, du Béarn, du Royal-Roussillon... Plus qu'une France de parade incarnée par le brillant Montcalm en qui, par flair, il ne croyait pas, lui pourtant Français de naissance, et peut-être pour cette raison...

Mais l'intérieur n'en finissait pas de se tordre les boyaux. L'étranger venait prendre, conquérir, détruire. Quel coeur ne saurait dominer l'esprit devant pareille horreur ?

C'est à l'extérieur qu'il fallait trouver les réponses. Et même ailleurs qu'à L'Islet. Maisonbasse, l'ami, le perspicace, l'inspiré, saurait peut-être. Et Jean-Baptiste Couillard, le parent sage, le seigneur-Salomon qui avait des fils à Beauport. Et puis à Saint-Thomas, Joseph aurait peut-être des nouvelles de Jean-Daniel Dumas, l'invincible qui l'avait cloué deux fois à la vie, son bienveillant capitaine de milice, si terrible avec l'ennemi et si doux avec l'ami.

L'on s'est mis en route à la barre du jour, car il faudrait un gros 'deux-heures' pour arriver à la Pointe-à-la-Caille avec ce lourd percheron à Grand-Jacques (cheval de ceux laissés par les réquisitionneurs à toutes les trois fermes) qui espaçait, de ses sabots retombant en cadence sur la terre battue, des pas lents, mesurés, ponctués des hochements d'une tête pendante.

Un scintillement calme sur le fleuve. Un doux matin d'air frais et pur. Une route tranquille sans beaucoup d'ornières.

Le feu, le sang, la guerre : impossible, impensable sur les rives du Saint-Laurent ! L'Anglais ne s'en prendrait qu'aux redoutes, aux canonnières et carcassières, aux armes, aux remparts, pas au pays, pas à la terre.

"Et s'il devait conquérir, et s'il devait transformer la vallée laurentienne en une nouvelle Acadie !" se disait Marguerite en ses mots à elle.

Tout le long du voyage, on ne se parla que par des explications données au petit Jean, l'éternel poseur de questions. Des réponses nettes.

Un cheval va plus vite qu'un boeuf. Mais un cheval est moins fort. L'eau vient de là-bas et coule vers là-bas. Un oiseau vole parce qu'il a des ailes. Une poule ? Non, elle est trop pesante...

Marguerite et Joseph encadraient la fillette à Geneviève sur le siège avant. La petite serrait sur elle une poupée faite de jute bourrée de paille. Jean et son grand-père se taisaient derrière, le temps que l'enfant prenait pour se bâtir une nouvelle série de questions qui sortaient ensuite en enfilade.

Au moment de partir, chacun des deux hommes avait pensé emporter une arme, si bien qu'à leurs pieds se trouvaient maintenant deux mousquets et une cartouchière généreusement garnie.

Au premier coup d'oeil, l'abbé Maisonbasse, dans ses vêtements sacerdotaux blancs, aperçut les visiteurs de L'Islet bien qu'ils aient pris place loin à l'arrière de la nef par respect pour les paroissiens. Et dès sa génuflexion avant de monter à l'autel, il subodora qu'ils venaient quérir des conseils. Lui-même, depuis qu'il a vu la machine à destruction remonter le fleuve, a grand besoin d'une nouvelle gouverne. Le dimanche d'avant, assommé par l'événement, il a contremandé les festivités de la Saint-Jean : et il n'a pas été le seul puisque, cette soirée-là, il n'a repéré aucune flamme sur une rive ou l'autre aussi loin qu'il pouvait voir.

Et voilà que la veille, quelqu'un revenu de la Pointe-Lévy lui a révélé la teneur de l'ordonnance signée par le général Wolfe et affichée à la porte de l'église de Beaumont. Que dire aux fidèles, à ceux qui ne se sont pas levés spontanément pour accourir à Québec ? Les envoyer prendre part à une résistance probablement inutile ? Et ainsi mettre la vie des leurs en grand danger ? *"Ce que la guerre offre de plus cruel,"* promettait l'Anglais. Fallait-il chercher à savoir s'il tiendrait parole ?

Ou ne rien dire du tout ? Ne pas faire de sermon ? Laisser porter ? Laisser chacun se débattre avec sa conscience. C'est cela qu'il a décidé. En l'annonçant, en disant dans la chaire à fioritures d'or ces simples mots "il n'y aura pas de sermon aujourd'hui", il se sentit comme un capitaine qui abandonne le navire dans la tempête en jetant aux matelots "arrangez-vous comme vous le pourrez, moi, je m'en lave les mains !"

Quand il fut rejoint par Joseph et sa famille au sortir de

l'église par une petite porte de côté, il baissa les yeux de honte.

–Aidez-nous encore, monsieur le curé, dit simplement Joseph en mettant sa main en visière sur le bord de sa tuque pour se protéger d'un soleil aveuglant.

–Priez, il n'y a que cela, priez, dit Maisonbasse le dos alourdi par les chaînes de l'impuissance.

–Prier ? fit Marguerite d'un cri de son âme en dérélic-tion. Mais j'ai fait rien que ça durant des semaines, des mois en Acadie ! L'Acadie est morte pareil. Avec Joseph pis son père, on a fait rien que ça depuis des années. Dans l'étable en soignant les bêtes. Dans les champs durant la fenaison. Dans le champ de légumes. Y a encore plus de prières qui ont arrosé notre terre que de sueur pis de larmes. Le soir, on dit des chapelets. Le matin, on se jette à genoux devant le crucifix. À l'heure de l'angélus, quand sonne le beffroi de l'église, on se met les deux genoux à terre, qu'il fasse beau, qu'il fasse frette, qu'il mouille ou ben qu'il grêle... Des fois, je me demande si le ciel cherche pas à nous faire compren-dre que justement, on prie trop. L'année passée, quand tout le pays priait la bonne sainte Anne...

–Madame, ma bonne dame, coupa le prêtre, ne blasphé-mez point ! Si le ciel nous frappe durement, c'est que nous avons beaucoup péché. Et... vous deux, Marguerite... Joseph, vous avez péché... autant que tout le monde, n'est-ce pas ? fit-il en posant sur chacun un regard fugace mais aiguisé.

–On a tout offert au Tout-Puissant pour réparer le mal qu'on a fait, protesta Joseph tristement.

–Plus grande est la faute, plus terrible est la punition, mes enfants. Dieu est bon ! Dieu est bon mais... juste, ne l'oubliez pas, ne l'oubliez jamais.

Agacé par ces propos qu'il trouvait stériles, le père de Joseph dit :

–Ça avance à quoi de regarder en arrière ? Nous sommes venus prendre votre idée : notre place, à mon garçon et à moi, est-elle à Québec ou à L'Islet ?

Le visage du prêtre s'éclaira soudain. Il releva la tête. Enfin, il avait trouvé la bonne réponse :

–Une guerre se gagne tout aussi bien dans les champs que derrière les remparts, le bras à la faulx plutôt qu'à l'épée...


Les cheveux de neige, l'oeil de feu, le pied alerte, l'oncle de Joseph leur fit un accueil plus chaud que celui d'un jour de noce, comme si ç'avait été le dernier, comme bonifié par un coude à coude décuplé par la proximité de l'ennemi et l'éventualité du drame.

Il approuva le propos du curé :

–C'est aussi méritoire et utile de ravitailler les défenseurs que de se faire défenseur soi-même. En plus que la garnison de Québec est complète ! Tous ceux qui arrivent là-bas sont aussitôt envoyés aux camps de Vaudreuil, Montcalm ou Lévis. On va les utiliser comme miliciens courants, comme attaquants. Toi, Joseph, avec ta jambe... Pis toi, Pierre, avec ton âge... C'est pour ça que moi-même, je vas rester à Saint-Thomas pour oeuvrer plus utilement pour la patrie.

–Mais les hommes de notre âge qui courent là-bas ? dit le père de Joseph.

–Sont postés à la lisière des bois pour tirer sur l'ennemi. Selon moi, c'est pas la bonne manière.

L'on parla ensuite de Jean-Daniel Dumas. Il avait passé un mois de son hiver à Saint-Thomas, puis Vaudreuil l'avait fait major général de la milice et lui avait confié un important détachement, brigade volante qui se déplaçait d'un endroit à l'autre sur demande.

–Ça, c'est ben Dumas ! sourit Joseph, l'oeil à la nostalgie.

## Québec

L'émotion fut grande ce dimanche-là. Car durant la grand-messe, eut lieu la première canonnade. Elle dura une heure et mit aux prises deux frégates anglaises d'une part, et six carcassières, une redoute de Beauport et le Diable, grosse batterie flottante, d'autre part. Beaucoup de peur mais peu de mal en raison de la distance séparant les combattants. Les uns et les autres cherchaient timidement à apprivoiser la guerre.

Au même temps, les Anglais commencèrent l'installation de pièces de canon à la Pointe-Lévy, par devant l'église.

Dans l'après-midi, une berge anglaise arborant pavillon français sur le devant, se rendit près de la ville où elle fut interceptée par deux carcassières. On demanda à ses occupants pourquoi ils venaient ainsi parlementer sous l'orage, le tonnerre et une grosse grêle.

Un tout jeune homme, pâle et sec, aux pommettes aiguës, disant s'appeler James Cook, se déclara porteur d'une lettre du général Wolfe à Vaudreuil, soutenant qu'il ne s'agissait pas d'une sommation ou rien de semblable.

Wolfe y déclarait qu'il avait pris vingt-deux femmes canadiennes ou acadiennes qui voulaient être mises à terre. Par la même occasion, il demandait des nouvelles de deux prisonniers qui avaient été capturés par les Canadiens à l'Île-aux-Coudres.

Il apparut au gouverneur que les Anglais avaient pris ce sujet comme prétexte pour examiner de près l'état de la place, car des occupants de la berge avaient semblé être de faux soldats sous leurs habits de matelots et dans leurs mains trop blanches. Des ingénieurs sans doute ! Vaudreuil répondit aimablement que les prisonniers seraient remis quand la flotte partirait et il souhaita à Wolfe une bonne santé.

Le jour suivant, une chaloupe anglaise montrant les deux

pavillons, s'avança vers Québec, avec à son bord les femmes dont il avait été question la veille. Une chaloupe française vint les prendre en charge. Les femmes déclarèrent que les Anglais ne disposaient guère de plus de huit mille hommes de troupes, qu'ils comptaient bien prendre Québec et qu'ils ne prêtaient aux défenseurs que trois mille réguliers.

Montcalm s'exclama :

–Qu'est-ce que des femmes, par surcroît des Canadiennes, peuvent savoir de ces choses ? Elles ont compté les hommes un à un ? Il se trouve vingt, peut-être trente mile hommes de débarquement sur ces bateaux et autant de matelots.

–Monsieur de Vaudreuil a dit...

–Le gouverneur est un théoricien. Il n'a jamais su raisonner au ras du sol, comment le saurait-il au ras de l'eau, mon cher... Quel est votre nom ?

–Le Mercier.

–N'êtes-vous point celui qui m'a forcé la main à Oswego en étalant des canons sur le rivage ?

–Oui, monsieur.

–Le Mercier, vous êtes un idiot, car il faudra payer dix fois ici ce que nous avons gagné là-bas.

–N'avons-nous pas obtenu la victoire ?

–Il se peut que la victoire soit blâmable et stérile. Vitrix causa diis placuit sed victa Catoni.

–Ce qui veut dire ?

–Je me comprends et cela me suffit.

Mystifié et coupable, Le Mercier retourna à Vaudreuil.


Dans les jours suivants, il y eut des combats sporadiques. Le vendredi, trente-cinq Sauvages outaouais poursuivirent une berge anglaise jusqu'à l'Ile d'Orléans où ils se heurtèrent à un parti ennemi. Dix Anglais furent tués et un seul Indien.

Des navires appelés brûlots servant de torches flottantes furent mis dans le courant pour incendier la flotte dans son ancrage. Stratagème aussi ingénieux qu'inefficace ! Ils s'échouèrent, se perdirent sur les rivages de l'île, furent repoussés, éconduits, à l'aide de gaffes, d'un bateau à l'autre jusqu'au dernier.

Ce même après-midi, il y eut prises de bec entre des carcassières françaises et une batterie de la Pointe-Lévy. Deux cents coups de canon plus bruyants qu'utiles furent échangés. Pas tout à fait inutiles puisqu'ils décidèrent les autorités à faire évacuer la basse-ville et les faubourgs.

Au cours de la nuit suivante, un Français fait prisonnier à Louisbourg s'évada d'un bateau anglais. Il confirma ce qui avait déjà été rapporté par le prisonnier irlandais et les femmes. Montcalm refusa de lire le résumé écrit de sa déposition que lui fit transmettre Vaudreuil.

L'intense activité du côté de la Pointe-Lévy se voyait depuis la haute-ville et surtout se parlait entre bourgeois à qui il apparaissait de prime importance d'y faire obstacle, sous peine de voir la ville réduite en poussière en un seul jour. Car à en juger par tous ces canons que des boeufs y avaient traînés et l'incessant va-et-vient entre la flotte et la rive sud ainsi que le bourdonnement sur la route menant à la Pointe, l'on devait y monter une formidable artillerie.

–Ce n'est que pour faire diversion, répondait Montcalm à ses officiers, L'attaque aura lieu ici, à Beauport.

Mais les bourgeois de Québec ne l'entendaient pas de cette oreille. Ils se réunirent autour de deux officiers de milice, monsieur Charest, seigneur de Lauzon, et Jean-Daniel Dumas.

Charest dont la seigneurie se situait précisément là où s'activait l'ennemi fut chargé d'aller faire une reconnaissance sur la rive sud. Pendant ce temps, Dumas présenterait au gouverneur et au général un placet pour demander qu'on allât détruire la batterie anglaise vis-à-vis de la ville pour au moins mettre en sûreté la vie des gens si on ne voulait rien faire pour protéger leurs biens. Bigot appuya la démarche.

Pendant que le menu peuple bondait la cathédrale pour y supplier le ciel de le secourir, Dumas recevait un accueil favorable tant chez Vaudreuil que chez Montcalm. Mais que des réponses négatives et navrées.

Pour que Montcalm dise oui, Vaudreuil avait dit non. Cette ruse devint un piège dans lequel c'est Dumas qui tomba puisqu'il fit valoir à Montcalm que le gouverneur semblait favoriser l'expédition. Cela lui valut un refus charmant.

De retour chez les bourgeois, il lui fut demandé de recommencer sa démarche, Charest ayant rapporté que le feu, avec les seules pièces déjà en place à la Pointe-Lévy, pourrait dépasser les plus terribles fantaisies de l'imagination et qu'il s'y trouvait pas moins de sept cents artilleurs bien retranchés.

Dumas raconta à Montcalm que Vaudreuil avait changé d'avis et croyait superflue une action sur la rive sud. Aussitôt, le général mit cinq cents miliciens à la disposition du major général en lui demandant de compléter son détachement (que Dumas voulait de mille hommes pas moins) à même des volontaires de Québec, des habitants des campagnes qui arrivaient à la fournée, des Sauvages abénaquis de ses amis.

Au soir du jeudi, douze juillet, onze cents hommes parvenus à Cap-Rouge en amont de Québec, se préparaient à traverser discrètement le fleuve.

Après d'intenses prières du soir, la ville inquiète rentrait chez elle, rassérénée autant par sa foi que par la nuit tombante.

Alors une sorte d'étoile filante accompagnée d'un bruit mat, s'éleva au-dessus du Saint-Laurent et retomba comme une gerbe incandescente sur la basse-ville. Spectacle d'une fascinante beauté. Un second objet suivit. Un troisième. Ceux qui observaient de loin se rappelaient la comète de l'année précédente. Ceux qui se trouvaient dessous –car si les familles avaient quitté cette partie de la ville, il y restait au moins un occupant par deux maisons pour éviter le pillage, ainsi que ces miliciens postés çà et là– comprirent vite l'horreur de ce qui leur tombait sur la tête. Il s'agissait pour eux d'une nouvelle sorte de projectiles lancés par mortier et consistant en des pots de fer remplis de matières enflammées, destinés à provoquer des incendies. On leur donnera le nom de pots-à-feu.

Ce n'était là qu'un lever de rideau, car la canonnade et le bombardement de la haute-ville s'ajoutèrent de par l'action combinée de cinq mortiers et de quatre gros canons qui devaient tirer quinze heures d'affilée. Des dizaines de maisons et d'églises seront percées dont la cathédrale et la chapelle des jésuites. L'effroi remplit la ville.

–Diversion ! déclara Montcalm en admirant le feu d'artifice.

Une délégation en panique accourut auprès de Dumas, l'enjoignant de se hâter pour faire taire la batterie ennemie. Avec elle, il y avait une centaine de jeunes soldats improvisés, recrutés à la dernière minute parmi les élèves du petit séminaire. Après bien des réticences, le major les accepta et les assigna au rôle d'arrière-garde.

Peu après minuit, il fit traverser ses hommes. Non aguerrie, l'arrière-garde des écoliers se laissa d'abord distancer. Puis, perdue et en peine, elle voulut se rattraper, rejoindre le corps principal. Elle y parvint à la vitesse de l'épouvante que le bombardement de la ville et l'éloignement de leurs parents avaient fait grandir en chacun. S'imaginant avoir affaire à l'ennemi, elle ouvrit le feu, semant sa propre confusion par tout le détachement.

À l'aube, Dumas ne put rallier que trois cents hommes qu'il congédia, car de les mener aux retranchements ennemis aurait équivalu à les conduire tout droit à l'abattoir. Lui-même retourna à Québec pour y regrouper des forces, mais il fut aussitôt rappelé à Beauport par le général.

Soeur Sainte-Barbe a ressenti dans son coeur et dans sa chair même chacun des coups de canon comme s'il avait été une bourrade dans sa poitrine déchirée.

La terreur que l'Anglais jetait à profusion sur la ville avait permis à son âme de se libérer avant de se délivrer de son corps. Car elle agonisait !

Une interminable fin qu'elle ne parvenait pas à cracher d'un seul coup avec les humeurs sanguinolentes qu'elle expulsait de misère, à force de convulsions, à chaque quinte de toux.

Sous ses dehors gamins et derrière ses joyeuses bravades se cachait en elle une âme de patriote convaincue. Tout l'hiver, elle avait suivi à la lettre, sans jamais tricher, les ordonnances quant au rationnement pour ne point priver un soldat du nécessaire, pour qu'il tienne debout et défende mieux la patrie.

Son travail, qui lui tenait tant à coeur, a exigé d'elle, bien souvent, de rester longtemps sous la morsure du froid, d'un vent glacial. Vingt fois, elle a coupé dans sa maigre pitance pour la partager avec des enfants venus tendre la main à la porte du monastère.

Au coeur de mars, elle s'est affaissée en pelletant de la neige, une neige épaisse, pourrie, lourde. Tombée de fatigue, de malnutrition. Une grippe mauvaise, pernicieuse. De la fièvre. Des saignées. Devant son incapacité à la ramener à la santé, le médecin s'est rendu à l'évidence : tuberculose. Il a alors prescrit un traitement au vert-de-gris, ce qui, a-t-il dé-

94

claré, ajouterait des mois au répit que la maladie aux débuts foudroyants avait fini par lui consentir.

Elle a continué à dépérir. Plus lentement, inexorablement. En mai, on a voulu la transporter à l'Hôpital-Général, mais elle a supplié qu'on la laissât mourir dans son cher monastère, sa maison, la seule.

On ne lui connaissait aucune famille. Elle était venue aux Ursulines à l'âge de dix ans, reconduite là par son père au lendemain de la mort de sa mère. L'homme était reparti pour ne jamais revenir. Il avait été rapporté par certains qu'il se trouvait aux Trois-Rivières, par d'autres, qu'il vivait à Montréal. Puis, plus de nouvelles de lui et des autres enfants. Voilà pourquoi elle avait tant aimé Marguerite Leblanc, sa soeur dans la souffrance et l'abandon. Voilà pourquoi elle donnait un gros morceau de coeur à chaque menotte qui venait quémander un peu de pain à sa chère porte. Hélas ! elle n'avait pas su quand s'arrêter.

–C'est la volonté du Seigneur, lui dit la supérieure après lui avoir appris l'affreuse vérité par un doux matin de juin, veille de l'arrivée de la flotte britannique.

–Mais j'ai point encore vingt ans, Mère de la Nativité. Et j'ai si peur.

–Ma soeur, le bonheur perdurable sera vôtre tandis que des jours insupportables se pointent pour nous à l'horizon.

Isolée dans sa petite cellule blanche, vue de près rien que par la supérieure et soeur Sainte-Croix qui lui apportait sa nourriture, elle n'en finissait jamais de chercher un sens à la mort, au-delà même de cette volonté divine qui ne répondait pas tout à fait à sa quête intérieure.

L'effroi qui courait de bouche à oreille à l'arrivée des voiles anglaises était parvenu jusqu'à elle.

–Des centaines d'autres qui n'ont pas vingt ans non plus partiront aussi, lui dit alors Sainte-Croix pour la réconforter.

–Dites-moi que la mort n'est pas une punition, dites-le moi, s'il vous plaît.

–Ce n'est pas un châtiment, il faut le croire.

Dans un petit sourire gris cachant l'émaciation de son visage, Sainte-Barbe trouva alors moyen de chuchoter espièglement :

–Ce n'est pas une punition, c'est une solution.

–Votre joie m'attriste, soeur Sainte-Barbe. Ce que je veux dire, c'est que votre rire... je vais tellement pleurer à le savoir éteint à tout jamais.

–C'est une solution pour... ne pas voir les Anglais dans Québec... Que dites-vous là ? Que mon rire va s'éteindre ? Quand vous entendrez un petit air doux... murmurer sur les dalles du couloir, vous saurez que c'est Sainte-Barbe qui court quelque part en paradis.

Ce soir-là, elle entreprit sa dernière descente. La veille du bombardement, dans un sursaut de lucidité, comme si elle eût voulu mettre la dernière main aux préparatifs du grand voyage, elle demanda la supérieure à son chevet, s'enquit des familles de chacune des pensionnaires qu'elle connaissait le plus, et enfin de l'Acadienne qu'elle regrettait de ne pas avoir vue depuis le début de sa maladie.

–Elle est venue une fois. Je lui ai dit que vous étiez très malade mais qu'à sa prochaine visite, sûrement qu'elle aurait l'occasion de vous voir.

–Mon... crucifix, dit la moribonde à travers les bras noirs de la petite croix qu'elle tenait sur ses lèvres, c'est à Marguerite... que je veux le donner. Ce sera pour elle comme... comme une lanterne.

–Elle l'aura... Je m'en chargerai.

Puis Sainte-Barbe dormit profondément jusqu'**au premier coup de canon** sur la ville. Seize heures plus tard, soit une heure après que le dernier mortier se soit tu et que le saint viatique lui eut été apporté par l'abbé Récher, elle eut une longue expiration et un grand regard vers sa fenêtre comme pour embrasser toute l'Amérique. Elle rendit l'âme sous les regards mortifiés de la supérieure et de Sainte-Croix.

Wolfe aussi avait passé une fort mauvaise nuit, malgré le bruit charmant de la canonnade amorti par la distance. Il a souffert pendant deux heures de cet effroyable spasme sto-macal que son médecin s'entêtait à diagnostiquer comme symptomatique du mal de mer. Ce que lui-même avait long-temps cru puisque les crises se produisaient le plus souvent sur un bateau effectivement. Quoique plus rarement, il n'en avait pas moins eu des douleurs durant l'hiver à Londres. Le seul temps où le mal relâchait sa menace, c'était quand il faisait campagne sur la terre ferme comme à Louisbourg. Pourtant, son observation des hommes souffrant du mal de mer lui disait, lui démontrait que ce n'était pas la même chose. Il ne s'en était jamais ouvert au docteur qui, du haut de ses connaissances, se serait moqué, aurait pontifié.

Il a donc souffert en silence cette nuit-là encore, bien que se trouvant dans son quartier général à Saint-Laurent, dans une église on ne pouvait plus solidement ancrée dans le sol de l'île. Après avoir congédié tout son monde, il s'est con-tenté de gémir intérieurement dans l'attente des borborygmes accompagnant une libération immédiate de la douleur qui, cependant, le laisserait affaibli, le corps pantelant et la tête endolorie et grosse.

Il se leva avec le soleil, fit porter à l'officier de la Pointe-Lévy l'ordre de cesser le bombardement à midi. Puis il en-voya un de ses adjoints faire l'inventaire des provisions d'une quinzaine de bâtiments, ce qui lui donnerait une idée géné-rale des vivres qui restaient. Et il se pencha à nouveau sur le problème des habitants canadiens. Modéré dans ses ardeurs de "ruiner leur pays", ainsi que le réclamaient certains de ses officiers durs, par l'opposition tatillonne de Murray et Carleton, il avait besoin d'arguments ad hoc pour bâillonner ces militaires plus mous que des politiciens. Son espion Deschamps parcourait en ce moment même la côte nord du fleuve et faisait dans chaque paroisse le relevé des hommes manquants. Lorsque les chiffres parleraient assez fort, il prendrait action immédiate, sans même consulter ses officiers. Mais il aurait de quoi leur répondre.

Le bombardement de nuit reprit le dimanche, dura toute la journée jusqu'à la nuit suivante. Un observateur eût cru que les Anglais profitaient du jour du Seigneur pour s'acharner sur des bâtisses plus saintes que les autres. *"Le presbytère fut écrasé à moitié. Une bombe déchira et abattit les trois quarts du plafond de la chapelle de la Sainte-Famille. Il y eut d'affreux dégâts au Séminaire."*

À l'opposé, ce même jour, Vaudreuil fit défense de tirer le canon parce que c'était dimanche.

Le lendemain, un pot-à-feu provoqua un incendie qui détruisit cinq maisons et qu'on eut du mal à combattre, car les Anglais intensifièrent leur tir en cette même direction afin d'empêcher les gens de travailler à maîtriser les flammes.

Le dix-sept, il y eut accrochage entre un parti de Sauvages et les Anglais au-delà de la chute Montmorency. Le mercredi, la cathédrale fut percée à nouveau. Le jeudi, les Anglais firent passer six bateaux en amont de Québec et cela, à la faveur des ténèbres épaisses. Dumas accourut avec son détachement de six cents hommes pour empêcher l'ennemi d'établir une tête de pont qui eût coupé la route de l'approvisionnement de la ville, la plus grande partie des vivres ayant été envoyée aux Trois-Rivières avant même l'arrivée de la flotte anglaise sur ordre commun de Vaudreuil et Montcalm qui, pour une fois, s'étaient entendus. Prudence excessive ou bien chacun pressentait-il la défaite ?

Ce même jour, une ordonnance signée par Vaudreuil et

Bigot fut publiée, pour laquelle un monsieur Daine était autorisé à *"condamner à mort et à faire exécuter le jour même, quiconque serait trouvé saisi des effets d'autrui, sans l'ordre du propriétaire, et seulement sur un simple procès-verbal fait par Daine en présence des accusés et des témoins qui les auront trouvés saisis des dits effets."*

Le lendemain, Wolfe autorisa ses soldats à tuer pour leur besoin cochons et moutons qu'ils trouveraient dans les fermes des environs, mais sans faire de mal aux habitants. Et le samedi, six cents de ses hommes, après d'habiles manoeuvres des bateaux, qui les mirent à l'abri des miliciens et Sauvages de Dumas, réussirent à mettre le pied à terre sur les berges de la Pointe-aux-Trembles, quelques lieues à l'ouest. *"Ils y prirent deux cents otages, femmes et enfants, qu'ils conduisirent sur les bateaux et ils s'emparèrent de boeufs et de vaches qu'ils tuèrent et dont ils firent provision."*

–C'est de bétail dont nous avons besoin, pas de nouvelles bouches à nourrir, fulmina Wolfe devant l'officier responsable de l'expédition. Envoyez quelqu'un parlementer avec l'ennemi et faites en sorte de les renvoyer toutes à Québec où elles nous seront plus utiles qu'ici.

–Ce n'était pas pour l'utilité, mon général, mais pour l'agrément.

–Exécution immédiate ! cracha Wolfe en montrant la porte de son quartier général au discuteur.

Avec elles, furent retournés les vases sacrés de l'église dont s'étaient emparés des matelots, ainsi qu'un jésuite, le père Labrosse, qui affirma au gouverneur que les femmes avaient été traitées fort civilement. Il souligna aussi que l'une d'elles disait avoir vu une lettre écrite aux Anglais par un certain Deschamps, et qui leur fournissait maints renseignements sur ce qui se passait à Québec. Vaudreuil ne prêta aucune attention à cette information ni ne songea à faire enquêter ou même à savoir le nom de la dite femme, celui de son informateur et pourquoi il s'était ainsi confié à elle.

Dans la nuit du dimanche au lundi, les bombes allumèrent un incendie qui détruisit dix-huit maisons de même que l'église. Le mardi, Le Mercier se rendit à bord d'un vaisseau au-dessus de Québec, porteur d'une lettre à Wolfe et d'un cadeau de la part de Vaudreuil. Le gouverneur félicitait le général ennemi de sa valeur certaine puisqu'on lui avait confié si lourde tâche malgré son jeune âge. Et il demandait une trêve de vingt-quatre heures.

–Pourquoi ne pas être allé directement au général ? Vous n'êtes pas sans savoir où se trouvent ses quartiers ? demanda l'officier anglais quelque peu suspicieux.

–Mes ordres sont ainsi.

–Il nous faut repasser devant Québec pour porter cette dépêche au général.

–Vous passerez sans être inquiétés.

–En ce cas, la réponse sera acheminée par la même voie. Revenez demain à la même heure.

La réponse de Wolfe vint au moment prévu. Elle contenait aussi son lot de compliments et s'accompagnait d'un présent : une salière et une poivrière anglaises. Le général acceptait l'interruption des bombardements pour ces vingt-quatre heures de guerre en dentelle...

Mais les Anglais en profitèrent pour voir à leurs approvisionnements; ils se rendirent prendre cent cinquante boeufs et vaches aux habitants de l'Ange-Gardien.

Les miliciens de Québec se donnèrent le mot, eux aussi, pour aller quérir de la nourriture, mais d'une façon différente. Ils allèrent à la chasse aux tourtes dont le nombre était extraordinaire aux environs de la ville. Ce qui donna lieu à une véritable fusillade par six cents chasseurs et fit croire à Vaudreuil qu'il y avait eu rupture de la trêve et attaque anglaise quelque part entre son camp et la ville. Il s'empressa de faire partir deux mille hommes afin d'aller seconder ceux qu'il croyait être les miliciens de Dumas aux prises avec l'ennemi.

Dès qu'il apprit la vérité, Vaudreuil fit publier une défense aux guerriers de chasser sous peine de passer par les verges. Coup d'épée dans l'eau car demander à un Canadien de se retenir de chasser équivalait à le brimer dans l'un de ses plus puissants instincts. La défense souleva la moquerie. Personne ne dénonça personne, et la chasse continuerait, bien que l'importance du nombre des chasseurs devrait attendre une prochaine trêve pour être significative.

Néanmoins, l'ordonnance ayant trait au pillage fut davantage prise au sérieux. Une semaine après le recommencement de la guerre chaude, deux soldats français, l'un de vingt ans et l'autre de seize, furent traduits devant le commissaire Daine. Ils avaient pris dans une cave un quart d'eau-de-vie qu'ils avaient emporté chez la Charland, femme de Saint-Roch aux moeurs douteuses. On les a surpris tirant cette eau-de-vie et la mettant dans d'autres quarts. Une heure plus tard, accompagnés par la femme, conduits par quatre miliciens canadiens qui se disaient témoins de l'affaire, ils arrivaient chez Daine, penauds et peu au fait du terrible piège en train de se refermer sur eux.

Une domestique fragrante, aux yeux verts, mince et grande, un peu recourbée, n'accusant pas quinze ans, répondit à la porte. Au premier coup d'oeil, elle sut que l'on venait traduire des pillards devant le commissaire. Son regard inquiet se porta sur chacun des jeunes soldats. Ils étaient encadrés par quatre miliciens dont deux avaient le canon de mousquet pointé sur les reins des prisonniers.

La Charland, petite femme frêle, joyeusement nerveuse, vêtue d'une longue robe grise au corsage blanc, avait dû battre la marche devant le groupe. Elle fredonnait '*Vive la Canadienne*'.

La jeune fille pria les visiteurs d'attendre. Elle se rendit dans l'arrière-cour où le bourgeois attablé dans un coin ombragé par un riche feuillage d'érables centenaires, travaillait sérieusement, écrivait, se référant tour à tour à deux livres ouverts devant lui. Elle lui donna de brèves explications timides; il piqua aussitôt sa plume dans le porte-plume et la pria de tout ranger.

Le commissaire était un homme gras, grave, gris. Il poussait à l'occasion une incursion au pays de l'humour et du sarcasme sans cesser d'être intransigeant et raisonneur. Riche bourgeois, fonctionnaire et magistrat depuis quarante-quatre ans, il savait fort bien qu'il n'y aurait plus de place pour lui au Canada advenant la défaite. *"Membre de l'aristocratie de la politique et de l'argent, le personnage ne trouverait littéralement plus où se mettre dans une société britannique."*

Pour lui, rien d'autre que la victoire n'était pensable. La victoire ou l'exil.

Son système judiciaire était fin prêt. Une pièce de la maison cossue avait été aménagée en tribunal. À deux arpents vers l'ouest, hors les murs de la ville, à flanc de colline, au milieu d'une petite boulaie, près de la voie publique, le gibet attendait. Des gens de la ville, des gamins, trouvaient prétexte à passer par là pour se procurer l'émotion d'un souffle coupé à l'idée que des corps hideux et pourrissants pourraient bientôt y devenir la proie des corneilles.

La poitrine du commissaire était envahie par un agréable tourbillon. Il cacha son plaisir sous des sourcils projetés en avant au-dessus de lunettes qu'il garda basses sur son nez piqué de trous laissés là par la petite vérole.

Devant la maison, le plus âgé des soldats français put lire l'ordonnance terrible affichée sur la porte, écrite en grosses lettres noires sur papier jaune. Le soleil plombait. Il faisait aux alentours une immobilité de fin juillet, s'inscrivant en couronnes d'humidité sur les fronts et en cernes mouillés sur les vêtements. Le jeune homme se mit à gémir :

–Je l'ignorais... je ne savais pas, moi.

Il avait entendu parler de l'ordonnance pour la première fois par la bouche des miliciens au moment de l'arrestation et aussi en venant chez le commissaire, mais personne n'avait jamais parlé de peine de mort. L'affiche le lui jetait brutalement à la tête. Il s'adressa au milicien qui menait les autres, un jeune homme au nez busqué et au regard plutôt bienveillant.

–Je ne savais pas que...

–Tu le diras au commissaire, pas à moi, fit l'autre en montrant une impuissance désolée qu'il ne ressentait pourtant pas.

L'autre garçon, gamin souriant aux yeux brillants comme du fer poli, regrettait seulement le plaisir qu'il avait manqué à cause de cette arrestation. Avant l'aube, ils avaient quitté en douce leur campement comme ils l'ont fait cent fois déjà depuis leur arrivée au Canada, ce pays lointain si froidement ennuyeux. D'autres soldats avaient parlé de la Charland, affirmant qu'il suffisait de l'emplir comme une outre d'eau-de-vie pour obtenir toutes ses faveurs : exagérations militaires et masculines. Or, de l'eau-de-vie, il s'en trouvait dans n'importe quelle cave des maisons évacuées. Au bout de trois d'entre elles, ils ont mis la main sur ce quart qu'ils roulèrent jusque chez la Charland.

Distrait par les yeux de la domestique, le garçon regardait lui aussi la porte comme son ami, mais rien que pour nourrir son espérance de voir revenir cette belle jeune fille si fragile.

Ce fut Daine qui ouvrit. Il resta dans l'embrasure, deux marches plus haut que le groupe qu'il dominait ainsi de sa hauteur autant que de son âge, de sa richesse et surtout de son pouvoir. Il écarta les jambes, appuya ses deux mains sur le pommeau d'ivoire de sa canne, promena un regard d'autorité sur les arrivants. Il portait un habit à la française de couleur feuille-morte, sans col, laissant apercevoir la chemise de toile largement mouillée par ses sueurs.

Il crevait de chaleur aussi sous une perruque poudrée blanche dont il ne se serait point départi malgré cette vogue chez les jeunes nobles à vouloir délaisser tout ce qui pouvait se porter sur la tête outre le chapeau : perruque à marteau, d'abbé, cotogan, queue, bichon ou chancelière.

—On les a surpris chez la Charland à trimbaler un quart d'eau-de-vie volé dans une maison de la basse-ville, dit le meneur des miliciens en accusant déjà fermement du doigt les soldats.

Daine hocha la tête en biais, voulant dire 'on verra bien'; mais son jugement était déjà rendu. Il eût préféré que les accusés soient des Canadiens pour le cas où une conquête anglaise l'obligerait à finir sa vie là-bas en France, mais qu'importe ! La loi martiale, c'était la loi martiale !

—Entrez messieurs, venez déposer.

Il fit demi-tour et conduisit le petit défilé jusqu'à son prétoire, pièce étroite meublée sommairement de bancs sans dossier, à l'usage autant des accusés que des témoins, et d'une table pour lui-même sur laquelle se trouvait le nécessaire pour rédiger un procès-verbal. Deux fenêtres bouchées aux trois quarts par une mince toile laissaient passer une lumière tout de même assez crue.

L'homme ordonna à chacun de s'asseoir, les accusés sur le premier banc, les miliciens derrière. Puis il cria le nom de Marie-Agathe, sa domestique qui s'amena, glissa, légère, le long du mur, l'écouta qui lui parlait à l'oreille, puis se retira dans la même discrétion exquise. Elle avait comme mission d'aller chercher six hommes casernés dans une maison de la rue voisine, exécuteurs des hautes oeuvres, affectés au service du commissaire depuis le jour même de la publication de l'ordonnance. Elle étira le temps en raccourcissant ses pas, triste de savoir que les jeunes soldats pourraient être pendus, plus peinée encore de penser qu'elle n'y pouvait rien.

Daine entreprit aussitôt le procès-verbal, y inscrivant l'accusation qu'il formula à partir des propos entendus dehors. En même temps, il s'enquérait du nom des accusés, de leur âge et du nom de leur régiment, car il faudrait faire rapport de leur décès.

Le milicien chef déposa. Passant par là, il a aperçu les soldats entrer chez la Charland avec ce quart qu'il a supposé être de l'eau-de-vie, s'est dit qu'ils n'avaient pu que le voler puisque l'armée régulière ne disposait pas de quarts semblables et parce que les soldats allaient ainsi chez cette femme de mauvaise réputation. Il en a alors discuté avec ses compagnons qui ont dit penser comme lui. On a attendu une demi-heure avant d'intimer à la Charland l'ordre d'ouvrir. Et à l'intérieur, on a surpris les pilleurs transvidant l'eau-de-vie. Le quart volé portait le nom de son véritable propriétaire. Pas besoin de vérifier auprès de cet homme puisque les soldats ont avoué leur crime en riant et en invitant les Canadiens à partager. C'est à ce moment qu'on a procédé à leur arrestation.

Ses trois collègues se levèrent tour à tour pour affirmer que leur témoignage serait identique. Daine se contenta de leur nom avec la mention : même témoignage de la part de...

Le plus jeune accusé fut ensuite appelé à se lever et à donner sa version de l'affaire. Il raconta qu'ils avaient voulu s'amuser, qu'il s'ennuyait de son pays, de sa famille, qu'il n'avait pas voulu faire de mal...

–Mon ami, saviez-vous que le pillage par temps de guerre constitue l'un des pires crimes qui soient ?

– N... non.

–Il y a une ordonnance qui ne date pas de dix jours et qui fut publiée, claironnée aux quatre coins de Québec et des campements militaires.

–Je... l'ignorais, monsieur.

–C'est malheureux pour vous, bien malheureux.

Le second accusé eut son tour. Il parla en pleurant :

–Croyez bien, monsieur le commissaire... que nous n'aurions jamais fait cela... si nous avions su...

–Il fallait savoir, maugréa Daine en égratignant son papier de brusques traits de plume.

Puis la Charland déposa. Elle le fit sans savoir tout d'abord qu'elle également faisait face à l'accusation du même crime. Elle procéda par questions auxquelles on ne répondait guère. Alors elle donnait ses propres explications qui suscitaient les rires et la moquerie des miliciens sans compter la raillerie murmurée du commissaire.

–Voulez-vous savoir pourquoi les miliciens ont décidé de les arrêter ? Parce qu'ils étaient en rogne. Et pourquoi cette humeur chagrine ? Parce que la Charland leur avait fermé sa porte au nez la veille. Et pourquoi que la Charland leur avait fermé sa porte ? Dis-le, milicien, dis-le...

Le milicien en chef s'écria :

–Cette engeance, elle est folle, folle comme une vraie jument échappée !

–Folle, dis-tu, milicien ? Tu aurais voulu voir la Charland dans ton lit, pensant qu'elle est une femme de rien... parce qu'elle prend un peu de vin et qu'il lui arrive de donner la fête comme monsieur Bigot. Monsieur le commissaire, on dit qu'il vous arrive à vous aussi d'aller festoyer à l'intendance...

–Femme, cela n'a rien à voir avec l'accusation. Je vous ordonne d'en revenir au sujet.

–Quel est-il donc, ce sujet ?

–Un acte de pillage...

–Soit! Que s'est-il passé à Pointe-aux-Trembles voilà quelques jours ? Le pillage fut énorme. Fait par qui ? Par les Sauvages : toute la ville le sait. Mais on cherche à coller le méfait sur la tête des Anglais pour ne point se mettre les Sauvages à dos. Les Sauvages ont vidé toutes les maisons de Pointe-aux-Trembles. Se sont soûlés durant deux jours, pas moins. Les Anglais étaient repartis depuis belle lurette, n'est-ce pas, monsieur le commissaire ? Avant de faire périr ces deux soldats, vous devrez pendre deux cents Abénakis au moins : autrement, c'est une justice de brigands que vous nous ferez voir.

–Vous avez fini vos sparages, la Charland ?

–Non... Ce procès est... imperdable, imperdable, je vous le dis.

–Sornettes que tout ça !

Daine pouvait difficilement faire taire la femme puisque ses aides n'étaient toujours pas là bien que la rue Sainte-Ursule où ils se logeaient abouchât avec sa rue Saint-Louis. Il gardait l'oreille tendue vers leur venue par la fenêtre ouverte, mais il n'entendait encore personne.

–Il est connu par tout le pays et même en France que l'intendant Bigot est un pillard, poursuivit péremptoirement la Charland qui donnait l'air de se libérer de tous les propos inconvenants qu'elle avait dû museler toutes ces années.

–Sédition !... Potence !... Taisez-vous !

–Non, je ne me tairai point.

–Vous serez pendue, ivrognesse !

–Depuis dix, quinze ans que l'intendant écume le pays. Mais il n'y a pas que Bigot, il y a ses amis aussi. Qui l'ignore, hein ? Avant de faire périr ces deux soldats, il faudra pendre deux cents Abénakis mais aussi l'intendant lui-même, et avec lui, toute sa clique.

Elle s'approcha de la table, se courba vers Daine, prit un

107

ton provocant :

–Allez-vous écrire tout cela dans votre livre, monsieur le commissaire de la justice ?

–Retournez à votre place. Vous n'êtes qu'une...

–Une putain, monsieur le commissaire, je le dirai pour vous. Une putain et donc sûrement une sale menteuse. La Charland dit des menteries quand elle crie qu'il y a eu pillage à Pointe-aux-Trembles. Elle calomnie saint François Bigot.

Sur ces mots, elle se retourna en relevant ses jupes. Elle recula jusqu'à la table, se pencha en avant et libéra son ventre d'un souffle aussi bruyant que généreux, provoquant l'hilarité générale, sauf celle de Daine. Néanmoins, il sourit intérieurement, car il tenait une preuve supplémentaire de la folie de cette mégère jureuse.

Même les accusés avaient un reste de rire accroché à la bouche quand elle reprit place auprès d'eux. Elle leur dit en plissant les paupières :

–S'ils vous pendent, je vais crier la vérité à tout ce pays et je vais l'écrire au roi lui-même.

Daine leva les sourcils. Malgré le pouvoir étendu dont il disposait, il ne pouvait condamner la Charland à mort sur le simple fait d'avoir ouvert sa maison à des soldats transportant un objet volé. Pilleuse, peut-être pas, mais elle venait d'offenser gravement le tribunal et la justice. Surtout, il fallait qu'elle se taise par la suite. Elle ne devait pas pouvoir carillonner toutes ses idées corrompues de par le peuple. En outre, il fallait invalider son témoignage, ne pas même l'écrire dans le procès-verbal. Mais comment s'y prendre ?

Il y réfléchissait encore lorsque le pas des hommes chargés de pourchasser les pillards en fuite ou bien de pendre ceux convaincus de ce crime, lui parvint, stimulant du même coup son autorité et sa pensée. Il se rendit à l'entrée, fit venir le détachement à l'intérieur. Les hommes armés se mirent debout, de chaque côté des bancs. Daine écrivit pendant quelques minutes tandis que la femme réconfortait les deux jeunes gens qui se reprenaient quelque peu d'espoir à l'écouter.

–Accusés, levez-vous pour entendre le prononcé de la sentence, ordonna sévèrement le fonctionnaire.

Les garçons obéirent.

–Et vous de même, la Charland.

–Serais-je moi aussi accusée de pillage ?

–De complicité après le fait, oui madame.

Elle haussa les épaules et se mit debout, les poings sur les hanches, la moue dédaigneuse à la bouche.

Le commissaire relut l'acte d'accusation ainsi que les témoignages des miliciens et des accusés eux-mêmes, mais non pas celui de la femme. Puis il déclara :

–Accusée Régine Charland, attendu votre conduite en cette salle d'audience, attendu votre participation après coup à l'acte de pillage dont il est ici et maintenant question, ce tribunal vous déclare folle et vous condamne à être enfermée à l'Hôpital-Général pour le restant de votre vie. Par le fait même de cette constatation de votre état mental, votre témoignage ne saurait être retenu.

–Qui c'est qui a le cerveau fêlé dans cette maison, qu'on me le dise ? s'écria la femme.

–Et vous, accusés Duval et Dosquet de la compagnie de Montesson, attendu les preuves précitées en témoignages et aveux, vous êtes reconnus coupables de pillage et condamnés à mourir par la pendaison ce jour même, au coucher du soleil au lieu prévu pour de telles exécutions.

Les jeunes gens se jetèrent dans les bras l'un de l'autre en sanglotant. La domestique à l'écoute dans la pièce voisine et la Charland avaient toutes deux la gorge écrasée par la peine profonde.

Afin d'abuser les condamnés, d'éviter qu'ils ne se révoltent et fassent des problèmes à ses adjoints, le commissaire ajouta sous le couvert d'une fausse commisération :

–Néanmoins, je présenterai une requête en grâce au gouverneur et à l'intendant. La réponse sera portée à monsieur Frimaut avant le coucher du soleil et l'heure de l'exécution. Qu'il en soit fait selon la justice du roi bien-aimé, Sa Majesté Louis le quinzième.

Frimaut, le capitaine de peloton, cria ses ordres. Lui et ses hommes s'approchèrent des condamnés. Il confia la femme à deux d'entre eux auxquels serait donné le papier requis à son internement, et que Daine fabriquait justement. Elle put toutefois embrasser les condamnés puis cracher au visage du milicien accusateur avant que d'être emmenée, vociférant de loin :

–On ne pourra pas me garder. J'irai jusqu'au roi. Je dénoncerai la bande à Bigot. Les Anglais vont vous pendre, monsieur le commissaire.

Et elle éclata d'un rire de crécelle que Daine jugea dément. Il prit le capitaine à part et lui ordonna de procéder à l'exécution, même si aucune réponse ne lui parvenait quant à la grâce des prisonniers.

Les condamnés furent conduits à la boulaie et attachés tous deux à un même arbre. Plus qu'une huitaine d'heures avant la fin ! Huit heures d'angoisse infernale. Huit heures de coups de poing au coeur. De sanglots suppliants. De peur à faire se vider les tripes. D'appels à la pitié. Les gardiens s'éloignèrent pour moins entendre, sauf un d'eux resté pour la surveillance. La canonnade anglaise venait parfois de loin, enterrer les lamentations.

Il arrivait à l'un ou à l'autre de se jeter tête première dans l'espérance, soulignant l'absurdité d'une telle mort quand le Canada avait si grand besoin de chaque soldat. Sûr que le gouverneur et l'intendant ne voudraient pas sacrifier deux hommes forts et bons tireurs pour un vulgaire tonnelet d'eau-de-vie. Si le commissaire avait dû s'en tenir à la lettre de l'ordonnance, Vaudreuil et Bigot n'agiraient pas comme des Sauvages en tuant comme on boit du vin.

Chez Bigot, Daine et l'intendant levèrent une coupe à la victoire, au seuil d'un repas copieux. Un dîner d'affaires. On était dans une pièce arrière du palais de l'intendance. À l'abri des tirs anglais, cachés par les pavillons avant. L'heure était aux réquisitions. Il fallait lever dans les campagnes tout ce qu'on pourrait y trouver de bêtes à viande avant que les Anglais ne se lancent dans la course au ravitaillement. Comme par les années précédentes, les habitants seraient payés en monnaie de carte. Les reçus que les hommes de Daine feraient signer ne comporteraient aucune mention d'argent mais seulement le nombre de bêtes; à l'intendance, il serait aisé de gonfler le chiffre officiel des sommes payées.

–C'est forcer quelque peu les coffres de Sa Majesté, mais la cause n'est-elle pas du plus haut patriotisme ? commenta l'intendant à voix basse afin que les serviteurs ne puissent surprendre ses propos.

–Est en jeu l'intérêt même de la France aussi bien que celui de nos gens. On ne saurait nourrir quinze mille hommes avec les feuilles des arbres ou bien leur écorce.

–J'ai trois invités qui viendront dans une heure; vous joindrez-vous à nous pour une partie de Pharaon ?

–Mais avec le plus grand plaisir, mon cher François. !

Des serviteurs arrivaient, les mains chargées. Il était six heures de l'après-midi.

La domestique de la maison Daine avait fait ses travaux en priant plus que de coutume, En deux regards, elle avait conçu pour le plus jeune des prisonniers un sentiment qui remplissait tout son être, toutes ses pensées, sa volonté. Elle

offrait au Seigneur des élans répétés et incessants de tendresse, d'adoration, acceptant n'importe quelle mort de son
imagination pour que le garçon obtienne la grâce du gouverneur et de l'intendant.

Depuis que de la pièce voisine du prétoire, à travers le
mur, elle avait entendu tomber sur la tête des accusés l'effroyable sentence, comme une hache abénaquise, elle sentait
grossir en sa poitrine comme une boule d'eau qui la nâvrait,
la noyait d'amertume et de tristesse.

À la fin de l'après-midi, pour en finir avec l'insoutenable
bousculade de sentiments, elle mit sa plus profonde capeline,
sortit et marcha vers le lieu du supplice.

Une fine brise soulageait un peu les corps maintenant.
Les maisons floues passaient de chaque côté de sa progression pressée sans même qu'elle ne les vit. Seule la terre pous-
siéreuse de la rue Saint-Louis retenait son regard mais aucunement son esprit qui restait baigné dans une mer de pleurs
cachés et de prières muettes.

Les adjoints de Daine se partageaient du pain, du vin et
du fromage que l'un d'eux, après avoir reconduit la Charland, avait acheté au nom du commissaire.

–La petite demoiselle arrive de bonne heure pour assister
au... à la pendaison, dit Frimaut en se jetant dans la bouche
une déchirure de pain bis.

Marie-Agathe garda les yeux à terre, passa tout droit sans
dire un seul mot.

Épuisés de cris, effondrés de désespoir, assis au pied de
l'arbre, les prisonniers se tenaient la tête basse, découragés
par toutes ces oreilles sourdes auxquelles ils s'étaient adressés dans leurs incessantes supplications depuis le midi.

Le plus âgé avait ses cheveux roux défaits, agglutinés par
les sueurs; l'autre avait ses boucles noires qui folâtraient sous
le vent s'insinuant dans la boulaie par à-coups légers et doux.

Chacun avait les mains liées derrière le dos, froides par affaiblissement de la circulation sanguine, et les chevilles attachées ensemble puis au tronc à l'aide d'une corde de la longueur de leur corps.

Ils avaient faim, soif, peur et sommeil.

Ils sursautèrent lorsque Marie-Agathe s'approcha, se rendirent compte du même coup que leur seul gardien proche roupillait, allongé sur le sol, pas loin du gibet, mousquet sur sa droite et sac blanc sur sa gauche.

Les yeux de la jeune fille et ceux des prisonniers se croisèrent tour à tour, se rapprochèrent, se cherchant, s'aimant. Mais leurs pensées ne se ressemblaient guère. Les uns, pratiques, privés de leur liberté, hommes, firent aussitôt le lien entre elle et la clef des champs; mais elle, meurtrie, soumise, femme, se sentait bouleversée de pitié à les savoir morts de faim et de soif, et elle se fit des reproches de n'y avoir point songé avant de venir.

Elle porta son regard vers le gardien couché, un petit homme au visage noir, celui du groupe qu'elle craignait le plus, tant il roulait un oeil torve, vicieux et sournois, et tant il avait maltraité les prisonniers après le procès. Elle retourna le regard vers les jeunes gens : l'on crut se comprendre. Alors elle se rendit au gardien et lui enleva le sac qu'elle pensait devoir contenir de la nourriture.

La faible bruit qu'elle fit et sa proximité suffirent à fouetter l'homme de ses responsabilités. Un défaut de vigilance eût pu lui valoir les verges et le pilori. Il se rua sur son arme puis sur ses pieds, menaçant la voleuse.

–Holà! que fais-tu, toi ?

–Je porte à manger aux condamnés, dit-elle en se retournant pour le foudroyer du regard.

–C'est mon repas.

–C'est le pain du roi.

–Mais il est à moi.

–Non... pas tant que tu ne l'as point avalé. Et même là, le roi peut te faire éventrer pour le reprendre.

–As-tu un ordre du commissaire ?

–Le commissaire approuvera qu'on nourrisse les prisonniers.

–Si t'as pas un ordre écrit à me montrer, disparais pis redonne-moi mon pain.

Elle ne répondit pas et se remit en marche vers les condamnés, poursuivie par l'homme hautement contrarié et qui criait à ses collègues. Quand elle le sentit sur ses talons, elle lui refit face et lui cracha avec toute son énergie ramassée :

–Milicien, si tu me touches, tu auras le commissaire sur le dos, l'intendant sur le dos et le gouverneur peut-être. Je te le jure devant le Seigneur Tout-Puissant qui nous voit pis la bonne sainte Anne qui nous regarde.

L'homme recula, recommença à crier à l'aide. Cette fois, il réussit à attirer l'attention de Frimaut. Pendant que le groupe venait, Marie-Agathe s'agenouilla auprès des prisonniers et entreprit de les alimenter à l'aide du fromage, de la miche de pain et de l'outre de vin que le sac contenait, offrant à chacun, tour à tour, un morceau ou une lampée, cherchant à répondre à leurs questions nerveuses et à répétition.

"Ils ne nous pendront pas, n'est-ce pas ?"

"Vous connaissez l'intendant ?"

"Monsieur le commissaire est-il rendu à l'intendance ?"

"Quelle heure est-il maintenant ?"

"Vous avez pas peur de nous aider comme ça ?"

Elle répondait vite, par des mots brefs, sachant que Frimaut et le reste du peloton seraient là d'un moment à l'autre. Quand ils arrivèrent, elle continua sa tâche, mais le capitaine se contenta de faire déployer ses hommes autour de la scène, à distance respectueuse. Il ne voulait pas risquer d'offenser Daine en s'en prenant à sa domestique. Il dit de loin sur un ton qu'il voulut bienveillant et ferme :

–Quand vous aurez fini, mademoiselle, il faudra vous éloigner.

Elle dut obtempérer après avoir dit et redit aux jeunes gens qu'il viendrait bien une réponse de l'intendance avant le coucher du soleil, et qu'elle leur serait favorable, et qu'ils dormiraient à leur campement la nuit même, et qu'ils retourneraient en France après la guerre, et qu'ils retrouveraient les bras de leurs parents, et que...

–Si je vis, je resterai au Canada et je t'épouserai, lui cria le plus jeune à travers de nouvelles larmes intenses.

Marie-Agathe resta sur la voie publique, y marchant de long en large en invoquant le ciel, l'âme emportée par ce rêve immense que le garçon venait d'y semer, en proie à l'angoisse la plus profonde et qui la jetait à genoux parfois dans la poussière du chemin où elle implorait le Tout-Puissant. Elle débitait fervemment l'une de ces navrantes prières lorsque des pas s'approchèrent puis qu'une main paraissant compatissante la toucha à l'épaule. Elle vit d'abord une robe grise puis noire, un col romain, un sourire bienveillant, entendit une voix paternelle, grave :

–Que se passe-t-il donc ici, ma fille ?

Marie-Agathe se releva. Le coeur lui sautait d'une espérance retrouvée. Elle raconta les événements du jour du mieux qu'elle s'en rappelait.

–Et l'on n'a même pas délégué un prêtre pour assister ces pauvres bougres dans leurs derniers instants ?

–Mais ils ne doivent pas mourir pour un quart d'eau-de-vie! s'écria la jeune fille qui s'attendait à autre chose de plus humain de la part du prêtre.

–Ma pauvre enfant, si la sentence a été rendue et si le

recours en grâce n'est point favorable...

—Monsieur l'abbé, qu'est-ce qu'il faut faire pour les sauver, vous devez bien savoir, vous ?

—Prier, prier... Si nos prières sont assez ardentes, le ciel ne manquera pas de nous entendre. Prions.

Il fut interrompu par un roulement de tambour venu du lieu de la potence. Un homme de Frimaut annonçait ainsi à la ville qu'il y aurait exécution dans une heure.

Le prêtre entraîna Marie-Agathe en la conduisant par la main et se rendit au groupe des gardes où leur chef se présenta.

—Et moi, je suis l'abbé Maisonbasse de Saint-Thomas. Je sollicite l'autorisation d'administrer à ces hommes les derniers sacrements.

—Je ne saurais vous refuser cela, monsieur le curé. Cependant, mademoiselle devra rester ici, et personne d'autre ne devra s'approcher des prisonniers, dit Frimaut en piquant le sol de la baïonnette, son mousquet y restant planté.

—Elle m'attendra, dit le prêtre avec autorité. Mademoiselle, vous voulez rester ici ?

Elle acquiesça puis s'agenouilla, croisant ses mains sous son front courbé. Le prêtre se rendit auprès des condamnés et, avec leur permission qu'il obtint par les promesses habituelles d'un ciel à portée de la main grâce aux onctions saintes, il procéda sans les huiles requises qu'il remplaça par un reste de vin de l'outre laissée là par Marie-Agathe.

La morbidité se pressait dans les jambes des curieux venus à flots par les portes Saint-Louis et Saint-Jean. Quand ils furent une centaine, se répétant ce que Frimaut avait dit au premier, les gardes sortirent de sous la plate-forme de la potence les cordes de chanvre nécessaires. Sans un seul coup d'oeil à la foule mais animés du plaisir intense de la savoir là, ils jetèrent les câbles par-dessus la grosse pièce de bois.

Le terrible col de chacun retomba de l'autre côté en se balançant gravement. L'autre partie fut enroulée autour d'un tronc d'arbre à dix pieds derrière le gibet.

En fait, la pendaison était entourée d'un rituel effroyable en ce que la victime n'était point jetée d'en haut mais qu'elle était accrochée et tirée à bout de hart, mettant ainsi de longues et atroces minutes à expirer dans d'horrifiantes convulsions.

Cet endroit avait vu bien d'autres mises à mort, mais pas d'exécutions doubles comme celle-ci, ce qui ajoutait d'autant aux émotions bigarrées de la foule homogène.

Après avoir à nouveau perdu la foi en lui-même, Maisonbasse était venu voir l'évêque pour prendre conseil quant à la conduite à dicter à ses ouailles. Depuis Beaumont, il a marché loin du chemin public, à la lisière du bois. Dépassé la Pointe-Lévy et donc plus loin que les derniers Anglais, à hauteur de Sillery, il s'est fait transporter sur l'autre rive. C'est ainsi que ce détour providentiel l'a mis sur le chemin des condamnés et de la misère morale de cette jeune fille sensible.

–S'ils n'obtiennent pas la grâce du gouverneur, ils auront au moins celle, ô combien plus importante, du Seigneur, dit-il à Marie-Agathe en la rejoignant.

Bien qu'il fît encore jour, le soleil, lui, avait disparu derrière la colline. La foule frissonnait de bien-être à voir revenir à elle ce prêtre dont la présence officialisait en quelque sorte cette exécution, la rendant plus imminente encore.

–Il faut parler à monsieur Frimaut pour savoir pourquoi on monte les cordes sans que personne soit venu au nom de l'intendant, supplia Marie-Agathe.

Le prêtre fit ce qu'elle voulait. Il revint désolé.

–Si la réponse n'est pas arrivée dans un quart d'heure, ils devront procéder.

–Mais monsieur Daine...

–Ce sont les ordres de monsieur Daine lui-même, que dit le capitaine.

–Que le commissaire soit damné si...

–Ne proférez point d'imprécations. Si la réponse ne vient pas, ce sera que la grâce est refusée.

–Mais c'est pas possible !

–C'est la guerre, mon enfant, c'est la guerre.

–Qu'on détruise l'ennemi, pas l'ami !

Des murmures désolés ondulèrent sur la foule quand l'on conduisit les condamnés vers elle, en fait à la potence devant laquelle on a pris place sans se tasser : la dénivellation du terrain permettrait à chacun de jouir des moindres détails pourvu que Frimaut n'attende pas la nuit noire. Mais le capitaine désirait tout autant que n'importe qui se procurer le grand et rare frisson que seule une pendaison publique et en plein air pouvait offrir.

–Je ne veux pas mourir, je ne veux pas mourir, gémissait Duval en s'adressant à la foule. Sauvez-nous, sauvez-moi.

Il fut reconduit jusque sous sa corde, comme son compagnon plus discret dont le regard depuis son arrivée s'était accroché à celui de Marie-Agathe, l'un et l'autre sachant qu'il n'y avait plus rien à attendre désormais ni du ciel ni de la terre.

Les choses s'accélérèrent,

Frimaut monta sur la plate-forme. Il promena son regard sur la foule, sur l'horizon puis il lut le procès-verbal ainsi que la sentence avant d'ordonner au tambour-major d'entamer le roulement monotone. Les deux hommes tenant Duval lui passèrent la corde autour du cou tandis que les deux autres attendaient à l'autre extrémité. Alors le tambour s'arrêta, ne laissant plus dans le soir que les mots inintelligibles hurlés par le condamné. C'était le signal donné aux bourreaux qui, attelés au câble de façon à voir le résultat de leur travail, avancèrent vers la potence, tirant ainsi autour de l'arbre, le poids de l'homme accroché.

Le pendu n'eut plus que les secondes d'un cri rauque se mourant en un grognement animal avant de se jeter de toute sa musculature en rage dans d'affreuses torsions des genoux, des jambes, du torse, penchant la tête pour tâcher de faire se desserrer cette étreinte d'angoisse absolue. Son teint de circ passa au bleuâtre. Ses yeux commencèrent à se révulser, ses cheveux à se dresser.

Les bourreaux coururent autour du tronc pour assujettir la corde puis s'assirent sur l'extrémité afin de regarder le spectacle des convulsions interminables,

Tout devint silence. La ville, l'Anglais, l'oiseau, le vent, le soir, le bruit. Aucun grincement de corde ou de dents. Que le son mat à peine perceptible d'un corps battu par ses propres soubresauts ! Pas de gémissements dans la bouche de l'autre sacrifié ou de Marie-Agathe, tous deux à leurs yeux sans larmes, vidés de leur tristesse, remplis de leur tendresse éternelle.

Elle le soutiendrait jusqu'à la fin, dût-elle mourir d'horreur. Lui resterait en elle. Et quand on le soulèverait de terre, il fermerait les yeux et ne les rouvrirait plus jamais, comme pour s'endormir d'un sommeil sans fin. Et cette jeune fille, symbole pour lui de la vie elle-même, verrait la paix qu'elle lui avait prodigué, mais non point la misère, la terreur et la noirceur que les hommes cherchaient à inscrire dans son ultime regard.

Le premier n'avait pas fini de tressaillir qu'on attachait déjà le second par son collet létal. Frimaut lut. Le tambour roula sur l'horizon rouge comme pour rattraper le soleil. Alors l'adolescent fit un sourire d'adieu à cette nouvelle épouse dont il ignorait le nom, le corps, la pensée.

Et la nuit glissa sur ses jours. Il ferma les yeux et leur

injecta toutes les parcelles d'énergie que sa détermination parvenait misérablement à soutirer à ses instincts de bête abattue. Par son dernier sens, il entendit le prêtre Maisonbasse réciter le Pater Noster. Telle une gaffe qui détourne un brûlot, l'euphorie se saisit de la peur et la remorqua à l'autre bout de l'univers, loin, si loin, à la suite d'une comète qui le canonnait d'une pluie de lumière... et de bien-être...

Quant à l'horreur, il la laissa tout entière à ses bourreaux, gardes et foule réunis. Seule Marie-Agathe en fut exemptée.

À la table de jeu, à l'intendance, Daine se frappa soudain le front. Il montra à Bigot le papier de recours en grâce dont il a omis de lui parler quand il lui a fait part de l'arrestation et du procès des pillards.

–À quoi servirait une ordonnance si les sentences qu'elle entraîne forcément ne sont point exécutées ? L'on ne peut agir envers les pillards comme monsieur le gouverneur envers les chasseurs de tourtes. Je n'aurais pas signé cette requête de toute manière.

–Ma conscience est soulagée. Et maintenant, à qui le tour de jouer ?


Le surlendemain, des marins anglais repêchèrent un corps de très jeune fille dans le Saint-Laurent. On l'envoya à Québec. C'était la domestique disparue de la maison Daine. L'on composa un scénario de mort accidentelle, car une maison bourgeoise n'eût pu abriter une future suicidée.


Convaincu par monseigneur qu'il fallait déjà commencer à sourire à l'ennemi en prévision de la défaite, Maisonbasse décida de rentrer en canot. L'homme d'action ne manquait pas de courage quand il s'était tracé une ligne de conduite. Il se fit reconduire par un batelier de la rivière Saint-Charles. Les Anglais ne manquèrent pas de l'intercepter et il fut mené tout droit devant Wolfe en l'église Saint-Laurent.

L'entretien fut cordial après que l'abbé eut expliqué comment il était parvenu à Québec et dit pourquoi il ne retournait pas chez lui par la même voie.

–Je crois que vous êtes ici pour rester, dit le prêtre. Alors, autant que nous commencions à nous parler tout de suite.

Cette parole plut à Wolfe. Il dit :

–Nous ne détruirons pas vos églises, c'est certain. Même si la guerre devait connaître une extension dans les campagnes, nous ferons en sorte de les protéger...

Le général poussa la civilité jusqu'à pourvoir le prêtre d'une escorte pour le reste de son voyage.

Le jour suivant, dernier du mois, Wolfe quitta son quartier général et se rendit prendre la tête de quatre mille hommes qui, *"depuis leur camp de la rive nord traversèrent la rivière Montmorency et forcèrent les défenseurs de la première redoute française à se replier jusque derrière les retranchements. Mais alors les Anglais durent essuyer une vive fusillade de la part des Canadiens. Plus de deux cents tombèrent. Les autres repassèrent la rivière. Les derniers à se rembarquer furent attaqués par les Sauvages qui en firent se noyer une centaine."*

Bien que ratée, cette attaque ancra plus profondément dans l'esprit de Montcalm l'idée que les Anglais voulaient à tout prix se battre à Beauport. Il s'y vissa.

Rien d'important ne se produisit dans les toutes premières journées d'août. Canonnade sur la ville. Pourparlers sur des points de détail. Reprise de souffle avant celle du bombardement intense.

Le cinq, c'est une bombe morale qui, venue de loin, frappa durement. Bourlamaque avait fait sauter Carillon puis Saint-Frédéric et, devant les quinze mille hommes d'Amherst, s'était replié à l'Isle-aux-Noix avec ses six mille combattants.

Déçus par cette retraite, en mal de chevelures, ayant appris que Vaudreuil commandait une partie des troupes à Québec, Natanis et Sabatis, après avoir quitté le corps de Bourlamaque, se trouvèrent un canot et ils pagayèrent pendant un jour et une nuit, sans même s'arrêter à Saint-François, et arrivèrent à la ville assiégée où ils furent mis sous les ordres de Dumas.

Dans l'après-midi, au camp de Vaudreuil, *"un soldat devant avoir la tête cassée pour vol, obtint sa grâce du gouverneur à la prière des nations sauvages qui lui présentèrent un collier pour la lui demander."*


En ces moments-là, Wolfe avait l'ulcère chatouilleux. L'attaque avortée qu'il a lancée sans consulter ses officiers, le remplissait d'amertume et de crampes intérieures. Et plus il raisonnait, plus l'ennemi lui devenait haïssable. Bilan d'un mois et demi de siège : des plus négatifs. Asperger Québec de bombes ne signifiait pas plus que la poussière des bâtisses si l'on ne parvenait pas à investir la place. Or l'armée ennemie paraissait imbattable; pire, inexpugnable. À chacun des accrochages, dix Anglais tombaient pour un seul ennemi. Mille hommes de perdus déjà. Voilà que se préparait le même sempiternel scénario qu'à la Monongahéla en 1755, qu'à Oswego en 1756, qu'à William-Henry en 1757 et qu'à la bataille de Carillon l'année précédente : des forces trois, quatre fois plus importantes que celles de l'ennemi seraient tenues en échec par ces démons de Canadiens ou bien comme il les désignait souvent en Angleterre, ces "Canindians". Comment se défaire du rôdeur, le spectre d'une défaite humiliante ?

Au soir du quatre, son espion Deschamps vint lui faire rapport verbal et écrit. Il n'avait point trouvé un homme valide par dix maisons sur toute la côte nord.

–Pardieu ! il faut qu'ils rentrent chez eux ou bien nous

devrons lever les voiles, battus comme des chiens, s'écria le général en frappant sa table d'un terrible coup de poing rageur.

Sa voix résonna sous la voûte comme une malédiction immense et qui sembla empoigner même les statues : elles parurent courber la tête encore davantage dans leur pénombre frémissante. Deschamps lui-même, qui portait une chope de rhum à ses lèvres, fut saisi.

Le militaire fit le geste de se verser de l'eau, mais la bouteille qu'il soupesa était vide. Il réclama son aide-de-camp et lui en fit reproche.

–Where there's a will, there's a way ! osa dire Deschamps. Et vous avez les deux : la volonté de vaincre et les moyens de le faire. Le problème est que vous retenez l'un et l'autre. De partout, pas rien que du secteur Trois-Rivières-Montréal, affluent hommes et provisions à Québec. Croyez-le ou pas, des enfants de moins de quinze ans partent des fermes non point à pied mais sur un brancard attelé à un boeuf ou une vache. De cette façon, ils se rendent sans difficultés à travers le bois, parce qu'à chacune des rivières, il se trouve un transporteur, barge ou cageux, pour faire passer. Et à Québec, une bête de plus approvisionne trois cents hommes durant deux jours. Il nous faut affamer Québec. Et pour de vrai. Ils ont moins faim là-bas que l'hiver dernier : je le sais par mes hommes. Gagnons la guerre des provisions et l'autre victoire nous tombera entre les mains. Sinon, ils se moqueront jusqu'au jour où ces bateaux seront pris dans les glaces, et alors, ils riront davantage.

Pour réaliser le dessein qu'il avait en tête, Deschamps cherchait à irriter le général au plus haut degré. Il se crut sur la bonne voie quand il l'entendit demander d'une voix calme mais blême :

–Messieurs Murray et Carleton, les tendres, s'opposent à une action militaire dans les campagnes, le croiriez-vous ?

–Monsieur Pitt leur aurait-il délégué des pouvoirs que je ne connaîtrais point ?

–Monsieur, je suis le général en chef de cette armée. Je n'attendais que votre rapport pour commander l'action sur les deux rives du fleuve. Le moment est maintenant venu de frapper. Et nous allons frapper durement.

–Me permettrez-vous une suggestion fort avantageuse à tous les points de vue ?

–Faites, monsieur. Un général se doit de toujours garder au moins une oreille à l'affût.

Wolfe s'appuya la poitrine sur le bord de la table, mais la pression ne fit qu'augmenter le malaise intérieur. Il se leva donc et entreprit le pied de grue entre sa chaise et la toile tendue entre deux piliers, et qui servait de cloison entre la chambre et le bureau de ses locaux improvisés.

–J'ai circulé partout comme je l'ai voulu et ainsi que je vous le disais, je n'ai vu que des femmes, des vieillards et des enfants ainsi que des infirmes ou des malades. Je n'ai aucun doute qu'il en sera de même sur la Côte-du-Sud...

–Venez en au fait, s'il vous plaît !

–Le fait est qu'à l'aide d'une ordonnance de l'intendant Bigot, fausse vous l'aurez deviné, il serait possible de réquisitionner boeufs, vaches, chevaux, poules et autres bêtes à viande sans coup férir, sans révolte des habitants canadiens autre qu'une plus ou moins grande irritation envers leurs propres dirigeants. De cette manière, j'aurais carte blanche pour entrer partout, enquêter à ma guise et vous renseigner de façon fort précise sur le contenu des fermes.

–Mais nous n'avons pas leur monnaie de carte pour payer ces bêtes, dit négligemment le général qui trouvait l'idée grotesque.

–Il s'agira bien sûr, d'une réquisition générale d'extrême urgence et donc les bêtes ne seront pas payées.

–Les habitants ne se laisseront pas faire, vous pensez bien. Ces Canadiens n'ont pas beaucoup de discipline.

–Non point si nous sommes raisonnables et ne prenons, pour le moment, que le quart ou le cinquième de leur cheptel.

–Et comment donc ces bestiaux seront-ils acheminés jusqu'à notre flotte sans que la nouvelle ne s'en répande comme une traînée de poudre par toute la côte, dites-moi ? Et alors que le stratagème sera découvert, comment vous sera-t-il possible de poursuivre votre tâche ? Mon cher Deschamps, je pense que vous devrez continuer à me laisser planifier votre travail et vous contenter de l'exécuter fidèlement comme... ma foi... vous l'avez fait jusqu'ici.

–Je...

–Mais je retiens l'idée pour ce qu'elle a de bon, entre autre celle du papier qui vous permettrait de vous introduire plus facilement chez les gens. Peut-être pourrait-il s'agir tout simplement d'un ordre de recensement des personnes et des bêtes ? Quant à l'action, elle sera la suivante : à votre suite, une frégate descendra le fleuve avec mission de crever toutes les maisons où il manquera, selon vos dires, un ou plusieurs hommes valides. Pour ce qui est des villages, un détachement fera de même avec un canon mobile. Chaque soir, vous dépêcherez votre estafette sur le dit bateau afin de renseigner son capitaine sur vos constatations du jour. Travail systématique, propre, efficace. Ne seront touchés que les fermiers fautifs et ainsi, les autres voudront revenir chez eux pour éviter le pire et pour voir à leurs récoltes puisque le temps en arrive. Vous ferez en sorte que vos hommes à Québec répandent la nouvelle de cette action; autrement, à quoi servirait-elle ? Quant aux papiers, ils vous seront délivrés après-demain. Sur ce, je vous accorde, monsieur, la permission de vous retirer : nul doute que la lourdeur de vos responsabilités et de votre journée exigent de vous un repos hâtif tout comme c'est le cas pour votre général. Bonsoir, monsieur !

Le Suisse prit congé en maugréant intérieurement. Il avait pourtant mis au point un superbe échafaudage pour amasser une fortune en peu de temps. Voilà que son plan était déjoué parce que Wolfe refusait d'entendre toute sa pensée. Les bêtes auraient été mises sur des berges. Ces berges auraient remonté le fleuve, longé la rive nord de l'Île d'Orléans où une partie de leur contenu aurait été prélevé par les Anglais à la faveur de la nuit après quoi les radeaux auraient continué jusqu'à Québec où le restant eût été vendu au roi via le réseau sur lequel il savait pouvoir compter là-bas. L'opération comportait des risques, mais elle aurait été des plus profitables. Et puis cette entrée véritable de bestiaux à Québec eût été sa couverture pour continuer de réquisitionner impunément. Qu'importe, pensa-t-il en saluant les soldats de garde à la porte de l'église, il trouverait bien le moyen de manoeuvrer pour son propre compte.

Lorsque son espion fut parti, Wolfe se sentit l'envie de vomir par la faute de ces laitages qu'il a absorbés en trop grande quantité pour leurs capacités digestives et plus encore pour avoir souffert la présence d'un individu d'aussi piètre qualité, aux propos du même fallacieux que le sourire. Il se versa une tasse d'eau minérale gazéifiée que l'aide-de-camp avait finalement apportée et il but, la pomme d'Adam lui roulant vigoureusement dans la gorge sous la lumière d'une lanterne à la flamme vive.

Au matin, suite à la lecture du rapport et surtout à sa réflexion personnelle, Wolfe convoqua à nouveau le Suisse. Il lui fit part de ses ordres qui étaient de parcourir la campagne avec une véritable réquisition signée par lui-même au nom du roi d'Angleterre, sans plus recourir à l'espionnage puisque l'absence des hommes dans les campagnes rendait la chose aussi inutile que puérile. Deschamps devrait donc désormais travailler au grand jour à réquisitionner et à recenser hommes et bêtes. Sa requête pour obtenir un uniforme militaire fut rejetée.

Puis le général fit transmettre à un officier de son campement et à un autre de faction à l'Île-aux-Coudres l'ordre de ravager la côte nord depuis L'Ange-Gardien jusqu'à La Malbay sur une longueur de plus de cent milles, autorisant du même coup le pillage mais ajoutant l'ordre formel d'épargner les églises et leurs ornements.

Aux environs de Québec, la guerre de siège se poursuivait par petits chapitres. Bombardements. Dépositions par des déserteurs. À moins qu'ils ne furent des espions. *"Placet des Montréalistes"* inquiets de leur récolte et par lequel ils demandaient congé. Cassage de la tête d'un déserteur repris, Matelots tués sur la batterie des remparts. Un factionnaire perdant la tête par la vertu d'un boulet malencontreux. Second bombardement du séminaire. Escarmouche à Pointe-aux-Trembles : deux, trois cents Anglais abattus. Trois incendies faisant rage concurremment à la basse-ville. Départ de Lévis pour l'Isle-aux-Noix pour le plus grand agrément de Montcalm qui lui préférait Bougainville sur sa gauche. Rien de neuf à part cela : coups de canon, pots-à-feu qui tombent, berges qui passent et repassent.

Ce tohu-bohu était, on ne peut plus favorable à l'exercice du traditionnel génie patenteux canadien. Il était à l'oeuvre en ces temps troublés, et la fébrilité animait de façon toute particulière celui d'un habitant de Saint-Antoine nommé Houl. Il inventa un cageux rempli d'artifices comme les autres, mais qui comportait quelques particularités. *Celui-ci avait quatre espèces d'étages hors de l'eau. Au premier, il y avait quantité de grenades : au second, cinquante canons de fusil; au troisième, d'autres grenades et au quatrième, cinquante canons de fusil. Par le moyen de certains ressorts qui devaient être mis en mouvement à la rencontre du premier corps so-*

*lide, navire ou autre, qui se présenterait sur l'eau, le feu devait d'abord faire tirer les fusils du premier étage, et ensuite se communiquer aux trois autres, où il y avait beaucoup de choses à brûler et capables d'embraser les navires, après que les fusils auraient éloigné ou tué ceux qui avec des berges auraient pu essayer de les écarter des vaisseaux. Il y avait de tous côtés à ce cageux des grappins pour s'accrocher au premier navire qu'il rencontrerait."*

L'appareil fut envoyé vers dix heures du soir au devant de la flotte anglaise. Mais son succès ne fut pas à la mesure des espérances qu'il avait suscitées. Il rencontra sur l'eau quelque chose qui fit tirer les cinquante canons du bas, et le feu s'arrêta là sans se communiquer au reste de la machine. On supposa que le vent avait chassé la poudre.

*"Il faut croire que Dieu ne veut pas que nous brûlions nos ennemis,"* nota un prêtre qui tenait jour par jour le journal du siège de la ville.

## L'Islet

—Ils ont brûlé dix maisons au Cap Tourmente, quarante à la Baie Saint-Paul et d'autres un peu partout sur la côte nord.

Joseph arrivait à dos de cheval, annonçant, avant même que de mettre le pied à terre, les détails de ce que l'on savait déjà en gros chez les Bernard. Depuis deux nuits, un fleuve de feu roulait sur l'autre rive. Et le jour, d'épaisses colonnes noires marquaient à longueur de vue le terrible, l'implacable pas anglais.

—Pourquoi font-ils ça ? énonça fermement le père en se redressant l'échine, les mains plaquées sur ses reins mouillés d'une vaillante demi-journée au potager de Marguerite.

—On dit que c'est pour forcer les habitants combattants à revenir chez eux.

—Quand on sème le feu, on récolte l'incendie.

Jamais l'on ne saurait si cette phrase évoquait le futur ou bien le passé, et si elle en voulait à l'Anglais ou bien au Français.

Les rires des enfants les précédèrent devant la maison sous un soleil en fraîcheur. En robes, grisâtres de l'étoffe et de leurs jeux, ils coururent au-devant de l'immense cheval que Jean aimait et que Suzanne reconnaissait. Le garçon s'accrocha à une patte de la bête et la serra fortement pour la caresser de sa joue; la fillette l'imita. Ils se regardèrent et se rirent encore. La guerre ne saurait être bien triste pour l'enfant qui n'a ni faim ni mal; c'est pour cela qu'il l'invente par amusement.

Joseph était allé prendre des nouvelles à Saint-Thomas. Il a frappé à la bonne porte et rencontré du même coup, à la maison seigneuriale, le curé Maisonbasse et le seigneur Couillard qui préparaient une requête contenant d'intenses déclarations de non-intervention et de non-implication des gens de l'endroit, et réclamant la protection de Wolfe pour Saint-Thomas et ses alentours. Maisonbasse en personne irait la présenter au général.

–Et nous autres de L'Islet ? s'inquiéta le père.

–Faudra faire pareil avec le curé Dolbec, fit Joseph en se laissant couler au sol.

–On perd notre temps, s'écria Marguerite qui a entendu les propos de son mari, qu'elle juge stériles. Plus on se soumet à l'Anglais et plus on s'agenouille devant lui, plus il nous frappe.

–Mais l'oncle Jean-Baptiste...

–...se trompe. Le curé Maisonbasse itou. Faut qu'on garde la tête haute pis qu'on s'occupe de nos affaires. Comme ça, s'ils nous brûlent pareil, on sera pas pires que les autres.

Joseph sortit doucement les enfants de leur étreinte en recommandant à chacun de la prudence et en lui lançant, de ses grands yeux ronds, des montagnes d'inquiétude à l'esprit. Jean fit le sérieux sous ses paupières circonflexes puis il s'élança vers le jardin en s'arrêtant parfois pour goûter au plaisir de se faire rattraper par la fillette.

–Mais c'est pas tout : paraît qu'ils veulent gagner la guerre par la faim. Des bateaux sont montés au-dessus de Québec et des hommes s'apprêteraient à descendre sur les deux rives pour couper le chemin des approvisionnements du haut du fleuve. L'abbé dit qu'à Québec, le monde a faim. On pille les maisons. Les pillards sont pendus. Jusqu'à l'intendant qui se serait mis au jeûne.

–Nous autres, notre lot, c'est de cultiver notre terre pis de laisser passer l'orage. Prions le bon Dieu...

–Tu disais que les prières...

–J'ai dit ça dans un moment de colère humaine.

L'on se remit aux travaux, le coeur contraint. Et la nuit, les horizons continuaient de brûler. Un passant venu d'en haut raconta qu'une frégate anglaise perçait les maisons à Beaumont et qu'heureusement, à cause du grand nombre de fermes à briser et de sa vitesse de tortue, elle mettrait tout un temps avant que de venir canarder L'Islet. Il y avait Saint-Michel, Saint-Vallier, Berthier, Saint-Thomas, Cap Saint-Ignace...

### Environs de Québec

Wolfe accumulait les nouvelles irritantes. Cent de ses hommes travaillant à faire des fascines dans le bois derrière le camp de la rive nord ont été tués lors d'une attaque surprise de ces damnés de Canadiens et de Sauvages. Il a fallu la sortie de trois mille hommes pour obliger ces barbares à retraverser la Montmorency. Quarante cadavres ont été retrouvés scalpés.

Il lui apparaît clair maintenant qu'Amherst non seulement

ne viendra pas faire la jonction sous les murs de Québec, mais qu'il restera collé au lac Champlain et ne prendra même pas Montréal. Et enfin, l'amiral Saunders venu le visiter a commencé à parler du départ de la flotte.

Parmi ses ordres rageurs de ce jour, il y eut une demande obligatoirement polie, au commandant de la flotte, d'affecter une seconde frégate à la mission de ravager la rive sud. Il constitua un second détachement pour doubler le travail de Deschamps, geste qui le contrariait fort par sa réserve, car quant à lui seul, on aurait tout mis à feu sans discussion ni rémission, là comme sur l'autre rive. Il lui restait quelques craintes de ces faibles forts en gueule qu'on lui avait donnés comme officiers. Quant à l'Histoire dont se préoccupaient tant de généraux anglais, lui s'en moquait tout à fait. Ou plutôt en pensait qu'elle ne voyait de son bon oeil que ceux capables de fabriquer les victoires.

Mais la destruction des fermes se généralisa le dimanche dix-neuf août alors que furent brûlées en une seule journée les maisons de Saint-Antoine, Saint-Nicolas et Sainte-Croix au sud-ouest de Québec, et celles de Saint-François et Sainte-Famille sur l'Ile d'Orléans. Six cents hommes furent envoyés dans le bas de la Côte-du-Sud afin de réquisitionner et d'incendier.

Cruelle une semaine auparavant, l'action de Deschamps était devenue la plus douce parmi les actes de guerre entrepris dans les campagnes. Chaque jour, Wolfe poussait plus loin les limites de ce qu'une guerre honorable pouvait permettre. Bientôt, ravager le pays ne fut plus que militaire.

Dans l'éparpillement des ordres et des actions, Saint-Thomas, Cap Saint-Ignace et L'Islet continuaient d'être épargnées. Tout autour, la flamme dévorait.

Oublié par Wolfe, Deschamps s'enhardissait. Plutôt que de se mettre des troupeaux sur le dos, d'organiser un complexe et dangereux réseau pour les transporter, il trouva plus

simple de soutirer aux habitants des sommes en espèces sonnantes et même en monnaie de carte moyennant quoi il leur
promettait sa protection contre les sévices de la frégate. Il
bernait sans peine son officier en second et les douze soldats
qu'il commandait vu que pas un ne parlait français.

Ce soir-là, il y eut un important débarquement d'Anglais
à quinze lieues au-dessus de Québec sur la rive nord, à
Deschambault. Mille soldats, rouges comme le soleil couchant ! Bougainville accourut, et ils durent se rembarquer
dès le lendemain.

De toutes les paroisses affluaient à Québec des plaintes
concernant le pillage. Non pas celui des Anglais ou des Canadiens, mais celui dicté par la folie dilapidatrice des Sauvages, plusieurs allant jusqu'à les décrire comme le pire fléau
qui se puisse être. Ils abattaient non seulement les bêtes dont
ils avaient besoin pour se nourrir, mais encore toutes les autres
qu'ils pouvaient apercevoir : boeufs, vaches, chevaux, vo-
lailles, moutons, par simple plaisir de voir le sang couler. Ils
commettaient leurs méfaits en plein jour au nez des proprié-
taires de fermes et impunément vu que pas une autorité *"n'eût
ose les reprendre, par la crainte des suites."*

Certains d'entre eux, les Abénakis de Saint-François, apprirent avec un mélange de tristesse et de joie penaude, ca-
chée et coupable, la mort de leur missionnaire, le père Virot
qui avait eu le corps percé de quatre balles à la prise de
Niagara par les Anglais le mois précédent, et qui en outre,
avait eu la chevelure levée par les Sauvages ennemis. Quel
triste sort !

Chaque jour, des nouvelles de la guerre et de faits divers
circulaient dans tout Québec. De bouche à oreille. Se transformant. S'exagérant. Se perdant...

*"Le vingt-quatre, les Anglais brûlent les maisons de
L'Ange-Gardien et du Château-Richer. Le vingt-cinq, trois Mohicans envoyés par Amherst à Wolfe sont capturés par les*

*Abénakis de Bécancour. On leur chatouille quelque peu la langue : ils parlent. Le vingt-sept, un Montréaliste accompagné de sept Sauvages revient de la Pointe-Lévy avec six chevelures.*

*Ce même jour, un déserteur anglais rapporte que Wolfe est si malade qu'on désespère de sa vie, qu'Amherst a fait savoir qu'il ne dépasserait pas Saint-Frédéric, que la flotte partirait sous peu mais qu'auparavant, les Anglais feraient un autre et dernier débarquement.*

*Le trente, Québec est mise au quarteron de pain : les soldats et miliciens aux trois quarterons plus une demi-livre de lard*

*Le premier jour de septembre, dix-sept bâtiments anglais remontent au-dessus de Pointe-aux-Trembles. On croit qu'ils vont attaquer la flotte française du sieur Kanon qui se trouve plus haut.*

*Une dame de Trois-Rivières est poignardée par sa sauvagesse. La Belle-Manon de la flotte de Kanon s'est crevée sur les battures de Grondines. L'église de Saint-Joachim brûle. Le curé Portneuf est tué, mutilé."*

L'Anglais s'énerve, s'excite, attaque à droite, court à gauche, fait passer des bateaux au-dessus de Québec, les ramène, continue de faire pleuvoir boulets, bombes, pots-à-feu, carcasses sur la ville, s'essouffle...

Et Montcalm dort !


Le trois septembre, Wolfe tint un conseil de guerre, le premier depuis juin. En l'église Saint-Laurent par un matin frais et non point au château Saint-Louis comme il se l'était pourtant juré.

Tout l'y oblige. Une semaine auparavant, il a communiqué à ses officiers supérieurs trois plans d'attaque de Beauport; Monckton, Townshend et Murray les ont rejetés, recommandant plutôt un débarquement au-dessus de Québec sur la rive nord, afin de placer l'armée anglaise entre Montcalm et ses approvisionnements, et dès lors, imposer aux Franco-Canadiens ses propres conditions de combat.

Wolfe dut céder. Il accepta l'idée d'une descente en amont de Québec et, pour cela, il ordonna aussitôt l'évacuation des positions que ses hommes tenaient depuis deux mois à l'est de la rivière Montmorency. Montcalm les laissa partir sans un seul coup de fusil alors que la chance de les tailler en pièces, par une sortie contre eux au moment de l'embarquement, eût été en or.

Le visage ravagé, l'esprit et le corps défaillants, le général anglais resta seul toute cette journée, à écrire et à ruminer des plans sur la carte de Québec.

*"Ma santé est complètement ruinée, sans que j'aie ni la consolation d'avoir rien fait d'important pour l'État ni l'espérance d'y réussir,"* confia-t-il au secrétaire d'État. Puis il s'arrêta à l'idée d'ordonner une descente des troupes non pas à Pointe-aux-Trembles ainsi que le réclamait la logique des ingénieurs et des officiers, mais à l'Anse-au-Foulon où une coulée permettrait à ses hommes d'atteindre les Plaines d'Abraham à la faveur de la nuit, surgissant ainsi aux portes mêmes de Québec. Ce plan, assorti de tous les risques, mûrirait en son esprit pendant une semaine.

Semaine au cours de laquelle toutes ses pensées additionnelles allèrent aux manoeuvres de diversion à servir à l'ennemi qui devrait penser dur comme fer que le débarquement se ferait à Pointe-aux-Trembles. Si, à tout le moins, au départ, l'adversaire n'était pas plus bête que ses propres officiers !

Montcalm fit mieux : il ne pensa aucunement à Pointe-aux-Trembles et resta tout entier à son idée fixe de rendre Beauport inaccessible.

## L'Islet

Comme tous les fidèles à la messe, les Bernard furent choqués de voir l'arrière de leur église envahi par l'Anglais, occupé par un quartier général improvisé. Pourtant, l'effroi l'emportait sur la révolte, car la destruction avait atteint Saint-Thomas et Cap Saint-Ignace ces jours derniers. Au moins cinquante maisons y ont été percées, une vingtaine incendiées.

Avec la permission des prêtres à qui, de toute manière, il ne laissait pas le choix, Deschamps, à l'exemple de Wolfe, utilisait les églises, ou bien ce qui en tenait lieu comme le presbytère de l'Anse-à-Gilles à Cap Saint-Ignace, non seulement comme quartier général, mais aussi comme caserne pour sa douzaine de soldats. Campement idéal à l'abri de toute attaque indienne ou canadienne dont on ne puisse se défendre, car l'entrée de l'église était toujours gardée par deux soldats.

L'on a déplacé une vingtaine des quarante-trois bancs et on les a disposés à la verticale en forme d'enclos, l'ensemble cloisonné par de la toile et des couvertures tendues.

Comme le dimanche précédent à Saint-Thomas, Deschamps pourrait en profiter pour établir le décompte des bras valides en observant les fidèles sans se laisser apercevoir : profession oblige !

Marguerite fut prise d'une étrange sensation toute la durée de l'office. Elle n'était pas la seule que pareil dérangement oppressait. Jusqu'aux enfants qui lisaient l'affliction sur les visages des grandes personnes ! Le curé prêcha d'une voix blanche, brièvement, recommandant à ses ouailles une totale soumission aux forces d'invasion desquelles, dit-il, on avait la promesse ferme qu'advenant la victoire, Georges 2 laisserait aux habitants l'usage de leur langue et le libre exercice de leur religion et qu'il y ajouterait même, sous un gouvernement civil, une liberté que jamais la France n'avait accordée à ses coloniaux. L'Acadienne eût voulu crier à tous de ne pas croire aux vaines promesses de l'Angleterre. Et elle se contenta de passer sa main dans les boucles brunes de son fils. Le petit garçon lui répondit par quelques sourires incertains.

Deschamps ne les aperçut, elle et tous les autres, que de dos. Quand les fidèles quittèrent l'église, il se terra dans un coin comme un prédateur en attente.

Une heure avant midi, à la tête de six de ses hommes, l'espion soldat se remit à ses tâches par un soleil intense mais non point excessif. Deux fermes plus loin, on arrivait en vue de celle des Bernard.

Joseph courait grotesquement derrière les enfants qui s'étonnaient de voir une grande personne incapable de les rattraper. Ils se laissaient tomber pour rire sur l'herbe rasée par les moutons qu'on y laissait paître puisqu'ils étaient les bêtes à la fiente la moins odorante, salissante et apparente.

Bien que tournée vers le nord-ouest, la façade de la maison éclatait tant le chaulage en était frais. Et son côté est gardait encore moins des rayons plus vifs.

Dès qu'ils apparurent entre les arbres d'une futaie juchée comme un bouquet bleu sur l'éminence voisine, les habits rouges captèrent l'attention des petits. C'est pourtant le bruit de la longue charrette les transportant qui vint aspirer Joseph hors des plaisirs de l'enfance.

Il se sentit perdu, seul. Il avait affronté l'Anglais déjà, ses canons et ses mousquets, n'avait plus trop crainte de ses bateaux patrouillant le fleuve depuis deux mois, et pourtant...

–Le père, cria-t-il vers la maison, voilà que nous viennent les Anglais.

La voiture du détachement quittait la voie publique. Deux minutes, guère plus, et les soldats seraient là dans leur autorité flamboyante. L'homme qui les accompagnait en les précédant sur son cheval donnait l'air d'un Canadien. "Ce sera leur interprète," se dit Joseph qui, nerveux proportionnellement à leur progression, appela son père une seconde fois. L'homme déboucha d'entre le four à pain et la maison, venu de l'enclos de perches du potager où il avait ouvert les grandes feuilles rêches des plants de concombre à la recherche de légumes dignes de la cueillette.

–Nous autres, ils peuvent pas nous toucher, fit-il en s'approchant les mains pleines.

Joseph respirait plus à l'aise. À deux, on saurait bien quoi leur dire, à ces incendiaires.

–Messieurs, je vous salue, cria Deschamps encore à quinze pas de cheval. C'est pas souvent qu'on peut trouver des bras valides sur une ferme par ces temps troublés.

Les enfants restèrent là, interdits, collés l'un à l'autre, tiraillés par le désir de courir vers Marguerite à l'intérieur, fascinés par les étoiles qui scintillaient sur les uniformes rouges, retenus sur place par deux présences familières.

–Pour ce qu'on vaut, nous autres, monsieur, rétorqua l'homme gris à la pipe morte.

Deschamps se détacha du groupe, descendit de sa monture, s'amena aux Bernard en élaborant son plus large sourire, dit avec une surprise feinte :

–C'est une belle maison que vous avez, fort solide et blanche.

–C'est le seigneur Bélanger qui l'a bâtie. Mais faut croire qu'il l'aimait pas trop vu qu'il s'est reconstruit là-bas, de l'autre côté de la terre à Grand-Jacques.

Joseph se dit que son père parlait trop et inutilement. Pourtant, il avait besoin de cela. Et le père avait peur que son fils ne soit une menace pour l'Anglais à cause de ses blessures dont on risquait de demander les causes. Plus que fermier, on le saurait milicien; plus que milicien, on le saurait vétéran de la lutte aux coloniaux. Il mit ses concombres à terre, dans un lit de précaution superflue, se redressa avec l'idée de Marguerite de se montrer fort, de ne point céder... Qu'avait-elle donc pu céder, la Marguerite, pour nourrir cette haine si farouche envers l'Angleterre ? Rien du tout, non ! On avait assassiné son coeur, et c'était la soumission acadienne qui l'avait clouée à la vie, qui avait fait pour elle ce que Dumas avait fait pour Joseph.

–Je peux donner l'allure d'un Canadien par mes vêtements, d'un Français à cause de mon parler, et vous pourriez me prendre pour un traître ou un espion étant donné que je travaille pour les britanniques, seulement voilà, je suis de nationalité suisse et donc tout à fait libre de travailler pour l'empire de mon choix. J'ai opté pour la Grande-Bretagne... pour l'avenir. Quoique sans uniforme, je suis un soldat de Sa Majesté George 2. Il m'a été confié une tâche pénible mais que l'état de guerre nécessite. Il est heureux que j'en sois le préposé.

Il baissa le ton, fit un regard en biais qui indiquait l'annonce d'une confidence complice :

–Heureux pour les habitants canadiens parce que je fais tout en mon pouvoir pour adoucir les mesures de guerre entreprises à leur encontre.

–Nous autres, la guerre, monsieur, on s'en mêle pas, vous savez.

–Ça, l'Angleterre l'ignore. Pour elle, le Canadien est l'ennemi autant que le Français. Mais comme l'Angleterre n'est pas barbare, elle me délègue pour mieux communiquer avec vous, ses futurs sujets.

"Futurs sujets" : l'expression, douce jusque dans son élocution même, s'éleva au-dessus des têtes, se transforma en une lance brillante et au fer acéré que les vents de la guerre transportèrent, firent pénétrer par une fenêtre ouverte de la maison et fichèrent violemment dans une main posée sur la tablette.

Au jardin, lorsque le cri de Joseph à son père était parvenu aussi à Marguerite, sa chair lui a ordonné de rentrer dans la maison et de s'y envelopper de discrétion dans la cave à légumes où elle s'est mise à planter des carottes dans un sombre carré de sable. Mais les enfants l'ont inquiétée, et cette voix lointaine, si lointaine... Elle s'est sentie comme la femme de Loth en s'approchant de la fenêtre et en y penchant son oeil vers l'intrus, l'étranger en train de gesticuler des sourires faux.

–Futurs sujets ? fit sceptique le père de Joseph.

–Il y a une flotte de deux cents bateaux comprenant quarante mille hommes sous Québec. Contre les treize mille de monsieur de Montcalm, vous pensez bien que la capitulation de la ville n'est plus qu'une question de jours, d'heures...

–Mais si la victoire est si sûre, pourquoi brûler nos fermes ?

–Monsieur, une guerre se gagne par la vertu d'un ensemble de plusieurs actions simultanées. De plus, les ordres donnés ne peuvent être repris malgré les plus optimistes prévisions. Avec de l'approvisionnement, Québec pourrait tenir encore longtemps, et cela coûte des vies anglaises tout aussi bien que françaises ou canadiennes. Une vie d'homme ne vaut-elle pas dix fois une maison de ferme ou un champ d'avoine ?

–C'est sûr que...

–Ou bien une ou deux têtes de bétail, n'est-ce pas ?

– Oui...

–C'est pour ça que nous sommes ici. J'ai un ordre de réquisition.

–Comment c'est qu'on va pouvoir survivre sans nos bêtes à cornes ?

–L'armée anglaise n'a besoin que de ce qu'une armée peut

avoir besoin, rien de plus.

–Quarante mille hommes, monsieur, ça voudra dire mille têtes à vous fournir avant l'hiver. Jamais les deux rives ensemble plus les fermes du haut de Québec, de Trois-Rivières et de Montréal suffiront pour remplir toutes vos commandes.

–Allons, soyons sérieux ! Et puis Sa Majesté continue de nous envoyer de pleins bateaux de vivres. Ce que, malheureusement pour vous, ne fait pas si diligemment votre roi Louis XV. Nous ne prélevons rien de déraisonnable chez l'ennemi : que la viande requise.

–Vos colonies...

–Tout de même, monsieur... qui ?

–Bernard.

–Tout de même, monsieur Bernard, vous oubliez que nous sommes en guerre et que le traitement qui vous est fait est bien plus doux que celui que vous-mêmes, avez imposé aux colonies par vos raids, vos excursions.

Jusque là silencieux, Joseph ôta brusquement sa tuque, bloquant dans ses mâchoires le sourire interloqué du faux Britannique. Les veines des poignets et du cou tendues, il dit fermement :

–Monsieur, j'ai vu l'assassinat du sieur Jumonville. J'ai combattu à Necessity et à Duquesne. On m'a levé la chevelure; on m'a ruiné une jambe. De la dureté, y en a des deux bords.

Ce récit de Joseph était mal ajusté à l'observation de Deschamps sur les courses canadiennes dans les colonies anglaises. C'était le souvenir de Source-de-Vie qui avait conduit l'ire qu'il portait en lui à dépasser les limites de la prudence et du simple bon sens. C'était aussi le rappel des malheurs que l'Acadienne lui avait racontés les soirs de pluie ou de froidure.

Marguerite se crut la proie d'un cauchemar impossible.

Farce du ciel ou de l'enfer, face du passé aux rires hideux, oubli qui se déploie soudain, déchire, tue, nouvelle rançon à payer, autre tribut... Tout cela devrait bien avoir une fin. Sa volonté devait mettre le destin en échec une fois pour toutes et non plus l'inverse. Il n'y avait pas qu'elle seule à défendre du vampire, ou qu'un compagnon, il y avait son fils, la chair même de l'Anglais à soustraire de sa propre folie destructrice.

Deschamps ne devait pas la voir, la savoir en ce lieu. Car alors, il colporterait la vérité sur la côte. Et l'opprobre retomberait non seulement sur sa tête mais sur celle, innocente, du petit Jean qui ne pourrait grandir que dans un mépris insaisissable et devrait avoir honte de sa mère pour tâcher d'effacer un peu la honte qu'on lui donnerait de lui-même.

Puis la peur fit place à la haine et la poussa, comme elle le faisait en ce moment même dans l'âme de Joseph, au-delà bien loin des limites de la raison. Jacques Babin, la tête meurtrie, ceinte d'un bandeau de sang, et Joseph Bernard, là, devant, le front labouré par l'Indien de l'Anglais, se confondaient en cicatrices béantes dans son ventre. Et les yeux foncés qui avaient été les plus doux d'Acadie sombraient dans la rage amère. Mais l'humanité l'ignorait. Ainsi que la tempête affole les matelots les plus sereins, cet orage de midi clair, ces éclairs nés du soleil vif, ce tonnerre roulant sur les horizons les plus calmes, se ruèrent sur son âme, en turpitude et en remous, pour la décortiquer, la dépouiller de ses hardes raccommodées.

Mais était-ce bien Deschamps, le complice du suborneur, le serpent qui paralyse sans tuer tout à fait, le flatteur servile des basses mesquineries anglaises, à l'obédience absolue de ses plus noires ordonnances comme celle-là qui avait vidé tout un pays de son sang ? Ou bien ce décor, ces acteurs, cette scène ne chaviraient-ils point son esprit en jetant la confusion la plus totale dans toutes ses mémoires ?

141

Il lui fallait réfléchir. Dans le noir. Tout comme là-bas...
Elle retourna dans le caveau, ferma la trappe. Non... Folle !
Elle savait pourtant combien cette manie d'enfant de se cla-
quemurer loin de la lumière pouvait lui avoir été préjudicia-
ble. Mais par contre, quel meilleur endroit pour s'enterrer
aux yeux de Deschamps ? Pas même Joseph et son père ne
penseraient l'y chercher. On la croirait dans la grange ou bien
dans le haut de la terre.

Et si l'Anglais était venu pour incendier la maison ? Pou-
vait-il être venu pour autre chose ? Il semait le feu depuis un
mois au nord comme au sud. On en avait parlé au retour de
la messe. Les hommes avaient répété dix fois que leur ferme
ne serait pas touchée, mais... On racontait aussi qu'ils frappaient sans discernement maintenant et qu'ils n'avaient plus
de choix à proposer aux habitants. À la porte de l'église, il
s'était parlé d'un important détachement de quatre cents hommes, peut-être cinq cents, qui s'était mis en marche trois jours
plus tôt et qui avait semé le feu et la panique dans trois
paroisses dans son cheminement qui le conduirait à L'Islet
pas plus tard que dans la semaine même. C'était pour cela
que des gens de plus en plus nombreux espéraient, sans pourtant le dire carrément, la reddition de Québec. Afin que l'incendie se taise une fois pour toutes ! Et cette frégate qui
perçait les maisons : on la disait en opération à Saint-Thomas depuis la veille après avoir parachevé son oeuvre de
destruction plus haut.

Et puis il y avait les récits horrifiants, exagérés par la
peur, inventés parfois, mais le plus souvent authentiques. Le
curé Portneuf abattu alors qu'il priait. Des femmes enlevées
à La Malbay. Une fillette et son grand-père déchiquetés par
un boulet de canon en sortant de leur demeure à Saint-Joachim. Quinze garçons passés par les verges à Beaumont. Un
seigneur pendu à Saint-Antoine... ou peut-être à Saint-Nicolas. Du sang versé à Saint-Michel. Une femme brûlée vive à

L'Ange-Gardien dans l'incendie de la maison familiale. Un vieil homme fusillé...

Toutes ces choses, ces peurs, ces analyses, ces émotions portées au rouge se disputaient en s'écrabouillant dans le coeur de l'Acadienne, plus abusée que l'Acadie elle-même. Se ruant les unes sur les autres dans la noirceur. Ne laissant apercevoir dans leur furie discordante que le fantôme sans gouverne d'un passé qui hante. Et qui, à tout instant, battu par l'orage, pouvait se crever sur une batture piquée de rochers inexorables.

Dehors, Deschamps se refroidit, se retrancha derrière une attitude soupçonneuse. Ces gens-là ne se manipuleraient pas avec le sourire. Il lui faudrait user de l'autorité que la guerre lui conférait. Et si cela ne donnait pas les résultats voulus, alors cette ferme ferait partie des exemples à donner aux autres habitants et des preuves à faire à monsieur Wolfe. Preuves dont il a grand besoin depuis qu'il a appris pour la seconde frégate bien qu'elle ait été rapidement affectée au saccage de la côte nord, et surtout depuis que lui est parvenue la nouvelle de l'envoi par le général de ce détachement de la terre brûlée et qui risquait de le doubler, de le dépasser et donc de le rendre inutile. Il n'avait pas de temps à perdre, sentant que la campagne tirait à sa fin. Ou bien Québec tomberait ou la flotte s'en irait : l'un ou l'autre avant le dernier jour de septembre.

Il fit signe à un soldat qui sauta de la voiture et lui apporta un coffret sans couleur.

—Je dois procéder au recensement du bétail et des personnes, me laisserez-vous entrer ? dit-il sèchement en se dirigeant vers la maison d'un pas irréversible.

—Pourquoi pas faire ça icitte ? demanda Joseph le ton à la menace.

—Messieurs, j'ai pris de mon temps pour discuter. Je ne le fais jamais et ne le referai sans doute pas. Je représente l'autorité militaire anglaise. Je suis pressé. Veuillez donc me suivre en me précédant...

On lui fit prendre place à table, à trois pieds de la trappe du caveau. Il installa le contenu de son écritoire. La prise de renseignements fut rapide, la voix quand même doucereuse chez l'enquêteur mais de toutes les sécheresses chez le père de Joseph.

–Et les personnes ?

–Y a nous autres, les deux enfants. La petite est à Grand-Jacques, notre voisin. Et la Marguerite...

Deschamps explora du regard la pièce qu'il savait ne pas contenir la femme de la maison et fit un visage étonné.

–Elle sera encore dans le clos du potager, dit Joseph qui avait remis sa coiffure devant l'effroi écrit dans les yeux des enfants.

–Faites-la venir.

–Pourquoi ? fit Joseph.

–Faites venir, ordonna fermement le Suisse qui désirait la questionner afin de vérifier les dires des deux hommes, car la plupart des bêtes pacageaient encore.

De son pas claudicant, Joseph se rendit dehors par la porte arrière. Il revint, annonça :

–Je sais pas où c'est qu'elle est. J'ai crié; elle a pas l'air d'être dans la grange non plus. Elle sera partie chez Grand-Jacques pour réconforter la Geneviève.

–Trouvez-la et vite !

–Écoutez, elle était dans le potager avec moi. Peut-être qu'elle aura pris peur et qu'elle aura fui dans le haut de la terre, s'inquiéta le père.

–C'est une femme qui a eu affaire aux Anglais en Acadie.

Deschamps retint un sursaut, s'arrêta net d'écrire, bornoya, questionna :

–En Acadie ? Marguerite ? Marguerite qui... de son nom de famille ?

Presque sous lui, à l'écoute de ces propos, l'Acadienne se sentit traquée une fois de plus. Comme tant de fois au pays ! Malgré sa volonté, la vérité sortait du noir. Et le destin ne consentirait pas à la libérer. Sa vie l'étoufferait-elle donc à jamais ?

Tout à coup, une solution lui éclata au visage. Elle sortirait de son trou, sourirait à Deschamps, conduirait la conversation, n'y laissant filtrer que les souvenirs les moins pénibles. Elle l'amadouerait selon sa méthode à lui. S'approcherait de la cheminée, prendrait le fusil, en finirait pour toujours avec son cauchemar. Ce ne serait pas un meurtre puisque l'état de guerre lui donnait carte blanche pour abattre tout ennemi. Et qu'on la pende donc pour cet acte ! Plus besoin de fuir alors ! Plus jamais de honte ! Et elle retrouverait Jacques Babin. Et au paradis, elle préparerait un bon logis pour le petit Jean, pour sa famille perdue, pour Joseph et son père, pour Grand-Jacques et sa famille, pour l'abbé Maisonbasse, et pour l'oncle Couillard, et pour soeur Sainte-Barbe, et pour la femme Cormier, et pour le sieur Montcalm, et pour le roi lui-même...

Et l'Acadie serait vengée. Si peu... Non, elle ne le tuerait pas par vengeance, mais pour la patrie et pour la religion. Oui, pour la religion à défendre.

–Marguerite Leblanc de Grand-Pré en Acadie, fit Joseph avec au front ce qu'il eût désiré être la fierté de tout le peuple déporté.

Deschamps fut saisi d'un froid qui, passant par sa souvenance, le pénétra jusqu'à la moelle. L'affaire de Grand-Pré avait souventes fois rôdé au-dessus de son lit, la nuit, comme un spectre achalant, et particulièrement la mort du fiancé de Marguerite dont il n'avait pas manqué de subodorer la véritable raison : ce marché de dupe qu'elle avait conclu avec John Winslow et dont il avait été, lui, l'employé ambitieux de Mauger, l'initiateur et le négociateur. Il avait toujours gardé en lui le sentiment qu'un jour ou l'autre, la vie le confronterait avec cet épisode regrettable, et voudrait lui en faire payer une part du coût.

Il était pris au piège, seul, face à ces deux hommes qui devaient connaître son identité : les nouvelles voyageaient vite d'une paroisse à l'autre. L'un de ces Bernard ou Marguerite Leblanc avaient pu apprendre qu'un dénommé Deschamps accompagnait un détachement anglais. On l'avait peut-être aperçu quelque part aux abords d'une église ou sur une route. Il s'était jeté lui-même, tête première, dans la trappe.

Pensées du ventre, tout comme celles de Marguerite et que bientôt, l'esprit viendrait remettre à leur place. Mais...

La trappe, derrière lui, se souleva brusquement et retomba au bout de son attache de cuir qui céda. Accident malencontreux engendré par la panique et la provoquant, et sans lequel tout aurait pu encore se passer autrement en dépit des bouleversements qui agitaient tous les coeurs en présence. L'ensemble de bois lourd frappa le plancher avec fracas dans un bruit qui, aux soldats restés dehors, parut un coup de mousquet dont ils connaissaient bien le son mat caractéristique.

Poussé par son propre raisonnement et le rappel de toutes ces fois où on leur avait tiré dessus dans plusieurs paroisses et tout récemment à Saint-Thomas, l'homme ne put s'empêcher de s'en remettre alors à ses impulsions. Il se jeta de côté, sûr d'être atteint d'une seconde à l'autre ou bien que les hommes s'élanceraient sur lui pour le massacrer au couteau; n'avait-il pas devant lui en la personne de ce scalpé le plus dangereux peut-être de ces Canadiens terribles qui donnaient le frisson au général Wolfe lui-même ?

Tel un chimpanzé, il marcha, courut à croupetons vers la sortie qu'il atteignit au même moment qu'une balle tirée par un soldat, projectile de semonce qui s'enfonça dans le chambranle de la porte ouverte, à moins d'un pied de la tempe du garçonnet figé là par toutes sortes d'étrangetés, un peu sécurisé par la fillette qu'il tenait par la main.

Marguerite se confia aussi à ses instincts. Elle courut à la cheminée au-dessus de laquelle se trouvaient les deux mousquets de la maison, et que l'on gardait toujours chargés depuis le début des actions anglaises contre les fermes. Les hommes dormaient plus tranquilles ainsi, bien qu'on se soit fait la promesse de n'utiliser les armes qu'en dernier recours. Pour la jeune femme, elle était là, dans son épouvantable acuité, cette ultime instance.

Il fallut une fraction de seconde à Deschamps pour comprendre que le danger le guettait aussi bien devant que derrière et trouver moyen de se protéger de l'un comme de l'autre côté. Il s'empara du gamin en l'empoignant d'un bras nerveux. Il l'entoura à mi-corps et le porta devant lui comme un bouclier au moment même où l'Acadienne le prenait dans sa ligne de mire. Il s'en fallut d'un cheveu qu'elle ne tirât alors sur son propre fils. Elle abaissa un peu le canon de l'arme et ses yeux rencontrèrent ceux de l'homme traqué. Mais non pas tout à fait...

Pas plus que son père, Joseph n'avait le moindre sens de l'action devant cet ultime et unique combat de l'Acadie. Sous ses yeux sidérés, tout se passait en accéléré comme dans un autre monde. Cette peur haineuse de l'Anglais que Marguerite avait laissée sourdre d'elle-même parfois et qu'elle avait toujours dû refouler et enchaîner au fond de son ventre, car son ventre avait enfanté l'Anglais, la voilà qui remplissait la pièce et son regard sanglant comme un scalp frais. Les deux hommes restèrent à table, rivés à leur impuissance, incapables d'arrêter le battage, à vitesse ahurissante, des pages d'un livre déjà écrit en un autre temps et dans un autre lieu.

Jusque là affolé, Deschamps eut peur plus raisonnablement en recevant jusqu'aux tréfonds du coeur ces lueurs sauvages d'une bête à la rage noire. Alors il comprit, et la perception fut nette, qu'il tenait sur lui le fils gigotant de John Winslow. Une fois de plus, à l'image de sa vie entière, il aurait à se protéger de deux feux ennemis par leur propre mélange.

Sans dire un seul mot préventif ou menaçant, il se précipita dehors. L'Acadienne entendit deux autres coups de fusil puis le cri de l'homme en fuite. Surgit alors d'elle-même une sorte de rugissement puissant dont elle se souviendrait comme de celui d'une étrangère si elle devait sortir vivante de ce théâtre aux horreurs.

Elle se rua vers la porte, suivie de Joseph que le danger couru par l'enfant avait enfin sorti de son état de stupeur. Mais ses propres blessures à l'anglaise l'empêchaient de parvenir à Marguerite aussi rapidement qu'il l'eût voulu. Comme Source-de-Vie, elle se jetait au devant de la mort, y emmenant son fils avec elle. Il devait arrêter cela.

Il arriva trop tard, de cette seconde qui change une destinée ou bien qui la forge depuis le début de l'éternité.

Marguerite tirait.

Elle n'a visé qu'à demi, mue par l'idée paradoxale que de cette manière, elle pourrait atteindre le ravisseur sans toucher son fils. Un habit rouge de ceux agenouillés et tenant la maison en joue, tomba après un râle bref de surprise et de choc. Les deux autres dont les armes restaient chargées tirèrent sur la silhouette de la femme tandis que leurs collègues se pressaient de recharger, ce qui leur demanderait encore vingt secondes.

Le mousquet de l'Acadienne tomba. Elle recula. Joseph la reçut sur lui. Il savait qu'elle n'était pas blessée puisque les balles avaient sifflé à ses oreilles. Mais il devait s'interposer, ne plus se laisser distancer par la surprise et le passé.

–Mettez-vous à l'abri ! ordonna l'officier à ses hommes qui choisirent de se cacher derrière le four à pain et un bouquet d'aulnes l'entourant, s'enchevêtrant dans leur besogne de vider la poudre dans le canon de leur arme, de la taper, d'insérer la bille d'acier sur le morceau d'étoffe, deux d'entre eux traînant, plus mal que bien, le blessé agonisant, le cou crevé.

Deschamps les y rejoignit, trimbalant avec peine son paquet de hurlements stridents. En se retranchant derrière la puissance de son détachement retrouvé, il retomba à pieds joints dans ses esprits. Il rajusta ses pensées, dit à l'officier par-dessus les cris de l'enfant :

–C'est une bonne-femme d'Acadie qui m'en veut personnellement.

–N'empêche qu'elle a tué William, ragea l'autre, un poing douloureux levé au ciel.

–Si nous nous battons, il se pourrait qu'ils tuent quelqu'un d'autre.

L'officier grimaçant accourut auprès de Deschamps, lui cria en montrant le petit :

–Ces gens-là sont des barbares pires que des Sauvages... Regardez cet enfant rempli de haine. Il faudrait les abattre tous. Wolfe nous en féliciterait.

Le Suisse confia le petit à un soldat qui s'éloigna, emportant avec lui le cortège de cris. Et il dit à l'officier avec un oeil ironique :

–Vous n'y pensez pas; c'est l'émotion. Et puis... ce petit... la moitié de son sang est plus anglais que le vôtre. C'est le fils de John Winslow. Je vous le redis, la bonne-femme vient d'Acadie... et Winslow.

L'officier connaissait Winslow. Il avait lui-même servi sous Monckton lors de la déportation.

–Par le Tout-Puissant, cette femme d'Acadie a commis

un crime abominable envers l'Angleterre : elle devra payer.

–Faisons en sorte qu'ils se rendent et vous la jugerez. Vous réunirez la cour martiale; je serai l'avocat de cette dame.

L'officier desserra un peu les mâchoires et le poing.


–Ils vont peut-être nous tuer tous, mais pas pour une chanson, s'écria le père de Joseph en s'armant du second mousquet.

Effondrée à table, la jupe tirée par la fillette qui pleurnichait, 'parlée' par Joseph, Marguerite avait les nerfs à quatre années de là.

–Le père, il faut pas, cria Joseph. Faut parlementer, négocier. C'est un homme qui a participé au grand crime anglais en Acadie. C'est pour ça qu'elle a voulu le tuer. C'est ça, hein, Marguerite ?

Elle fit un hochement d'aveu.

–Mais ils vont nous tuer ! protesta le père.

–Pas si on leur parle. Ils ont le petit, Je vas sortir avec un drapeau blanc, pas de fusil.

Ce qui fut accompli. Joseph et Deschamps se rencontrèrent à découvert sous le soleil. Le Suisse ne dit pas que Marguerite avait tué un soldat et quel sort l'attendait pour cela. Il ordonna que tous les occupants de la maison sortent. La famille regroupée fut mise sous la garde de trois hommes, fusil pointé, baïonnette en avant.

Alors l'officier commanda le feu.

Un quatrième homme alluma une torche, se rendit à la grange puis à la maison.

–Et qu'il n'en reste pas une seule planche ! cria l'officier en charge.

Marguerite refusa de regarder. Ses hommes firent de même. Las et pressé, Deschamps ordonna que l'on conduisît la jeune femme à l'église où elle serait gardée. Aux questions des Bernard, il les informa de la mort du soldat; à leur incrédulité, il les enjoignit d'aller constater derrière le four à pain.

Le père s'y rendit. Joseph demeura auprès de sa femme et des enfants. Il lui fallait savoir, questionner Deschamps. L'homme lui dit qu'il y aurait procès à la fin du jour, qu'il ferait tout en son pouvoir pour sauver Marguerite, que l'incident n'était qu'une regrettable erreur provoquée par de la simple panique de part et d'autre, que les hommes du détachement ne le voyaient cependant pas du même oeil et réclamaient justice.

–Ça veut dire que ma femme risque d'être...

–Peut-être que oui, peut-être que non ! Sans l'état de guerre, j'aurais obtenu le moins pire pour elle. La déportation ou autre chose. Mais le soldat mort, c'était leur ami à tous...

–Mais tout fut accidentel.

–Je vais tâcher de le faire ressortir devant la cour.

Par son attitude, Deschamps avait le sentiment de se laver de sa dette envers l'Acadienne et de se disculper tout à fait à ses propres yeux de 'l'Acadie'  ainsi qu'il désignait parfois l'affaire de la déportation de 1755. Se trouverait-il au monde un seul homme capable de défendre la vie de quelqu'un ayant tenté de le tuer le jour même ? La jeune femme elle-même devrait bien se rendre à l'évidence et voir qu'il n'était pas le mécréant pervers qu'elle croyait qu'il était.

–Ma vie fut toujours de raccommoder les choses et les personnes, de trouver des compromis entre ennemis, je vais faire tout en mon pouvoir pour la sauver, redit-il une autre fois en moins d'une minute. Pour faire oublier un peu le... disons l'accident et la mort du soldat, je vais conduire le détachement plus loin par là-bas, pour le restant de la journée.

L'incendie prenait de l'ampleur, mais Joseph n'y pensait pas ni ne le voyait. Il regarda ce lointain vaguement désigné par Deschamps. Un attelage venait sur le chemin du roi. C'était le cheval à Grand-Jacques tirant une voiture longue. Que l'animal lui aurait été utile cette semaine-là pour aller aux nouvelles à Saint-Thomas ! Mais il avait bien fallu le remettre à Geneviève. C'était peut-être tant mieux, car on aurait pu le laisser brûler dans la grange par surcroît de vengeance.

Deschamps se sentait un peu moins poussé par le temps, maintenant qu'il savait un seigneur pas loin. Il y ferait certes de bonnes affaires comme chez ce Couillard de Saint-Thomas qui avait payé sa protection à l'aide d'une bourse d'espèces reluisantes, sonnantes et trébuchantes.

Il accéda à la requête de Joseph demandant que l'on attende l'arrivée de la voisine à qui l'on confierait les enfants. Puis il se rendit s'entretenir avec l'officier afin de planifier les activités du reste de la journée à la lumière des derniers événements.

Le père de Joseph revint auprès des siens. Il confirma ce dont ni son fils ni sa bru ne doutaient plus. Marguerite parlait avec les enfants comme si rien n'était arrivé. Tout lui paraissait bien maintenant. Geneviève reprendrait sa fille et avec elle, le petit Jean. Et elle-même, du haut du ciel, verrait bien au retour de Grand-Jacques et à la générosité de cette terre comme de celle de Joseph. Et elle l'aiderait, lui, à se rebâtir, à se trouver une autre ferme à sa mesure...

C'est en joie qu'à travers ses larmes, elle se jeta dans les bras de Geneviève. Elle la supplia, sachant bien la réponse pourtant :

–Tu veux prendre mon fils comme j'ai pris ta fille ? J'ai tué un soldat : ils vont me mettre à mort, c'est certain.

Geneviève n'arrivait pas à répondre par des mots, emportée qu'elle était par d'immenses sanglots de refus de ce sort affreux fait à sa voisine, devenue sa meilleure amie.

Sur ordre de Deschamps, les soldats se sont mis en retrait d'où ils pouvaient jouir du spectacle de l'incendie tout en surveillant le groupe de prisonniers. Des fenêtres dégorgeaient des paquets de flammes, d'autres éclataient. Des poules affolées sortaient par envols manqués et chutes gauches par la porte basse de la grange : les cris de détresse de cochonnets traqués à l'intérieur provoquaient le rire et les blagues de certains des habits rouges.

Conscient que le Suisse prêtait oreille, Joseph parla avec prudence, apprenant à Geneviève qu'il y aurait procès vers la fin du jour, que lui et son père déposeraient, qu'ils seraient tous détenus jusque là.

–Tu sais ben que je vas le prendre, ton Jean, pis tout vous autres... si les Anglais viennent pas mettre le feu chez nous...

Deschamps vint la rassurer. On épargnerait sa ferme. Il invoqua des raisons humanitaires. Un toit pour les enfants. Un refuge pour les Bernard après le procès. En fait, il lui tardait de se rendre chez le seigneur.

Il donna des ordres afin que rien ne soit laissé au hasard ou à la malheureuse initiative de quelqu'un d'autre. Joseph devrait reconduire Geneviève et les enfants, revenir prendre le corps du soldat qu'il emporterait à l'église. Et aidé par son père, il creuserait une fosse au cimetière. Tout cela sous l'oeil vigilant d'un soldat. Pendant ce temps, Geneviève serait conduite à l'église sous escorte, tel que décidé plus tôt.

–Je ne doute point que dans les circonstances, vous ferez preuve d'une prudente docilité, termina le Suisse qui donna ensuite ses instructions aux soldats.


Une heure plus tard alors que Deschamps discutait avec le seigneur Bélanger en l'édifiant devant le spectacle de l'incendie qui montait encore en fumée noire à perte de vue, Joseph et son père jetaient le corps du soldat sur la fonçure de la charrette. Ils le firent avec le seul respect que leur dictait la lourde présence de leur gardien. Puis ils montèrent. Joseph clappa aussitôt que le soldat vivant eut pris place.

L'incendie baissait.

Pendant le voyage de son fils chez Grand-Jacques, l'homme avait regardé brûler la moitié de sa vie sans même chercher à comprendre. Sans haine au coeur ni chagrin immense. À vrai dire, ça n'avait pas la moindre importance puisque seules comptaient maintenant la vie de Marguerite et les façons qu'il ruminait de la sauver. C'est à l'église ou bien jamais qu'il faudrait le faire. Et avant le retour du Suisse avec le gros du détachement.

–Ça sert à rien de regarder, lui dit Joseph quand la voiture se fut mise en branle.

–C'est le soleil que je regarde, pour savoir l'heure.

–Il nous reste quatre heures avant... le procès.

–Si tu penses comme moi, il se pourrait que le procès se passe dans la semaine des trois jeudis.

–C'est pour ça que j'ai dit qu'il nous reste quatre heures.

À l'arrière, près du corps de son camarade, le soldat regardait les Canadiens avec la plus totale indifférence. Son esprit voguait ailleurs. Sa tête bougeait sèchement comme celle d'un pantin sous l'agitation de la voiture aux roues bandées de fer.


On arriva à l'église. Les deux hommes savaient déjà pour se l'être dit à mots couverts, inutile précaution, que si la moindre chance se présentait, ils attaqueraient les Anglais. Même à deux contre un... Même à mains nues. Pas tout à fait désarmés pourtant puisque le père a trouvé un vieux couteau rouillé dans la toiture abritant le four à pain, la lame insérée entre deux planches. Il se l'est attaché à une jambe à l'aide d'un lacet de botte du soldat mort. Quant à Joseph, depuis qu'il a vécu dans la sauvagerie, jamais il ne s'est départi de son couteau. Il le portait dans une gaine de cuir sur ses reins, sous sa chemise. Source-de-Vie lui a montré comment le placer pour n'en être point gêné. C'est elle qui a fabriqué le fourreau. Il en a crevé, des Anglais et levé des chevelures, ce couteau d'Indien. Et voilà qu'il était frais aiguisé. Et propre. Marguerite l'a fait bouillir dix, quinze jours auparavant. Pour nettoyer à fond le manche de corne. Vingt fois il l'a tâté en venant. Ce qui, à chaque reprise, a fait monter d'un cran sa volonté de libérer Marguerite ou bien de mourir. Sa vie ne valait-elle pas mille fois la survie de sa patrie ? Ces Anglais, s'ils en avaient sans doute entendu parler, auraient la chance de voir un vrai Canadien avec la rage au corps. Sans ce maudit genou, il les abattrait tous à lui seul.

La voiture s'arrêta entre l'église et le presbytère, deux bâtisses de pur bois chaulé. Des soldats vinrent s'attendrir à voir leur compagnon au visage souillé de sang gras et lourd. Puis ils ragèrent à penser aux Canadiens qui le transportaient. Ils le déposèrent dans un lit d'herbe le long de la petite maison pointue. Aussitôt le curé Dolbec, homme rondouillard, chauve, la tête couronnée de gris, l'oeil dur, vint s'agenouiller près du cadavre et l'oindre. On lui avait appris qu'il s'agissait d'un Irlandais catholique.

Ensuite, le prêtre conversa avec les Bernard. Ils confirmèrent ce qu'il avait déjà recueilli de la bouche de Marguerite. Ils le questionnèrent habilement pour ne pas qu'il devine leur intention d'abattre les Anglais. Surent le nombre exact de soldats sur les lieux soit six. Apprirent que des chevaux du détachement se trouvaient dans une grange voisine, une écurie basse et grise de l'autre côté du chemin. Car les soldats se déplaçaient dans un même secteur dans leur grosse charrette qu'on pouvait remplir de butin.

Puis il fut question du cheval :

—Si vous voulez pas le mêler avec ceux des Anglais, allez dételer chez Normand.

—On va rien que l'attacher à la pôle là-bas, dit Joseph en guidant la bête par la bride. Car l'ancien milicien, à la pensée guerrière retrouvée, avait déjà supputé son plan d'attaque. L'attelage en serait un élément. Il l'attacherait le plus près possible du devant de l'église donc du premier soldat de garde, le ferait servir d'écran dans son approche, tout comme les arbres de la forêt. Et mieux encore puisque l'animal bougeant, bruissant, endormirait les perceptions des soldats.

—Ou si tu veux le laisser paître dans le cimetière, tu le peux, je te le permets, dit avec autorité le curé.

Le cimetière, point de départ vers la liberté, pensa Joseph en attachant le cheval comme prévu sans s'attirer l'opposition des soldats qui s'en fichaient royalement. Il revint vers le prêtre en ordonnant, dans sa pensée, les phases du plan.

Les airs graves, les yeux à l'attaque du curé Dolbec cachaient une âme sensible et un coeur peureux. Il n'avait jamais vu la guerre de près et n'aurait pu imaginer Joseph, son plus paisible paroissien, coupant la gorge d'un homme, lui qui n'avait jamais pu supporter une simple boucherie de ferme et qui venait tout juste de se trouver au bord de l'évanouissement à voir un cadavre.

Deux habits rouges partirent sur les entrefaites pour rejoindre leur détachement; c'est ce que Joseph en déduisit à les observer chevaucher vers l'est. Plus que quatre, comptat-il. Deux contre quatre et la bonne vieille méthode indienne. L'important serait de faire vite, silencieusement et surtout de s'assurer d'une bonne avance dans la fuite.

Celui qui les gardait leur fit comprendre par un geste transformant son fusil en pelle imaginaire, et en pointant du doigt le cimetière sis derrière l'église, que les y attendait la tâche de creuser une fosse ainsi que l'avait ordonné le Suisse.

–Pas de pelle, fit Joseph en tâchant de répondre aussi par signes.

–Il y en a dans le charnier, dit le curé. Je vous accompagne.

Cette présence inopportune du prêtre ne plaisait guère aux Bernard. Ils ne pouvaient lui donner le seul motif qu'ils avaient de vouloir être seuls avec le soldat. Car dans l'esprit de Joseph, il ne restait déjà plus que trois ennemis à abattre, celui encore debout derrière lui étant, dans son esprit, virtuellement mort.

Quand ils s'installèrent à creuser au lieu désigné par le prêtre, le soldat leur dit en levant deux doigts :

–Two graves...two.

–Qu'est-ce qu'il veut ? demanda Joseph.

–Je pense que...

–Il veut deux fosses, fit l'abbé en hésitant et soupirant.

–Ça va ben les prendre, dit Joseph à son père.

–Oui, ça va les prendre, reprit l'autre qui s'éloigna de trois pas pour creuser voisin.

L'un comme l'autre avait parlé dans sa froide détermination. Le curé crut qu'ils laissaient tomber des mots de résignation. Ça lui donna idée de proposer un chapelet pour demander au ciel que Marguerite soit épargnée.

–La prière peut des miracles; qu'on se rappelle monsieur de Montcalm à Carillon, l'année dernière. Et si la volonté divine voulait que... eh bien, nos prières serviront alors au repos de son âme.

–Vous avez raison, monsieur le curé. Et elles vont nous donner les forces pour creuser.

Le prêtre s'agenouilla, content. Il valait bien d'avoir un peu mal aux genoux pour aider ces pauvres paroissiens en les réconfortant et en intercédant pour eux auprès du ciel. Il entama le chapelet par un signe ,de croix lent et solennel.

Cette herbe verte, l'eau bleue, un prêtre noir : il n'en fallait pas davantage pour toucher le garçon en habit rouge, lui rappelant sa foi catholique et si semblable scène alors qu'il avait assisté à l'enterrement de sa jeune épouse morte en couches dans son Irlande natale, trois ans déjà. Après quelques instants d'hésitation, le voilà qui se mit à son tour à genoux, gardant la main sur son mousquet, crosse au sol et canon haut.

Joseph et son père se parlèrent par un regard bref. Le ciel et le prêtre seraient donc plus utiles que prévu. À force de prières lénifiantes, le soldat pencha la tête de son chagrin ressurgi.

C'était le moment !

Heureusement pour le milicien, il disposait d'une de ces pelles des plus solides sorties des forges du Saint-Maurice, à long manche qui compenserait pour la lenteur de sa jambe. Quand il perçut son mouvement discret vers le soldat, son père pria plus fort, histoire d'enterrer le bruit des pas. Mais l'Anglais s'enfonçait de plus en plus profondément dans la prière, allant maintenant jusqu'à répondre dans sa langue à la première partie des Avé dits en français par Dolbec.

Le curé jouissait au plus haut point de cette paix qu'il avait réussi à conclure grâce à la complicité d'en-haut. Dans ses mécaniques invocations, il s'imaginait entre Wolfe et Montcalm, entre la France et l'Angleterre, réglant le sort de l'humanité dans un traité d'amour aux clauses éternelles. Mais ce fut le Canada qui assena un formidable coup de pelle sur la tête de l'Irlande. Et l'Irlande chancela...

L'Acadienne également invoquait les puissances célestes. Elle a été confinée à une pièce de fortune aux murs de toile grise; mais par gestes a fait comprendre son désir de s'agenouiller dans l'église même où l'odeur des cierges, la chaire d'or et les jolies couleurs du maître-autel raviveraient belle-ment tout son passé, au moins dans ce qu'il avait eu d'heu-reux.

Le soldat de garde allait au pas de l'oie dans l'allée cen-trale, sans aller plus loin qu'elle vers l'avant. Garçon de pas dix-huit ans, le regard doux, le pas fragile et gauche malgré l'entraînement, il avait été confié par leur mère à la garde de son frère à leur départ d'Irlande pour l'Angleterre. Et son frère avait bien veillé sur lui jusque là. Ils avaient toujours obtenu des affectations côte à côte, y compris leur venue au Canada sous Wolfe et cette mission où le plus âgé a reçu le grade de capitaine sous les ordres plus ou moins définis de Deschamps.

Il a caché ses larmes en apprenant la mort de leur cama-rade et décliné la proposition de sortir pour voir son corps; mais, au contraire de son frère, il n'arrivait pas à éprouver de la haine envers la responsable, cette jeune femme au re-gard si paisible.

Leurs yeux se sont croisés; il a lu la tendresse, la bonté. Elle a dû tirer à cause de la peur. Il regrettait d'être là, en ce pays de gens tranquilles pour les tuer, en cette campagne verdoyante pour incendier les maisons et semer la ruine, en cette église semblable à celles de son pays pour surveiller une condamnée sans doute pas si coupable. Il se reprochait les craquements de ses bottes qui devaient troubler ses priè-res et son recueillement. Alors il s'arrêta. Il ferait le pied de grue plus longuement entre des rondes plus courtes.

Ce soudain silence secoua l'esprit de l'Acadienne et fit surgir sa pensée qui se glissa ainsi dans un moment de solli-citude quasi maternelle envers son gardien. Elle se plut à lui imaginer une mère, une fiancée, un futur, des enfants... Sa mère devait avoir cette bouche étroite et ce menton en casse-noisettes; et son père, ces épaules poussées en avant, ces bras ballants. Une fiancée brunette à petit nez pointu, aux yeux rieurs et remplis d'avenir. Un futur en santé et en paix. Sûr qu'il n'avait jamais tué personne ! Pas volontairement. Pas plus qu'elle-même.

Elle ferma les yeux et pria pour ce jeune homme jeté dans la guerre sans la comprendre, pour qu'il survive et puisse retourner s'installer un jour au coeur des verts pâturages de son Irlande natale dont on parlait avec envie parfois en Acadie.

Sorti de sa torpeur, le prêtre plongea dans l'horreur. L'épaule tranchante de la pelle était restée fichée dans le crâne du soldat. Le sang ne coulait déjà plus, ce qui signifiait que la mort avait fait son oeuvre. Le visage était écrasé dans la repousse de foin, la bouche et les yeux grotesquement ouverts.

–Qu'est-ce que vous faites donc, par Notre-Seigneur, qu'est-ce que vous avez fait ? s'écria l'abbé, la voix mate de terreur scandalisée.

Joseph ne répondit pas. Il mit le pied sur la tête du mort et arracha la pelle, pensant maintenant l'utiliser, à cause de la portée de l'instrument, plutôt que son couteau, pour se battre contre les soldats qui restaient.

–Vous devriez lui administrer l'Extrême-Onction sous condition, monsieur le curé, dit le père de Joseph en dépouillant le cadavre des munitions qu'il recelait.

Puis il s'empara du mousquet et rattrapa son fils déjà en marche pour l'église.

Le curé grimaçait. Il lui tardait d'en finir. Et il coupa court aux prières d'usage, rendu fou par l'idée qu'on le prendrait pour un complice, qu'on le pendrait sur la place publique devant l'incendie de son église et de son presbytère. Maisonbasse avait beau prétendre que les Anglais épargneraient les églises et les prêtres, n'a-t-on pas fait exception à Saint-Joachim et tué le curé ?

Il se leva. Les Bernard arrivaient à l'extrémité de la bâtisse. Et il se mit à crier et gesticuler. Il devait les empêcher de se battre, le leur défendre, s'interposer, recréer la paix une fois encore. On inventerait une attaque, celle d'un Sauvage passant par là et qui avait vu rouge... Il en témoignerait. On les croirait.

–Il va nous faire manquer notre coup, dit Joseph. Dépêchons-nous.

Son plan initial était de longer l'église, camouflé par l'attelage, de passer entre les pattes du cheval, d'arriver par derrière au premier soldat, le prendre à la gorge dans une prise de bras sans quartier en lui perçant le dos d'un coup mortel, puis de le traîner en reculant pour qu'il serve de bouclier devant l'autre accouru, et ce jusqu'à la voiture où son père attendrait en embuscade.

Mais voilà que cette histoire de pelle et le curé courant lui suggérèrent un autre plan tout aussi silencieux que le précédent. Car il lui semblait toujours aussi essentiel de ne point alerter le soldat gardant sa femme à l'intérieur, par un coup de mousquet dehors. Mais alors, il lui faudrait en remettre davantage sur les épaules de son père.

–Passez par l'autre bord de la bâtisse et prenez-le par en arrière.

Il se mit la pelle à l'épaule et s'avança dès lors à découvert. Ce ne serait plus l'attelage qui lui servirait de couverture mais bien le prêtre qui deviendrait complice malgré lui.

Alertés par les cris du curé, les habits rouges quittèrent leur poste à la porte centrale. Joseph arrivait derrière l'attelage quand ils débouchèrent sur le côté. Alors il se tourna la tête vers le curé pour jeter de la confusion dans leur esprit. C'était le moment le plus risqué. Il fit trois autres pas de côté, s'arrêta. Des pas calculés. Ils devraient rester là, à portée de sa pelle, chercheraient à comprendre, l'arme pointée sur lui, intrigués par sa venue et celle du prêtre, par l'absence de leur camarade, rassurés un peu par l'allure de Joseph, par le curé... Protégé par la façade de l'église, son père surgirait derrière eux. On les désarmerait. Un jeu. Sinon...

–Attendez... je sais quoi leur dire, criait le curé soufflant. Ne les attaquez pas... Je vais leur expliquer... Vous protéger... Comme mes enfants...

Les soldats mélangeaient des interrogations bruyantes et inintelligibles, nerveuses et menaçantes. Joseph leur sourit, tira un peu sur le devant de sa tuque, la rajusta. Puis il coucha sa joue sur sa main libre dans le geste de quelqu'un qui dort, disant doucement une phrase apaisante.

–Monsieur Deschamps vous envoie ses salutations. Et il a dit de laisser partir la femme...

Le curé arrivait trop vite; son père, pas assez. Les soldats mirent un genou à terre, le visèrent en criant d'autres questions qu'il ne comprenait pas. Pas plus qu'eux, les mots qu'il leur servait en haussant les épaules :

–Restez calmes : tout va ben aller... Je suis pas là pour vous massacrer... Suffit que ma femme...

–Look... There is blood on his shovel, dit un habit rouge, le regard bouleversé.

Ce furent ses dernières paroles. Le père de Joseph se montra enfin, criant les deux seuls mots d'anglais qu'il ait jamais sus de toute sa vie : "Hands up !"

Un des soldats se tourna vivement et tira. L'homme répondit à la même vitesse en abattant le second, celui qui menaçait Joseph, avant de s'écrouler lui-même pour avoir été atteint en pleine poitrine.

Le milicien et le soldat se toisèrent un court moment, chacun jaugeant la puissance de l'autre. Derrière son long canon de mousquet gréé d'une baïonnette luisante, l'Anglais se savait supérieur à ce paysan boiteux à la pelle ronde. Le poignet tendu, la main écrasant le manche, Joseph n'avait aucune crainte.

Le duel dura l'espace d'un éclair lancé par le fer de l'arme anglaise bien astiquée. Le soldat chargea dans une rage à faire frémir le cimetière. Appuyé par sa bonne jambe, son adversaire s'écarta au dernier et bon moment; la pelle bascula en avant et son tranchant reçut le cou, le sectionnant jusqu'aux vertèbres.

Dolbec pleurait, courait en rond, ne sachant plus à quel mort se vouer. Joseph se rendit auprès de son père. L'homme était adossé à l'église, une main au coeur, cherchant en vain à retenir le sang et la souffrance. Il souffla :

–Vite, va chercher Marguerite, vite...

Ses yeux passèrent au fixe et sa voix expira avec lui-même. Joseph vit la mort s'envoler vers le fleuve. Ses yeux devinrent fous. Il trouva son couteau, se le mit entre les dents, mordit. Puis il retrouva sa pelle, oubliant qu'un des mousquets toujours chargé pourrait lui servir bien plus efficacement. Mais plus rien en lui n'était plus lui-même. Il entra dans l'église. Tout droit.

Le prêtre parlait par ses bras à l'éloquence mitigée : un doigt suppliant Joseph de s'arrêter, de ne point porter la guerre au pied de l'autel, l'autre doigt signant les fronts se refroidissant, une main abattue interrogeant sa peur de l'Anglais, l'autre découragée de son autorité perdue.

Les deux coups de fusil retentissaient encore dans la tête du gardien de Marguerite : amplification, prolongement de son esprit, car le son déjà peu percutant avait été sensiblement amorti par la porte épaisse. Il a fait quelques pas vers la jeune femme, l'a suppliée du regard de lui dire quoi faire : mais elle n'a pu que le gratifier de la tendre impuissance de ses yeux las. Alors l'arme en avant, le pas courbé, il s'est dirigé vers la sortie, l'angoisse de ses bottes lui craquant jusqu'au coeur.

Au premier bruit de la porte s'ouvrant, il a trouvé en son âme et dans l'entraînement qu'il portait dans ses gestes, la bonne idée d'attendre. Ce pouvait être un habit rouge. Ce serait sûrement un habit rouge. Sinon, s'il s'agissait d'un ennemi, alors il devrait le voir pour le tuer et ne point tirer à l'aveuglette. Car un mousquet, un coup ! Il fallait faire mouche ou bien devoir se battre en corps-à-corps si d'aventure l'on n'était pas déjà tombé sous la balle ennemie.

Il faisait sombre derrière l'église. Et à cause de cela, les deux adversaires furent aveuglés un moment. Les yeux de l'un inadaptés à la pénombre intérieure et ceux de l'autre attaqués par le banc de clarté qui se glissa par la porte ouverte.

Un rideau de lumière foncée tomba tranquillement entre les deux hommes. Ils se virent. Deux êtres parmi les meilleurs de cette humanité, deux âmes aux mains propres, aimés de leurs parents, de la jeune femme debout qui finissait tout juste d'invoquer le ciel pour l'un et recommençait à le faire pour l'autre, craignant Dieu et le servant, catholiques romains, chacun généreux jusqu'à donner sa vie pour un proche, ce qu'ils n'auraient pas à faire sans la patrie.

C'est au coeur de la patrie, en ce lieu où elle palpite avec le plus d'ardeur, et sous l'oeil bienveillant du Seigneur que le bien, déguisé en bête, triompherait du bien.

Joseph tenait sa pelle devant lui, par le cou, la main près du métal souillé, le manche tombant derrière en biais. Par un vieux réflexe que son entraînement au respect du lieu sacré lui avait imprimé, il ôta sa tuque, la laissant retomber sur ses épaules, son dos.

Le soldat sentit son coeur vaciller au-dessus de l'enfer. Son corps resta figé dans son ordre rouge. Son ordre, c'étaient les ordres reçus. De plus haut. De plus loin. Du roi lui-même. Il n'était plus ni un Irlandais, ni un catholique, ni le fils de sa mère; il avait été moulé pour tuer l'ennemi. Et dans les règles pour sa plus grande gloire et celle de son pays !

En chacun, la peur n'avait plus rien d'effrayant puisqu'elle nourrissait son vouloir de vaincre. Mais elle bûchait à bras raccourcis sur l'être de Marguerite, cherchant à l'abattre pour qu'il s'écrase avec fracas. Pour se libérer de cette terreur malicieuse, poussée par le ciel peut-être, mue par son vieux sens de l'ordre, elle trouva moyen de dire :

–Tournez le dos pis partez chacun de votre bord. C'est le bon sens qui le veut. Pis le bon sens, c'est plus fort que l'Angleterre... pis peut-être même que la prière itou.

–Get out of here or I shall shoot at you, sir... Get out...

Joseph fit deux pas en avant.

–Hands up, sir ! Hands up, sir !

Le milicien avança encore... En même temps qu'il tirait, le soldat ferma les yeux pour n'en point voir le résultat. La balle sonna sur le fer de la pelle, frappa une couverture du quartier général et finit son voyage dans une course bruyante sur le bois du plancher. Alors il rouvrit les yeux et chargea à la baïonnette. Frôla l'adversaire. Le fer lui frappa la tête, s'entendit sous la voûte basse comme le gong d'une cloche fêlée. Il s'affala, assommé. L'autre homme l'enjamba, lui releva la tête d'une main dans la chevelure et la scalpa méthodiquement dans une furie rauque.

Puis Joseph reprit conscience. Il jeta les cheveux plus loin et servit aussitôt à Marguerite le motif indiscutable d'avoir ainsi condamné à mort et exécuté :

–Ils t'auraient pendue, dit-il sans se retourner.

–Pas lui... Pas par sa faute...

–Pas par sa faute... mais il aurait tenu la corde comme tous les autres... comme tous les autres.

Il trouva sa tuque emprisonnée sous le canon du mousquet, se la remit et la cala jusqu'aux yeux, annonça laconiquement :

–Ils ont tué mon père, là, dehors.

Elle courut à lui, demanda :

–Asteur, on fait quoi, Joseph ?

–On va aller prendre notre garçon pis disparaître.

–Ils vont nous pourchasser jusqu'à l'autre bout de la terre.

Il lui enveloppa les épaules, l'aida à enjamber le corps qui bougeait encore.

–Il est pas mort...

–Question de minutes...

–Mais toi ?

–Viens... viens.

–Ils vont nous pourchasser partout, redit-elle.

–La guerre achève, faudra qu'ils s'en aillent.

–Si on perd... Ils vont nous chercher, nous trouver.

–On dirait que tu veux pas survivre, Marguerite.

–Dans ça, Joseph, dans tout ça ?

–Là où c'est que je vais t'emmener, y aura pas de ça... On va s'approcher des bêtes sauvages mais on va s'éloigner des Anglais : ça sera mieux !

–Pis le frette, la faim.

–T'auras jamais faim, jamais frette tant que je vivrai. Le petit non plus, viens.

Elle se laissa conduire, marchant misérablement. Dans sa maison, la nuit, elle avait pu s'accoutumer à son mari, mais tout ce sang qu'il répandait... comme s'il eût été un autre, quelqu'un sorti de la sauvagerie.

Dehors, la douleur qu'elle eut à voir le corps de son beau-père vint balayer la peur de ce bain de la guerre qui l'avait noyée dans l'église. Elle voulut s'approcher. Joseph la retint. Le temps pressait. Il confia le corps au curé. Puis la poussa dans une douce fermeté vers l'attelage.

–Conduis le cheval chez Normand : moi, je vas choisir

deux bêtes dans l'écurie des Anglais. On s'en va chez Grand-Jacques, ensuite à Saint-Thomas. Dépêchons-nous.

–Moi, je vais leur dire quoi, aux Anglais, pleurnicha le prêtre, l'âme crucifiée, les bras en croix.

–Qu'un parti d'Indiens est passé par icitte. J'en ai scalpé un exprès pour ça.

–Offenser la vérité ?

–Autrement, ils vous pendront, monsieur le curé, ils vous pendront.

–Et votre disparition ? Et le corps de votre père ? Ils vont comprendre.

–Les Sauvages, les Sauvages, monsieur le curé...

En Joseph, l'homme des bois appuyé du fermier-milicien mettait dans son sac toutes les chances et les seules nécessaires à la survie des siens et à la sienne. Voilà pourquoi il abandonna le corps de son père sans même une prière. "Pour prier, il faut d'abord être en vie," s'est-il dit en demandant au prêtre de veiller à l'inhumation.

Il choisit deux bêtes, ni trop grosses ni trop nerveuses, les jugeant par une bonne claque sur la croupe, évaluant par la réaction tant le poids que le nerf. Leur mit une selle. Bride. Longe. Les sortit. Marguerite revint.

–Ils vont se charger d'aller reporter la voiture à Geneviève.

Ils retraversèrent la rue. Joseph ramassa toutes les munitions qu'il put trouver sur les corps ainsi qu'un mousquet qu'il attacha sur sa bête. Il eût pu mettre la main sur plus de poudre et de balles au quartier général, mais à quoi bon !

Le curé a couché son père dans une position de paix et de repos. Il lui a fermé les yeux, croisé les doigts. Marguerite ravalait ses larmes lorsque, de ses mains, Joseph lui fit un montoir. Et lui-même dut s'aider d'un tonneau, car son genou rendait l'enfourchement d'un cheval fort difficile et pénible.

La route était déserte. Plusieurs citoyens ont été témoins de l'escarmouche. Ils se cachent derrière leurs rideaux comme pour se protéger par avance des représailles anglaises qu'ils anticipaient déjà terribles.

Passaient les maisons basses. Joseph poussa sa monture au moyen trot, entraînant par la longe le cheval de Marguerite. Quand il tourna la tête, elle le regarda, inquiète. Il commanda un arrêt, amena son cheval à côté de l'autre pour montrer à la jeune femme comment se mieux tenir en selle. Elle savait y faire pourtant. Cent fois, elle a monté en Acadie ou à L'Islet. Mais sur des gros chevaux de trait, lents et rarement sellés.

–Remonte ta robe pour pas avoir les genoux prisonniers.

Il l'aida, laissant sur elle des taches de sang. Lequel ? Celui de l'Anglais ? De son père ? Ça n'avait plus d'importance ni pour lui ni pour elle. L'impératif du moment, c'était de fuir, de se mettre à l'abri. Le chemin serait risqué dans sa première partie. Car Joseph allait quelque part et pas n'importe où.

Avec son père, il a discuté du meilleur endroit. Ni Québec, ni Montréal, ni Trois-Rivières, non plus la vallée du Richelieu ou le long de la rivière Saint-François puisque pas un de ces endroits n'était à l'abri de l'Anglais. C'est la Nouvelle-Beauce qui avait eu leur faveur et dont ils s'étaient exposé les avantages. Pas très loin de Québec donc de L'Islet. N'exigerait pas une fuite interminable et risquée. Pays fertile, disait-on. Et giboyeux !

L'ennemi s'était emparé de Louisbourg, de Niagara, de Carillon et Saint-Frédéric. Sa main d'acier glissait sur le Canada. Il avait même le doigt sur Québec depuis deux mois. Et pourtant, aucun corps expéditionnaire anglais n'avait jamais emprunté la voie Kennebec-Chaudière. Des Canadiens, sous Portneuf, passant par là, avaient bien fait une incursion au pays des Anglais, mais cela datait de Frontenac : soixante ans révolus, et ces miliciens vivaient à l'indienne. Route impassable. Pas de cartes valables. Obstacles insurmontables pour une armée : marécages, montagnes, rivières à pièges, portages innombrables, distance inconnue et les pires moustiques d'Amérique... Voilà l'agrément qui attendait un bataillon venu du sud par ce côté.

Sartigan, c'était la vie !

Ils se remirent en route vers chez Grand-Jacques. Joseph crut plus utile de rester à côté de Marguerite, de ne point chevaucher en catastrophe pour justement l'éviter, la catastrophe, soit quelque chute malheureuse. Elle apprivoiserait sa monture.

Il consulta le soleil. Trois heures. On y arriverait, c'est sûr !

–Où c'est qu'on va aller après Saint-Thomas ?

–À Sartigan.

–Où c'est ?

–Sur la rivière du Sault-de-la-Chaudière. À vingt lieues. Je veux dire à vingt lieues de Québec.

Marguerite chercha dans ses souvenirs acadiens. On a parlé devant elle de ce pays étouffé dans des collines boisées, sans la mer, replié sur lui-même, prisonnier entre une intense forêt noire de terre noire boueuse et une immense sauvagerie... Mais à l'Islet aussi, elle en a entendu parler.

–Sartigan, c'est une bourgade indienne, hein ?

–Oui.

–Les Sauvages ?

–Les Abénakis sont nos amis.

–Va falloir vivre avec eux autres ?

–Sartigan, c'est le meilleur endroit de la terre pour nous

169

autres, pour nous aider à disparaître. Malgré tout, on sera pas trop loin d'icitte : on va savoir ce qui se passe. On va confier la terre à Grand-Jacques en attendant.

–On pourra jamais revenir par icitte, chez nous, je le sais. Faut que l'Acadienne soye déportée, enterrée pour toujours : c'est écrit dans les étoiles du ciel, ça.

–Vaut mieux une Acadienne qui vit à l'indienne qu'une Acadienne morte !

–Ça, je sais pas... Des fois... Comment c'est qu'on va manger ? Avec les Sauvages ?

–Je vas chasser.

–Avec ta jambe ?

–Un bon chasseur, c'est pas un coureur. Ça se terre, ça bouge pas, ça tend l'oreille. Du manger, c'est pas ce qui va nous manquer. On va se charquer de la viande pour l'hiver. Je vas pêcher sur la glace. Étendre des pièges. Prendre des bêtes. Au printemps prochain, je vas me trouver un coin pour commencer à défricher. Faire de l'abatis. Semer. Et si les Anglais sont battus, on reviendra se bâtir chez nous, icitte à L'Islet.

–Pis si on perd la guerre ? On est du monde ben faciles à reconnaître, nous autres. Moi, l'Acadienne marquée par un mauvais sort... Pis toi avec... tes blessures.

–Si faut rester à Sartigan le restant de notre vie, on restera là, dit-il, mordant ferme dans chaque mot de la même famille.

Ils s'entendirent pour cacher à Geneviève le lieu de leur prochain refuge. De la sorte, elle ne pourrait l'échapper ou se le faire arracher sous la menace.

–On va revenir, on va revenir, dit Marguerite sans conviction quand les deux femmes s'étreignirent à travers leurs sanglots.

–Si mon mari peut être icitte, on va en prendre ben soin,

de votre terre.

Joseph prit l'enfant avec lui, devant lui sur le cheval. Le petit riait à ses parents retrouvés, à cette joyeuse cavalcade.

Il fallait se rendre à Saint-Thomas et surtout ne pas rencontrer d'habits rouges. Les Anglais auraient trouvé suspecte leur chevauchée, questionneraient peut-être pour découvrir sous les couvertures données par Geneviève les selles anglaises camouflées.

L'oncle Couillard leur proposa de les cacher en attendant le départ de la flotte anglaise.

–Mais si elle part pas, objecta Joseph.

Trop raisonnable pour répondre par ses espérances, le seigneur pencha la tête dans un réalisme triste et résigné.

–Ça va-t-il vous offenser qu'on vous dise pas où c'est qu'on va ?

–Je veux point le savoir; comme ça, je le dirai jamais à personne, fit le seigneur en hochant la tête.

La rencontre avait lieu dehors. On s'est arrêté pour que l'oncle sache pour le père de Joseph, pour l'incendie de la ferme, pour les motifs de leur fuite, pour quêter du manger.

La tante est venue aussi pour accueillir les arrivants. Et la Tinette aussi dont le mari était à la guerre. Marguerite se plaignit des difficultés que lui apportait sa robe pour voyager à cheval.

–Faut que tu t'habilles comme un homme. Viens, j'ai des culottes de garçon qui vont t'aller.

–L'idée est ben bonne, approuva Joseph. Mais hâtez-vous.

À L'Islet, l'officier de Deschamps trouvait son jeune frère, mort dans l'horreur. Agenouillé sur lui, il pleura dans une douleur silencieuse et une rage sourde. Puis il blâma sévèrement le Suisse d'avoir ainsi laissé l'église et les prisonniers si faiblement gardés.

–Je suis celui qui donne les ordres, répondit l'autre.

–Plus maintenant, monsieur, plus maintenant.

Et l'officier questionna le prêtre par Deschamps qui cherchait ainsi moyen de reprendre de son ascendant. Dolbec parla des Sauvages. L'officier le menaça de son arme.

–Dites-lui la vérité. C'est un catholique. Il ne tuera point un prêtre.

Alors le curé raconta, soulagea son âme écrasée. Il dit que les Bernard avaient pris le chemin de Saint-Thomas, qu'il s'y trouvait leur oncle, le seigneur Couillard.

Alors même que l'officier et trois soldats se mettaient à la poursuite des fugitifs, ceux-ci reprenaient la route.

L'Acadienne avait attaché ses cheveux puis les avait écrasés sur sa tête avec un tricorne noir. Et elle avait revêtu des pantalons d'étoffe et une veste frangée sur une chemise à carreaux.

Derrière sa selle, il y avait un petit paquet contenant la seule chose qui lui restait maintenant d'Acadie : sa robe longue éclaboussée de sang.

Bourré de fromage et de lait, le petit Jean s'adossa à la poitrine de Joseph et s'endormit.

À la brunante, on arriva en vue de Pointe-Lévy avec, sur la droite, l'immense flotte qui s'allumait bateau par bateau, pont par pont, véritable ville se berçant sur le fleuve, aux joyeux clignotements dispensés par les hublots des canons par une combinaison de l'éclairage intérieur et du tangage.

Plus loin, le tonnerre grondait. C'étaient les batteries anglaises qui bombardaient Québec. Leur son réveilla l'enfant qui s'émerveilla à la vue de ces jolis pots-à-feu montant, descendant puis s'écrasant dans des gerbes éclatantes à travers des feux déjà allumés çà et là.

L'on n'avait pas été inquiété de tout le voyage. Personne aux ponts flottants pour poser des questions. Les habits rouges rencontrés n'ont même pas levé les yeux sur le couple. Ils avaient l'habitude de croiser des habitants à cheval, à pied ou autrement.

Pour Joseph, le pire achevait. Avant la nuit, on atteindrait le chemin bifurquant vers la Nouvelle-Beauce. Et alors, la lune et l'instinct des bêtes serviraient de guides.

Si Marguerite avait le sentiment de se diriger vers les ténèbres, Joseph savait fort bien vers quoi il allait, bien qu'il n'eut jamais visité ces lieux. Passé le bois de la terre noire que plusieurs appelaient le bois de Sartigan, il y avait successivement, sur la rive droite de la rivière, quatre seigneuries. Et pour trois d'entre elles, il connaissait le nom du seigneur. Un sieur Taschereau avait la première : son beau-frère et son beau-père, Rigaud de Vaudreuil et Fleury de la Gorgendière se partageaient les deux suivantes. Et la dernière avant la sauvagerie, celle sur laquelle se trouvait le village indien de Sartigan, avait été attribuée à un greffier de la maréchaussée du nom de Gabriel Aubin de l'Isle. Depuis vingt ans qu'elles avaient été concédées, des colons peu à peu s'y étaient installés : et voilà que le long de cette rivière se trouvaient trois paroisses comptant ensemble autour de sept cents âmes. Depuis l'arrivée des Anglais, plusieurs familles de la Côte-du-Sud étaient parties pour la Nouvelle-Beauce. Joseph le savait. Il verrait au droit légal de s'établir là-bas, s'il y avait lieu, après la guerre. En attendant, il y vivrait en squatter sans grand risque.

C'est donc vers un carrefour qu'il avait conscience d'aller entre un pays d'habitants comme lui et la grande et chère sauvagerie. Juste entre les deux. Sur la ligne de démarcation entre l'homme et l'absence de l'homme. L'hivernement ne saurait y être mauvais.

Pour Marguerite, le pire commençait...

## Le 13 septembre

Une partie de la flotte avait été mobile ces derniers jours. Les bateaux passaient et repassaient devant Québec à la faveur de la nuit. Les bourgeois de la ville se disaient sans y croire, que les Anglais s'apprêtaient à partir. Devant ses officiers, Montcalm soutenait toujours que l'ennemi ne quitterait jamais sans une tentative de débarquement... à Beauport.

À quatre heures du matin, il commença, ce débarquement, mais ailleurs. Depuis la nuit tombée et jusqu'à maintenant, les batteries de la Pointe-Lévy se sont époumonées comme jamais auparavant. Mais rien de trop incendiaire pour éviter d'éclairer le mouvement des vaisseaux qui s'échangeaient des signaux en amont et en aval de Québec.

Wolfe a ordonné l'impensable. Descendre à l'Anse-au-Foulon à peine à l'ouest de la forteresse. Personne n'entendit vraiment l'importance de ce discret mouvement de troupes, car personne ne se trouvait là, sauf la traditionnelle sentinelle endormie et vite capturée. Au lever du jour, quatre mille huit cents hommes étaient rangés en bataille près de la capitale. Wolfe leur adressa ces mots : *"Je vous ai menés au sommet de ces rochers escarpés et dangereux avec le seul désir de vous conduire à portée de l'ennemi. L'impossibilité d'une retraite ne fait aucune différence à des hommes résolus à vaincre ou à mourir."*

Pendant ce temps, un Canadien à bout de souffle sur un cheval hors d'haleine arrivait chez Montcalm. Le général dormait tout habillé et ce, depuis des semaines, convaincu de l'imminence d'un débarquement à sa porte. Il sortit de sa tente sans sa perruque, écouta ce que l'homme avait à raconter, fit des hochements de tête affirmatifs voulant dire qu'il n'en croyait rien.

–Monsieur, ils sont sur les Plaines d'Abraham.

–Qui donc ?

–Mais les Anglais, pardieu ! Qui d'autre ? Quatre, cinq mille, je ne sais. C'est terrible. Ils vont sûrement prendre la ville ce jour même.

–Monsieur, les Anglais n'attaqueront pas de ce côté. La peur vous aura tourné les esprits. À moins que ce ne soit l'eau-de-vie ? Imaginez donc... cinq mille hommes atteignant les Plaines d'Abraham sans être repérés : impossible !

–Mais ils sont là ! Je les ai vus de mes yeux, fit l'homme, incrédule de voir Montcalm aussi incrédule.

–Allez dormir, mon brave, ça n'a pas de sens, ce que vous racontez là.

C'était à tomber de cheval. Mais le messager s'y cramponna et repartit avec son petit bonheur. Le général fit demi-tour pour regagner sa tente. Quelques minutes plus tard, il dut sortir de nouveau lorsque deux autres cavaliers vinrent claironner la même nouvelle. Puis un quatrième à qui il demanda :

–Et chez Vaudreuil ? Vous êtes allé chez Vaudreuil ?

–Oui général. Mais il m'a renvoyé ici, me disant que vous êtes celui qui détient l'autorité suprême.

–Il n'est pas trop tôt qu'il l'accepte.

–Mais il s'affaire à regrouper ses hommes.

–Qu'il prenne son temps ! De toute manière, nous nous passerons bien de sa présence sur le champ de bataille. Comme toujours.

Le général rentra chez lui, mit sa veste, ceignit son épée, s'enfila sous sa perruque, aidé en chaque chose par son jeune aide-de-camp venu de la tente auxiliaire où il demeurait quand il n'était pas avec son chef.

–Mon cher Grison, le général Wolfe est un pitoyable tacticien, dit-il soudain après quelques banalités de circonstance.

–Ah ?

–Il veut s'en prendre à nos murs... Son ennemi se trouve ici à Beauport et lui semble vouloir se battre tel... tel ce fou de Don Quichotte.

–Don Quichotte, monsieur ?

–Exactement ! Pauvre monsieur Wolfe, que je vous plains donc ! Eh bien, puisque vous ne venez point à Montcalm, alors, c'est Montcalm qui devra se déplacer pour aller à votre rencontre.

–Aller à lui ?

–Mon cher Grison, nous allons jeter les Anglais au fleuve. Ils tomberont tous au bas des falaises ou bien ils périront sur les Plaines. Allons, enfants de la victoire, la gloire nous attend chez monsieur Abraham !

Succédant à sa matinale placidité boudeuse, une agitation fébrile s'empara soudain de lui comme s'il eût entendu l'appel de la gloire seulement après avoir saisi ce qui arrivait, ainsi que le boulet de canon passe après le son craché par la bouche qui l'a lancé.

Il ordonna à droite et à gauche, se fit amener son cheval, le conduisit à toutes les extrémités de son camp, réunit finalement trois mille cinq cents hommes qu'il lança aussitôt vers Québec.

En trois heures ou quatre, il aurait pu avoir dix mille soldats, miliciens et Sauvages sous ses ordres dont les troupes d'élite de Bougainville, lesquelles, dans une bataille rangée contre les habits rouges avaient toutes chances d'obtenir de meilleurs résultats que quiconque.

En trois heures ou quatre, il faisait défiler ses hommes entre la ville et les lignes britanniques. Quatre officiers dont la major Dumas, venus prendre des ordres, entendirent de la bouche du général un commandement qui dépassait toutes leurs capacités d'entendement :

–À mon signal, nous nous lançons à l'attaque.

–Général, ne vaudrait-il pas mieux attendre ? dit l'un d'eux sur un ton qui donnait la pleine mesure de son opinion.

Un hennissement de son cheval suggéra sa réponse à Montcalm :

–Voyez, voyez comme il tarde à cette bête de foncer en avant. Regardez son chanfrein droit comme une épée, une épée prête à pourfendre l'Anglais. Mes officiers montreraient-ils moins... d'empressement à frapper l'ennemi qu'une simple rossinante ?

–Général, dit un second officier après avoir consulté les autres du regard, attendons monsieur de Vaudreuil qui vient avec trois mille hommes au moins.

–Messieurs, chaque minute permet à l'envahisseur de bâtir ses retranchements.

–Ils sont là depuis l'aube et ils n'ont pas donné un seul coup de pelle : nos Abénakis nous l'ont rapporté.

–Ils vont commencer incessamment. Ce n'est pas attaquer la ville qu'ils veulent, car ils l'auraient déjà fait : c'est s'établir.

–Mais s'ils se retranchent, général, monsieur de Bougainville, si on lui donne le temps d'arriver avec ses grenadiers saura bien les prendre à revers. Pris entre deux feux, les habits rouges seront hachés comme viande à pâté, fit valoir le major Dumas.

–Messieurs, messieurs, regardez ce soleil impatient d'inscrire dans sa splendeur la gloire d'un fait d'armes qu'il nous reste simplement à cueillir, là, à nos pieds.

Il eut l'air de rêver un moment puis il termina dans un excès capricieux de sa voix aiguë :

–Il nous faut balayer cette armée et sur l'heure.

–Mais... une heure ou deux...

–Dans une heure ou deux, ce soleil aura honte et nous

aveuglera. À vos postes et attendez mon signal. Tout est compté, pesé.

"Il n'y a au monde que dans ce damné pays où l'on doive procurer la victoire aux hommes malgré leur volonté," se maugréa-t-il entre les dents avant que de donner le signal d'attaque par un coup d'épée dans l'air.

L'Anglais avait le pied ferme dans sa ligne ordonnée, brillante, aux rouges massifs d'éclat. Épaule à épaule et arme à l'épaule : enfin une bataille dans les plus pures règles britanniques. Un mur de fer, de feu et de puissance déterminée qui peut avancer, reculer, s'agenouiller, viser, tirer, se régénérer. Pas d'abatis devant, de ronces, d'arbres appointés aux enchevêtrements cruels de branches aiguisées comme des baïonnettes, d'hommes invisibles qui tirent de partout et mettent en échec un ennemi dix fois plus grand et fort. Ici, ceux qui tomberaient mourraient proprement, dans la dignité. L'Angleterre l'aurait finalement sa première bataille civilisée en terre d'Amérique. Et cela, grâce au raffinement de Montcalm qui, en gentilhomme empressé, s'occupait lui-même de franchir la distance séparant les deux armées comme s'il eût voulu civilement libérer Wolfe de ce surcroît de travail.

Il ne restait plus aux Anglais que d'attendre. Et en silence, car pas de charge, pas de fifre et de cornemuse pour battre la marche et soutenir le pas. Pas maintenant. La musique serait tout d'abord assurée par les mousquets, instruments à plomb aux projectiles chantants...

Les troupes ne sont pas homogènes : il y a des miliciens mélangés aux soldats. Cent huit par bataillon de trois cent cinquante réguliers. À mesure que l'on s'approche, les Canadiens et les Sauvages, qui forment la totalité des bataillons sur les ailes, ont tendance à étendre leurs lignes ainsi qu'ils savent faire la guerre sans jamais l'avoir appris.

Wolfe marche longitudinalement devant ses hommes im- mobiles, dos à l'ennemi pour ainsi montrer son mépris de l'attaquant et pour insuffler à l'âme de chaque soldat dont ses yeux croisent le regard, un courage de dernière minute, la bravoure la plus déterminante. Un agréable plaisir tour- billonne de par toute sa poitrine. Les atroces malaises inces- sants des dernières semaines se sont envolés. Il fait bon et frais dans ce matin clair en ce voisinage verdoyant et odo- rant. À chaque trois hommes, il respire à fond, l'oeil heu- reux, le dos droit.

Comme à Carillon, Montcalm a défendu de tirer un seul coup de feu sans son ordre. C'est lui seul qui jugera, au nom de la victoire et de la France, le bon moment arrivé pour tailler l'ennemi en pièces et le basculer au fleuve.

Quand il sait que la distance assurera le maximum d'effi- cacité aussi bien à la défense qu'à l'attaque, Dumas, sans le crier haut, glisse à quelques hommes l'entourant, de se dé- ployer et de commencer le tir, Ce que voyant, sur la gauche, les hommes font la même chose. Quelques secondes encore et des coups de feu éclatent depuis les deux ailes. La bataille commence sans autre ordre. L'abatis, ce sont les Franco-Ca- nadiens qui s'y engagent : un abatis fait de confusion, de désordre, d'entêtement, d'absence de coordination et d'auto- rité.

Montcalm évalue la situation. Ordonne le pas de charge. Il faut franchir un ravin difficile pour atteindre les hauteurs que l'ennemi occupe.

Les fusils anglais s'abaissent. Wolfe crie d'une voix que l'écho emporte, le mot le plus beau qui ait jamais jailli de sa poitrine jusqu'à ce jour :

–FEU ! ! !

Un éclair allume toute la ligne. Une fumée rougeâtre à odeur de poudre enveloppe les habits rouges et les grise. Wolfe est frappé d'une balle; ce n'est que le poignet. Il crie aussitôt l'ordre d'avancer. Le second rang traverse le premier. La musique naît, enterre les cris de guerre des Canadiens et des Indiens.

La rafale est meurtrière. Les soldats français tombent. Les miliciens se jettent à terre pour recharger. Toutes les lignes françaises éclatent, se tordent, s'arrachent. Les hommes tournent le dos, s'enfuient. La déroute est presque totale.

Montcalm conduit sa monture sur un tertre, *"hurle des cris de ralliement à l'emphase patriotique, l'épée au clair,"* coeur nu. Sa voix se perd dans les gémissements, les tirs désordonnés, les salves britanniques se succédant, les notes implacables des cornemuses... Sa voix se perd au bout de ses lèvres, car le frappent dans les entrailles et dans la cuisse des balles bénies qui, telles des pointes sacrées, le consacreront dans la gloire éternelle.

Wolfe est aussi atteint. Dans l'aine puis, l'instant d'après, aux poumons que le plomb perfore de part en part. Il trébuche, s'écroule. On l'entoure. Un officier lui chante victoire.

—Ils fuient, mon général.

—Qui ?

—Les ennemis. Ils sont en pleine déroute.

—Quel bonheur de mourir ainsi ! murmure-t-il avec son dernier souffle.

Montcalm a presque perdu conscience. Ses aides, Grison, Marcel, le soutiennent sur sa monture. Puis ils sont remplacés par des soldats. On le conduit vers la ville. *"Ses hommes détalent comme des lapins. Ils fuient vers Québec, n'y entrent pas, bifurquent, descendent les hauteurs et vont rejoindre le gros de l'armée encore à Beauport."* Sur le champ de bataille, seuls s'entêtent encore les Canadiens et les Sauvages des ailes. Ils couvrent la retraite, bloquent l'avance britannique.

Cette action permet aussi à Montcalm et aux gens qui le

soutiennent de rentrer dans Québec par la porte Saint-Louis sans autre forme d'inquiétude de la part de l'ennemi. L'ont précédé à l'intérieur des murs les désastreuses nouvelles du champ de bataille. Des femmes éplorées, des enfants se pressent sur le passage du général.

Des coulées rouges souillent ses bottes, les flancs du cheval, brillent sous le soleil qui frappe les poils noirs. Les soldats à qui leur travail du moment donne l'hypocrite plaisir que ressentent les sans-nom devant l'agonie des glorieux, intiment aux gens l'ordre de laisser passer. Ordre inutile, car la voie, par la vertu d'un respect horrifié, s'ouvre naturellement devant le lugubre cortège.

Montcalm entend : *"Oh mon Dieu! Le marquis est tué !"* "Pauvre monsieur de Montcalm, pauvre lui !" Il oublie un moment l'horrible feu qui lui dévore le bas-ventre quand une voix de jeune fille, douce et triste, s'exclame : "La France se meurt ! C'est terrible !"

Alors il prononce des mots simples que l'Histoire ne pourra manquer de porter éternellement en son sein : *"Ce n'est rien, ce n'est rien. Ne vous affligez pas pour moi, mes bonnes amies !"*

On le conduit sur cette rue Saint-Louis, à la maison du chirurgien du roi, monsieur Arnoux qui est, hélas ! avec l'armée du lac Champlain. Son frère examine et panse les blessures.

–Verdict ? fait le général.

–La mort est prochaine.

–Combien d'heures ?

–Moins de vingt-quatre.

–*"Tant mieux, je ne verrai pas les Anglais dans Québec."*

Dans l'après-midi, Vaudreuil tient un conseil de guerre. Il propose un regroupement de toutes les forces et une attaque des troupes anglaises le lendemain. Les officiers français sont unanimes à rejeter le plan. L'on n'aspire plus qu'à se retirer derrière la rivière Jacques-Cartier sur la route de Montréal, à dix lieues de Québec. Les ordres sont aussitôt donnés, s'échevellent à la vitesse des troupes. *"Fuite abominable mille fois pire que celle du matin. Un seul régiment, le Royal Roussillon sauve un brin de l'honneur de l'armée française. Le reste court dans le seul sens où la peur les pousse"* : mêlés, éparpillés, dispersés, fous.

L'Anglais est pourtant resté sur les Plaines d'Abraham, n'a même pas entrepris l'assaut de la ville. Townshend a succédé à Wolfe. Il ordonne le repos sur place, s'adonne à des plans pour le creusage de tranchées.

### Saint-Thomas

Jean-Baptiste Couillard fut sur le point de redire pour la centième fois qu'il ignorait où se trouvait son neveu, qu'il ne sait rien de plus que ce qu'il a déjà dit. Mais il se retint. N'a-t-il point lu dans les yeux du jeune officier, en cette fin de dimanche tragique, quatre jours auparavant, qu'il perdait son temps à essayer de convaincre un ennemi blessé dans sa chair et qui cherchait vengeance à tout prix ?

Fait prisonnier, détenu dans sa propre maison, il a été questionné dix fois, menacé, battu, blessé. Par le recoupement de leurs sources, mots échappés par la Tinette, les enfants, confidences d'un voisinage ne pensant pas à mal, simples déductions, on a su que Joseph était passé par là, qu'il s'est arrêté.

–Oui, il s'est arrêté, finit par avouer le seigneur : c'était pour avoir à manger.

À chaque jour, l'on avait obtenu davantage d'aveux. Les Couillard ont nourri les fugitifs. Marguerite a mis d'autres vêtements. Et le reste... Alors même que la bataille des Plaines d'Abraham faisait rage, on fit un procès au seigneur.

Qu'importe maintenant où s'était dirigé Joseph Bernard puisqu'il serait impossible de lui mettre la main dessus ! Et puis il était devenu évident que les Couillard ne savaient rien de plus. Mais le frère du scalpé ne dormirait plus en paix de toute sa vie si ce crime abominable devait rester impuni. Le seigneur fut déclaré complice de meurtre et condamné à la pendaison. L'exécution aurait lieu le jour suivant au moulin seigneurial.

Dans la nuit, l'un de ses fils, un ecclésiastique secondé par un beau-frère et un ami de la famille tenta de délivrer le prisonnier. Les trois hommes furent abattus.

À midi moins quinze, un habit rouge attachait une corde à une des vergues du moulin à farine sur la rivière du Sud. Personne de la famille n'avait été autorisé à assister aux derniers moments du seigneur, ni plus des témoins, voisins ou curieux. Seul Maisonbasse put réconforter le condamné. Quant aux autres, ils auraient tout leur temps pour contempler le corps qui resterait six jours à se balancer dans son exemple cruel.

Au douzième coup de midi alors que la cloche de l'église de Pointe-à-la-Caille terminait comme en un sanglot résigné son chant de l'Angélus, des soldats firent tourner les vergues sur le sinistre roulement du tambour, jusqu'à ce que le corps tressaillant soit très haut, au su et au vu de tout un peuple glacé d'horreur sous le terrible choc de la défaite des Plaines.

## Québec

Puisque l'armée refusait de le suivre et même de l'entendre, le gouverneur donna au commandant des forces chargées de la défense de la ville, Ramezay, l'ordre de ne point soutenir un assaut et de capituler aussitôt. Que pouvaient cinq cents hommes contre cinq mille installés dans une position stratégique ? Attendre ! Car on a envoyé chercher Lévis à

Montréal. Au contraire de Montcalm, le chevalier *"aime tout ce qui est canadien ce qui lui vaut la plus haute confiance des miliciens et des Sauvages."* Il établira bien sur les réguliers français une autorité que Vaudreuil n'a pas. Et il saura balayer les Anglais comme il l'eût fait s'il avait commandé en lieu et place de Montcalm.

Dans la nuit, le général reçut le viatique et l'Extrême-Onction. À cinq heures du matin, il expirait comme un héros chrétien qui croit aux promesses de l'immortalité.

Un vieux contremaître des Ursulines, le bonhomme Michel, ramassa des bouts de planches *"et parvint à confectionner en versant d'abondantes larmes, une boîte informe, peu en rapport avec la précieuse dépouille qu'elle devait renfermer."*

Les funérailles eurent lieu à neuf heures du soir. Le cercueil fut accompagné par de Ramezay et quelques citoyens affligés.

L'inhumation eut lieu aux Ursulines. Une cérémonie funèbre se déroula dans la chapelle. *"Derrière les grilles, huit religieuses agenouillées prient pour l'illustre défunt dont leur sainte maison allait désormais garder la dépouille."*

Quand la bière *"misérable et glorieuse"* fut mise en terre dans une fosse déjà à moitié creusée par une bombe anglaise, les cloches, les canons et les clairons restèrent muets.

Toutes les notabilités qui l'avaient connu devaient, dans les jours à venir, lui consacrer des pages d'éloges dithyrambiques. Tous sauf son ennemi juré : Vaudreuil.

Dans les couloirs des Ursulines, il y eut un vent léger et frais qui circula dans les deux sens toute cette nuit-là : courants d'air venus d'on ne savait où... Montcalm se vantait-il dans l'au-delà ou bien était-ce Sainte-Barbe qui, comme elle l'avait promis...

Plus des trois quarts des maisons de la ville avaient été touchées par les bombes. De la laideur partout, de la poussière noire, des éclats de moellons, des boutons en éclisses. Tout pour bouleverser les esprits et les coeurs : plaies béantes dans les toitures, pâtés de bâtisses calcinées, les murs sinistres de Notre-Dame-des-Victoires témoignant dans leur béante fragilité de l'abandon que le ciel, parti pour d'autres cieux, avait laissé derrière lui. Chaque citoyen ressassait ses péchés, ses moindres offenses au Seigneur pour expliquer une brisure, une déchirure, un morceau de la défaite.

Ramezay s'enquit des provisions : une semaine pas plus à raison d'une demi-ration par jour par tête. Le moral n'est plus que bas, il est absent. Le soir, des passants venus de nulle part, le pas raccourci et résigné, l'échine courbée, vont et viennent comme des petits vieux, sans but, cherchant d'un regard las des pièces de monnaie dans les tas de décombres qui jonchent les pavés çà et là, non point pour leur valeur mais comme parcelles d'espoir, comme fétiches... Faute de pouvoir se raccrocher au ciel, on se penche vers la terre.

Ramezay s'enquit de la poudre : il en eût fallu le double, le triple, le quadruple pour soutenir une défense de deux, trois semaines. De partout arrivaient à son quartier général des suppliques écrites. *"Nous n'en pouvons plus." "De grâce, monsieur, livrez la ville!" "La France et le Tout-Puissant nous tournent le dos; notre seul espoir, c'est l'ennemi."* Ignorance blasphématoire qui se rendit jusqu'aux oreilles de l'évêque et lui fit comprendre à quel point ce peuple méritait la tyrannie qui s'installait.

Le lundi soir, dix-sept septembre, par temps chagrin alors que l'Anglais transi commençait à soulever quelques pelletées de terre pour se réchauffer, il aperçut, estomaqué, que l'on hissait le drapeau blanc sur la forteresse.

En ce moment même, Lévis arrivait à Jacques-Cartier et il entreprenait un regroupement des troupes. Et dès le lendemain, il marchait sur la capitale. À mi-chemin, on lui apporta la stupéfiante nouvelle de la signature de l'acte de reddition par Ramezay et Townshend. Il retourna à Jacques-Cartier où il confia ses hommes à Dumas et repartit pour Montréal, contrarié et déçu, mais non pas désespéré. La France ne quitterait le Canada qu'avec lui-même. Et il n'était pas encore parti. La campagne de 1759 achevait; mais 1760 était là, en attente.

Par Wolfe, l'Angleterre n'avait pas gagné la bataille : c'étaient les Franco-Canadiens qui l'avaient perdue, tête baissée. Leur défaite ne s'était pas bâtie tant sur le terrain que dans les esprits. Le plus grand dommage avait été la dévastation des fermes : mille quatre cents. Pour le reste, ç'avait été une campagne d'entêtement, d'orgueil, de peur, de précipitation aveugle, d'infatuation, de rage, d'inepties et d'erreurs tactiques. Le tout n'aurait pu être mieux coordonné que par le roi des perdants, le général Montcalm.

## Lac Champlain

Deux semaines auparavant, début septembre, à Crown Point, à côté des ruines du fort Saint-Frédéric, le major général Robert Rogers quittait le quartier général d'Amherst avec, dans sa poche, un ordre signé lui enjoignant de détruire le village de Saint-François.

La discussion a porté sur les dangers accompagnant pareille incursion en territoire canadien. Il faudra éviter l'Isle-aux-Noix où les hommes de Bourlamaque travaillent à d'imposants retranchements. Donc passer par la baie Missisquoi deux lieues à l'est. Et alors prendre garde que les Abénakis de là ne donnent l'alarme. Aller droit au but, frapper et disparaître, à la manière indienne.

L'on savait que les guerriers de Saint-François devaient

se trouver ou bien à l'Isle-aux-Noix ou bien aux environs de Québec à guerroyer contre Wolfe. Deux cents hommes suffiront amplement à raser le village et à donner ainsi la leçon que méritent depuis un siècle ces féroces Abénakis.

Et quelques jours après la bataille des Plaines, les rangers se mirent en route. Sur des barges avançant de nuit, ils atteignirent les rives de la baie Missisquoi à la tête du lac. Trop bruyants dans leurs précautions pour des oreilles abénaquises, ils furent aussitôt repérés. Un brave fut dépêché à l'Isle-aux-Noix; Bourlamaque mit trois cents hommes à leurs trousses. Ils s'emparèrent des barges et des provisions qu'elles contenaient et devant assurer la retraite des rangers, et se mirent à leur poursuite. Un messager se rendit à Jacques-Cartier. Pour aller chasser les intrus, Vaudreuil désigna le major Dumas à la tête d'un détachement de quatre-vingts Canadiens et d'autant d'Abénakis dont Natanis et Sabatis fortement inquiets des leurs.

Et trois guerriers surveillèrent l'avance des rangers à travers la forêt.

Le diable lui-même eût écrit la suite des événements qu'il n'aurait point assuré meilleur agencement des faits et hasards pour garantir la perte de Saint-François. Les hommes de Bourlamaque ne purent rien de mieux que de constater l'avance insurmontable des rangers sur eux, ce qui révélait hors de tout doute la précision de leur dessein sans pour cela en révéler la nature.

Les Abénakis surveillant les hommes de Rogers les suivirent jusqu'à la rivière Yamaska en un point situé trois lieues à l'est du Richelieu, à hauteur du fort Saint-Jean. Ils rebroussèrent chemin et rencontrèrent les hommes de Bourlamaque. On les dépêcha avec deux miliciens par le Richelieu vers les troupes que Vaudreuil, on en était certain, n'avait pas manqué d'envoyer à la rencontre de ces visiteurs indésirés. Leur efficacité fut si grande, leur course si rapide, leurs muscles si vigoureux à l'aviron, qu'ils croisèrent le détachement de Dumas, comme eux en canots d'écorce, alors qu'il s'apprêtait à remonter la Saint-François, et l'on dirigea dès lors ses préoccupations vers la Yamaska dont l'embouchure se trouve quelques lieues à l'ouest.

C'était le trois octobre. Poursuivant leur marche précipitée, les rangers atteignirent le point de la rivière le plus rapproché du village de Saint-François : quelque part entre trois et quatre lieues selon la carte du major. Chez un habitant voisin, ils s'emparèrent de tout ce qui pouvait flotter; une heure plus tard, regroupés sur l'autre berge, ils reprenaient leur marche pour ne plus s'arrêter qu'à sept ou huit arpents du village Ils passeraient la nuit sous le couvert des arbres et attaqueraient à l'aube.

Dumas fit s'arrêter son monde à une ferme voisine de celle de l'habitant mort de peur qui s'était barricadé chez lui. Quelques arpents de plus et l'on aurait appris le soir même que les rangers avaient piqué à travers bois vers le village Abénakis, et on aurait pu les suivre à la torche, les rejoindre et les tailler en pièces. Mais le destin de Saint-François était déjà entièrement tracé en lettres de sang.

Natanis eut un sommeil de fou comme aux nuits les pires de sa petite vérole. Sabatis le poussa dix fois pour qu'il se rendorme dans la quiétude...

Petit-Soleil et les autres de sa cabane dormaient à poings fermés après une autre journée fort laborieuse et une soirée de danse pour fêter le retour des braves. On savait la défaite des Plaines d'Abraham par ces guerriers revenus. On a appris aussi que ceux de la hutte sont vivants et qu'ils reviendront incessamment. La matrone et Front-Brisé ont pêché, pêché, des jours et des jours. À la seine et rapporté des centaines de poissons que Petit-Soleil éventrait et mettait à sécher. Et en leur absence, elle veillait à la fillette, à Jacataqua et à Enea au mieux de ses fragiles forces.

Quelque chose était parti d'elle-même à la naissance de sa seconde fille. Quelque chose qui n'était jamais revenu qu'à moitié. Pas que de l'énergie physique mais comme le désir de manger, de travailler, de dormir, de pleurer ou de rire, d'allaiter, d'aller à l'église, de se parer avec des morceaux d'étoffe à couleurs vives. Une lassitude grande comme le fleuve, blafarde comme des rayons de lune, ennuyeuse comme la pluie.

Cette nuit-là, dans son sommeil, elle revit l'homme scalpé qui était passé par le village, elle ne savait plus depuis combien de lunes. Il lui semblait qu'il se trouvait là, dans la cabane, et qu'au-dessus, dans le ciel, passait la comète...


Le major Rogers divisa ses hommes en plusieurs bandes qui, une demi-heure avant le lever du soleil, encerclèrent le village. Les loges étaient toutes si remplies de sommeil que même les chiens hurlant ou se lamentant d'inquiétude ne parvenaient pas à réveiller les habitants.

C'est dans la pénombre d'une nuit qui s'achève que se produisit l'attaque. La plupart des cabanes furent frappées à la fois, du premier coup féroce, sans aucune chance laissée à personne. Trois, quatre, cinq hommes pour chacune. Les fusils abattaient une partie des occupants puis les couteaux égorgeaient, éventraient tout ce qui restait à bouger, à hurler, à se débattre, à se terrer... Guerriers silencieux, femmes au souffle court, vieillards aux yeux clos, enfants en pleurs et en cris, rien n'échapperait à cette fureur ramassée d'un siècle de tueries abénaquises dans les colonies anglaises.

Située à la limite du village, la cabane de Petit-Soleil, contrairement à toutes les autres, fut mise en état d'alerte avant l'attaque. Cette mauvaise loge dont elles avaient hérité à leur retour de Sartigan avec les guerriers, leur sauverait peut-être la vie par son isolement et sa plus grande exposition aux coups des rangers, les premiers massacreurs la laissant aux suivants...

Le chien pleura si fort que la fillette émergea de son lourd sommeil. Assise sur son séant, elle écouta l'inquiétude rôdant aux alentours. Alors elle posa sa tête sur le sol et entendit cette terrible menace qui grouillait partout à proximité. Puis elle courut à tâtons d'une couche à l'autre, secoua la matrone et Front-Brisé, les alerta, se rendit à Petit-Soleil qui dormait sur le ventre, ce ventre qu'elle ne parvenait à oublier qu'en l'écrasant...

Front-Brisé étira le bord d'une peau clouée sur une ouverture au mur arrière. Des ombres se profilaient sous les minces rayons d'un quartier de lune, se faufilaient entre les arbres. Des formes porteuses de mort. Aussitôt, elle organisa la fuite. Elle comprenait que leur seul salut possible passait par leurs canots de pêche sur la berge de la rivière, à cinq cents pas, qu'il faudrait y courir pour les atteindre au plus tôt. Inutile de ramper : les enfants aussi bien que leur temps de fuite ou même le chien les trahiraient à coup sûr.

Tout cela, elle l'a évalué d'un coup, à la seconde, par instinct d'Indienne, et elle l'annonça en peu de mots autoritaires dans leur noir absolu. La matrone prendrait les devants avec Enea sur son dos. Elle-même, la plus forte de la cabane, suivrait avec Jacataqua dans les bras. Petit-Soleil et la fillette fermeraient la marche en se portant mutuellement assistance. On n'emporterait rien d'autre que ce que l'on avait déjà sur le dos : vêtements et couteaux.

La matrone se rendit vivement chercher Enea endormie sur la couche de sa mère et déjà dans son sac à dos. Petit-Soleil serra fort la main de celle qui prenait l'enfant comme pour lui insuffler une partie de ses faibles forces. Petit-Soleil savait qu'elles auraient la vie sauve à cause de la comète du Grand-Esprit qui les protégerait. L'autre part d'elle-même, elle voulut la transmettre à Front-Brisé qui en aurait besoin pour devoir s'enfuir avec le plus encombrant fardeau qui soit : une lourde enfant de quatre ans.

La fillette vint s'agenouiller à ses côtés. Petit-Soleil vit que la porte s'ouvrait par le mince rideau de forte pénombre qui lui parvint. Cela suffisait à ses yeux pour qu'elle puisse distinguer les formes des choses et encore mieux le mouvement des êtres vivants.

La silhouette de la matrone sortit avec son fardeau gigotant. Enea ne pleurait jamais, ne criait jamais, elle ne le ferait pas là non plus, pensa Petit-Soleil. Front-Brisé se chargea de Jacataqua, lui souffla à l'oreille de ne pas dire un seul mot puis, à son tour, s'élança dans la froideur de la nuit.

À cent pas commençait la descente vers la rivière par une coulée asséchée dont les deux femmes se servaient toujours pour atteindre les canots renversés sur la berge, mal camouflés par des aulnes au feuillage entièrement tombé. Elles y arrivaient lorsque la fusillade et le massacre commencèrent.

Petit-Soleil attendit trop longtemps pour s'enfuir. Quelque chose la retenait, lui disant que ses fillettes seraient plus sûrement sauvées si elle n'ajoutait une troisième présence à la suite des deux autres et si elle donnait le temps à ses compagnes de mettre le canot à la rivière. La fillette dut lui tirer la main pour qu'elle se décide alors même que le premier coup de feu éclatait.

Elles sortirent.

Un massacre de nuit et l'incendie de tout un village ne sauraient être exécutés proprement sans un meilleur éclairage que celui d'une lune amoindrie. Une équipe de porteurs de torches a été prévue pour entrer en action après que les hommes se seront déployés aux quatre coins de la bourgade. L'un alluma la sienne puis distribua le feu aux trente autres qui se lancèrent rejoindre les hommes embusqués devant les loges et maisons, mousquets braqués sur la porte.

Ceux qui ont choisi la hutte de Petit-Soleil purent voir les deux dernières fuyardes zigzaguant comme des biches affolées dans leur course imprécise et erratique, trahies par le chien pâle qui les suivait sur les talons. Deux se mirent à leur poursuite pendant que le troisième incendiait la cabane abandonnée. Elles atteignaient la coulée, s'y engageaient lorsque deux coups de feu claquèrent dans leur dos, presque simultanément. Petit-Soleil vacilla, la fillette culbuta; toutes deux roulèrent sur plusieurs fois leur longueur avant de s'immobiliser au creux de la coulée à six pas l'une de l'autre.

Les rangers cherchèrent du regard en se parlant. Mais le fond du ravin était plus foncé encore que le reste de la nuit. On décida que l'un garderait les fusils tandis que l'autre descendrait. Couteau au poing, le ranger avança prudemment. Une fois encore, le chien le guida par ses aboiements puis par ses danses autour de quelque chose. L'homme buta sur le corps inerte de Petit-Soleil. Ne voulant courir aucune chance de se faire prendre à quelque ruse indienne, il lui trancha la gorge. Geste superflu car la balle l'avait atteinte en plein coeur et tuée raide. Alors le petit chien, qui n'avait pas cessé de lui proférer des modestes menaces, lui sauta à la main et la mordit sans relâcher sa prise malgré les secousses douloureuses que lui infligeait le ranger rageur.

À bout de vaines tentatives, l'homme pensa soudain non plus à se défendre de la bête mais à l'attaquer. De sa main libre, il lui enfonça le couteau dans les entrailles. Le chien émit trois cris, l'un de peur et de choc, le second de douleur et le dernier d'une fin plaintive.

La fillette abasourdie a repris un peu de ses sens. Assez pour entendre la mort de l'animal. En haut du ravin, à la détonation, elle s'est jetée au sol et dans sa descente, sa tête a heurté une racine.

Les vociférations du ranger s'approchèrent. La silhouette se pencha sur elle. De si près, la couche des ténèbres s'amincissant, les yeux lui apparurent, se dessinèrent devant les siens, grands, ronds et cruels. Elle s'agenouilla mais non pour implorer, ce qu'elle n'aurait pas su faire. Son âme devint un bloc de peur froide. Mais sans désespérance. Pour obtenir, elle devait donner en échange. Petite bête dressée, elle ne connaissait qu'une façon d'adoucir un mâle humain, de lui faire oublier son goût de sang, d'en calmer les folies furieuses. Elle l'a appris de bonne heure à voir Orambeche, Natanis, Sabatis et d'autres jeunes braves de Saint-François et de Sartigan.

Le ranger leva le bras pour tuer d'un seul coup définitif; elle leva le sien vers lui, pour vivre. L'homme retint son geste. Puis cria à l'autre de retourner l'attendre à la hutte, dit qu'il avait trouvé deux corps morts, qu'il avait un besoin personnel à soulager.

Les gestes furent empreints de tant d'habileté que l'être tueur laissa tomber son couteau. Ce que voyant, elle accéléra ses mouvements, arriva à lui extraire le grognement final. Quand elle sut que le flot liquide sur sa main prenait fin, elle se leva. L'homme devina son très jeune âge. Il eut une pensée pour ses enfants, fut pris d'un mouvement de honte et de pitié. Elle lut dans son regard qu'elle avait réussi et détala aussitôt.

Il n'avait pas fallu dix minutes entre le départ de la matrone et ce moment. Les canots étaient déjà à l'eau. Il n'y manquait plus que Front-Brisé qui scrutait la nuit... La fillette se jeta dans ses bras, raconta, dit qu'elle ignorait le sort de Petit-Soleil.

Front-Brisé ne partirait pas sans Petit-Soleil. Elle demanda à la matrone de s'éloigner avec les enfants. On avait le dessein de s'en aller à Sartigan. On n'aurait pas su où aller ailleurs. Les guerriers y viendraient. Dans l'autre canot, elle suivrait avec Petit-Soleil.

Et elle reprit le chemin de la coulée, poignard entre les dents, à la recherche de son amie, de sa soeur. Elle arrivait à mieux distinguer les pierres, les aulnes, les jeunes arbres. La seule position du corps lui indiqua la mort. Elle toucha le front déjà froid, les mains figées comme du poisson qui commence à sécher. Et ce que lui avait dit Petit-Soleil par ces mains-là, dans la cabane, lui revint au coeur. Son devoir désormais et depuis la fuite de la loge, c'était d'assurer la survie de Jacataqua et d'Enea.


Natanis et Sabatis couraient entre les cabanes calcinées, soulevant les corps tombés face contre terre, sans jamais trouver leurs femmes et les enfants. Mais il y avait l'église qui brûlait et dans laquelle les Anglais avaient peut-être enfermé des gens. Et puis sur l'emplacement des huttes, dans les décombres fumants, on retrouvait des cadavres tordus, noirs...

De toute son existence, jamais Dumas n'avait vu aussi lugubre spectacle. Soixante colonnes de fumée à odeur de chair humaine fondue s'élevant dans le matin silencieux. Plus de cent cadavres çà et là : tout montrait que les victimes avaient été abattues puis mutilées à coups de couteau, les femmes surtout dans les entrailles comme si dans une sorte de fureur superstitieuse, les rangers avaient voulu, par ces vaines chirurgies, empêcher la perpétuation de cette race maudite. En fait, la vue d'une dizaine de chevelures plantées sur des perches au-dessus de chaque cabane a remis, avec l'aube, devant les yeux des rangers, les souvenirs sanglants des cruautés abénaquises en leur pays. Ces cinq ou six cents chevelures, évidemment anglaises, telles d'horrifiants trophées, avaient défié la rage déjà hautement frénétique. En tout, deux cents corps furent dénombrés.

Par les traces laissées, l'on pouvait croire que les rangers avaient fait des prisonniers. Dumas désigna une douzaine d'hommes pour voir à l'inhumation temporaire des corps en attendant la venue d'un prêtre, puis il ordonna le départ à la poursuite des Anglais. C'est alors que Natanis, empruntant la coulée pour rejoindre plus vite le reste du détachement, trouva le corps de Petit-Soleil. Et près de sa tête, celui du chien, le ventre ouvert.

Il resta longtemps immobile, debout au-dessus d'elle, les bras ballants, le dos froid sous sa veste des jours frais. Et il lui vint un nouveau sentiment, profond qui lui coupait la gorge tout autant, lui semblait-il, que cette blessure qui ouvrait le cou de Petit-Soleil.

Il regrettait.

Une peine folle lui écrasait le coeur. Il aurait dû rester auprès d'elle, ne pas courir si loin, si longtemps, ne pas quitter Sartigan ou la hauteur des terres où l'on était mieux à l'abri de l'Anglais. Il n'avait pas su lire les révélations du Grand-Esprit dans les étoiles et la course de la comète, Il s'était trompé, si cruellement trompé...


Petit-Soleil vivait bien ailleurs maintenant, au lieu de séjour des morts, mais cela ne le réconfortait point. Elle ne serait plus jamais là avec sa chaleur, ses mots sages, son bouillonnement, ses yeux d'esprit. Plus jamais ! Ne plus la voir penchée sur un travail ou un enfant, sortir de la cabane ou entrer, étirer de la babiche, puiser dans le chaudron, écarter les jambes pour lui ou Sabatis ou un visiteur, assembler des peaux pour en faire des vêtements comme celui qu'il portait et qu'il avait traîné tout l'été dans un sac fait aussi de ses mains... Ses yeux peinés quand elle avait mis au monde des filles comme elle-même. Sa main apaisante quand elle crevait les pustules de la petite vérole. Son lamento devant les couches funéraires...

Sabatis arriva. Ne sut que faire. Il eût voulu que Natanis le lui dise. On ne pourrait laisser là Petit-Soleil et il fallait se presser pour rejoindre le détachement. Il pensa que le mieux était de porter le corps au cimetière avec les autres que l'on y transportait déjà. Ainsi, elle ne serait plus seule dans la mort et aurait un enterrement chrétien. Il prit le corps sanglant dans ses bras, remonta le ravin puis se mit en marche, lentement, tristement, suivi de son ami ahuri, assommé.

Natanis resta une heure à la regarder fixement. Le corps était près du charnier avec deux autres de femmes plus jeunes encore. Sabatis resta derrière, à trois pas. Pour lui, Petit-Soleil était l'épouse de Natanis, car le temps et le coeur les avait réunis bien plus qu'à d'autres.

Soudain, Natanis trancha net dans sa profonde tristesse. Il tourna les talons et partit à la course vers la rivière. Il cherchait les canots en vain. C'était donc que les autres avaient pu se sauver et qu'elles avaient dû partir pour Sartigan, Il eut une discussion avec Sabatis. On rejoindrait le détachement. On laverait le sang de Petit-Soleil puis on s'en irait à Sartigan ou plus loin, à la hauteur des terres. Et à tout jamais !


Après huit jours de marche ardue, les provisions des rangers furent complètement épuisées. On arrivait au lac Memphremagog. Rogers divisa ses troupes en bandes pour qu'on puisse trouver de la nourriture pour la chasse. Incapables de tenir aussi bien que les Canadiens et les Sauvages une marche aussi longue et pénible, les Anglais commencèrent à tomber entre les mains de leurs poursuivants, une bande après l'autre.

Natanis égorgea sept hommes. Et sans utiliser une arme. Chaque fois que ses doigts pénétraient dans la chair d'un cou, c'était moins par haine que pour assurer à Petit-Soleil un voyage plus rapide et sans embûches vers son séjour éternel. Quant aux chevelures. il les laissa à d'autres. Il n'aurait senti aucune fierté à les pendre à sa ceinture. Et puis à qui les vendre désormais ?

**Sartigan**

Un mois s'est écoulé depuis l'arrivée des Bernard au village indien. Depuis lors, Joseph n'a pas cessé de bûcher, tel un forçat.

Premièrement, au dernier établissement avant Sartigan, Saint-François (Beauce), il a vendu un des chevaux à deux colons moyennant une hache, des clous pour bâtir, un seau, quelques chaudrons ainsi que l'hébergement du second cheval depuis les neiges jusqu'au printemps.

C'est avec ce mince bagage que, tous les trois sur la même monture, ils sont arrivés. Tout le long depuis Saint-François et jusque là, la Chaudière était parsemée d'îles dénudées d'arbres mais fort herbeuses. On pourrait y mettre le cheval à pacager. Et toutes pouvaient être atteintes à gué. "Rivière féroce au printemps mais endormie le restant de l'année," a dit un des colons. Un lit sinueux parsemé de grosses pierres grises usées. Des eaux bleues et nettes regorgeant de truites brunes. Des environs de collines douces plantées de bouquets d'arbres foncés et nus.

Toutes les familles se sont alignées dans leur curiosité et leur étonnement pour les voir progresser lentement entre les habitations : une cinquantaine de wigwams en écorce de bouleau, tous de taille moyenne et chacun susceptible de loger une ou deux familles. Quelques huttes aussi. De billes et d'argile témoignant de conseils blancs et peut-être de mains blanches. Elles n'avaient pourtant pas la faveur des Sauvages qui les trouvaient froides, trop grandes et dures à ventiler. Aucune n'avait été occupée depuis la grande épidémie. L'une était réservée au missionnaire pour quand il daignait venir. Car, cette année-là, on ne l'a pas vu une seule fois. Une autre servait aux voyageurs et les deux dernières au prochain occupant.

Joseph n'a pas tardé à repérer le chef en un vieil homme souffreteux aux rides de sagesse et à cheveux blancs et longs, attachés sur son dos. Mais ce n'était pas le sachem. En fait, l'organisation de Sartigan, village de transit, ne ressemblait pas à celle des autres campements indiens en ce qu'il n'y avait pas de structures sociales, ni Conseil de bande, ni chef de tribu désigné, ni chef de guerre.

Mais l'homme lui a répondu, et en français quand il a salué par des signes connus de tous les Indiens.

–L'Anglais nous pourchasse et veut nous tuer; nous sommes venus pour nous cacher à sa vue, a-t-il expliqué.

–Prenez la hutte la plus éloignée... Si l'Anglais se montre, nous ferons un rempart de nos poitrines.

Alors Marguerite a compris pourquoi Joseph avait voulu venir vivre avec les Indiens. Et Joseph a pris la dernière cabane. Il l'a refaite, agrandie, ensoleillée...

La chasse était facile. Il n'avait qu'à se mettre à l'affût à quelque distance, le long de la Famine; il y venait toujours quelque bête pour se désaltérer. Dans le voisinage, des petites rivières noires pullulaient de chaussées de castors. Joseph récolta de la viande et des peaux.

Une fois la semaine, il se rendait à Saint-François. C'est là qu'il apprit la défaite des Plaines d'Abraham.

–Ça veut dire qu'il faudra passer le restant de notre vie par icitte ! a constaté lourdement sa femme.

–Peut-être pas, peut-être pas !


Ce matin-là, Marguerite se leva à la barre du jour. Elle se rendit à la rivière pour laver les habits de son homme avant qu'il ne se lève à son tour.

L'air frais et vivifiant, l'odeur du savon que Joseph avait rapporté, la sérénité qui planait au-dessus de la bourgade, tout la rassurait, pour une première fois depuis qu'elle était là.

Et puis elle se sentait l'objet d'une grande admiration de

la part de toutes les femmes du village. Chacune est venue lui offrir quelque chose. Qui un wampum, qui un panier de paille, qui une queue de fourrure, qui des herbes sèches pleines de vertus. À chacune, elle a répondu par un biscuit de poisson ou des roches polies ramassées dans la Famine ou des sculptures en bois de chevreuil ou un sifflet en sureau blanc. Et chaque femme s'est sentie aimée d'elle.

En battant les pantalons et la chemise contre une pierre plate après les avoir immergés et savonnés, elle se souvenait du temps jadis, du temps perdu à jamais. De son enfance jolie aux jeux de cache-cache derrière les aboiteaux, aux rubans blancs noués dans les cheveux, aux odeurs salines chargeant les brumes : souriante Acadie, chantante patrie, pays bon...

Alors elle pensa que L'Islet commençait déjà à s'estomper dans sa substance comme une halte entre deux destinations, entre deux destinées, entre deux destins. Et claque sur le roc et frappe le froc pour en faire fuir l'eau froide ! Les poux n'envahiraient pas sa cabane ou bien elle les empoisonnerait de savon fort, de liquides résineux que les Indiennes concoctaient si savamment. Et tord l'étoffe transie, étire le tissu tassé...

Au courant fugitif, elle fredonna doucement :

*"Isabeau s'y promène le long de son jardin,*
*Le long de son jardin, sur le bord de l'île,*
*Le long de son jardin sur le bord de l'eau,*
*Sur le bord du ruisseau."*


Un petit chien blanc au museau noir s'approcha en reniflant à droite et à gauche, assurant lui-même son apprivoisement par mille détours. Un premier rayon de soleil s'infiltra à travers les branches des arbres dans le couloir de la rivière et glissa sur l'eau devant elle en une traînée scintillante.

Elle reprit le chemin de la maison en chantonnant pour le chien qui sautillait de folie joyeuse piquée d'éternuements poussifs.

Après maints pas irréfléchis, elle leva la tête, comme alertée par un sens inconnu. Entre leur cabane et celle abandonnée, il y avait son fils. Et près de lui, se trouvait une petite Indienne paraissant de quatre ans mais qui ne lui était point familière. Ou plutôt qu'elle eut l'impression d'avoir vue mais ailleurs qu'en ce village.

Jean courut vers sa mère quand il la vit venir. Il lui désigna sa nouvelle compagne, annonçant :

–C'est mon amie, c'est Jacataqua.

La fillette, le regard un peu perdu, les yeux quémandeurs de protection, les doigts se nouant d'espérance, approcha à petits pas feutrés et rétrécis dans sa robe de cuir la recouvrant jusqu'aux mocassins. Sa peau foncée ne trompait pas : elle avait les traits de visage d'une enfant blanche, à tout le moins métissée

Elle vint doucement s'offrir en un seul mot répété à petit accent pointu :

–Jacataqua, Jacataqua...

Marguerite s'arrêta, fit un sourire à l'enfant puis à Jean. Elle regarda l'un et l'autre comme prise d'un besoin de les comparer. Et elle se dit que son fils commençait déjà à s'indianiser. N'y avait-il point dans ses yeux une lueur semblable à celle qui brillait dans le regard de cette jolie petite Jacataqua aux tresses noires ?

\*\*\*

# 1760

## Montréal

Lévis était un véritable décideur et homme d'action. Fier de ses armes, de son pays, mais sans mesquinerie, son premier soin fut d'établir de l'harmonie autour de lui. Entente plus grande avec Vaudreuil dont il avait déjà la haute estime. Restauration *de l'ordre et de la discipline au sein des troupes. Il interdit "de maltraiter les miliciens de parole ni autrement"*, soulignant qu'il verrait lui-même à la punition des coupables.

Il travailla si efficacement de concert avec le gouverneur, que le vingt avril, il disposait de plus de sept mille hommes déterminés à le suivre. Militairement, le Canada était prêt à retrouver son coeur.

Financièrement, il en était tout autrement. Ce qui restait de la colonie arrivait plus que jamais au bord de la banqueroute. Dépêché à la Cour en novembre, Le Mercier y a exposé clairement la détresse du Canada après avoir déposé les dépêches chiffrées de Vaudreuil. Le secrétaire d'État se montra sidéré des sommes requises. Le Mercier tenta de lui faire voir sous un jour favorable les hommes et les choses du Canada, contrairement à l'image qu'y avaient donnée les gens de la coterie de Montcalm. Cependant, Berryer lui fit, ainsi qu'il devait par la suite le confier à un oncle de Bougainville, des pieds de nez.

Les Canadiens, pour la plupart, avaient fait confiance au papier-monnaie en circulation dans la colonie puisque Versailles le soutenait et le garantissait. Mais voilà que le gouvernement royal a décidé de ne plus honorer les lettres de change sur lesquelles s'appuie la monnaie de carte et de papier que selon un rythme si ralenti qu'il signifiait près de jamais. Ainsi la France frappait directement le peuple canadien qui a vendu la moitié de ses biens pour subvenir aux besoins de l'armée française. Lévis, mécontent, écrivit : *"Les habitants sont désespérés, s'étant sacrifiés pour la conservation du pays, et se trouvent ruinés sans ressource."* Le moment venu, on rejetterait publiquement tout le blâme sur les fonctionnaires coloniaux.

Pendant que les bourgeois craignaient pour le lendemain et se préparaient à quitter le pays, Lévis conduisait une armée mal équipée et mal nourrie de Montréal à Québec. Au matin du vingt-huit avril, les troupes se déployaient à l'ouest des murs de la capitale, mais hors d'atteinte de la puissante artillerie anglaise.

James Murray commandait les troupes britanniques. Il disposait de quatre mille hommes à opposer aux sept mille de Lévis. Mais la supériorité de son feu et de sa position compensaient abondamment pour son infériorité numérique.

La bataille fit rage pendant des heures. Par de superbes tactiques propres à faire rougir dans sa tombe le cadavre noir de Montcalm, Lévis fut tout à coup en mesure de parcourir les colonnes en criant :

–Tenez cinq minutes et la victoire est à nous !

Il avait vu juste. Enfoncée à droite, criblée de balles à

gauche, refoulée en son centre, l'armée anglaise lâcha pied. Et elle rentra dans la ville avec une précipitation encore plus grande que celle des Franco-Canadiens aux Plaines, abandonnant derrière elle artillerie, blessés, munitions, outils, courage et fierté.

On entreprit le siège, escomptant l'arrivée prochaine de voiles françaises, attendant *"les secours demandés en France"*. Car Lévis avec sa médiocre artillerie et son peu de poudre ne pouvait pas enlever la place avec ses *"faibles moyens"*.

Le suspense dura dix jours. Alors une voile parut sur le Saint-Laurent. Une voile anglaise ! Puis d'autres jetèrent l'ancre dans la rade de la place. Le seize mai, Lévis dut lever le siège et retourner à Montréal afin d'y organiser un centre de défense. Ce soir-là, il écrivit sa colère au secrétaire d'État : *"Une seule frégate arrivée avant la flotte anglaise, eût décidé de la reddition de Québec."*

L'offensive passa dans le camp adverse. Son avance vers Montréal se fit sur trois fronts : Amherst descendait le fleuve tandis que Murray le remontait et que le brigadier Haviland à la tête d'une colonne descendait le Richelieu vers l'Ile-aux-Noix.

Murray fit d'abord des avances aux Canadiens. Il leur offrait des secours infaillibles, tandis que la France ne voulait rien leur apporter. *"Quel intérêt pour mon roi de régner sur une province dépeuplée ?"* leur fit-il savoir. Des habitants l'écoutèrent et déposèrent les armes. D'autres harcelèrent son armée. Si bien qu'il se sentit bientôt obligé de proclamer, dans un style plus violent encore que celui qu'il avait reproché à Wolfe : *"Vous êtes encore, pour un instant, maîtres de votre sort. Cet instant passé, une vengeance sanglante punira ceux qui oseront avoir recours aux armes. Le ravage de leurs terres, l'incendie de leurs maisons, seront les moindres de leurs malheurs."*

Une nuit, dans la région de Sorel, on passa aux actes,

faisant débarquer à une lieue de distance deux formations avec ordre de marcher l'une vers l'autre, en brûlant tout devant elles. L'effroi ainsi créé poussa maints habitants à porter leurs armes, et des miliciens désertèrent. Ce que voyant, Bourlamaque prit le parti d'imiter Murray et de faire brûler à son tour les maisons des Canadiens qui auront remis leurs armes aux Anglais...

Fin août, début septembre, l'étau se referma sur Montréal. Haviland a forcé Bougainville à évacuer successivement l'Ile-aux-Noix et le fort Saint-Jean. Et le six du mois, Murray et Amherst débarquaient sur l'île de Montréal.

Ce soir sombre, Vaudreuil réunit les principaux officiers et fit donner lecture par Bigot d'un projet de capitulation, toute résistance paraissant désormais inutile.

Amherst accepta toutes les clauses, mais il refusa obstinément d'accorder les honneurs de la guerre aux troupes françaises. Lévis et les officiers se cabrèrent mais finirent par se soumettre après avoir brûlé leurs drapeaux, se rendant ainsi à l'argument du gouverneur dont l'acte de reddition sauvegardait au mieux les intérêts et des Canadiens.

En France, la Cour *"s'indigna de ce que Vaudreuil ait accepté des conditions aussi humiliantes pour les armes du roi."* On mit en doute l'honneur des chefs de la colonie.

Le peuple français porta un jugement différent, se rangea de l'opinion d'un journal qui dit: *"Les troupes et les braves Canadiens manquaient de tout et on ne peut que les louer d'avoir capitulé aux conditions qui leurs ont été accordées."*

## Norwich, Connecticut

Des nostalgies bleutées brillaient dans le regard de Benedict Arnold. Comme à chaque semaine, il s'était rendu à l'office avec sa soeur. On reconnaissait maintenant ce jeune homme de dix-neuf ans comme chef de famille bien que son apprentissage chez les Lathrop se poursuivît. Il était bien davantage employé qu'apprenti et touchait un salaire à l'avenant. Les deux dernières années l'ont conduit aux Antilles et à Londres où il a acheté des marchandises en compagnie d'un de ses patrons.

Les affaires de son père suffisant tout juste à le tenir à flot, il a pris en mains la responsabilité de la maison familiale.

Lui revenaient à l'esprit des images de son enfance, de trois ordres se bousculant. Ses rêves de garçonnet bâtisseur de jeux, d'adolescent aux élans patriotiques et d'amoureux.

C'est une jeune fille aux vêtements bourgogne assise en biais qui l'a tout d'abord jeté de coeur et d'esprit aux royaumes de la distraction. Elle se trouvait déjà là à leur arrivée. Il lui a trouvé un profil intéressant puis il est retourné à ses prières et à ses rêves d'avenir tout en commerce, voyage et réussites. Mais l'impression d'être observé a bientôt mis son doigt sous son menton pour lui faire tourner la tête vers la jeune fille. Il la surprit baissant les yeux. Le manège se répéta. Hannah s'en rendit compte. Elle donna un coup de coude à son frère puis elle écrivit un nom sur la paume de sa main avec un doigt discret. Benedict fronça tout d'abord les sourcils. Elle répéta. Là, il sourit à travers une moue étonnée.

–Mary Miller... non !? fit-il presque silencieusement en arrondissant les paupières.

Voilà bien dix ans qu'il ne l'a pas revue. Quelle différence d'avec l'enfant rouillée et parfois morveuse ! Alors les paroles du pasteur, un homme roux au visage prématurément vieilli, reportèrent sa mémoire droit à la cabane du jardin qu'avec Matt Davis il avait attaquée à l'indienne, ruinant le plaisir de Mary plus encore que celui des deux autres.

–Mes bons amis, vous le savez tous, la guerre contre les Français du Canada et leurs alliés indiens vient de se terminer sur une victoire totale de notre mère patrie et de ses provinces américaines. L'empire du mal a subi une amputation définitive, une éradication presque totale de cette terre d'Amérique, notre terre. Dieu a traité les Canadiens avec une sévérité justifiée. *"Leurs villes et leurs villages sont détruits, leur armée évacuée, leurs chefs s'en vont. Ils sont brisés en tant que peuple, mis sous un nouveau roi, de nouvelles lois et un nouveau gouvernement."*

Maintenant que le Tout-Puissant a parlé et que nos grands généraux tels que Wolfe et Amherst ont lavé les crimes canadiens, nous devons tourner nos regards vers l'avenir et saisir *"l'occasion d'une bonne et grande entreprise de propager notre religion et notre liberté, le gouvernement civil et l'ordre évangélique chez nos nouveaux compatriotes. Une telle conquête spirituelle, faisant suite à celle que nous fêtons aujourd'hui, la rendra doublement glorieuse."*

La gloire, s'il devait la connaître, ce ne serait pas par les armes, pensa Benedict à propos de lui-même. Et puis après ? La liberté, la grande et vraie liberté, ne requérait plus qu'on se batte par le feu pour elle; mais, ainsi que le soulignait le pasteur, elle demandait à être servie désormais par la pratique et l'exercice de ses caractères.

Il regarda encore Mary Miller. La nostalgie des rêves perdus lui revint en force. À la sortie de l'église, il devait céder à l'attrait de ses souvenirs, s'arrangeant pour rencontrer la jeune fille avant qu'elle ne disparaisse dans une autre et pour une autre décennie.

C'est d'abord Hannah qui, subodorant les désirs de son frère, rejoignit Mary parmi les fidèles agglutinés et se parlant dans une chaleur vaporeuse des hauts faits d'armes de l'Angleterre et des colonies dans les froidures canadiennes. Depuis que les Miller ont quitté cette partie de la ville, les amies d'enfance qu'avaient été Hannah et Mary ne se sont revues qu'une fois ou deux par an, juste assez pour se reconnaître et savoir, vaille que vaille, ce que l'autre devenait.

Leur conversation à trois réchauffa un pays cru aux rues jonchées de feuilles couleurs de regret. Après les effusions, Hannah demanda ce que Benedict devait brûler de savoir :

–N'es-tu point mariée encore, n'es-tu point fiancée ?

–Non pas, mais...

–C'est pour bientôt !

–Peut-être ?

–Et moi, on ne me présente pas ? intervint le jeune homme flamboyant d'élégance et qui fit la révérence en soulevant son tricorne.

–Quel besoin de se faire présenter à quelqu'un qui est quasiment un frère ? Comment vas-tu, Benedict ? Ça fait au moins dix ans que...

Il ôta son chapeau, baisa la main qu'elle tendait et cela, dans une deuxième révérence.

–Comment dans une ville aussi petite ai-je pu perdre de vue quelqu'un d'aussi agréable à regarder ? dit-il.

–On m'a pourtant dit... que dans les soirées mondaines, Benedict Arnold ne manque pas de compagnie.

L'agrément même de cet échange mettait en évidence la distance qui les séparait tout en les rapprochant. C'était un propos amical bavard et joyeux en même temps que de mise et de mode. Mais Benedict le prit comme un défi. Durant l'office, il lui était arrivé d'imaginer une passion muette à partager avec cette belle Mary sortie tout droit de son enfance. Il faudrait bien un jour quelqu'un de vivant et d'accessible pour remplacer, effacer deux amours condamnées au silence éternel. Mais voilà qu'il venait de découvrir un obstacle majeur sur le chemin d'accès au coeur de Mary : la présence de quelqu'un d'autre. Comment donc s'en surprendre ? À cet âge et si...

Il se lança aussitôt avec impétuosité :

–Et que diriez-vous de m'accompagner à l'une de ces soirées ? Il y en a une bientôt.

Mary opposa un refus poli et charmé.

L'attaquant reviendrait à la charge, et avant même la fin de l'année, il serait le nouvel ami de coeur de la jeune fille.

## Boston

Nostalgie constructive chez Benedict Arnold mais déprimante, voire avilissante au coeur de William Shirley qui regardait un grand tableau allégorique affiché au balcon de la Court house de la ville.

*"Au milieu, Brittania assise; à sa gauche, le Courage; à sa droite, Minerve; derrière, Neptune et Mars; devant, la France figurée par une femme prosternée, son épée brisée, dépose la carte du Canada aux pieds de Brittania; au-dessus, Jupiter tenant d'une main la balance de la justice et de l'autre, son tonnerre..."*

D'autres lui ont volé son rêve. Il n'en restait plus, dans son regard lointain, qu'une larme inutile.

## Sartigan

Natanis passait des heures chaque brunante auprès des étoiles sur la haute butte voisine, cherchant en vain à se vider de toutes ses amertumes.

Revenu de sa course ultime à la poursuite des rangers, au mois de novembre précédent, il a enterré la hache de guerre et de misère dans le cimetière noir de son coeur. La vengeance n'avait plus aucune emprise sur ses bras depuis que la tristesse les avait envahis à grands flots intarissables. Après ses errances dans le cosmos, il revenait dans le silence de la nuit tombée par un chemin battu, imprimé dans la mémoire de ses pas navrés. Et il s'endormait dans son absence.

Marguerite avait craint ce guerrier pas comme ces autres revenus de la guerre, ce solitaire étrange vivant dans une famille si proche et pourtant le regard flottant dans des lointains connus de lui seul. Puis elle a appris l'histoire de Petit-Soleil...

Joseph et Natanis se sont parlé, se sont montré leurs blessures de la chair et du coeur, et l'Indien, à l'ombre de ses regards taciturnes, a conçu une profonde admiration pour ce Blanc qui lui ressemblait plus encore que Sabatis.

Une nuit d'hiver, sous la morgue d'un vent siffleur, ou bien de la clameur d'une meute de loups, Marguerite avait aussi connu dans sa chair l'extrême mélancolie qui affligeait l'Indien. Elle avait été sur le point de quitter la cabane pour s'enfoncer dans le froid éternel, attirée par une voix qui lui chantait la douceur de la mort, et par le désir de s'enneiger chaudement le coeur à tout jamais. Alors une toux d'enfant lui avait dit : "Maman, réchauffe-moi !" Elle avait attisé le feu puis s'était à nouveau enfouie sous les peaux enveloppant Joseph et le petit garçon.

Dès l'automne précédent, Joseph a évalué la terre des environs. Au printemps, il a semé entre les arbres et sur un platin dénudé que la Chaudière avait envahi à la fonte des neiges et que, selon Natanis, elle inondait chaque année.

Moyennant ses peaux à lui et celles achetées aux Indiens qui, depuis la prise de Québec, n'avaient plus de débouché, il se procura une charrue et d'autres outils qu'il obtint chez le seigneur Taschereau à Sainte-Marie, sept lieues au nord.

Alors il a pris davantage conscience des grandes possibilités que pourrait offrir ce commerce avec les Sauvages. Il se trouvait des Indiens disséminés un peu partout dans les environs jusqu'au lac Amaguntik, et ces chasseurs ne savaient plus disposer de leurs fourrures depuis que l'Anglais était devenu maître à Québec. Ceux de Sartigan lui vouaient déjà une grande estime, et d'autres venus du sud ont commencé à lui offrir leur marchandise.

Avec cette charrue, il a ouvert le ventre de la haute Beauce et offert des sillons à Marguerite. Et il a acheté du fumier à Saint-François. Et il a nettoyé tout le village de Sartigan des excréments pourrissant derrière les loges et parfois devant. Et il a donné des sillons à tous ceux qui en ont voulu pour les récompenser de leurs peaux et leur permettre de semer leur maïs.

Un midi de septembre alors qu'elle se trouvait dans son potager, que son fils était avec ses voisines indiennes, Marguerite vit revenir son mari sur son cheval poussé à l'épouvante. Il s'était précipité pour lui annoncer au plus tôt des nouvelles pourtant terribles. Montréal avait capitulé; le pays avait capitulé; le Canada devenait anglais. Une seule chose désormais pourrait chasser l'envahisseur : un traité de paix qui rendrait le pays à la France.

–Je le savais qu'on finirait notre vie par icitte, soupira-t-elle en ramassant des carottes déjà arrachées depuis un bon moment et qu'elle entreprit de débarrasser de la terre séchée qui les souillait.

–La paix revenue, on n'est plus considérés comme des criminels, nous autres.

–Y avait la paix en Acadie pis ils ont considéré dix mille personnes, hommes, femmes, enfants, comme des criminels. Ce qu'ils voulaient : nos terres. Ils vont faire pareil sur le fleuve. Des colons anglais vont venir s'installer à la place des nôtres.

–Veux-tu dire qu'on ferait mieux de rester par icitte ?

Elle montra les carottes puis ses pantalons qui lui valaient parfois les quolibets cachés des Indiens et dit :

–Tant qu'on sera des pauvres colons à moitié sauvages, on sera à l'abri. C'était ton idée, ça : asteur, c'est la mienne itou. C'est le destin faut croire.

–Comme ça, t'aimerais mieux qu'on reste ?

Elle promena son regard sur l'horizon vallonneux pour jeter :

–Un jardin, quand ça nous tient !

–C'est comme je te disais : le commerce des fourrures va m'aider à me rebâtir plus vite que ça se ferait à L'Islet. Ça sera une belle place, là, à l'autre bout, pour une maison...

–Moi, j'aimerais mieux un peu plus haut dans la montée.

–Pourquoi c'est faire ?

–Pour pas se faire enlever par la rivière au printemps pis pour voir l'eau jusqu'au fond de l'horizon en me disant que la mer, on peut essayer de la trouver partout si on veut.

–On va l'assire sur un bon solage de pierre dure, éternelle.

## L'Islet

La nostalgie remplissait les bateaux qui faisaient voile vers la France avec, à leur bord, la bourgeoisie canadienne. Elle laissait de chaque côté du grand fleuve, dans une campagne noircie, une population désemparée mais qui déjà, penchait la tête sur le marteau et la charrue sans même regarder les voiles anglaises croisant les premières et transportant dans l'autre sens une autre bourgeoisie qui, celle-là, ne parlait pas sa langue ni ne pratiquait sa religion.

## Londres

*"Pour les autres Canadiens, d'ici moins de cinquante ans, en raison de la masse d'Anglais qui s'installera autour d'eux et au milieu d'eux, ils sont destinés à se mêler et à s'incorporer à notre peuple à la fois quant à la langue et quant aux moeurs."*

Le soir même du jour où il avait écrit ces mots, Benjamin Franklin, délégué à Londres de l'assemblée de Pennsylvanie, le penseur le plus respecté des colonies, connu sous le sobriquet "le sage de Philadelphie", les répéta en substance devant ses amis du Monday Club qu'il fréquentait assidûment pour s'y retrouver, dans une atmosphère accueillante et détendue, devant un bon plat de poisson salé, un verre de brandy et les plus récentes expériences au domaine de l'électricité.

En cette fin de 1760, un sujet brûlait plus que tous les autres : l'Angleterre devrait-elle garder le Canada ou bien le rendre à son ancienne mère patrie ?

*"Rendons-le à la France et nous aurons bientôt une autre guerre sur les bras avec l'opportunité de dépenser deux à trois millions de livres par année. Ne sommes-nous pas en danger actuellement de devenir trop riches ?"* fit l'homme politique avec ironie, résumant ainsi la pensée coloniale.

Cependant, des Britanniques dont James Murray, gouverneur militaire de Québec, pensaient autrement. *"Si nous sommes sages, nous ne le garderons pas. Il faut que la Nouvelle-Angleterre ait un frein à ronger et nous lui en donnerons un qui l'occupera en ne gardant pas ce pays-ci."* En Angleterre, on craint déjà que l'Amérique, libérée de la menace française, cherche à augmenter démesurément sa puissance, les provinces se liguant contre leur mère patrie.

*"Les colonies, se liguer ?"* s'écria Franklin dans un éclat de rire. *"En 1754, elles ont repoussé un projet d'union pour leur défense contre les Canadiens et les Indiens. Si elles n'ont pas consenti à s'unir contre un ennemi impitoyable, est-il raisonnable de supposer qu'elles acceptent une union semblable, mais dirigée, cette fois, contre leur propre nation ? Improbable, non, impossible ! À moins que la mère patrie ne prenne une attitude hostile envers ses enfants d'Amérique... par exemple en remettant le Canada à la France..."*

**Paris**

En France, la question avait moins d'acuité, mais elle se posait aussi de savoir si, dans le traité de paix, l'on choisirait La Guadeloupe ou bien le Canada.

Mais la réponse du pays avait déjà été exprimée par le secrétaire d'État avant même la capitulation sous la forme d'un pied de nez...

\*\*\*

# *1761*

## Connecticut

Les amours de Benedict avec Mary Miller fondirent avec la neige sous les premiers rayons du soleil printanier. Non point qu'il ait cessé de lui trouver du charme et de l'intérêt, mais parce que ses ambitions avaient acquis la mesure de l'argent épargné, ainsi que des propositions d'appui que les Lathrop, d'un commun accord, lui ont faites.

Il fit un voyage à New Haven expressément pour trouver un lieu où installer sa future apothicairie. Ou plutôt une sorte de magasin général où il se vendrait de tout mais principalement des médicaments et des livres ainsi qu'il l'avait fait valoir à Isabella Norton. Il trouva quelque chose Chapel Street. Il trouva plus grand Church Street. Et encore mieux Water Street. Il commencerait Chapel Street et ensuite, verrait.

Un jour de mai, froid et venteux, son père mourut d'un arrêt cardiaque. En fait, l'homme avait atteint le bout de son rouleau, usé, brûlé par l'alcool. Et par la honte. Car même sa fille, depuis qu'il a été arrêté pour ivresse publique l'année précédente, a pris avec lui une attitude sombre et distante, gardant la plus grande part de son affection et de sa considération pour son frère. Mais si le pauvre homme avait mal vécu, au moins était-il parti au bon moment : sa mort décida Benedict à lancer enfin son projet.

La veille de l'ouverture, il reçut la visite de sa soeur qu'il accueillit à sa descente de voiture en l'aidant.

–Voilà l'antre du futur homme riche... le plus riche de New Haven... et peut-être du Connecticut.

Elle posa son regard sur l'enseigne noire à lettres d'argent joliment fignolées, lut :


### "B. Arnold

*Druggist, Boobseller, etc,*

*From London*

*Sibi Totique.*"


–Qu'est-ce que ça signifie, sibi totique ?

–Pour soi-même et pour les autres.

–Oh ! Benny, comme je suis fière de toi ! Et comme notre mère le serait aussi !

Les yeux du jeune homme passèrent de la joie à la tristesse puis à nouveau à la joie. Il dit d'une voix basse mais franche :

–Et notre père le serait aussi !

–C'est pour t'aider de là-haut qu'il nous a quittés, je pense.

–Pardieu ! si nous regardions maintenant vers l'avenir.

Il la conduisit à l'intérieur. Tout y était net, classé, ordonné à l'image même de Benedict qui avait tout organisé de ses propres mains fort de son expérience chez les Lathrop. Sur la gauche, un mur de livres en rangs d'oignon, aux tranches noires ou brunes, bosselées ou lisses, lettrées d'or ou d'argent, dégageant une invitante odeur cuir et colle. Le dernier cri. Des auteurs à la mode. Pope. Swift. Fielding. Goldsmith. Hume. Plus loin, sur une table, une pile de l'almanach du Pauvre Richard tout juste sorti des presses de Benjamin Franklin à Philadelphie. En face, le long comptoir sous lequel se trouvaient des réserves de médicaments et de bouteilles vides. Au fond, les étagères en planches de pin divisées en casiers de même grandeur chargés de fioles et de boîtes métalliques de couleurs foncées. À droite, d'autres tablettes garnies d'articles de toutes sortes, en cuir, en métal, en bois, en verre et parfois en une combinaison de tous ces éléments, depuis l'encrier jusqu'au chauffe-pieds, du poudrier aux boîtes musicales dont il avait acheté une douzaine, toutes différentes et uniques, anneaux d'argent, broches à cheveux et toute une variété de mouchoirs digne du plus exigeant des magiciens, des blancs surtout mais aussi des bleus, des verts, des rouges, des beige et dans une gamme de tissus, soie, batiste, mousseline, gaze, coton.

–Il manque tant de choses. Je n'ai pas la moitié de ce qu'offre l'oncle Joshua. Mais, hélas ! tout l'argent dont je disposais se trouve ici. Pas de clientèle et c'est la banqueroute.

–Je te refais mon offre.

Il leva la main, secoua négativement la tête, marcha jusque derrière le comptoir :

– Non, non! Ton argent, Hannah, ne le risque pas. C'est pour quand tu te marieras.

La jeune femme ne put s'empêcher de voiler son regard. Les prétendants n'avaient pas plu dans ses alentours ces dernières années. Et passé la vingtaine, cela était un signe. À moins de descendre d'un cran dans l'échelle sociale. Elle se disait parfois que tel ou tel attrait lui faisait défaut, ce nez de chouette trop fin et trop arrondi, ce visage trop plat, sa peau trop sombre, et quoi encore ! Son vrai problème lui rôdait dans l'âme pourtant. En présence d'un garçon, elle se retranchait loin derrière une imposante ligne de défense, incapable qu'elle était de risquer le moindre pas qui aurait pu donner à l'autre motif à en faire lui-même. Il faudrait quelqu'un qui échelonne son apprivoisement sur plusieurs années.

–Benedict... toi, ici à New Haven et moi, là-bas, toute seule. Avec cette infamie qui s'attache à notre nom à Norwich... La maison familiale nous appartient à tous les deux à parts égales : vendons-la et investissons l'argent dans ton commerce.

Les mains à plat sur le comptoir, il secoua la tête à nouveau sans trouver de quoi à lui opposer en mots, tant la proposition le séduisait.

–Cela te permettrait d'agrandir.

–Ce n'est pas encore ouvert, comment pourrais-je déjà penser à un agrandissement ?

–Parce que tu es ambitieux, parce que tu m'as déjà parlé de Church Street et de Water Street.

–Un rêve, Hannah, un rêve !

–Il y a trois ans, ça aussi était un rêve, fit-elle en balayant la place d'une main dispensatrice de mots muets.

–Combien pourrait-on tirer de la propriété de Norwich ?

–Ça, tu dois le savoir bien mieux que moi.

–Pas moins de mille livres. Mais je ne toucherai point à ta part, ça non, tudieu ! non !

–On verra bien, Benny, on verra.

–Aussitôt que je pourrai, j'irai voir à Church Street.

–Et attendant, je crois bien que voilà de la clientèle.

Deux dames d'évidente qualité ainsi qu'en témoignaient leurs vêtements bourgeois, s'arrondissaient les mains au-dessus des yeux pour mieux voir à travers les vitres de la porte.

–Tu veux que je leur ouvre ?

–Tu peux toujours, mais...

Elle n'attendit pas la fin de sa réponse, courut à la porte, ouvrit et fit la révérence en disant simplement :

–Mesdames !

–Ça n'ouvre que demain, n'est-ce pas ? Nous l'avons lu sur l'écriteau.

–Comment ne pas laisser entrer des personnes de votre classe et cela, même avant le jour de l'ouverture officielle ? dit Hannah en les invitant du geste.

Benedict fut fort agréablement surpris du bon naturel de sa soeur dans l'accueil des clientes. Il eut aussitôt l'idée qu'elle pourrait peut-être le remplacer efficacement au service du public pendant que lui-même irait faire des affaires à Londres, aux Antilles et en la nouvelle colonie du Canada.

Cette réflexion s'arrêta net quand il aperçut les deux personnages, mère et fille, qui lui rappelaient tant les Norton quand elles étaient venues chez Joshua pour la première fois à son su et à son vu. Cette jeune fille paraissait aussi frêle qu'Isabella dans son visage mince, laiteux et ses grands yeux cernés. Il ne put la détailler davantage, la femme lui disant :

–Vous êtes le B. Arnold de l'enseigne, ça se devine à votre port de tête.

–Benedict... pour vous servir, madame... mesdames.

–Je suis madame Samuel Mansfield et voici ma fille Margaret.

–Je suis fort honoré de votre visite, dit le jeune homme en faisant la révérence derrière le comptoir après que les femmes eurent fait la leur.

–Les lieux sont vôtres, poursuivit-il. Explorez à votre guise et si vous nécessitez des renseignements...

–Nous pourrions revenir demain.

–Je vous en prie. Voyez de ce côté de quoi accompagner la beauté féminine. Et de celui-là, de quoi rendre l'esprit charmant.

Elles choisirent de se rendre au rayon des articles de variété et le firent en grâce et en légèreté. Hannah vint souffler à l'oreille de son frère par-dessus le comptoir :

–Nous allons faire fortune.

–Qui ça, nous ? s'étonna-t-il joyeusement.

–Nous, ça veut dire toi et moi.

–Bon, je me rends. Mets-la en vente, la maison...

La justice prendrait part à cette vente en raison des dettes contractées par le père, mais il resterait quand même sept cents livres d'équité.


## Sartigan

Joseph posait du bardeau sur le comble de sa nouvelle maison quand il aperçut tout un détachement de cavaliers le long de la rivière. Par l'uniforme de certains, il comprit qu'il s'agissait d'une troupe d'Anglais. Le coeur lui serra. Pouvait-on, après deux années, les rechercher encore, lui et sa femme ? Ou bien venait-on l'empêcher de construire sa demeure ? En tout cas, ce n'était pas un détachement militaire venu attaquer le village indien puisque la paix, avait-il su encore dernièrement, régnait par toute l'Amérique et même chez les Indiens, y compris chez les lointains Algonkiens de la Belle-Rivière, ses chers amis conduits par le plus vaillant de tous, le chef Pontiac.

Il avertit Marguerite occupée dans son potager.

–Faut-il leur dire qui on est ? demanda-t-elle en se rendant au bout d'un rang chercher son fils pour le protéger.

–Pas avant de savoir qui ils sont, pis pourquoi faire qu'ils viennent par icitte.

–Je vas te laisser parler; comme ça, on se contredira point.

Les hommes firent des signes de loin. Joseph leur répondit puis se remit à sa tâche de clouer comme si de rien n'était. Quand la troupe fut là, c'est l'interprète qui lui adressa la parole en transmettant les propos de son chef, un petit jeune homme au bon regard souriant :

–Voici monsieur Montresor, ingénieur et lieutenant au service du gouvernement de Québec et de Sa Majesté George 3. Êtes-vous Joseph Bernard ?

Joseph acquiesça d'un signe de tête en biais qui ne voulait rien dire.

–Vous êtes Joseph Bernard ?

–Oui, oui.

–Nous sommes en route pour établir la cartographie du territoire traversé par les rivières Chaudière et Kennebec, et nous avons besoin des Indiens. On nous a dit à Saint-François que vous aviez leur amitié de même qu'une grande influence sur ceux du village.

–C'est que je suis le seul Blanc par icitte.

–Monsieur Montresor vous demande d'accepter de nous accompagner au village, Nous voulons acheter des canots et engager deux ou trois guides. Vous serez payé pour votre dérangement.

–Si vous voulez.

Tout fut organisé pour la plus grande satisfaction de chacun. Montresor put se procurer les canots requis. Quant aux meilleurs guides, Joseph recommanda naturellement ses amis Natanis et Sabatis qui acceptèrent, sachant qu'ils seraient rétribués par deux couvertures chacun, trois livres de poudre à fusil et surtout par un superbe mousquet flambant neuf pour chacun, des Brown Bess de quarante-deux pouces et de calibre .70, marqués Grice et datés 1760, éclatant de tous les feux de leur cuivre poli et de leur bois verni.

La journée fut fort enrichissante pour Joseph. En outre qu'il fut généreusement payé comme on l'avait promis, on loua ses services pour s'occuper des chevaux pendant le mois que l'on prévoyait utiliser pour boucler le périple dans la sauvagerie. Mais surtout, il apprit les dispositions du nouveau gouvernement, ce qui pourrait permettre à Marguerite et à lui-même de dormir en paix désormais. Il y avait eu recommandation du général Amherst : *Je préférerais voir les habitants régler tout différend qui pourrait survenir entre eux, selon leurs propres lois et coutumes.* Ce qui signifiait implicitement deux choses importantes pour Joseph : premièrement qu'il pourrait céder ses droits acquis sur la terre de L'Islet et secondement qu'il aurait la possibilité de vivre en toute légalité sur les terres de la seigneurie Aubin de l'Isle moyennant paiement des droits du cens.

Il sut que Montresor avait été au coeur de la bataille de la Monongahéla comme chef ingénieur de Braddock. Mais il ne crut pas utile de dévoiler qu'il était là-bas lui-même. On lui apprit que l'ingénieur en était à sa deuxième expédition par Sartigan, mais qu'à la précédente, en hiver 1760, il avait évité les habitations par des détours à travers la forêt, ses hommes et lui-même voyageant en raquettes. Ils ne s'étaient rendus qu'au lac Amaguntik.

Et finalement, on lui répéta le nom du nouveau roi d'Angleterre : George 3. De nouveaux ministres à Londres pourraient signifier un régime encore plus tolérant au Canada.

À trois milles de la Famine, débouche la rivière du Loup. Sur la foi des renseignements fournis par Natanis, Montresor prit la décision de passer par cette voie pour atteindre la Kennebec puis le fort Halifax.

L'aller fut aisé. Le neuf juillet, on entreprenait le voyage de retour mais en empruntant cette fois, le chemin de Natanis, soit "l'endroit du Grand-Portage", avec trois lacs à traverser pour éviter les longs détours de la Dead River.

Un soir où le campement avait lieu près du lac de la montagne à dessus arrondi, Natanis disparut. On le vit traverser en canot, seul, comme quelqu'un qui s'en va à tout jamais. Il passa la nuit sur la montagne. C'était devant elle qu'en prenant Petit-Soleil, il avait pour la première fois senti une grande faim d'elle, non plus seulement entre ses jambes mais aussi dans sa tête et sa poitrine.

À son retour, une heure après le lever du soleil, il avait les yeux d'un homme qui n'a point dormi.

Et les journées se suivirent tout comme les lacs et rivières auxquels Montresor donnait des mesures et parfois des noms. Puis ce fut à nouveau la Chaudière et jusqu'à Sartigan où l'on remit le pied le vingt-trois juillet.

Natanis s'était redonné le goût de partir, d'aller s'installer là-bas, sur le lac devant la montagne, une montagne qui le rapprochait tant des étoiles et de Petit-Soleil.


Quand il revint de L'Islet, Joseph put annoncer à Marguerite que rien n'avait été laissé à la gandole là-bas et qu'il s'était bien entendu avec Grand-Jacques et le seigneur Bélanger.

Quant aux nouvelles concernant les Acadiens dispersés, comme toujours, il n'avait rien pu glaner. Il attendit au lendemain pour donner un second coup au coeur de sa femme en lui apprenant la désolante disparition de soeur Sainte-Barbe. Mais la consola un peu en lui apprenant que la petite Suzanne se portait bien là-bas, dans sa famille.

***

# *1763*

## Sartigan

Le grand vicaire de Québec avait envoyé un nouveau missionnaire pour prêcher l'évangile dans les divers campements indiens de la Nouvelle-Beauce, quatre depuis Sainte-Marie jusqu'à Sartigan.

L'homme noir sur cheval noir arriva chez les Bernard par temps de pluie fine qui rendait si verte la vallée dont les grands feuillus bordant la rivière paraissaient nourrir l'ambition démesurée d'envelopper tout à fait, de leur ton uniforme, le capricieux ruban d'argent de la Chaudière.

Il frappa, fut reçu par Joseph, se présenta :

—Je suis le père Théodore Loiseau, missionnaire des Abénakis et des colons blancs bien sûr aussi.

—Entrez... On vous a pas vu venir. C'est les Sauvages qui vont être contents. Nous autres itou, c'est certain.

—Vous avez là une belle maison neuve. Grande et de bonne construction, ça se voit.

—Grande, peut-être pas. On avait mieux à L'Islet. Mais

entrez; vous devez être traversé jusqu'aux os.

–À vrai dire, y a que ma mante ! La pluie n'est pas trop forte : c'est plus une brunasse.

La maison était plutôt petite, ne comportant qu'une seule pièce basse : mais elle possédait un attique servant de chambre au jeune garçon ainsi qu'un hangar attenant où mettre bois de chauffage, pelleteries et outils.

–Et puis la grange m'a l'air bien solide tout comme vous-même, monsieur Bernard. Je sais votre nom par les registres du père Justinien et par les Abénakis de Saint-François qui vous aiment beaucoup.

–La grange, je l'ai levée ça fait deux ans.

Mais le prêtre ne l'écoutait plus; il portait toute son attention à Marguerite venue de la remise où elle s'affairait à travailler des peaux.

–Que ne voilà-t-il pas l'Acadienne la plus solide de toute notre Nouvelle-Beauce !

Puis il y eut les présentations et les bénédictions préliminaires après quoi le prêtre renoua avec sa première impression d'elle :

–La femme forte de l'évangile quoi ! On dit que les Anglais ont bien appris à la connaître.

–C'est parce que j'ai pris l'accoutumance de m'habiller en homme qu'on me pense plus... forte, dit-elle pour éviter d'avoir à parler de l'affaire de L'Islet à laquelle le prêtre faisait visiblement allusion.

Le prêtre s'assombrit. Il n'aimait guère qu'une femme aille à la messe pareillement habillée, ce qu'elle faisait toujours à cause de la distance séparant Sartigan de la chapelle de Saint-François.

–Il faudrait précisément que... je vous entretienne de cette habitude qui... n'est pas condamnable en elle-même, mais... Vous savez, le péché se trouve dans le regard de celui qui regarde. Autant user de prudence, n'est-ce pas ?

De sa voix à nuances, chantante, aux hésitations calculées, il fit comprendre à la jeune femme qu'une conduite digne pour une Blanche passait par la robe longue et particulièrement à la messe dominicale... pas toujours dite le dimanche.

Par la suite, on parla de politique. Le traité de Paris avait été signé en février. Il avait été pensé de manière à ce que la nouvelle colonie devienne aussi anglaise que les autres. Sauf qu'au point de vue religieux, il assurait aux Canadiens le libre exercice de leur religion en tant que le permettaient les lois britanniques. Le clergé y avait trouvé son compte et le futur évêque de Québec, le chanoine Briand, a recommandé au peuple d'avoir des sentiments d'une parfaite soumission afin d'avoir *"la consolation de trouver un roi débonnaire, bienveillant, appliqué à vous rendre heureux et favorable à notre religion."*

Après avoir transmis ce message en substance, le prêtre s'étonna de ce que les Bernard n'avaient encore qu'un seul enfant.

–C'est que le bon Dieu a décidé ainsi, fit Marguerite en jetant vers Joseph un coup d'oeil doux et désolé. On avait pris une petite fille en adoption, mais a fallu la rendre à ses parents.

–Où est-il, votre jeune homme, que je le bénisse ? dit le missionnaire en zieutant vers l'attique, croyant que l'enfant pouvait s'y trouver.

–Faut pas chercher icitte, il passe tout son temps au village.

Le prêtre grimaça.

–Quel âge a-t-il ?

–Sept ans faits, dit la femme.

–Grand comme pour dix, commenta Joseph.

–Il sait lire, écrire ?

–C'est que... non. Avec tout l'ouvrage que j'ai... Des fois, le dimanche...

Le père secoua la tête, ce qui faisait ballotter ses bajoues à peau élastique.

–Ma bonne dame... voulez-vous faire un Sauvage avec lui ? Dieu sait combien j'aime les Abénakis, mais un Blanc doit rester un Blanc, vous savez.

–Faut pas la gronder, mon père, c'est un peu de ma faute, intervint Joseph. Ça fait un an qu'elle me parle de l'envoyer aux Ursulines, mais on manquait d'argent pour ça. A fallu lever les bâtiments, une maison, une grange : ça m'a coûté tout ce que j'ai gagné à barguiner des pelleteries avec les Sauvages. A fallu acheter toutes sortes d'articles... Regardez... Quand on est arrivé par icitte, on a pris une vieille cabane au village et pis tout ce qu'on avait, c'était notre linge de corps, un fusil, deux ou trois couvertures.

–C'est une bonne idée, les Ursulines ! coupa le prêtre. Deux ans, et il vous reviendra un homme. Capable de lire des papiers, des livres, des contrats, en un mot, un jeune homme civilisé. Mais surtout, vous en ferez un bon chrétien rempli de toutes les vertus. Parce que vous savez, la morale chez les Sauvages, ça nous donne pas mal de fil à retordre.


Le garçonnet passait le plus clair de son temps à courir les bois avoisinants avec des jeunes Abénakis de son âge. Ils pêchaient, posaient des pièges, attrapaient des petites bêtes à fourrure qu'ils tuaient puis écorchaient comme ils l'avaient vu faire tant de fois par des chasseurs plus âgés.

Ce jour-là, les enfants avaient été retenus au campement par la pluie. Jean se joignit au silence solennel de tous quand le père Loiseau passa entre les cabanes, guidé par l'homme aux allures de chef qui, en servant le prêtre, se mériterait des repas tant que durerait la visite.

La père chercha parmi les enfants les visages donnant à croire qu'il s'agissait de métis. Il ne put s'en convaincre que dans un cas : Jacataqua. Jean avait la peau si brune de soleil, des vêtements si voisins de ceux des Sauvages qu'il ne fut point remarqué. Lui, par contre, était fort impressionné par ce prêtre qu'il voyait pour la première fois. Il avait vu des prêtres à Saint-François, à Saint-Joseph, mais jamais le père Loiseau, robe noire montée si haut, si près du ciel.

À cause de la pluie qui se fit plus pressante, le missionnaire ne put prêcher ce soir-là. Il reçut l'homme aux allures de chef mais qui ne l'était pas, de même que Natanis qui avait la réputation d'un chef mais ne désirait point l'être. Et Joseph avait été invité afin d'aider le prêtre à ressasser la foi de ses ouailles aborigènes.

Chacun prit place sur un quart vide servant de siège. Le père parla longuement de tous ces malheurs effroyables à s'être abattus sur la tête des Abénakis depuis un demi-siècle, du massacre de Narantsouak, des épidémies nombreuses, de l'épouvantable affaire de Saint-François, de la prise de Québec et de celle du pays tout entier par les Anglais, qui mettait les Sauvages sous la domination de leur plus cruel ennemi.

–Le bon Dieu aime ses enfants abénaquis, dit-il de sa longue voix étirée, mais il est peiné de leurs coutumes.

–Que veut le grand esprit des Blancs ? questionna Natanis. Bon père, vous qui le connaissez, parlez.

–Le bon Dieu vous demande d'aimer et non point de haïr et de tuer.

–Bon père, quand Natanis a tué des Anglais, c'était par amour des Français. Si Natanis a enterré la hache de guerre, ce n'est pas par amour de ses ennemis anglais, c'est par amour de ses frères les Indiens, pour ne point exciter la vengeance d'un ennemi plus fort que les Indiens, plus fort que les Français. C'est pour que l'Anglais ne retourne pas notre hache contre nous-mêmes comme il l'a fait à Saint-François.

—Je ne voulais pas parler de la guerre. La guerre est une chose du passé, à jamais révolue pour tous les Indiens. Les Abénakis se sont bien battus, et le bon Dieu est content de cela. Ce que le bon Dieu n'aime pas, c'est la conduite que vous tenez dans vos villages et vos cabanes.

—Je sais que mon père veut parler d'eau-de-vie. À Sartigan, il n'y en a pas plus qu'il n'y a de neige durant les beaux jours. Nous vendons nos fourrures à Joseph Bernard, notre ami, qui nous paye avec de la poudre, des couvertures, des chemises d'écarlatine, du maïs, des citrouilles, du tabac, des sillons.

—Je ne voulais point parler d'eau-de-vie. Je sais bien que les quarts se font rares dans la Nouvelle-Beauce. Ce que le bon Dieu n'aime pas, c'est de voir vos femmes et vos enfants fauter. Un homme ne doit coucher qu'avec une seule femme, la sienne. Joseph Bernard ne vous donne-t-il point l'exemple ? Une femme ne doit coucher qu'avec un seul homme, le sien. Et les enfants ne doivent pas connaître l'autre sexe avant le jour béni de leur mariage devant un prêtre de la vraie foi chrétienne.

—Mais bon père, quand nous offrons nos femmes aux visiteurs, c'est par amitié pour le visiteur. Aimer son frère, son ami, c'est lui donner ce qui nous est le plus cher. Et quand nous faisons de nos filles des femmes, c'est pour leur montrer la vie et le plaisir. Et quand nos fils deviennent des hommes, c'est quand le Grand-Esprit remue dans leur ventre la potion de virilité. Et quand nos femmes ne désirent pas l'homme, elles ont le droit sacré de le refuser. Et quand une de nos femmes accepte l'homme pour obtenir en échange une couverture, de la poudre, une loge ou un canot, elle peut le faire pour elle-même et pour tous, comme elle le désire.

Le Grand-Esprit a voulu chacun lui-même. Chacun doit agir comme il veut, sans obliger son frère, son ami qui a le même droit d'agir comme il veut.

–Mais une femme ne doit point accepter un homme pour de la poudre, des couvertures, une loge ou un canot : elle doit le faire parce qu'elle est mariée à lui, mariée par amour de cet homme. Et son mari lui donnera toutes ces choses : mais elle ne couchera pas avec lui pour ces choses qui seront prodiguées par l'effet de sa bonté à lui. Elle couchera avec lui pour le servir, pas pour elle-même. La femme est la compagne fidèle et serviable de l'homme. Elle lui doit obéissance et dévouement. C'est cela la civilisation telle que la désire le vrai dieu de nos pères et de leurs pères. La femme ne doit jamais fauter en couchant avec un autre homme que le sien. Le vrai dieu, qui est juste et bon, punit sévèrement ces femmes qui commettent le péché; il punit aussi tout leur peuple sur qui retombe la faute : il le punit par la maladie et par les massacres qu'il permet. Au visiteur, un Indien peut offrir un abri, du pain s'il en possède, mais pas sa femme ou sa fille. Cela est très mal. La femme ne doit appartenir qu'à un seul homme. Les enfants doivent rester purs, inviolés, jusqu'à leur mariage : telle est la volonté du vrai dieu ! Toute autre coutume ou pratique vient du diable, de l'esprit du mal, et elle porte en son sein les pires calamités : la déchéance physique, la maladie et la mort. Vos fils ne doivent pas devenir des hommes avant le mariage et ils ne doivent pas fauter avec d'autres femmes. Les Abénakis savent toutes ces choses qui leur sont prêchées depuis un siècle par les missionnaires, mais... ils n'ont pas voulu obéir. Et le bon Dieu est maintenant en grande colère; il demande réparation, sinon ce sera la fin de l'Indien. Pour finir de l'exterminer, le bon Dieu se servira du bras vengeur de l'Anglais.

–Bon père Loiseau, comment un Indien, même un chef, pourrait-il défendre à sa tribu d'être ce qu'elle est depuis toujours ? Comment un Indien pourrait-il défendre à son frère, à son ami d'être lui-même comme il a été fait par le Grand-Esprit ? Ce serait comme de vouloir couper un bras, une main, un pied à chacun.

—Ne vaut-il pas mieux perdre un bras, une main, un pied, que de perdre la vie terrestre et la vie éternelle ? C'est dans chaque loge que l'ordre du vrai dieu doit s'établir. C'est par les conseils de famille qu'il doit se maintenir. Protégez vos enfants en les guidant sagement selon les saintes lois du bon Dieu.

—Les lois du bon Dieu ne sont-elles pas écrites dans les arbres de la forêt, l'eau des rivières, la fleur des champs, la comète du ciel ? Les lois du bon Dieu ne sont-elles pas que l'enfant soit petit, que le serpent rampe et que le tonnerre gronde ? Que marche celui qui le peut, que chasse celui qui en est capable et qui le veut, que la femme qui le désire ouvre ses jambes à l'homme qu'elle choisit, que l'homme qui le veut perce la femme qui l'accepte ?

—Les lois du bon Dieu concernant les bêtes sauvages ne sont pas les mêmes qui doivent guider les hommes; ce sont celles qui nous furent transmises par Notre-Seigneur Jésus-Christ venu sur terre pour racheter nos fautes.

—Bon père, si Notre-Seigneur est venu racheter nos péchés, pourquoi le bon Dieu, son père, punit-il ses enfants abénaquis et leur demande-t-il réparation ? Notre-Seigneur n'aurait-il point assez souffert ? Aurait-il fallu qu'il soit torturé par les Abénakis pour que ses souffrances suffisent à racheter les péchés dans leur entier ?

—Si Natanis savait de quoi il parle, ce qu'il vient de dire constituerait un terrible blasphème, dit le prêtre, l'oeil enflammé par la menace et sur un ton qui ne laissa de voix, pour un long moment, qu'à la pluie sur le toit.

Ses propos naïfs valaient une grande réprimande à Natanis. Il sut alors qu'il avait fauté. Il se fit implorant :

–Pardonnez à votre fils perdu, bon père. L'esprit du mal s'est glissé dans ma bouche, et je vais l'en chasser.

Il fit grand bruit, de la gorge, de la langue, des dents, et cracha loin de lui. Le vieil homme hérita de l'expectoration qui lui tomba sur la main et coula entre ses doigts : mais il ne broncha pas.

–Mon fils, le pardon n'est distribué que par le bon Dieu. Et il te sera donné si tu lui obéis avec amour, si tu respectes ses lois concernant l'oeuvre de chair et celles du mariage.

–Mon père, la femme que j'aurais voulue pour femme est morte voilà quatre automnes, que me faut-il faire ?

–Toi et ton compagnon Sabatis, n'habitez-vous point avec des femmes ?

–Oui, bon père.

–Il vous faut les prendre en mariage. N'y a-t-il pas aussi des enfants dans votre loge ? L'une qui ressemble à une Blanche, ne fut-elle pas ravie lors d'une course au pays des Anglais ?

–Enea et Jacataqua sont toutes deux filles de Petit-Soleil.

–Petit-Soleil, qui est-ce ?

–Celle qui est morte, fit Joseph.

–Ce sont tes filles ou bien celles de Sabatis ?

–La plus jeune est de Natanis et de la comète, dit fièrement l'Indien. Mais l'autre a été conçue par un Anglais du nom de John Winslow.

Joseph se sentit frappé en plein front et de plein fouet. La noirceur cacha la moue énorme qu'il ne put retenir. Car si Marguerite lui avait révélé le nom du père de son fils, jamais Natanis n'avait évoqué ce même nom devant lui. Il demanda, la gorge sèche :

–Comment peux-tu être aussi certain de ces deux paternités ?

–Durant la lune où Jacataqua fut conçue, Petit-Soleil n'a connu que le soldat anglais. Durant la lune où Enea fut conçue, Petit-Soleil n'a connu que Natanis.

Sidéré, stupéfié, Joseph cherchait à comprendre le destin. Comment donc était-il possible que Jean et Jacataqua, à moitié frère et soeur, aient pu être ainsi rapprochés par les événements ? Qu'est-ce que le ciel avait dans la tête en dirigeant des routes si lointaines vers ce point commun de Sartigan ? Fallait-il courir auprès de Marguerite pour lui apprendre de suite cette impensable vérité ? Il croyait rêver dans ces presque ténèbres où seuls les cheveux du vieil homme, les yeux de Natanis et les voix jetaient leurs modestes lumières sur l'épaisse absence des choses.

–Père Loiseau, demanda-t-il, pourquoi c'est faire que notre mère l'Église romaine défend les mariages entre parents proches ?

–Parce que ça donne des enfants tarés... infirmes, boiteux, fous, bossus, chétifs et maladifs.

–Ces enfants-là sont mis dans le courant de la rivière. Ils sont laissés aux soins du Grand-Esprit, soutint Natanis.

–Cela ne devrait plus se produire, dit le prêtre. Si les lois de Dieu entraient dans toutes les cabanes, il n'y aurait plus de ces enfants marqués, venus comme une punition infligée aux chairs qui ont fauté.

La question de Joseph n'avait rien à voir avec les moeurs indiennes comme le croyait le père. Il continuait de penser aux caprices du destin, à les interroger. Il décida de garder le secret puisque Dieu avait permis que lui seul découvre la vérité. Pour la dire, il attendrait un signe évident de ce même destin batifoleur.

Après le départ du missionnaire, Joseph et Natanis jonglèrent. Chacun de son côté et pour ses propres raisons.

Leurs réflexions furent interrompues par la venue au village d'un autre personnage bien tentateur : un émissaire de Pontiac.

Secondé par un prophète delaware, voilà des mois que le grand chef prêchait la révolte et la guerre contre l'Anglais pour le forcer à reconnaître l'indépendance de son peuple c'est-à-dire de sa race. C'est la raison pour laquelle il avait dépêché des porte-parole auprès des tribus les plus farouchement opposées aux Anglais dont la première en liste, celle des Abénakis.

Natanis pria Joseph d'assister au discours qui aurait lieu près du feu de camp autour duquel tout le village serait réuni. Joseph y emmena son fils. Quand l'orateur les aperçut, il s'assombrit. Natanis lui dit que Joseph était français, ce qui rassura l'autre vaille que vaille, car dans la région des lacs où étaient Pontiac et les siens, des miliciens canadiens travaillaient maintenant pour les Anglais. Natanis exposa les prouesses de son ami contre les Anglais. L'orateur voulut voir les marques. Joseph ôta sa tuque. L'orateur fut séduit et saisi d'admiration.

Jean eut l'impression de voir auprès de lui non point son père, mais un étranger. Ce sentiment curieux se dissipa vite puisque Joseph se recouvrit aussitôt.

Lorsque tous les regards se furent allumés par la danse des flammes, l'orateur fut présenté par Natanis; il prit la parole en algonkien, ce qu'entendaient aussi bien les Abénakis que Joseph.

–Quand les Français étaient maîtres de ce pays, nous avons survécu parce qu'ils faisaient avec les Indiens du commerce équitable. Depuis que l'Anglais est le maître, la vie est devenue insupportable. Il nous faut nous débarrasser de cette nation qui veut notre perte à tous. *"Nous ne pouvons plus subvenir à nos besoins comme au temps des Français. Ce que les Anglais nous vendent est deux fois trop cher. Ils refusent de nous faire crédit comme le faisaient les Français. Ils se moquent de nos maladies et de nos camarades morts.*

*Nous devons les détruire avant d'être détruits. Rien ne nous arrêtera. Ils sont peu nombreux et nous sommes de vrais guerriers. Si les Abénakis ont eu tant de succès contre eux, c'est qu'ils ne les craignent pas. Nous sommes des hommes autant que les Abénakis, des Algonkiens comme eux. Il est temps. Nous avons la ceinture de guerre des Français, et les Senecas sont impatients de combattre. Les Français ne nous arrêteront pas et s'ils veulent combattre avec les Anglais, ils tomberont avec eux. Des wampums ont été envoyés à nos frères Chippewas et à ceux de Michillimackinac et à ceux de la rivière Thames. Ils viendront... Les Abénakis dont le seul nom fait frémir l'Anglais viendront aussi. Ils viendront..."*

À l'appel de sa hache, Natanis frissonnait. Les souvenirs guerriers roulaient comme des flèches de feu par toutes ses veines. La voix de l'orateur redonnait vie à ses souvenances qui lui parcouraient les bras et les jambes pour les réchauffer plus que les flammes.

Mais bientôt, Joseph, qui s'apprêtait à retourner chez lui, eut des paroles qui le plongèrent dans de l'eau plus froide encore que celle de la Chaudière :

–C'est une bataille perdue d'avance. Ils vont tous se faire abattre comme Petit-Soleil.

Le lendemain, Natanis se rendit sur la colline. Seul. Il y passa la journée entière sans manger. Prostré. La tête sur les genoux. Les paroles du prêcheur et celles de l'orateur se bousculèrent en son esprit. Douces, tranquilles, reposantes, furieuses, revêches, dures. Vivre comme les Blancs : lâcheté. Vivre comme les Indiens : mort. Il pria. Pleura. Se rappela le vieil homme de Narantsouak. Des plaisirs de William-Henry. De la mort de Petit-Soleil qui l'avait crucifié pour l'éternité à l'arbre de la tristesse.

De penser à Joseph Bernard fit mûrir sa réflexion. Joseph ne serait jamais un Indien tout comme lui ne serait jamais un Blanc. Mais Joseph avait survécu en vivant comme un Indien parmi eux. Pourtant, il restait Joseph, il restait lui-même. Peut-être que si les Indiens vivaient comme des Blancs, peut-être qu'ils pourraient survivre et rester quand même des Indiens, ne point disparaître.

Ou bien disparaître pour mieux être là, se dit-il en pensant aux étoiles qui étaient bien là-haut, le jour aussi, mais qui s'effaçaient devant la lumière du soleil.

Quand ses amies scintillantes furent allumées par milliers, il s'adressa au grand esprit des Indiens et à celui des Français, s'imaginant qu'ils devaient bien se connaître entre eux puisque lui-même les connaissait tous les deux. Et il leur proposa un pacte. Et alors, il sut qu'après une aussi longue réflexion et une si intense prière, sa nouvelle décision serait bonne. Il fallait expliquer aux autres...

Dès son retour pressé, ce soir même, il tint un conseil. Il reprit les propos du prêtre, montra que le ciel avait voulu parler aux Abénakis en laissant la mort les visiter si souvent. Et il fit part de sa rencontre au sommet de la colline. Et il annonça que ses enfants et leurs enfants devraient apprendre à vivre comme les Blancs, qu'il n'y aurait pas d'autre manière pour le peuple abénaquis de survivre.

–La suprême ruse de l'Indien, déclara-t-il dans l'obscurité de la cabane, sera de se cacher non plus dans la forêt, mais dans les veines de ses filles et de ses fils. Nous donnerons nos enfants en mariage à des Blancs et ainsi, nous vivrons à jamais par le sang des Blancs. On nous croira disparus, mais nous serons là toujours, non point devant les Blancs mais en eux. Voilà le message du Grand-Esprit tel qu'inscrit dans les étoiles du ciel ! Nos filles resteront vierges jusqu'au jour de leur mariage, car le Blanc ne veut pas d'une fille qui a connu l'homme.

Natanis s'arrêta. Sabatis parla :

–L'envoyé de Pontiac nous a révélé que les Anglais refusent de fraterniser avec les Indiennes et que leurs chefs l'ont défendu.

–Nous verserons notre sang dans celui des Français du Canada, pour qu'ils ne soient jamais ni Français ni Anglais... et pour atteindre même l'Anglais par eux... pour qu'ils survivent et nous à travers eux.

–Comment garderons-nous nos filles vierges ?

–Elles auront défense de connaître l'homme tant que nos lois ne le permettront pas.

Telles furent les décisions du conseil !

Le jour suivant, l'émissaire de Pontiac reprit son chemin, bredouille.

Et le soir, Natanis monta sur sa colline sacrée. Il dit au grand esprit des Français ce qui avait été décidé. Et il lui demanda d'adopter tous les siens. Et il salua les étoiles. Et quand l'image du père Loiseau lui vint en tête, il se dit qu'un jour, un jour lointain, il viendrait plusieurs prêtres en robe noire habiter sur cette colline et qu'ils veilleraient à la sainteté blanche de tous les environs.

Marguerite et Joseph prirent la décision d'envoyer leur fils aux Ursulines pour l'y faire instruire de la lecture, de l'écriture et de l'arithmétique. Mais Joseph revint de la ville avec une mauvaise nouvelle. On ne pourrait prendre l'enfant chez les soeurs puisque le pensionnat était déjà rempli et qu'au surplus, on y accueillait préférablement les orphelins de la guerre. D'autre part, il avait rapporté des livres qui pourraient permettre à Marguerite d'instruire elle-même l'enfant. Et il y avait un message de Mère de la Nativité priant instamment Marguerite de faire oeuvre charitable en instruisant aussi les petits Sauvages de Sartigan.

–Moi, ouvrir une école ? s'écria la jeune femme quand il lui transmit ce voeu.

–Pourquoi pas ?

–Où ça ?

–Icitte même, dans la maison.

–Je sais pas si je serais capable, j'ai jamais pensé.

–Une Acadienne pas capable, c'est pas une vraie Acadienne !

–Tu me prends par la fierté.

–Pourquoi pas ? sourit-il.

–Les petits Sauvages, ils vont tout briser, tout salir.

–Tu vas leur montrer pas rien que de l'arithmétique pis à écrire, mais itou à être propres.

–Faudrait que je leur change le sang.

–Non, non. Si on peut dompter une bête, on peut montrer...

–C'est pas certain qu'ils vont venir. Les petits Sauvages, ils font ce qu'ils veulent quand ils veulent.

–On va leur imposer des bonnes règles de discipline. Je vas en parler à Natanis pis son monde aujourd'hui même.

Le moment n'aurait pu être mieux choisi à cause des nouvelle dispositions de Natanis et des siens.

Le jour suivant, peu après le lever du soleil, treize garnements piaillaient à la porte des Bernard. Jean les rejoignit. Ses jeux de garçon l'avaient tenu à l'écart des filles. L'école le rapprocherait de Jacataqua et de sa petite soeur Enea.

\*\*\*

# *1766*

## New Haven

Benedict s'était lancé en lion. Hannah avait pris la tête de l'apothicairie et lui s'était fait commerçant, spécialiste de l'import-export, faisant la navette entre New Haven, les Antilles, Québec et Londres, achetant et revendant tout ce qui pouvait s'échanger avec le maximum de chances de profit, particulièrement du bois, des mules, des bêtes à cornes et des chevaux.

Lorsque les politiques anglaises devinrent plus rigides concernant ce qui pouvait ou ne pouvait se commercer, avec ou sans droits de douane, le jeune homme n'eut aucune hésitation à se lancer dans la contrebande, une entreprise fort populaire à laquelle maints respectables marchands de la Nouvelle-Angleterre s'adonnaient joyeusement et de façon lucrative.

Sa résidence était située près du chantier naval. Un bel édifice solide, assis dans les arbustes. Ses activités et son agressivité dans les affaires et dans ses relations personnelles n'empêchèrent pas son acceptation pour les mondains de New

Haven. C'est ainsi qu'il fut accueilli dans l'ordre des francs-maçons. Plus encore qu'à Norwich, il était devenu le favori de ces jeunes dames de la bonne société et il *"flottait dans les cercles les plus gais du jour."*

Celle qui le remuait au plus haut point n'était pourtant pas celle qui s'intéressait le plus à lui. La froide Margaret Mansfield, fille du shérif du comté, un maçon comme Benedict, le forçait à attendre une fois encore tandis qu'il faisait le pied de grue sur le quai d'embarquement, le long d'un schooner lui appartenant et appareillant pour Québec.

À bord, on n'attendait plus que lui. Il se mordait les lèvres d'avoir choisi cet endroit pour lui faire sa demande en mariage. Il l'avait fait pour les meilleures raisons au monde : en vue de sa maison, de ses bateaux et au vu de ses hommes. Tout ce qui faisait sa fierté l'entourerait et lui servirait en quelque sorte de témoin. Et par-dessus tout, Margaret avait elle-même manifesté le désir d'aller lui souhaiter bon voyage vu qu'il ne serait de retour que dans quatre ou cinq mois.

En marchant, il suivait du regard la ligne de flottaison foncée qui apparaissait et s'effaçait sur la coque du bateau. Une voile descendue claquait au vent et faisait se raidir les amarres. Il calculait les profits anticipés. Ce serait l'un de ses plus rentables voyages à l'étranger. Des produits de luxe à vendre aux marchands de Québec. Achat de boeufs et de chevaux. Voile vers Kingston, Jamaïque. Vente des bêtes et nouvelle cargaison : rhum et mélasse, deux produits ramenés en contrebande.

Son cheval hennit d'impatience dans son parc de la cale. La bête possédait la fougue de son maître et son désir de partir. Elle avait peu dormi des effets d'une grande excitation due au tangage du navire.

Soudain, un cavalier s'amena à toute vitesse dans la poussière rouge soulevée par les sabots de sa monture, et qui résonnèrent bientôt sur les pièces de bois du quai. Benedict lut sur son front soucieux une mauvaise nouvelle. Il pensa à Peggy qui devait lui faire porter un message disant qu'elle était souffrante et ne pouvait donc venir lui dire au revoir.

L'homme était un employé de Benedict, un peu plus âgé, les cheveux noirs attachés sur la nuque comme ceux de son patron, l'oeil inquiet, brun. Il sauta à terre, accourut.

–Mauvaise nouvelle.

–Il en faut !

–Tu as été dénoncé.

–Pardieu ! qu'est-ce...

–Non point par Dieu, mais par Peter Boles, dit l'autre dans une blague euphémique.

–Le diable l'emporte !... Ce fils de...

–Contrebande... Il va témoigner contre toi. L'amende. Peut-être la prison ? On va surveiller toutes tes cargaisons de près dorénavant.

–Ce damné individu ! J'aurais dû le faire jeter à la mer durant le dernier voyage. Ce monsieur aurait voulu que je lui verse un salaire aussi élevé qu'à mes capitaines de bateau ou toi-même.

Il leva le poing, serra la mâchoire.

–Par le ciel qui m'entend, il faut faire échec à ces sinistres individus, scélérats qui cherchent à écraser les fils d'Amérique au profit des Anglais.

–Comment ? soupira l'autre en flattant le chanfrein de son cheval roux.

La réponse vint comme une flèche indienne, comme si Benedict y avait songé depuis longtemps :

–Ramasse un groupe de gars, de nos marins et d'autres, saisissons-nous de cet énergumène, fouettons-le et expulsons-le de cette ville pour l'éternité... et quelques années de plus.

–Il faudrait faire stopper l'appareillage.

243

Aussitôt, Arnold se précipita sur la passerelle en hélant le capitaine à la pleine force de ses poumons. L'homme, la tête entourée d'un mouchoir blanc, parut sur le pont arrière, reçut les ordres. Il entreprenait de les faire exécuter alors même que son patron redescendait d'un pas martial.

Benedict enfourcha le cheval, répéta ce qu'il avait dit précédemment à son homme de confiance avant de pousser la bête au grand galop pour se rendre à la résidence des Mansfield. Il coupa court à travers des propriétés privées, son cheval franchissant les obstacles avec l'élégance de son cavalier et le synchronisme de ses ordres. Nul ne montait mieux que lui dans New Haven, et on lui pardonnait volontiers les coups de sabot sur les terre-plein. Il savait compenser pour quelques fleurs écrasées, par un sourire et une force communicative capables d'entraîner à sa suite, dans quelque frasque spectaculaire, les plus collets montés du gratin local.

La monture s'arrêta dans une poussière éclatante. Le cavalier sauta, jeta la longe sur la perche. Il fit trois pas, s'arrêta, regarda en l'air, vers la fenêtre ouverte de la chambre de Margaret.

–Peggy, très chère...

Silence ! Qu'un voile blanc battant au vent par la fenêtre et rien d'autre !

–Peggy... cria-t-il à nouveau.

Nulle réponse ! Alors il frappa au heurtoir. Deux fois... Trois... Et encore.

–J'arrive, finit-on par crier de l'intérieur.

Il reconnut la voix de sa future. Avant qu'elle n'ouvre, il ramassa tout son discours de demande en mariage pour lui jeter au coeur dès qu'il aperçut son visage blanc dans l'entrebâillement :

–Peggy, j'ai quatre bateaux, un commerce qui marche bien, une résidence, de bonnes relations d'affaires et je... je vous aime. Voulez-vous m'épouser d'ici une année ? Je devais vous le demander sur le quai, mais j'ai des choses de dernière minute à régler. Je n'exige pas une réponse sur l'heure; je sais que ce sera oui. Je vous revois à l'automne et nous ferons des fiançailles officielles à la fin de l'année.

Il s'approcha, fit la révérence avant même celle de Margaret, au contraire de la règle, lui baisa la main et tourna les talons.

–Je vous aime, Margaret, et ce que j'ai vous appartient, dit-il avant d'enfourcher sa monture et de la faire se cabrer dans un hennissement presque sauvage.

–Je tâcherai de faire honneur au nom de Benedict Arnold, fit-elle, la voix enterrée par le bruit des sabots s'éloignant.

Elle haussa les épaules, hocha la tête, se dit à elle-même sans sourire :

–Eh bien !

Puis rentra.

Il retourna au quai. On finit de réunir les hommes. Direction : taverne. Un lieu de toutes les époques : enfumé, gesticulant, rebondissant des histoires contées et des poitrines des serveuses, tumultueux.

La place eut l'air de s'éclaircir quand on vit le groupe d'inquisiteurs, Benedict devant sept hommes à un seul regard irréversible. Les yeux de la plupart se réunirent aussi vers l'entrée. Chance pour les justiciers : pas un soldat anglais en vue. Debout, au fond, près d'un faux pilastre d'une cheminée vraie mais morte de chaleur, Peter Boles en conversation avec un marin. Petit, frêle, les pommettes saillantes et pourpres, l'homme fut pris d'attention pour le silence grandissant. Son sang s'estompa, lui monta aux cheveux dont il raidit la racine.

–Là-bas, fit simplement Benedict.

Trois hommes rejoignirent le délateur, s'en saisirent et le

conduisirent dehors. Et si prestement que chacun en resta éber-
lué, l'intéressé le premier. Emmené par détours pour éviter
les rues trop fréquentées et la soldatesque en habit rouge,
jusque dans une cour à bois, on le fit coucher sur une bille et
la prendre à bras le corps.

—On a oublié le fouet, dit l'homme de confiance.

—Faites-en un avec de l'écorce de cèdre, ordonna Benedict
qui, entre-temps, parla à l'intimé.

—Pour cette fois, Boles, lèche-bottes des Britanniques, tu
ne seras que fouetté et chassé de cette ville. Quand tu y re-
mettras les pieds, il t'arrivera de gros désagréments. Tu as
jusqu'à demain pour sombrer dans l'évanouissement.

La punition ne fut ni très sévère ni très douloureuse. Coups
symboliques retenus. Et surtout, on l'enduisit de gomme de
sapin et de terre rouge avant de le reconduire à la taverne
pour que tout New Haven sache qu'il ne ferait plus bon, dorénavant, de vivre dans cette ville pour ceux à la langue trop
longue et surtout trop britannique.

Une heure plus tard, c'était l'embarquement et le départ
du deux-mâts vers Québec. Le pied sur la rambarde, Benedict,
dont la colère envers Boles faisait place à une autre bien
plus impétueuse encore envers l'Angleterre, regardait s'éloigner la ville sans la voir, discuta avec son capitaine, ou plutôt monologuant avec lui :

—Politique de suprématie du roi sur les colonies. Multipli-
cation des taxes. Renforcement des White Pine Acts en 63-
64. Taxe sur le revenu et les perceptions des douanes en 64.
Sugar Act en 64. Stamp Act en 65. Défense de commercer
ceci ou cela. Nous avons été libérés de la menace canadienne
pour tomber dans les bras étouffants de la mère patrie. Cela
finira bien un jour ! Pardieu ! Cela aura un bout ! C'est moi
qui vous le dis...

## Québec

Au cours de ses négociations, Arnold tomba sur une carte du Maine telle que rédigée par John Montresor cinq ans auparavant. Par impulsion, il se la procura. Ça l'intéressait de connaître cette ligne presque droite entre Québec et Boston et passant par la sauvagerie de la Chaudière et de la Kennebec.

Il acheta des bêtes à cornes qu'il fallut parquer pendant près d'une journée dans un enclos en attendant que le schooner trouve sa place au quai d'embarquement. À la brunante, on entreprit de conduire le troupeau, une vingtaine de têtes, au bateau.

–Dernière tâche et ensuite on va boire un pichet de vin à la haute-ville, dit Benedict aux six hommes qu'il envoyait pour convoyer le bétail.

Puis il porta son attention à autre chose sur le bateau jusqu'au moment où un vacarme en provenance du quai lui fit prendre conscience d'une situation susceptible de lui coûter cher. Un jeune taureau lui appartenant, réfractaire à la passerelle, se rebiffait, renâclait, poussaillait les autres bêtes. Puis il enjamba le câble du couloir d'amenée et commença une danse furieuse à travers les marchandises et les travailleurs.

–Tudieu ! s'écria Benedict en se précipitant sur le quai, claquant les bêtes pour qu'elles s'écartent.

Il courut à son superbe cheval noir attaché avec d'autres dans un parc à montures, le détacha et l'enfourcha d'un saut vif. Puis, tel un chevalier du Moyen-Âge, fonça vers le vilain. À trois pieds de la bête folle, il s'élança, l'attrapa par les cornes, se laissa traîner un moment puis plongea les doigts d'une main dans les naseaux baveux, tira vers lui de tous ses muscles. La bête s'arrêta, monta la tête au ciel pour faire diminuer la douleur et faire disparaître l'inexorable entrave à sa liberté. Peine perdue : le félon maîtrisé ne pouvait plus que rester sur place. On accourut. On l'encadra. On lui passa des cordes, des câbles, dans les cornes, les pattes, le cou, la queue. Il fut mis en tête sur la liste du cuisinier du bateau.

## Sartigan

Cette année-là, Marguerite n'avait plus que six petits Sauvages à instruire, à nourrir de lettres et de chiffres. Et souvent de pain et de viande. Ou plutôt cinq Sauvages et son fils. En fait, quatre Sauvages, son fils et la demi-soeur de celui-ci, Jacataqua.

Le village et les autres campements de la Chaudière s'étaient dépeuplés. Petit à petit. Plus que seize familles à Sartigan. Une vingtaine à Saint-François. Une trentaine pour les deux campements de Saint-Joseph réunis.

Natanis n'avait point été le seul à penser à donner ses filles à des Blancs. Un peuple menacé d'extinction le sait sans même le savoir. Et les filles s'effaçaient tant dans les villages que dans les registres de mariages tenus par les prêtres.

Faute de moyens en raison d'un commerce en déclin, Joseph n'avait pas réussi en fin de compte à envoyer le fils de Marguerite aux Ursulines. Il avait dû se tourner seize heures par jour vers l'agriculture

Et Natanis souffrait d'ennui chronique. Depuis sept ans, la mélancolie suivait ses pas dans les sentiers le long des rivières, sur les tapis de feuilles mortes, rouges, brunes, décrépites, sur ses raquettes étouffées par la pelotante, gelées par la poudreuse, sur les roches mouillées à fleur d'eau, sur sa butte aux étoiles.

Un après-midi de fin d'été, ni frais ni brûlant, nuageux par intermittence, lendemain d'une journée calme et veille d'un jour ordinaire, il annonça aux gens de la cabane que le moment de partir devrait être discuté au conseil de famille.

Et le jour d'après, il vint parler à Joseph à la porte de la grange.

–Mon frère aurait pas une place plus grande dans mon coeur, lui dit le colon en le prenant par les épaules.

Joseph ressentait ce qu'il disait, mais il voulait aussi que Natanis se souvienne et qu'il revienne quand la mélancolie s'apercevrait de son départ et irait le rejoindre au lac de la montagne arrondie.

Puis ce fut la pénible tâche d'apprendre à tous ceux dans la maisonnette, Jacataqua, Enea, Jean, les trois autres petits et surtout Marguerite, le départ de cette famille que les Bernard affectionnaient plus que toutes les autres.

L'homme entra dans sa discrétion boitillante. Il resta debout à côté de la porte ouverte, à regarder ce groupe d'enfants autour de la patiente Marguerite, assis par terre, les yeux plus grands que leur cercle. Jacataqua si blanche dans sa peau de soleil, la plus âgée des six : onze ans. Enea, si brune dans ses yeux de mystère, la tête droite entre ses tresses noires, les mains croisées sur sa poitrine enveloppée de cuir frangé : sept ans. Elle parlait mieux le français que sa soeur, l'écrivait avec plus d'application, prenait un soin jaloux de son crayon de plombagine, se pratiquait avec émerveillement sur l'écorce des cabanes ou les pierres de la Famine à l'aide d'un morceau de pierre à savon.

Marguerite avait eu d'autres livres plus avancés de Mère de la Nativité. Il y avait dedans plein de dessins joliment colorés : bêtes, personnages, objets. Des chevaux verts, des poules rouges et bleues. Et une fillette rosâtre prénommée Catherine, toilettée comme une grande dame.

–Catherine mange des prunes, dit l'Acadienne, le livre ouvert sous le menton et tourné vers l'assistance, l'oeil scintillant des merveilles semées.

Toutes les têtes s'avancèrent vers un point central pour mieux lire les mots qu'elle répéta en désignant chacun du doigt sous son illustration propre.

–Catherine mange des prunes.

Puis elle fit répéter en choeur :

–Catherine mange des prunes.

Elle leva la tête, lut une misère dans le regard de son mari. Il dit à voix retenue :

–Natanis a décidé de s'en aller de l'autre bord de la hauteur des terres avec tout son monde.

Marguerite aux yeux naturellement tristes, regarda tour à tour Enea et sa soeur. Puis elle questionna Joseph comme au nom des petites et comme pour repousser la vérité :

–C'est lui qui te l'a dit ?

–Il en vient juste.

–T'as pas essayé de lui faire changer d'idée ?

–Quand ils ont pris une décision au conseil de famille, c'est final, tout ce qu'il y a de plus final.

Marguerite leva les yeux au ciel. Elle cherchait une idée. N'importe quoi. Il en vint une :

–Pourquoi ils nous laisseraient pas une des filles ? Pour un an ? Il va ben revenir icitte le printemps prochain pour vendre ses fourrures : il pourra la reprendre. Pis il pourra nous laisser l'autre pour l'année d'après.

–Ça, je peux toujours en parler avec eux autres.

Jacataqua se mit debout, dit :

–Ils voudront pas. Tout le monde part ou tout le monde reste. Le conseil a décidé... Faut partir demain.

–Tu le savais, Jacataqua ? Pourquoi c'est faire que tu me l'as pas dit ? demanda Marguerite, doutant de l'attachement de la jeune adolescente pour elle.

–Pour pas pleurer, il faut pas se percer le coeur avec une larme, lui fut-il répondu dignement.

La femme, elle, pleurait déjà, hochant la tête, cherchant à comprendre. Jacataqua tendit la main vers Enea qui se mit debout à côté d'elle.

–Mais partez pas comme ça, sur l'heure ! Attendez, on va manger.

Tous avaient déjà mangé.

–...on va finir la leçon...

Joseph s'approcha. Doucement. Les mâchoires écrasant ses larmes, il dit :

–Ce qu'elle veut te faire comprendre, c'est... c'est la mort douce. Les Sauvages peuvent mourir dans les tourments du corps, dans les pires souffrances. Ils aiment mieux se faire torturer une journée de temps que de mourir pendus. Mais pour le coeur, c'est le contraire. Vois-tu, ils ont le coeur comme... comme... Y a pas un mot de Blanc pour le dire. Laisse-les partir, ça va être mieux. Embrasse-les pas, regarde-les pas. Les retenir trop fort, ça serait pas un appel au coeur, ça serait une déchirure à leur laisser.

Il mit sa main dans le dos de Jacataqua et l'emmena, Enea à sa suite. Sur le pas de la porte, la plus jeune se retourna. Elle ne regarda que Jean. Un regard noir, luisant, comme vide, absent. Lui, figé, restait là, sans bouger, dans son coeur abasourdi. Son univers changeait de manière si surprenante et si vite qu'il restait suspendu quelque part dans l'incertain.

Joseph fit attendre les enfants dehors. Il rentra un moment pour dire à sa femme :

–J'ai fait ce qu'il fallait avec Natanis pour qu'il revienne. À lui, j'ai essayé d'en laisser une, une déchirure au coeur. Peut-être que dans un an, il sera revenu ?

L'Acadienne ne croyait plus guère en des espérances de retour, quelles qu'elles fussent !

\*\*\*

# *1770*

## Sartigan

Jean ne fréquentait plus l'école de sa mère depuis au-delà d'une année déjà. Capable de lire et d'écrire, maîtrisant les quatre opérations de l'arithmétique, féru de bonnes notions de géographie et d'histoire, deux disciplines donnant du fil à retordre aux petits Sauvages, instruit du catéchisme, il avait déclaré un bon matin qu'il en savait plus que la majorité de ceux de son âge de Saint-François (Beauce) avec qui il lui arrivait de parler les jours de messe ou quand il se rendait là-bas avec Joseph, et que cinq années d'école suffisaient à un futur fermier de la Nouvelle-Beauce.

Joseph ne s'était pas fait prier pour se ranger de son opinion. Deux bras forts de treize ans devenaient nécessaires pour suppléer à cette lenteur d'exécution qu'avaient clouée en lui ses vieilles blessures. Cela seul permettrait d'agrandir le lopin de terre arable qu'il fallait arracher pied à pied, de peine et de misère, à la forêt et aux collines.

L'apprentissage de l'adolescent porterait désormais sur les tâches d'abonnir la terre, et dont il ne manquait point de connaître les notions. Abatis. Semis. Soin des bêtes. Charpenterie. Tannage. Voiturage. Fauchage.

Quant au savoir des Indiens, il le possédait depuis son enfance. Pas en profondeur comme un véritable Abénakis, mais il savait les détails de la survie en forêt, pouvait canoter avec dextérité, chasser avec succès, pêcher à l'année longue, dénicher de la nourriture là où des Blancs ordinaires n'auraient aperçu que des arbres à gruger, s'était même fait montrer des secrets sur les plantes par Jacataqua.

Il avait souvent entendu son père et sa mère se raconter, mais il continuait d'ignorer le vrai secret de sa naissance. Le jour de ses dix ans, on lui avait simplement dit qu'il n'était pas le fils de Joseph, mais celui d'un Acadien, Jacques Babin, le premier mari de sa mère. Rien n'avait alors changé en son âme par rapport à celui qu'il considérait comme son père.

Il ne savait pas non plus la guerre autrement que par des mots noirs. Et pourtant, il adorait les récits de Joseph au coin de la cheminée, les soirs d'hiver. Et en s'endormant, il rêvait aux héros de la Belle-Rivière : Jumonville, Washington, Dumas, Pontiac devenu célèbre par sa longue guerre d'arrière-garde contre l'Anglais et dont on a appris l'assassinat par un des siens l'année d'avant, Half-King et... Source-de-Vie dont le nom et quelques mots vagues mettaient fin à chaque chapitre de ces souvenirs remplis de mystère et d'attraits pour le garçon.

Et Marguerite a raconté cent fois plutôt que dix les belles terres d'Acadie, la mer, les aboiteaux. Lawrence, Deschamps, John Winslow, Monckton : les noms étaient toujours dits dans une indifférence tranquille qui devenait de la nostalgie plus que de la tristesse quand suivaient les autres, les noms bien-aimés perdus dans la déportation, brumeux dans la mémoire.

Tel était Jean Bernard qui pensait à une terre agrandie, doublée, à une maison rallongée et qui demandait parfois où ça se trouvait, le lac à la montagne arrondie.

–Par là-bas, répondait Joseph d'un geste imprécis en direction de l'amont de la Chaudière.

Et alors Joseph se posait la question de savoir pourquoi Natanis n'avait jamais plus redonné signe de vie après son départ quatre ans auparavant.

Cette année-là, il arriva trois familles de Blancs aux environs de Sartigan. Deux s'établirent plus bas, au nord de la Famine et des Bernard, sur la même rive de la Chaudière. Des Gilbert. Des Poulin. Et l'autre, les Maheux, s'installèrent sur la Famine même, plus haut que le village indien.

Il y avait chez les Maheux une fillette de treize ans, Louise, au joli visage rond et rouillé, le regard poupin, femme faite du devant, frisottis sur le front. Elle sortit Jean de son monde masculin, au moins par les mouvements du coeur et du corps qu'elle provoqua en lui.

Son enfance de garçon, il l'avait le plus souvent partagée avec son ami indien, Porc-Épic. Porc-Épic avait reçu son nom de Jean lui-même qui, tout jeune encore, l'avait appelé ainsi à cause de ses cheveux hérissés et parce qu'il n'arrivait pas à prononcer son interminable nom abénaquis. Les Indiens qui savaient le français avaient ri et gardé le nom de Porc-Épic qui sonnait si bien dans les deux langues.

Jean la vit pour la première fois lorsque ses parents s'arrêtèrent chez lui, le jour de leur arrivée à Sartigan, et demandèrent qu'on les logeât dans la grange pour la nuit. La fillette lui sourit maigrement puis replongea dans son sérieux et dans l'attention à porter à son petit frère, le dernier-né de la famille qu'elle tenait dans ses bras et qui lui cherchait le sein en grimaçant comme une carpe. Il la revit plus tard quand il aida Joseph à traire les vaches, mais, cette fois, elle ne sortit point de sa timidité.

Joseph donna du temps aux Maheux pour lever un abri temporaire à l'endroit qu'ils avaient choisi et ensuite pour bâtir maison et grange. Chargé de tout le travail chez lui, Jean ne devait pas y participer.

Mais l'appel tournoyait dans sa poitrine. Il se mit à passer et à repasser devant chez elle avec Porc-Épic pour aller à la chasse plus haut ou à la pêche presque devant la maisonnette. Peine perdue : elle semblait avoir disparu, s'être évanouie avec les beaux jours. Il lui arrivait de voir un ou plusieurs des six enfants de la famille capables de marcher, mais jamais l'aînée. Et cela augmentait son désir de la voir.

Quand la maison eut des vitres aux fenêtres, il crut l'apercevoir un soir ou l'autre. Treize ans, onze, neuf et huit qu'avaient respectivement les quatre plus vieilles des enfants: il fallait donc attendre à six ans pour trouver un garçon. Jean ne pouvait guère s'y faire un ami masculin pour s'introduire plus facilement auprès de la belle rousse potelée.

Il patienterait. Peut-être qu'aux neiges... Peut-être qu'au printemps...

### New Haven

À chaque bout d'une table étincelante, Benedict Arnold et son homme de confiance dégustaient les dernières gouttes d'un grand cru français rapporté de Québec. Sur la tablette de la cheminée voisine, des lampes colorées éclairaient leurs propos.

Margaret, l'épouse de Benedict depuis trois ans maintenant, avait quitté la table à la fin du repas pour voir à ses fils, Benedict et Richard, l'un, l'aîné âgé de deux ans et l'autre d'un.

La fièvre politique connaissait une forte poussée dans les colonies depuis le mois de mars alors qu'avait eu lieu le massacre de Boston. Les habits rouges avaient tiré sur des civils et cela s'associait dans l'esprit des Américains à la tyrannie que plusieurs leaders attribuaient de plus en plus ouvertement au roi lui-même.

–Pardieu ! cela finira par une rébellion armée, dit Arnold

pour la troisième fois en regardant briller le cristal exquis de son verre ciselé.

–Une armée d'hommes équipés de piques, de fourches et de quoi encore, et de si peu... Face à la plus puissante nation de la terre ! ?... Non... non...

D'une voix pleine de vigueur, Benedict rétorqua comme à toute l'Amérique :

–Des hommes, des vrais, équipés de leur courage... de passion pour la liberté, pourraient neutraliser la puissance anglaise. Pardieu ! ils le pourraient ! Il y a quatre ans, à Portsmouth, on a promené un cercueil portant le mot liberté. Ils ont eu raison parce qu'elle est bien rendue six pieds sous terre, notre liberté. Il faudra des hommes décidés pour dire non à ce roi despote, et je veux en être, par le dieu qui m'entend je veux en être !!!

Maintenant âgé de vingt-neuf ans, Benedict avait réalisé plusieurs rêves de jeunesse et atteint tous ses objectifs. De bonnes affaires. De biens s'accumulant. Une famille à rendre fier. Un nom bien établi à New Haven.

Tous ses rêves sauf un : le soldat qu'il portait en lui attendait toujours son heure.

## Mount Vernon

Ce même rêve continuait de remplir aussi le coeur de George Washington. Son habit de milicien lui manquait lorsqu'il se mit en route pour les fourches de l'Ohio afin d'aller y faire des relevés de bonne terres promises par Dinwiddie à ceux qui s'étaient enrôlés de bonne heure dans le régiment de Virginie. Au-delà de quinze ans depuis sa première aventure dans la même sauvagerie pour aller arpenter et ensuite pour chasser les Français. Puis Braddock ! C'était comme la veille, cette formidable équipée à la rencontre du charmant bourdonnement des balles !

Il fut surpris de trouver à l'emplacement du fort Duquesne un établissement de vingt maisons qu'on appelait Pittsburgh. Et il s'enfonça pour onze jours dans la forêt. On lui parla d'Indiens hostiles. La neige tomba. Comme au temps de sa jeunesse, il vit des chevreuils, des buffles et des dindons sauvages en abondance, de riches prairies, des cieux sans limites, des arbres si grands. Mais le danger n'était plus bien réel. La misère de voyager non plus. Et de l'abondance, il y en avait à pleines mains autour de chez lui, au bord du Potomac brillant.

Pour que se réalise le vieux rêve en attente, il manquait un idéal à servir. Et cette cause capable de dépasser son profond goût pour la paix ne saurait avoir qu'un nom, un seul : liberté.

***

# *1774*

## Mount Vernon

Dans la cour des écuries, une grosse femme noire à serre-tête rouge pagayait dans un chaudron de fer, remuant à l'aide d'un aviron, les graisses animales et la charrée qui y chauffaient en dégageant une odeur infecte.

Envoyé par Martha, George se rendit au pas de course auprès de la domestique. Il dit dans une protestation suppliante:

–Sarah, qu'est-ce que vous faites donc ?

–Mais du savon, maître George !

–Savez-vous à quel point vous nous empestez là-haut ?

–C'est que le vent a tourné, maître George.

–Mais pourquoi faire le savon ici ?

–C'est vous-même qui l'avez demandé... il y a six ans. Je m'en souviens comme d'hier, maître George.

–Bon ! Pouvez-vous chauffer plus pour que ça finisse au plus vite ?

–Non, maître George, opposa fermement l'esclave en riant

au fond d'elle-même avec un brin de malice respectueuse. Pour faire du savon, il faut le temps que ça prend.

Il hocha la tête, chercha des mots. Elle devina qu'il aurait voulu s'excuser et ajouta pour l'y aider :

–Si ça sent mauvais aujourd'hui, maître George, c'est pour que vous sentiez bon demain.

–Quoi ? s'étonna-t-il en rajustant son large tricorne qui le protégeait du soleil mais gardait ses cheveux mouillés.

–Pardonnez-moi, maître George, je n'ai pas voulu dire que...

L'homme éclata de rire, se pinça le nez et fit demi-tour vers la maison à laquelle une dizaine d'ouvriers travaillaient fébrilement. On ajoutait une aile sur la droite, et le propriétaire eût bien aimé que le travail soit fini avant son départ prochain pour Philadelphie où il agirait comme délégué de la Virginie au Congrès Continental.

Comme il débouchait de l'allée de sable rouge en vue de la demeure, arrivait à l'autre bout de la longue cour un cavalier pressé. L'observateur reconnut aussitôt George Mason, un homme qui avait l'habitude de venir lui apprendre chaque mauvaise nouvelle d'ordre politique. Les taxes anglaises. L'accrochage de Boston. Et, quelques mois plus tôt, le Boston Tea Party alors que des Bostonnais déguisés en Indiens avaient jeté à la mer dix-huit mille livres de thé "légal" afin de protester contre la taxe imposée par Londres sur cette denrée. Puis il y avait eu la fermeture du port.

–Quel bon vent vous amène ? demanda George quand son homonyme eut pied à terre.

–Ça sent mauvais, George, ça sent très mauvais ! s'exclama l'arrivant, un homme au front sourcilleux.

–Je sais... C'est le savon que Sarah est à fabriquer.

–Non, non, s'impatienta Mason... Je parle de ce qui se passe.

–Et qu'est-ce qui se passe donc encore ?

–Une nouvelle loi du Parlement impérial. L'Acte de Québec.

–On pouvait s'y attendre.

–George, c'est le monde à l'envers. Écoute... Ils ont donné aux Canadiens leurs lois françaises, la liberté de religion; ils auront droit à un conseil où ils pourront siéger. Les colonies se battent pour qu'aucune taxe ne soit levée sans le consentement de leurs représentants élus et on est en train de donner à d'autres des pouvoirs qui vont dans la même direction. Et à qui ? À des papistes du Canada. C'est le monde à l'envers, que je te dis.

–Ce qu'ils ont donné et ce que nous voulons, ce n'est pas tout à fait la même chose, il me semble. Et puis... comment s'élever contre l'octroi à quelqu'un d'une forme de liberté ? Nous devons nous battre pour la nôtre, pas nous aigrir à cause de celle donnée aux Canadiens.

–Mais tu ne comprends pas... c'est pour nous narguer, cette loi.

–Peut-être pas.

–George, je ne saisis pas ton calme. Il y a pire, mon ami, il y a pire. Ils ont rattaché à la province du Québec tout le territoire compris entre l'Ohio, le Mississippi et les Grands Lacs. Si je ne m'abuse, toi et Benjamin Franklin avez des concessions par là, n'est-ce pas ?

–Voilà qui devient difficile à accepter ! Oui, je détiens des concessions. Et elles valent de se battre pour elles à cause du principe mis en cause.

–À la bonne heure !

–Ne vous y méprenez pas, George, je ne prendrais pas les armes pour quelques arpents d'arbres. Qu'ils les gardent pourvu que Mount Vernon...

Mason se frappa la paume de la main en mâchant vigoureusement ses mots :

–Si on leur concède le droit de nous imposer des taxes sans notre consentement, c'est à Mount Vernon qu'ils toucheront alors. On ne doit pas céder d'un pouce sur un principe qui entrave nos libertés.

Washington hocha la tête. Il aperçut sa femme sur le pas de la porte. Même de loin, il put discerner son regard inquiet. Et il se demanda si c'était encore à cause de l'odeur désagréable du savon.

## Sartigan

Jean Bernard marchait dans la Famine, les pantalons roulés jusqu'aux genoux, le dos chargé d'un immense sac entortillé sur son embouchure de bois. Porc-Épic le suivait à quinze pieds avec un sac de cuir contenant de la terre brune fourmillant de vers à pêcher.

C'était dimanche après-midi. Une journée grise, sans pluie, humide et lourde. Et Jean avait le coeur à l'avenant. Il y avait eu publication de bans ce matin-là. La Louise Maheux, elle l'épouserait bientôt, son Prisque Nadeau de Saint-Joseph.

Lui, le voisin, avait échoué. Pourtant, il avait tout fait pour l'avoir, la jeune fille. Elle avait tout fait pour se défendre de ses approches. À quatorze ans, il avait eu le courage d'aller chez elle. À quatorze ans et demi, il lui avait offert une statue de bois de la sainte Vierge qu'il avait sculptée lui-même. À leurs quinze ans, elle l'avait rabroué pour qu'il la laisse tranquille. À seize, il s'était relancé, l'espérance relevée par des signes réels ou imaginaires. Elle l'avait encouragé pendant quelques mois durant une longue absence de Porc-Épic. Un soir de moustiques, il avait osé l'embrasser... sur le front. Puis, après dix-sept ans, il avait vu passer cet intrus de Saint-Joseph, venu tout d'abord avec un autre pour courir la sauvagesse. Et l'étranger avait vu la Louise...

–Dehors les tourments du coeur ! L'amour : jamais ! mau-gréait-il à chaque pas qui flacotait dans l'eau.

Des bébés qui braillent, ça ne le connaîtrait point. Il avait bien assez de muscle pour en prendre soin tout seul, de la terre... même sans Joseph quand il vieillirait.

Dans ces moments de bénigne révolte, son corps et sa foi, se liguant contre lui, finissaient toujours par avoir le dessus. En quelques occasions d'égarement, il avait connu des sauvagesses. Bien entendu qu'il ne saurait vivre bien long-temps sans une femme ou sans la grâce du Seigneur.

Porc-Épic ne savait pas grand-chose des peines de son ami. Il les avait entendu raconter mais sans y prendre garde ni chercher à y comprendre quoi que ce soit. D'autant plus que Jean aurait pu avoir pour femme Angélique, la soeur de l'autre, celle de seize ans... "Une femme ou une autre," se disait Porc-Épic, "ça revient au même."

Cela hérissait Jean que de devoir passer devant la maison des Maheux, ce jour-là. Il avait l'impression que les choses environnantes riraient. Son orgueil avait mal.

Et Angélique ferait mieux de ne pas se montrer ! Et la Louise qui se trouvait peut-être là avec son Prisque, que le diable lui donne des fils au pied bot ! Ne l'avait-on point vu rôder, le diable, dans le bout de Saint-Joseph dernièrement ?

On avait vu des petits malins sur un champ de labour. Et la chasse-galerie au-dessus des glaces de la débâcle... Il y aurait peut-être un beau danseur noir à sa noce, la Louise Maheux.

Il jeta de furtifs coups d'oeil vers la maison en arrivant dans les parages. Alors il s'éloigna sans qu'il n'y paraisse, vers la rive opposée. On lui fit des signes, on poussa des cris. Il dut se mettre à l'attention.

–Jean Bernard, viens prendre une tassée de vin de cerise, cria le père Maheux, les mains en cornet sur la bouche.

–Après la pêche, cria Jean à son tour.

–Tu pêcheras après. Viens. Autrement, il restera pas de vin. Viens... viens par icitte.

Jean se tourna vers Porc-Épic et le menaça du doigt :

–Toi, t'en boiras pas, hein ! Tu sais ce que ça te fait, l'eau-de-vie.

–Non, non, ricana l'Indien, l'oeil rusé.

L'on s'approcha par détours, en jaugeant les profondeurs par des regards accoutumés tandis que les Maheux, alertés pour la plupart, sortaient pour accueillir le visiteur, les uns s'alignant sur un banc, une autre s'installant sur une souche, une troisième s'adossant aux billes du mur. Angélique avait deux tasses de fer-blanc remplies de vin. Elle tendit chacune à Jean et à Porc-Épic. L'Indien s'empara aussitôt de la sienne.

–Si tu fais le fou tantôt, si tu mènes le diable, la pêche avec moi, là, ça sera fini. Compris ?

Mais Porc-Épic buvait déjà en sapant bruyamment et en glougloutant, l'air hilare. Sitôt le contenu vidé, ce qui fut fait d'un trait, il présenta à Angélique la tasse tenue entre ses deux mains.

–Pas plus ! ordonna Jean. C'était à lui de boire moins vite, c'est tout.

Angélique, maigrichonne aux yeux verts, leva des mains espiègles voulant dire "désolée" et s'éloigna vers son père et Jean restés debout, conversant.

On parla de récoltes, de corvées, des Indiens, du gouverneur Carleton revenu à Québec pour la plus grande joie, affirmait-on, du peuple canadien. Mais du prochain mariage de la Louise, pas le moindre mot.

On oublia Porc-Épic jusqu'au moment où un cri énorme jaillit de la porte ouverte, suivi d'un autre, puis de Louise et de sa mère qui sortirent comme si le diable lui-même les avait chassées dehors.

Ce n'était pas loin du Grippet puisqu'il s'agissait de Porc-Épic. Il s'était introduit par la porte arrière dans son silence d'Abénakis pour puiser au quart de vin joyeux une bolée ras bord de liquide rose.

—Y a un Sauvage dans la maison, y a un Sauvage dans la maison, ne cessait de répéter la mère comme si Porc-Épic eût été une souris effrayante.

Et la Louise pleurait à chaudes larmes, tournant en cercle. Son père dit à Jean :

—Elle a toujours eu peur des Sauvages pour mourir. Des fois, je me demande si c'est pas pour ça qu'elle va marier un gars de Saint-Joseph. Chaque fois qu'elle te voyait avec Porc-Épic, elle courait se cacher dans le comble de la maison. Les autres étaient plus jeunes quand on est arrivés, ils se sont accoutumés mieux qu'elle.

—Je vas aller chercher mon Porc-Épic, soupira le jeune homme en se dirigeant à l'intérieur.

—Pis moi, je vas emmener les femmes à l'abri, blagua le père, grand personnage ricaneur.

Plus tard, en coinçant la gueule béante de son "verveux" de jute entre deux pierres, Jean se mit à penser à ce jour lointain où il avait regardé partir les deux Indiennes qu'il n'avait jamais revues, et cela effaça de son esprit l'image pourtant fraîche de la Louise.

### Port Western (Augusta, Maine)

Trois miliciens affalés contre le mur de pièces grises du blockhaus roupillaient à demi, cherchant matière à réflexion dans des réflexions disparates.

Des pas feutrés vinrent frapper discrètement aux paupières de l'un. Il souleva son tricorne de sur son nez pointu et souffla à ses compagnons :

—Les amis, vous avez vu ? Vous voyez ce que je vois ?

Les deux autres ouvrirent des yeux pâteux mais qui s'éclairèrent aussitôt. Trois Indiens aux épaules chargées de fourrures leur passaient au nez et à la barbe, et il s'en était fallu de peu qu'ils ne les aient point aperçus. Non pas qu'ils étaient des gardiens du fort et interprétaient cette arrivée comme menaçante puisque ce genre de visites se produisait souvent par les Norridgewocks, les Penobscots et combien d'autres, mais à cause du troisième Sauvage, en fait une jeune femme aux traits caucasiens et aux formes exquises gonflant ses cuirs frangés.

Natanis et Sabatis passèrent devant les miliciens sans tourner la tête ni même sourciller. Mais Jacataqua, légère et radieuse, leur sourit. Ils se fouaillèrent du coude, s'échangeant des rires-clin d'oeil en la suivant du regard jusqu'à l'autre extrémité de la palissade où le petit convoi fourcha vers le poste de traite, un magasin général qui s'était établi au milieu d'autres maisons à moins d'un quart de mille du fort.

Ce qu'ignoraient Marguerite et Joseph, c'était la difficulté du parcours depuis Sartigan jusqu'au lac de Natanis par rapport à celui menant de là-bas à Fort Western. Pour aller chez Natanis depuis le haut de la Beauce, il fallait remonter une rivière Chaudière aux eaux toujours trop basses ou trop hautes, parsemée de rochers, de pierres vicieuses à ras d'eau, de rapides infranchissables en canot. Puis, après la quiétude du lac Amaguntik, éviter les marécages et, par la rivière sans nom, se rendre à la hauteur des terres. Portager alors pendant une journée jusqu'à une chaîne de lacs avant que d'aboutir à la branche ouest de la Dead River, elle-même pas toujours commode.

Tandis que depuis le lac de Natanis jusqu'à fort Western, il suffisait aux Indiens de suivre l'autre branche de la Dead River qui devient elle-même la Kennebec en s'y joignant. Et cette dernière était aisément navigable pour un Indien en canot puisqu'elle ne demandait qu'une demi-douzaine de portages, tous courts.

C'est la raison pour laquelle Natanis avait vendu ses peaux à Fort Western dès 1767 et par la suite. Il approchait de la quarantaine, Une certaine lassitude imprimée dans son âge de même que la superstition l'avaient aussi gardé là-bas. Peu de temps après leur arrivée, la matrone s'était noyée. Alors, sur sa montagne aux souvenances, Natanis avait découvert que la mort accompagnait toujours leurs déplacements. Il suffirait donc de s'installer dans la sédentarité pour laisser endormie la grande faucheuse.

Huit années d'une vie à l'heureuse monotonie avaient vu grandir Enea et Jacataqua, l'une farouchement attachée à son habitude d'écrire partout des mots français comme si cela eût été essentiel à sa survie, et forçant Jacataqua à lui parler dans cette langue; et l'autre se fabriquant elle-même dans la grande liberté d'une nature grandiose.

Enea n'avait jamais consenti à se rendre avec les autres à Fort Western. Et plutôt de les regarder partir avec un pincement au coeur, elle leur tournait le dos, à eux glissant sur le lac tranquille, pour jeter son oeil de mystère vers un nord lointain. Mais de ce côté, tout autant que vers le sud, une montagne lui bloquait la vue.

Tout comme Natanis, Jacataqua préférait s'étourdir de randonnées. On allait deux fois l'an à un campement indien près de l'ancien village de Narantsouak, là où elle était devenue femme à l'âge de treize ans par les soins d'un brave dont elle n'avait pas retenu le nom, et cela malgré les vieilles normes établies à Sartigan et oubliées depuis longtemps. Donc deux fois l'an aussi à Fort Western par la même occasion; elle y échangeait des agréments avec de jeunes miliciens dont elle avait fini par apprendre les rudiments de la langue à force de partager avec eux ceux de l'amour.

C'est ainsi qu'à leur insu, elle avait choisi les trois jeunes hommes du blockhaus pour être ses compagnons de chaleur et de sécurité des trois prochains jours.

Elle les amusa à les épuiser pendant que Natanis et Sabatis traitaient, prenaient un coup, traitaient encore jusqu'à obtenir le meilleur prix pour leurs pelleteries.

Puis on dépensa l'argent au magasin même et l'on repartit vers la rivière, au canot, les bras moins chargés et les poches vides, mais avec, au moins, la poudre requise pour une autre saison.

Quand elle passa devant eux, les miliciens lui lancèrent des fleurs verbales:

"Tu y as goûté, hein, la sauvagesse ?"

"Tu vas t'en rappeler longtemps, de nous autres, hein ?"

"Si tu tombes enceinte, tu nous inviteras au baptême."

Elle leur répondit par des sourires et le mouvement imaginaire d'une main qui caresse un organe mâle. Puis quand elle prit place au milieu du canot, elle oublia tout à fait leur existence. Son coeur était animé par un seul mouvement incommensurable : la hâte d'offrir à Enea cette boîte à musique qu'elle avait subtilisée au magasin et que, même la centaine de peaux n'aurait pas pu payer en surplus de la poudre, tant le prix consenti par le traiteur pour les fourrures était dérisoire.

Un des miliciens s'était fait montrer par Jacataqua le tracé de la voie d'eau suivie par les Indiens jusque chez elle. Il avait été fort étonné de la dextérité qu'elle avait mise à manier le morceau de charbon de bois pour écrire sur une écorce de bouleau. Puis il s'était efforcé d'oublier cela de même que les mots français qu'elle avait mis sur une autre écorce: comment une Sauvage aurait-elle pu savoir écrire, même le français, alors que lui-même n'arrivait guère à signer son nom lisiblement ?

Le jour même de son départ, il annonça triomphalement

aux autres qu'il connaissait le chemin pour aller courir la sauvagesse. L'idée fut adoptée. Avec la permission du capitaine, qui les investit de la mission de rédiger une bonne carte de la voie suivie, les trois hommes, un mois plus tard, se mirent en route. Au campement indien près de Narantsouak, ils engagèrent un guide indien. Après trois jours, ils débouchaient de la Dead River sur le lac de Natanis.

La fumée les guida vers les trois cabanes, l'une pour la famille, l'autre pour les peaux et les provisions d'hiver et la troisième pour les visiteurs. C'étaient des wigwams solidement érigés avec les restes des anciens qui avaient subi l'épreuve de sept hivers excessifs. On les vit sur la rive nord, au commencement d'une baie bleue, sur l'embouchure d'une rivière.

Les trois Blancs se ressemblaient par leur jeunesse, leurs rires, la verdeur de leurs propos et leurs vêtements. C'est pourquoi il les fallut tous les trois devant elle près du tipi pour que Jacataqua s'en souvienne.

Elle leur offrit l'hospitalité traditionnelle, les conduisit à la cabane des visiteurs où ils transportèrent ensuite leurs provisions et leurs armes. Pour leur souhaiter la bienvenue, Front-Brisé, vieillie, cassée d'arthrite, ridée comme un champ de labour, accompagnait la jeune fille. Mais elle avait la mort dans l'âme de savoir Natanis, Sabatis et même le chien partis pour plusieurs jours. C'étaient des gens comme eux qui avaient rasé Saint-François et tué Petit-Soleil. Elle continuait d'avoir peur de ces Anglais plus que de la petite vérole et s'en était toujours tenue à distance quand elle avait accompagné les hommes à Fort Western.

Elle voulut savoir leurs intentions. Jacataqua la rassura à moitié en les lui disant. Car alors elle pensa à Enea qui ne voudrait pas devenir femme par ces hommes-là et qui, de la sorte, fouetterait leur désir, peut-être leur haine.

Le soleil battait son plein au-dessus de la montagne arrondie quand ils retournèrent leur canot, lui mettant la quille en l'air sur un grossier chevalet fait de troncs posés sur des pieux en Y.

Le guide indien fut le premier à percevoir une embarcation qui venait très loin, à l'autre extrémité du lac. Ou plutôt un point noir sur lequel chacun donna son avis. L'un parla d'orignal, l'autre de Natanis. Jacataqua leur apprit que c'était sa soeur qui faisait ainsi chaque jour de beau temps une longue randonnée sur l'eau pour tâcher d'y rencontrer l'esprit d'une disparue de la cabane. Les miliciens se sourirent de complicité. Qui savait si la seconde ne serait pas supérieure à la première comme source de plaisir ?

Le temps qu'Enea mettait à s'approcher usa bientôt leur patience; ils retournèrent dans leur cabane pour boire un coup. Une demi-heure plus tard, des voix jacassant les rappelèrent dehors.

Le dos tourné, la jeune fille tirait son canot sur la terre ferme, aidée par Jacataqua arc-boutée et halant par le côté. Les observateurs s'approchèrent sans intention d'y mettre l'épaule. Cela eût été bien inutile, car l'opération fut achevée en un tournemain. Et l'arrivante se tourna brusquement vers eux.

Chacun perdit son sourire de suffisance. Tous avaient deviné que Jacataqua était métissée, mais voilà que se tenait devant eux, si près et si loin à la fois, aussi lointaine que la première fois où ils l'avaient aperçue là-bas sur l'eau, une vraie Sauvage. Indienne dans ses yeux couleur de charbon, scintillants comme des perles, dans le chaud cuivré de sa peau, et jusque dans ses ongles enduits d'une substance blanchâtre et luisante.

Quel chanceux celui qui, le premier, cueillerait cette fleur des bois au regard farouche ! Elle se tenait droite comme un arbre, les mains en appui sur ses hanches, l'être tout entier à sa dure indifférence.

Jacataqua lui parla en français :

–Des amis... Venus voir Jacataqua.

Enea jeta à sa soeur un regard silencieux dont elle grati-fia ensuite chaque homme avant que de s'en aller dans la cabane familiale.

–Quel est son nom ? demanda l'un des hommes.

–Enea, répondit Jacataqua.

–Venez, on va jouer à la courte paille, dit l'autre à ses amis.

Jacataqua ne comprit pas le sens de ces mots. Elle se rendit à son tour à la grande loge. Assise sur sa couche, de l'autre côté d'un feu bas qui dégageait peu de chaleur mais beaucoup de fumée, un feu permanent qui tenait à distance certains moustiques osant s'attaquer jusqu'à la peau huilée et grasse des Indiens, Enea ouvrit sa boîte à musique. Éclata alors l'harmonie d'un chapelet de petites notes qui parvin-rent jusque sous l'abri voisin à un milicien. Il demanda aux autres d'écouter.

–On se croirait chez une grande dame de Boston, dit l'un.

–Ou de Londres, renchérit l'autre.

–Pas moi, fit le troisième en assassinant sur sa main un maringouin qui, gorgé de son sang, avait tout le mal du monde à prendre son lourd envol.

–Faudrait faire un peu de feu, suggéra l'un qui le de-manda à l'Indien assis en retrait.

–On pourra fermer notre porte pour empêcher les sauva-gesses de se précipiter sur nous autres, ricana l'autre.

Ils étaient assis par terre autour d'une petite surface noir-cie. Provisions, couvertures, armes: tout leur attirail jonchait le sol sur le pourtour du wigwam. Chacun avait hâte de voir établies les règles du jeu.

–Samuel, on tire ? demanda Anthony.

Samuel rajusta dans sa main les tiges d'inégale longueur, des végétaux secs ramassés à l'entrée, et présenta l'ensemble au troisième.

–Pour toi, Stephen.

–Qui gagne ? La plus courte ?

–La plus longue aura le premier choix, la moyenne, le deuxième choix... et la plus courte héritera de la bonne-femme courbaturée. Demain soir, il y aura alternance.

Stephen, un brun aux joues pleines, eut le premier choix.

–Je ne veux pas risquer de ne rien avoir, je prends la moins belle des deux, mais la plus blanche : Jacataqua.

Il avait terminé dans un crescendo, et le nom avait été prononcé en choeur.

Samuel aurait fait la même chose, craignant aussi la pesante froideur d'Enea. Mais le hasard décidant pour lui, il ne pouvait se dérober à son devoir de conquérant et c'est lui qui serait donc le premier attaquant de la cadette.

La journée passa en discussions entre Samuel et Stephen sur le parcours suivi et la manière de le résumer sur une carte d'un pied carré. Anthony, l'illettré des trois, se tint dans une relative amertume, ruminant des plans pour arriver le premier à la couche d'Enea.

Front-Brisé alluma un feu dehors, et à l'aide d'une couverture et le concours des filles, elle créa régulièrement des signaux de fumée à l'adresse de Natanis parti du côté de la hauteur des terres avec son éternel Sabatis.

Anthony demanda au guide d'interpréter les messages. Mais l'Indien mentit. Il soutint qu'elles communiquaient ainsi tous les deux ou trois jours avec leurs hommes pour leur signaler que tout allait bien. Et pourtant, on priait les braves de revenir, car Front-Brisé sentait du drame suspendu là-haut entre les deux montagnes du sud et du nord, au-dessus du lac, comme un arc-en-ciel noir.

À la brunante, Stephen fit part à Jacataqua de leur partage des femmes. Elle multiplia les signes de tête, répétant :

–Enea... pas vouloir coucher avec les Blancs.

–Et pourquoi donc ? s'insurgea Samuel, debout entre ses compagnons devant la loge des femmes.

–Parce que les choses être comme ça ! fit Jacataqua, tranchante.

–Une sauvagesse qui se refuse à un Blanc ? s'étonna Samuel avec une moue de mépris. Et l'hospitalité indienne ?

–Chaque Indien être libre d'abord... hospitalité venir après.

Fort de la force du trio, Samuel écarta Jacataqua et entra dans la cabane. Il faillit heurter Front-Brisé qui, assise en face de la porte, aiguisait un pieu à l'aide d'un énorme couteau plus flamboyant que son regard. Avec la lame, elle pointa vers la porte pour signifier à l'intrus de partir, joignant la parole au geste dans des mots abénaquis à la menace évidente.

–La vieille est de mauvaise humeur: je reviendrai, dit-il à ses compagnons en sortant.

Plus tard, pendant que, dans la troisième cabane, Jacataqua s'occupait de Stephen, Samuel retourna pour chercher Enea. Il reçut le même accueil que précédemment, la musique s'y ajoutant comme pour le défier. Il retraita encore et décida d'abandonner pour ce soir-là.

Quand Stephen fut endormi, Jacataqua se rendit auprès de ses compagnons et les vida tous les deux de leurs attentes agressives. Du moins pour la nuit...

Au matin, Enea partit à pied pour se rendre laver ses vêtements et son corps dans l'eau du lac. À cause du jour, du moment matinal et de la distance la séparant du camp, elle se sentait à l'abri. C'est pourquoi elle s'est comportée comme à chaque aurore depuis l'immersion des glaces au printemps jusque tard l'automne alors qu'avec sa soeur, elle renouait avec une vieille habitude qui leur avait été transmise par Marguerite Leblanc, leur mère blanche que ces ablutions leur remettaient en la mémoire du coeur.

Quand elle sortit de l'eau, Anthony se trouvait là, devant elle, à quinze pas, en attente. Leurs yeux furent remplis de la nudité sauvage de l'autre puis se rencontrèrent dans le désir et la peur, dans l'orgueil et la haine, dans la force et la force.

Il sourit de travers. Puis montra l'entrejambe de la jeune fille d'un geste de la main pour signifier ce qu'il voulait. Elle regarda vers le corps mort où se trouvaient ses vêtements. Il l'imita. Elle fit un pas dans cette direction; il en fit deux. Elle recula vers l'eau; il avança vers elle. Alors elle avança vers lui; il s'arrêta...

Elle montra à son tour le sexe de l'homme d'un geste gracieux et prometteur. Fit cinq pas. S'arrêta. Cinq autres. Plus lents encore. Lui attendait dans sa certitude grandissante...

À ce moment, plus vive que la pensée, son corps aux formes agiles et superbes s'élança vers le tronc tombé. Le temps qu'il mit à réagir, elle s'y trouvait déjà. Il ne put faire que trois pas avant que ne brille à dix pieds de son nez la lame décourageante d'un poignard tenu en travers, devant elle, comme un bouclier.

Elle entreprit vers lui les mêmes pas lents et assurés que l'instant d'avant, montrant de son autre main le sexe encore tendu mais dont la température baissait à vue d'oeil.

Il ne fut pas essentiel que le milicien perçoive les flèches aiguisées lancées par les yeux d'Enea pour qu'il se décide à détaler, l'entrecuisses battu par un amour-propre dégonflé. Elle lui cria dix fois en français:

—Chien, chien, chien...

Il l'entendit comme le jappement d'une bête enragée à sa poursuite, réussissant à attraper au passage des branches où il les avait accrochées, sa chemise et ses culottes.

C'est par la ruse qu'on va la pincer et ensuite, on va lui faire goûter aux plaisirs de la vie. Elle voudra pas nous laisser partir après ça, déclara joyeusement Samuel.

–Comment par la ruse ?

–Par la négociation, mon ami. Toute femme en ce bas monde a son prix, même une sauvagesse.

–Mais ça prendrait des cadeaux; on les a oubliés, bon Dieu de bon Dieu !

–J'ai un plan... La jeune, elle passe son temps à écouter sa boîte à musique... Restons tranquilles et à la première bonne occasion...

Cette nuit-là, Jacataqua fit de son mieux pour apaiser les chairs en chaleur. Si bien qu'au matin, chacun avait le feu aux organes. Un feu d'usure momentanée.

Les deux sœurs se rendirent à leur bain matinal. Plus avisée que la veille, Front-Brisé les y accompagna. Alors Samuel entra chez elles, trouva la boîte musicale sous une peau d'ours et l'emporta avec lui dans sa cabane.

La journée fut venteuse, le ciel capricieux, le lac moutonneux. Les femmes restèrent dans leur loge. Pas de feu dehors. Pas de feu dedans. Les moustiques s'agrippaient à leur digestion au creux des troncs pourris, dans les oreilles décomposées de six têtes d'ours emmêlées derrière un gros rocher noir, dans les excréments humains parsemant les environs, et sous les feuilles "d'essuyures", au chaud de l'écorce des feuillus mais loin de celle des résineux.

Au bord du soir, le vent devint léger. Les complices entreprirent de mettre leur plan à exécution. Samuel et Stephen sortirent de la cabane et s'installèrent à douze pieds dans une position immobile assortie de sourires moqueurs. Resté à l'intérieur, Anthony remonta le ressort de la boîte et l'ouvrit.

Enea se jeta aussitôt sur sa couche, tourna sans dessus

275

dessous couvertures et peaux avant de se précipiter dehors sous les yeux atterrés de ses compagnes. Elle s'avança vers le son, s'arrêta, interrogeant les miliciens de son grand regard noir. Elle mit sa main sur ses reins pour prendre son couteau : elle l'avait laissé sur la peau qu'elle grattait dans la loge aux premières notes de musique.

Depuis qu'elle l'a reçue, elle a mis tous les élans de son âme dans cette boîte, tous ses rêves colorés, toutes ses prières au Grand-Esprit et à Notre-Seigneur, ses mélancolies, ses secrets les plus intimes. Chaque soir en l'écoutant, elle y déposait précautionneusement de ces morceaux de coeur que son enfance abénaquise après Sartigan ne lui avait laissé mettre nulle part ailleurs. Assise sur ses jambes, les yeux fermés dans son coin sombre, elle rattachait chaque note à une fleur, à une couleur, à un papillon. Barbe de capucin à pétales bleus, verge d'or, épervière orangée, marguerite, euphorbe réveille-matin, trèfle rouge, manchette de notre-dame: elle n'en connaissait aucun nom, ni français ni abénaquis, mais elle en savait toutes les formes, toutes les teintes, le temps d'éclosion, les lieux de prédilection. Et les papillons, qui n'avaient pour nom que le mot beauté et pour habitat, la grande liberté, et pour temps celui d'une rosée, ils s'envolaient comme de célestes images dans les notes multicolores d'une mélodie, toujours et jamais la même.

Sa chère boîte noire fleurie de vert et de rose, son trésor tout juste reçu des mains généreuses de Jacataqua, elle devait le reprendre sans attendre, le garder auprès d'elle, avec elle, dans ses deux mains, jusqu'au départ de l'Anglais.

Elle fonça droit devant, entra dans la loge des visiteurs et en ressortit aussi vite avec l'objet précieux déjà refermé et qui s'était tu. Immédiatement encadrée, emprisonnée par les poignets dans la force des deux miliciens, la boîte tenue envers et contre tout, elle se tordit dans l'emprise, donna des coups de reins et de pieds qui excitèrent le plaisir et la détermination de ses agresseurs.

Anthony sortit. Il avait l'oeil vengeur en arrachant la boîte de la main désespérée. Il ricana puis la jeta sur le chevalet des canots. Elle rebondit, s'ouvrit en tombant par terre, mais ne poursuivit pas sa divine symphonie, son mécanisme s'étant détraqué.

Les deux hommes soulevèrent de terre leur fardeau se tortillant et se dirigèrent vers la cabane.

–Tu vas y goûter ! dit Stephen en espaçant les mots.

–Tu vas aimer ça pour mourir, renchérit Samuel.

–Laissez-la, hurla une voix féminine de toute la force de se poumons.

Ils tournèrent un peu la tête, virent qu'ils étaient mis en joue par Jacataqua et l'autre femme, sans reconnaître leurs propres fusils qui, sur ordre de Front-Brisé, leur avaient été enlevés par l'aînée durant la nuit

–Pas de danger ! fit Stephen. Oseraient-elles tirer sur cette jeune dame ?

L'autre éclata de rire. On reprit la marche en avant. À trois pas de leur entrée dans la loge, Les coups de feu retentirent à une demi seconde d'intervalle. Une balle frappa Samuel en plein coeur. Son compagnon eut les reins coupés, la colonne brisée; il s'écroula dans un souffle désespéré.

Horrifié, Anthony recula. Il jeta des regards perdus à gauche, droite, cherchant à sortir de ce qui était devenu un piège mortel après avoir été un lieu de plaisir jusqu'à la minute précédente. Il fallait partir et vite. Il leva les deux mains, fit des mouvements d'apaisement, dit, suppliant :

–Je m'en vais, je m'en vais. Je pourrai pas témoigner... Je sais même pas lire ni écrire, moi. Jacataqua sait lire, moi, je le sais même pas. Je pars... je pars.

Il fut soulagé de voir le guide le rejoindre. Sans lui, le retour serait difficile. S'il y avait seulement retour. Car si les fusils étaient déchargés, les femmes avaient encore leurs couteaux.

Il se déplaça vers le chevalet, prit la boîte à musique et la tendit à Enea qui venait la chercher. Elle s'en empara et courut dans la cabane familiale où, sur sa couche, elle tourna dans le vide la tige-clef. Elle ouvrait inutilement le couvercle, recommençait le manège, encore et encore...

Les deux femmes restaient sans bouger, en attente de la suite qu'elles s'imaginaient devoir être le départ du troisième personnage et de son guide. Quand l'Indien fut à ses côtés, Anthony fit demi-tour afin de courir à l'autre bout du canot. Deux pas plus loin, il recevait une longue lame entre les omoplates. Puis l'Indien acheva Stephen en lui tranchant la gorge sous l'oeil froid des femmes.

Les trois hommes étaient morts. Pour la liberté ! Non point pour celle de leur quête de plaisir, mais pour celle des Indiens à disposer d'eux-mêmes, pour celle d'Enea de vivre à sa guise.

Ils furent dépouillés de tous leurs vêtements et laissés là pour la nuit. Au matin, pendant le bain des jeunes filles, Front-Brisé et le guide transportèrent les corps par canot à un mille du camp où on les ramena sur la terre ferme. Car on ne voulait pas les immerger pour ne point troubler l'esprit de la matrone. Et chacun fut pendu par les pieds à une branche d'arbre. De la sorte, leur charogne attirerait les ours, et Natanis pourrait y faire bonne chasse à son retour.

Pour manifester sa reconnaissance au guide, Front-Brisé se donna à lui. Il la prit trois fois. Une pour chaque tête de Blanc.


Dans l'après-midi, Enea partit en canot et se rendit jusqu'au milieu du lac. Elle avait embarqué une petite pierre de la grosseur d'un oeuf et qu'elle mit alors dans sa boîte musicale. Puis elle entoura l'objet d'une bande de cuir large comme celle de son front, la noua et jeta le tout dans l'eau. Elle savait qu'au séjour des morts, la matrone guérirait la boîte et que là-bas, elle pourrait écouter de la musique... pour toujours.

## New Haven

Benedict s'était mis une mante gros bleu sur les épaules pour se protéger du froid qui pénétrait facilement dans la pièce par grands vents d'automne, comme ce jour-là. Cela tenait à deux hautes fenêtres drapées, de chacune vingt-quatre carreaux, voisinant à l'angle du coin extérieur, ce qui permettait donc aux quatre vents coulis d'insinuer leur froidure à l'intérieur. De plus, par temps excessivement venteux, l'on prenait garde de ne point surchauffer une cheminée. Il n'y avait donc, dans celle-là donnant sur deux pièces attenantes, bureau-parloir et salle à manger, qu'un feu mesuré bien qu'agité.

Et lui arpentait la pièce de long en large, faisant claquer la queue de son vêtement à chaque demi-tour, allant d'un pas dont le son vigoureux disparaissait par intermittence quand il marchait sur une laize de tapis à tons aussi variés et abondants que les motifs.

Il attendait la venue de David Wooster, un homme aussi ardent que lui dans la défense des libertés américaines et tout aussi irrité par les propos de ce tory de révérend Peters. On avait convenu de se rencontrer cet après-midi-là pour établir une ligne de conduite à suivre afin d'amener le pasteur à se clore le bec.

Si Arnold bougeait vivement pour se réchauffer, il fouettait son sang d'une autre façon, soit en relisant des parties de lettres qu'il avait écrites chez lui depuis les Antilles, Québec ou Londres, et qui lui rappelaient des souvenirs, de vieux états d'esprit, pas si vieux après tout, et imprimaient déjà dans son âme de trente-trois ans des nostalgies aux couleurs imprécises de la pièce.

Ce courrier, comme tout autre, avait abouti sur son bureau, un meuble qui ouvrait sur un nécessaire à écrire, et dont la tête étroite était surmontée de deux bougeoirs encadrant une immense chope de verre taillé, au-dessus duquel trônait un portrait de lui-même à cheval.

Il relisait le passage d'une lettre vieille de quatre ans qu'il avait expédiée depuis Kingston :

*"Je fus choqué au suprême degré l'autre jour d'apprendre le récit de ces meurtres les plus cruels et inhumains qui soient, commis à Boston par les soldats. Bon Dieu ! Les Américains dorment-ils tous et abandonnent-ils docilement leurs libertés ou bien sont-ils devenus des philosophes qu'ils ne prennent point une revanche immédiate sur de pareils mécréants ?"*

Il s'arrêta soudain devant la cheminée, plongea son regard dans le vert olive des boiseries pour se rappeler de ce duel qui, en cette même ville de la Jamaïque, l'avait opposé au capitaine Croskie, commandant d'un navire marchand britannique. Il avait négligé de répondre à une invitation de l'officier puis il avait voulu s'excuser. Mais l'Anglais l'avait traité de damné yankee dépourvu des manières d'un vrai gentleman. Et Benedict avait tendu son gant.

Au matin suivant, duellistes et témoins s'étaient amenés au lieu de l'affrontement. L'Anglais avait droit à la première balle. Il manqua sa cible. À son tour, l'Américain tira, effleurant Croskie, tout juste pour faire jaillir quelques gouttes de sang. Puis il envoya à son adversaire une note disant: *"Ne me ratez pas cette fois, car, à mon tour de tirer, je vais vous tuer."* L'Anglais s'excusa, tendit la main et l'affaire se termina dans le plaisir.

Il revint au présent, tisonna les braises de la cheminée puis retourna à son bureau. Là, il prit une lettre écrite à Québec l'année précédente et dans laquelle il faisait un reproche à Margaret.

*"Je suis sous l'empire de la plus grande anxiété, ne sachant plus si j'écris aux morts ou bien aux vivants, n'ayant point lu un seul mot de vous depuis quatre longs mois..."*

C'est à lui-même qu'il fit une réprimande en regardant le cadrage métallique rougeâtre de la cheminée.

Comment lui avoir demandé de voler du temps à ses trois fils pour lui écrire, elle dont la santé paraissait aussi chancelante que celle d'Isabella Norton, un siècle passé. Elle allait d'un médecin à l'autre. Même Daniel Lathrop en visite l'a examinée. Anémie. Fatigue. Faiblesse. Lassitude sempiternelle. Pauvre Peggy !

S'il pouvait donc lui transmettre de sa vigueur à lui ! En plus de toutes ses activités sociales, commerçantes, ses folies aventureuses, il amusait le petit soldat toujours là, dans son coeur, en conduisant une milice formée de soixante-trois jeunes gens, et dont on avait fait la seconde compagnie de gardes du gouverneur. De la sorte, il était devenu capitaine de milice. Et il entraînait ses hommes sur l'herbe verte comme sur la neige blanche, avec une fougue communicative et un enthousiasme inépuisable.

D'autres lettres suivirent; d'autres hochements de tête. Wooster arriva enfin. Grand, gras, gris, il prit place sur une chaise à bras près du feu.

L'on s'entendit pour aller sommer le révérend de cesser de prêcher britannique. Une seule objection :

—Silas Deane ? fit Wooster.

—Silas Deane est délégué du Connecticut au Congrès Continental, il n'a pas à approuver ou à condamner une action privée visant à mettre au pas un civil, fût-il clergyman.

Le révérend Peters fut forcé de se réfugier chez un collègue. Et il dut se taire.

**Mount Vernon**

–J'aime encore mieux le thé ! s'exclama George en déposant sa tasse de café sur un piédouche.

Dans leur chambre, lui et Martha devisaient sur le temps et sur les hommes en se réchauffant, assis devant un bon feu doux de la petite cheminée.

De loin, à deux pièces de là, leur parvenait le ronflement de leur invité, ex-officier de l'armée anglaise, un homme à solide réputation qui avait pour nom Charles Lee.

–Comment un homme si maître peut-il avoir un souffle si gras et pesant ? se demanda Martha.

–Tu ne l'aimes pas beaucoup, ça se voit.

–George, il te méprise, je le sens. Il te coupe la parole. Il s'excite tout seul pour monter la voix, comme pour subjuguer les autres sous sa pensée. De plus, il sent mauvais à trois pieds.

–Tu lui fais grief de ses manières. Un bon soldat ne doit pas être forcément un brillant gentleman. Je le connais, lui, Horatio Gates et combien d'autres, depuis l'expédition de Braddock. Lee a vécu parmi les Mohawks avec une squaw. Ils l'ont surnommé "Eau Bouillante". Mais c'est le soldat le plus expérimenté et le plus professionnel sur lequel nous puissions compter. S'il nous faut nous battre...

–Je croyais que la hauteur, que la suffisance des Britanniques t'exécraient.

–À mon âge, on accepte mieux ces choses-là.

–À son âge ! Ce qu'il ne faut pas entendre ! Vieille théière, va ! Et moi donc !

–Au Congrès, quand j'ai dit à Silas Deane, le délégué du Connecticut, que j'avais quarante-deux ans, il s'est écrié : "Quoi ? ! Si jeune encore vingt ans plus tard, notre héros de la Monongahéla !"

–Vos entretiens au Congrès ne sont guère... politiques, on le dirait bien.

–Cela était en dehors de la salle des sessions. Parce qu'à l'intérieur, je n'ai pas pris la parole une seule fois. Chacun en avait tant à dire.

–Tu as parlé d'Horatio Gates, qui est-ce ?

–Un major de l'armée anglaise aussi sympathique à notre cause que Charles Lee. Je me souviens qu'il avait plus confiance encore que moi dans les miliciens pour gagner une bataille. Mais ce temps-là est bien révolu. Nous ne pourrions pas nous battre contre les Anglais autrement qu'avec une armée solide, entraînée, permanente.

Leurs propos épars les amenèrent à se parler une fois encore de cette triste nouvelle venue de Philadelphie le lendemain de Noël et concernant le décès de l'épouse de Benjamin Franklin.

–Le pauvre, il ne l'apprendra pas avant deux mois au moins, soupira Martha.

–Sauf s'il revenait entre-temps. On dit que ses vues politiques et son poste d'agent colonial et de lobbyiste à Londres forment maintenant un bien mauvais ménage.

On se parla ensuite de la nouvelle année qui débuterait dans quelques heures.

–Espérons-la entièrement de paix, souhaita Martha.

–Et de liberté ! Et de liberté !

–Est-ce que tu sais qu'elle va bien mal commencer, cette année 1775 ?

–Comment cela ?

–Demain, il va me falloir me laisser embrasser par Charles Lee, dit-elle pince-sans-rire.

Il se pencha sur elle, chuchota gaiement, l'oeil chaud et piqué de reflets dansants :

–Ce soir, madame, vous allez devoir vous contenter de George Washington, cette vieille théière de quarante-deux ans convertie au café malgré elle...

\*\*\*

# *1775*

**New Haven, vendredi le 21 avril**

Un cavalier fou parcourait les rues de la ville. Malgré une brumasse froide, son cheval écumait depuis les sabots jusqu'à la crinière. L'homme aperçut tout à coup les gardes du gouverneur en exercice dans un champ vague sous la direction de leur fougueux capitaine. Il y dirigea sa monture.

–Israël... Israël Bissel, s'écria Benedict en guise d'accueil. Serais-tu poursuivi par un parti tory, ou pire par le diable, ou peut-être par le roi George ?

–Les soldats ont ouvert le feu sur des civils à Lexington près de Boston, dit l'autre sans descendre de son cheval qui tournait sur lui-même, se cabrait un peu, hennissait, comme si l'irritation nerveuse de toutes les colonies eût été concentrée en ses seuls muscles.

–Pardieu ! ils l'auront voulue, les Anglais, leur rébellion ! Demain, ce ne seront plus des actes isolés, mais une révolution générale qu'ils auront sur les bras. Et comme ils l'auront cherchée, bon Dieu ! comme ils l'auront cherchée !

Ce soir-là, il y eut deux réunions. L'une, de citoyens et dirigeants. L'on y vota contre une assistance armée aux rebelles. L'autre, des gardes dont cinquante applaudirent la proposition du capitaine Arnold de se mettre en route pour Cambridge dès le jour suivant.

Puis Benedict rentra chez lui, l'âme à la frénésie. Il avisa Margaret et Hannah de son départ pour aller prêter secours aux frères opprimés du Massachusetts. Par un simple regard, les deux femmes se dirent que l'heure du soldat venait de sonner.

Le lendemain, un comité spécial appointé par les citoyens éminents afin de voir aux intérêts de la ville, siégeait dans une taverne. Arnold y conduisit sa compagnie et somma les gens du comité de produire les clefs de la poudrière. David Wooster fut délégué pour ramener Benedict à la raison. Mais lui s'écria :

*"Personne sauf le Tout-Puissant ne pourra m'empêcher de me mettre en marche."*

Il obtint la clef et bientôt, drapeau du Connecticut déployé en avant, défilaient au son du fifre des hommes prêts à se battre contre tous les Anglais de la terre et les diables de l'enfer réunis. Le soleil revenu frappait la colonne. Elle rayonnait de tous ses feux dans ses habits rouges, ses vestes et breeches blanches, ses bas noirs...

Ainsi spontanément formée de volontaires venus de partout, une armée de coloniaux avait ses quartiers à Cambridge, gardant les Britanniques enfermés dans Boston.

Des hommes de substance, d'autres de rien, des patriotes et des profiteurs, des guenillous et des poudrés, des vétérans de la guerre de Sept-Ans et des jeunes gens qui ne savaient pas manier le fusil, des trop vieux et des trop verts, des fermiers au goût d'aventure et des esclave libres, des Noirs, des

Blancs, des Indiens : tout un peuple bigarré réuni par une fièvre commune, tel était le jardin de la liberté.

Une colonne aussi flamboyante et disciplinée que celle arrivant du Connecticut avait un petit côté suspect. C'est l'oeil à demi fermé qu'on la regarda passer. Chacun ignorait que la fièvre de son capitaine dépassait celle-là même de mille d'entre eux réunis.

En effet, depuis son départ de New Haven, Arnold ruminait un plan dont il s'était même entretenu avec un colonel Parsons rencontré par hasard. Qu'il réussisse, le coup, et alors tomberaient aux mains des rebelles un grand nombre de canons, une réserve de poudre suffisante pour faire sauter tous les habits rouges du général Gage, des fusils, cartouches, provisions... Il connaissait bien l'objectif pour l'avoir visité lors d'un voyage à Montréal par les lacs du nord, George et Champlain. Tout était gravé dans son esprit : courtines, bastions, douves, remparts, casemates, ravelins...

La place serait un atout majeur, un point stratégique pour ceux qui l'occuperaient. Aux mains des Anglais, elle constituerait une terrible menace pour les Américains et vice-versa. La garnison y était réduite. Deux, trois cents hommes pourraient l'investir.

Ces arguments persuadèrent aisément le Comité de Sécurité Publique du Massachusetts qui, sur recommandation du docteur Joseph Warren, promut Arnold au rang de colonel et l'autorisa à lever en son nom quatre cents hommes afin d'aller prendre le fort Ticonderoga où rôdaient tant de fantômes de la vieille guerre contre les Français.

À Hartford, Parsons exposa le plan à d'éminents citoyens qui formèrent aussitôt un Comité pour organiser une expédition contre Ticonderoga. Pour la diriger, on fit appel à Ethan Allen, leader des célèbres Green Mountain Boys du Vermont, un groupe de rustres buveurs dont la joyeuse mission consistait à garder les frontières de leur province des intrusions des

New-Yorkais.

Arnold eut vent de cette commission parallèle à la sienne. Faute de temps, il renonça à lever lui-même un détachement et se rendit en hâte auprès des officiers du Connecticut. Ils refusèrent de se rallier. Alors il se précipita vers Ticonderoga pour rattraper Allen et réussit à le rejoindre le neuf mai. Il lui exhiba son ordre de mission et réclama le commandement. Les Boys refusèrent net de servir sous ses ordres. Venus, les officiers du Connecticut firent de même. Le plus que réussit à obtenir le colonel irrité mais impuissant, fut d'accompagner Allen à la prise du fort.

### Fort Ti (Ticonderoga) (jadis Carillon)

Pas un seul coup de feu ne fut tiré. Alerté par le bruit, le commandant Delaplace parut en haut de l'escalier menant à ses locaux, breeches à la main, ensommeillé, abasourdi. Allen, l'épée à la solennelle menace, cria, alliant des mots épiques à d'autres plus familiers à ses Boys :

"Au nom du grand Jéhovah et du Congrès Continental... sors de là, damné vieux rat !"

La reddition fut immédiate.

Allen et deux de ses adjoints de dernière heure, le colonel Easton et le major Brown, trinquèrent ensemble à la victoire pendant que les Boys se soûlaient et qu'Arnold pensait déjà, lui, aux actions à entreprendre dès le lendemain.

Pour la seconde fois, il réclama l'autorité aux officiers du Connecticut. On lui rit au nez. Pire, un des Boys tira dans sa direction et un second le menaça en lui appliquant le canon de son mousquet sur le coeur.

Quatre jours plus tard arriva un schooner avec à son bord trente-cinq hommes recrutés par les agents d'Arnold. Commença alors une course échevelée entre ses hommes et les Boys. Les uns voulurent aller prendre le fort Saint-Jean mais des vents violents les firent se replier et ils se contentèrent d'écumer les rives du lac de biens anglais, bateaux, réserves de munitions, vivres. Quant aux Boys, repoussés par les Anglais, ils durent revenir bredouille de Saint-Jean.

Suite à une violente altercation entre le colonel Arnold et le colonel Easton, et irrité par cette chicane quant au commandement, le Massachusetts dépêcha sur place une commission d'investigation pour enquêter, parmi d'autres choses, sur *"l'esprit, la capacité et la conduite"* du colonel Arnold. Puis le Massachusetts et le Connecticut s'entendirent pour confier le commandement à un troisième personnage, le colonel Hinman. Arnold n'avait plus le choix. Il démissionna et licencia ses hommes.

L'aventure de Ti lui avait été pénible du commencement à la fin. Il avait mis des rêves, des ambitions et une forte somme d'argent qu'il n'était pas sûr de pouvoir récupérer du Massachusetts.

Il se rendit à Albany où il entreprit de rédiger une analyse sur les défenses de la région du lac Champlain. Pour couronner ses malheurs, il fut pris d'une attaque de goutte.

Ce dix-neuf juin, il travaillait dans l'amertume en se demandant ce qui pouvait bien tourner rond pour lui. Même la nouvelle que George Washington avait été nommé commandant en chef de l'armée continentale, l'indifféra tant il était aigri.

Mais devaient lui ramener un peu de soleil les douces nouvelles lui parvenant par une lettre d'Hannah.

*"Cher frère,*

*Je prends l'opportunité de me servir du capitaine Oswald pour te féliciter de ton récent succès dans la prise de Ticonderoga et la capture de vaisseaux sur les lacs. Je souhaite sincèrement que tes futures entreprises au service de ton pays*

*soient couronnées d'un égal succès. Je plains la fatigue qu'in-
dubitablement tu as dû souffrir dans la sauvagerie. Mais
comme la cause est éminemment juste, j'espère que tu auras
la santé, la force, la vaillance pour tout ce qu'il t'incombera
de faire. Que la main du Tout-Puissant te couvre de son ombre, et aux jours de combat, que le dieu des armées recouvre
ta tête. C'est par Lui seulement, mon cher frère, que peut
venir la sécurité et le succès. Son pouvoir seul peut nous
mettre à l'abri des malheurs qui rôdent dans la nuit et des
flèches qui volent le jour.*

*Les hommes qui sont sous ton attention à Boston louan-
gent ton humanité et ta tendresse. Toute ta petite famille va
bien. Benedict est anxieux de savoir tout ce qui arrive à son
papa. Monsieur Mansfield est en mesure de sortir et son médecin le dit sur la bonne voie. Il y a beaucoup de gens arrivant régulièrement de New York et de Boston. Le monde semble dans un état d'ouragan. Que seront les événements demain, Dieu seul le sait ! Dans tous ces changements, de ceci
je suis certaine : que ta santé et ta prospérité me sont aussi
chères que les miennes.*

*Ta soeur affectueuse,*

*Hannah Arnold"*


Pas un mot de Margaret. Elle devait donc se porter bien...
ou se porter mieux.

Hannah s'était faite discrète pour ne pas alarmer son frère.
Car sa femme s'était alitée au moment où elle écrivait à
Benedict. En ce jour même où il recevait la lettre, Margaret
Mansfield-Arnold expirait à l'âge de trente ans.


### New Haven

De retour chez lui, Benedict se rendit prier sur sa tombe
puis il dut lui-même s'aliter à cause de la goutte et du cha-

grin. Une fois de plus, le soldat qu'il portait en lui avait mal à toutes ses fibres.

Il était assis sur le bord de son lit, la tête entre les mains, dans le noir. Bilieux ! Toutes ces misères, toutes ces détresses qui lui collaient à l'âme ! On lui avait dérobé son projet : on l'avait dépouillé de son commandement; il ne récoltait des deux provinces que de la suspicion. Et Peggy... Pauvre Peggy !

—Il faut que tu relèves la tête, Benny, c'est le lot des forts et des grands, lui dit doucement Hannah après être entrée sur le bout des pieds.

—Cette chambre est si... si vide.

—Elle ne l'est point. Il y a toi. Il y a les projets. En bas, il y a les enfants. Et dehors, il y a une révolution qui attend les Benedict Arnold et les George Washington.

—Voilà bien ce que je disais : elle est vide. Les enfants et la révolution sont ailleurs que dans cette pièce.

Elle s'approcha d'une commode, y déposa sa lanterne.

—Ici, je vois une carte sur laquelle il y a un tracé de ta main. Est-ce...

—J'ai fait cela hier.

—Je l'ai vu ce matin. Qu'est-ce que c'est ?

—Un plan.

—Un plan ?

—Je veux dire... une carte sur laquelle il y a un plan d'invasion.

—Invasion de quoi ?

—Du Canada bien sûr ! Regarde la carte.

—Ne m'as-tu point dit que ce projet était déjà dans l'air grâce à la prise de Ticonderoga ?

–Oui, mais seulement par les lacs et Montréal. J'en ai parlé avec le général Schuyler qui, semble-t-il, en aurait dit un mot au commandant en chef.

–Quelle est cette voie ?

Benedict arriva près de sa soeur. Le feu de la flamme brillait dans son regard.

–Nous n'avons pas de flotte pour pénétrer par le Saint-Laurent comme Wolfe en 1759. Et le gouverneur de Québec concentrera tous ses efforts du côté de Montréal. Mais un corps expéditionnaire qui passerait par cette voie...

–Quelle est-elle donc ?

–C'est la voie Kennebec-Chaudière. Jamais une expédition n'a osé passer par là durant la vieille guerre contre les Franco-Canadiens. Elle mène droit à Québec par le chemin le plus court.

–Le chemin le plus court n'est-il pas aussi parfois le plus long ?

–Ce ne sont pas des soldats anglais que je conduirais dans la sauvagerie si on me confiait un commandement pour passer par là, mais des hommes des bois, des frontières, des fermiers, des gars solides que la forêt n'effraie pas.

–Expose cela au général Washington avec la même foi et tu ne manqueras pas de le convaincre.

–Mais Hannah, comment te laisser seule avec tous ces fardeaux, les enfants, le commerce, la maison ?

–Ne suis-je pas la soeur de Benedict Arnold ? Tu sais qu'on dit du bien de toi dans tout New Haven ? Et comme je te l'ai écrit, les hommes que tu as conduits n'ont que des éloges à faire sur toi.

Il se pencha sur la carte, regarda bien au-delà des tracés de Montresor et des siens, disant :

–Si je m'emparais de Québec, pas une attaque anglaise ne pourrait venir du nord ensuite. Le général Washington n'aurait plus alors qu'à foncer droit devant pour jeter les Britanniques à la mer, pour les déloger de Boston et de partout où ils oseraient mettre le pied, et cela, sans risquer de se faire prendre entre deux feux. L'effet de surprise en arrivant par cette voie...

Hannah souriait à l'enthousiasme retrouvé de son frère.

## Boston

Au-dessus de la même carte, à Cambridge, quelques jours plus tard, il disait les mêmes mots avec une conviction décuplée que lui conférait sa santé recouvrée.

À ses côtés, un officier pansu, dans son uniforme bleu et chamois, approuvait par des hochements de tête et des mots sans enthousiasme, générés par les lèvres et le calcul seulement.

–Oui, oui... C'est une idée extraordinaire... Peut-être la clef de nos prochains succès ?

–Général Gates, il faut en convaincre le général Washington.

–Je le suis déjà, monsieur, dit une voix venue de l'embrasure de la porte. Puis-je entrer ?

Gates sursauta. Arnold tressaillit. Ils se tournèrent pendant que le commandant en chef franchissait le pas de la porte.

–Général Washington, dit Gates afin de présenter les deux hommes.

Mais le colonel lui coupa la parole :

–Général Washington, je suis Benedict Arnold du Connecticut.

–Votre réputation vous a précédé de plusieurs mois, monsieur. Sachez que vous êtes le bienvenu autant que votre bonne renommée.

Un courant de sympathie traversa la poignée de mains.

Gates se mit en retrait derrière ses lunettes portées à bout de nez, et se tint derrière les deux autres qui se penchaient sur la carte déposée sur le bureau de l'adjudant-général. Il évaluait ces deux apprentis-soldats, le coeur au paternalisme de les entendre discuter si savamment de stratégie militaire.

Il y eut deux entretiens subséquents. On tâcha de faire le tour de tous les obstacles, de déterminer le nombre d'hommes requis, de dresser une liste du matériel nécessaire, des fournisseurs possibles, des coûts. Puis Washington souscrivit officiellement au projet. Le vingt août, le Congrès l'approuvait. Alors le commandant en chef écrivit une lettre d'instructions au colonel Arnold, lui disant sur un ton solennel :

*"Le commandement qui vous est confié est de la plus haute importance pour les libertés de l'Amérique. De votre conduite et de votre courage et de ceux des officiers et soldats de cette expédition pourra dépendre non seulement le succès de votre entreprise mais la sécurité et le bien-être de tout le pays."*

L'homme sec au visage émacié, à la lèvre provocante, s'essuya la bouche avec sa manche de chemise. Il déposa sa tasse de rhum à côté de sa perruque jaunâtre sur la table en pontifiant :

–Cette expédition est vouée à l'échec, général Gates, à un échec total !

–Je ne le sais que trop, général Lee, je ne le sais que trop, dit Gates en s'esclaffant d'une voix grasse.

–Imaginez... Pour prendre le Canada en 1759, il a fallu les vingt-trois mille marins de Saunders, plus les neuf mille soldats de Wolfe, plus la menace sur Montréal des dix, quinze mille hommes du général Amherst.

–Et ils auront devant eux...

–Les forces anglaises et françaises combinées, coupa Lee avant de boire un autre coup.

–Pas françaises, canadiennes, dit Gates, contrarié d'avoir été interrompu.

–Si vous voulez... Français, Canadiens, c'est du pareil au même. De la merde et du fumier. Et quoi leur opposer ? Les deux mille hommes de Schuyler pour aller sur Montréal et mille à peine par ce pays du Maine avec ce maquignon de New Haven. Quel est son nom déjà ?

–Benedict Arnold. Son nom est dans les trente-cinq journaux des colonies depuis la prise de Ticonderoga.

–Les journaux, les journaux !... Pourquoi diable, général Gates, avez-vous approuvé ce plan farfelu qui ferait rire n'importe quel vert de l'armée de Sa Majesté ?

–Mon cher général, dit Gates sur le ton de la confidence et en s'accoudant sur la table, le dossier de notre commandant en chef est encore vierge, n'est-ce pas ? Si Schuyler et Arnold se cassent le nez au Canada, c'est notre songe-creux de Washington qui sera taxé de perdant. Quand le Congrès saura qu'il a fait confiance à un amateur, il passera bien la main à des professionnels pour mener la grande, grande armée continentale. Êtes-vous contre cela, général Lee ?

–Bien sûr... bien sûr... que non, général Gates.

Dehors, un chien jappa.

–Vous entendez, vous entendez ? demanda Lee en portant attention.

–Quoi donc ?

–Ma nouvelle bête.

–J'entends, fit Gates interloqué.

–Elle aboie en allemand. Écoutez bien.

Gates prêta une oreille sceptique, les yeux en biais au-dessus de ses besicles.

Des officiers furent triés sur le volet et désignés pour seconder celui que Washington considérait déjà comme un brillant général. Que réussisse l'invasion du Canada et il ferait en sorte qu'Arnold soit promu major général.

Le lieutenant-colonel Christopher Greene du Rhode-Island, le lieutenant-colonel Roger Enos du Connecticut, le major Jonathan Meigs du Connecticut et Timothy Bigelow du Massachusetts avaient tous la confiance du commandant en chef. Et, plus que tous, le fameux carabinier virginien, vieux compagnon de la campagne de Braddock, le capitaine Daniel Morgan qui portait dans son dos cent raisons de ne pas trop aimer les Britanniques.

Les activités d'Arnold étaient fébriles tout comme son désir de se mettre en route. Il s'adjoignit Eleazer Oswald comme secrétaire et confia la trésorerie à Jonathan Meigs. Un charpentier-entrepreneur d'Albany, Reuben Colburn, se vit confier la tâche de fabriquer deux cents embarcations, et il se rendit aussitôt sur la rivière Kennebec pour y voir. Pour faire plaisir à Gates, Arnold accepta de prendre deux volontaires dans le détachement, l'un qui avait été ranger dans les compagnies de Robert Rogers et l'autre, un jeune homme de bonne apparence mais au regard sournois et capricieux et à la voix insolente : il s'appelait Aaron Burr. Un médecin fut trouvé, le jeune docteur Isaac Senter âgé de vingt-deux ans ainsi qu'un chapelain, le révérend Samuel Spring. Il fallait voir à cent détails à droite et à deux cents à gauche, jusqu'à donner la permission à deux carabiniers de la Pennsylvanie, messieurs Grier et Warner, de se faire accompagner de leur femme.

Le sept septembre, le général Washington écrivit une longue lettre sophistiquée aux Canadiens. Il tâcha d'y jouer sur plusieurs tableaux.

## AU PEUPLE DU CANADA

*"Amis et frères,*

*La conteste dénaturée entre la colonie américaine et la Grande Bretagne est arrivée au point que les armes seules peuvent la décider. Les colonies se fiant à la justice de leur cause et à la pureté de leurs intentions sont obligées de s'adresser à cet Être qui règle tous les événements humains. Jusques ici, il a béni leurs vertueux efforts, la main de la tyrannie est arrêtée dans le cours de ses ravages, et les armes britanniques qui ont brillé avec tant d'éclat dans toutes les parties du monde sont ternies, disgraciées et frustrées, des généraux de la plus haute expérience et qui se sont vantés de subjuguer ce grand continent se trouvent resserrés entre les murailles d'une seule ville et de ses faubourgs, souffrent toute la honte et la détresse d'un siège, tandis que les enfants de l'Amérique animés par l'amour de la patrie et le principe de la liberté générale s'unissent de plus en plus chaque jour, se perfectionnent en discipline, repoussent avec courage les attaques et méprisent tous les dangers. Nous nous réjouissons surtout que nos ennemis se sont trompés à votre égard. Ils se sont flattés, ils ont osé dire que les peuples du Canada ne furent nullement capables de distinguer entre les douceurs de la liberté et les misères de la servitude, qu'on n'aurait qu'à flatter la vanité d'un petit nombre de votre noblesse pour éblouir les yeux des Canadiens. Ils ont cru par cet artifice, vous rendre faciles à toutes leurs vues, mais ils se sont heureusement trompés. Au lieu de trouver en vous cette bassesse d'âme, et pauvreté d'esprit, ils voient avec un chagrin égal à notre joie que vous êtes hommes éclairés, généreux et vertueux, que vous ne voulez n'y renoncer à vos propres droits, n'y servir en instrument pour en priver les autres.*

*Venez donc, mes chers confrères, unissons-nous dans un noeud indissoluble, courons ensemble au même but. Nous avons pris les armes en défense de nos biens, de notre liberté, de nos femmes et de nos enfants. Nous sommes déterminés de les conserver ou de mourir. Nous regardons avec plaisir ce jour peu éloigné (comme nous l'espérons) quand tous les habitants de l'Amérique auront le même sentiment et goûteront les douceurs d'un gouvernement libre. Incité par ce motif et encouragé par l'avis de plusieurs amis de la liberté chez vous, le grand Congrès américain a fait entrer dans votre province un corps de troupes sous les ordres du Général Schuyler, non à piller mais à protéger, pour animer et mettre en action les sentiments libéraux que vous avez fait voir et que les agents du despotisme s'efforcent d'éteindre par tout le monde. Pour aider à ce dessein et pour renverser le projet horrible d'ensanglanter nos frontières par le carnage des femmes et des enfants, j'ai fait marcher le Sieur Arnold Colonel avec un corps de l'armée sous mes ordres pour le Canada. Il lui est enjoint –et je suis certain qu'il se conformera à ses instructions– de se considérer et agir en tout comme dans le pays de ses patrons et meilleurs amis. Les nécessaires et munitions de toutes sortes que vous lui fournirez, il recevra avec reconnaissance et en payera la pleine valeur.*

*Je vous supplie donc, comme amis et frères, de pourvoir à tous ses besoins, et je vous garantis ma foy et mon honneur pour une bonne et ample récompense aussi bien que votre sûreté et repos. Que personne n'abandonne sa maison à son approche, que personne ne s'enfuye : la cause de la liberté et de l'Amérique est la cause de tous vertueux citoyens américains quelle que soit sa religion, quel que soit le sang dont il tire son origine, Les colonies unies ignorent ce que c'est que la distinction hors celle-là que corruption et l'esclavage peuvent produire. Allons donc, chers et généreux citoyens, rangez-vous sous l'étendard de la liberté générale que toute la force et l'artifice de la tyrannie ne soient jamais capables d'ébranler."*

### G. Washington

Le colonel en reçut une copie traduite en français. Il la ferait lire aux citoyens du pays chaque fois qu'il y serait confronté à une assemblée publique.

Puis il fit plus ample connaissance avec chacun de ses officiers en les recevant tour à tour sous sa tente. À tous, il transmit de son enthousiasme débordant.

Le onze septembre, mille cinquante hommes et deux femmes se mirent en marche pour Newburyport où de petits vaisseaux les transportèrent jusque sur la Kennebec, à Gardiner, où l'expédition, au bout de ses préparatifs et approches, se mettrait véritablement en branle.

Arnold arriva l'un des derniers au chantier naval improvisé par le constructeur Colburn. Dès qu'il aperçut de loin, depuis le voilier qui l'emmenait, les barques fraîches, mouillant dans un lit de feuilles multicolores, il sentit son sang commencer à bouillir. De joie de voir qu'enfin tout était prêt. Les hommes étaient dispersés sans autre ordre que celui de la compagnie à laquelle ils appartenaient, au bord de la rivière noire et sous les boqueteaux, jusqu'à la grosse grange rouge surplombant les environs comme une promesse vigoureuse.

Une dizaine d'entre eux descendaient par un sentier, les épaules chargées d'une embarcation renversée, et deux autres les suivaient avec les rames, les avirons et les perches. Arnold sourit. À dix pour transporter une barque, on se payait du bon temps. Quand ils la mirent à l'eau au prix d'énormes efforts, il commença à comprendre. On ne pouvait afficher tant de mal juste pour rire. L'inquiétude suivit ses pas nerveux jusqu'à la terre quand il y mit le pied. Alors il explosa au su et au vu de tous les hommes qui l'observaient de plus ou moins près avec curiosité et respect :

–Bon Dieu ! mais qu'est-ce que cela ? Des bateaux, ça ? Mais il leur faudrait des voiles, pas des rames !

Il toucha le bois, dit à son secrétaire, un petit homme adipeux, le tricorne sur l'oeil :

–Touche, Eleazer, touche-moi à ça ! Du bois vert. Pardieu ! mais où donc se terre cet idiot de Colburn ?

Et alors, comme poussé par le feu, il se mit en route vers la grange où il trouva bientôt le constructeur, géant ventru au tablier de cuir gommeux qui se relevait de l'embarcation sur laquelle il travaillait.

–Combien de ces choses monstrueuses vous reste-t-il à fabriquer, monsieur ? fulmina le colonel.

–Dix à terminer.

–Par le Dieu du ciel, Colburn, on vous a demandé de construire des barques pouvant contenir une dizaine d'hommes, pas toute l'armée.

–J'ai fait asseoir dix hommes dans la première : ils ont donné l'opinion que c'était de la bonne grandeur.

–En fait, elles seraient trop petites, mais c'est le poids qui est excessif, Colburn, le poids. Avez-vous pensé qu'il y a devant nous des portages de plusieurs milles, des montagnes, la hauteur des terres et quoi encore. Pourquoi diable avoir utilisé du bois aussi vert ?

–Nous n'en avions pas d'autre, monsieur, dit le constructeur sur son même ton égal.

–En ce cas, il fallait réduire de moitié les dimensions.

–Mes instructions étaient de construire deux cents bateaux capables de contenir de six à douze hommes chacun. Si vous les refusez, je peux vous en faire d'autres en bois sec. Mais le bois ne sera prêt que dans une année.

–Colburn, si vous étiez sous mes ordres, je crois que je vous ferais pendre par les pieds, avec une de ces barques accrochée à vos pouces. Vous en sauriez bien le poids.

Colburn haussa les épaules. Il se pencha à nouveau sur son travail tandis que le colonel faisait le tour du petit chantier. Dispersées le long des murs ainsi qu'à l'extérieur et dans un hangar voisin, les neuf autres chaloupes ne requéraient plus que des détails de finition. Il revint auprès de l'entrepreneur qui n'osait lever les yeux, mécontent de lui-même tout autant que de l'aigreur de l'autre. Arnold avait grand besoin d'oublier l'incompétence stupide du capitaine Colburn. Seul le rapport de deux hommes envoyés en éclaireurs sous la responsabilité de l'entrepreneur pourrait y arriver sans doute...

–Et les éclaireurs ?

–Revenus depuis une semaine, monsieur.

–Faites-les venir, je vous prie. Où puis-je m'installer pour les recevoir ?

–Vos quartiers sont prêts dans la maison, là.

Le colonel ordonna qu'on lui amène les hommes dont il était question et sans tarder. Sa colère ne connut plus de bornes quand les éclaireurs, Dennis Getchell et Samuel Berry avouèrent qu'ils ne s'étaient pas rendus plus loin qu'à la source de la branche nord de la Dead River.

–Et après, messieurs... après jusqu'au lac Amaguntik, leur dit-il, la voix blanche, penché sur leur carte grossière.

Ils ne répondirent point.

–Ce Colburn ! maugréa-t-il à l'intention de son secrétaire.

–Et des Indiens, messieurs, vous en avez rencontrés ?

–Quelques-uns près de Norridgewock, mais aucun plus loin. On dit qu'il y aurait un certain Natanis quelque part sur le troisième lac après le grand portage.

–Natanis ?

–Natanis... à Fort Western, on le soupçonne d'avoir tué trois miliciens partis là-bas et qui ne sont jamais revenus. On dit que ce Sauvage est excessivement dangereux.

Il faudra le faire prisonnier, réfléchit tout haut le colonel.

Puis il donna congé aux éclaireurs. Et il confia à son secrétaire le soin de former un autre détachement qui prendrait les devants et explorerait le trajet jusqu'au lac Amaguntik en plaquant nettement les sentiers des Sauvages et les portages. Le jour même, le lieutenant Steele, accompagné de huit soldats, y compris Getchell et Berry, ainsi que deux guides, partirent pour accomplir cette mission. Ils devraient aussi s'emparer de la personne de Natanis.


À un jour d'intervalle se mirent en marche les divisions de Morgan, Greene, Meigs et Enos. Chacune disposait de provisions pour vingt-cinq jours. De la farine, du porc et même des bêtes à cornes vivantes que l'on ferait avancer le plus loin possible avant de les abattre. L'arrière-garde d'Enos avait des surplus en cas de besoin.

Le docteur Senter et son personnel se mirent en route avec la dernière division. Le lendemain, Arnold et Oswald fermaient la marche dans les deux dernières embarcations, non point des bateaux de Colburn, mais des canots d'écorce pagayés par des Indiens, et qui permettraient au colonel de rattraper ses troupes, de les dépasser, de revenir en arrière, d'être présent le plus qu'il le pourrait à chaque division tout en étant le premier à mettre le pied, après les éclaireurs, aux endroits stratégiques, soit le premier établissement canadien puis le campement qu'on établirait aux environs de Québec si l'on devait attendre là-bas les troupes de Schuyler.


Au premier jour d'octobre, par un matin sec et frais, Natanis, d'un oeil toujours perçant, vit venir un canot sur le lac, très loin. Il sut bientôt qu'il ne s'agissait que d'un seul homme, un Indien par surcroît. Alors il ne s'en préoccupa guère jusqu'à son arrivée.

Tous ceux de la cabane le connaissaient. C'est lui qui avait guidé les trois miliciens l'année précédente et en avait envoyé ad patres un plus la moitié d'un autre. Il était un ami d'Enneas et donc, indirectement, l'ami de Natanis et Sabatis. Il savait qu'on avait donné l'ordre d'arrêter Natanis et venait le prévenir.

On tint sur l'heure un conseil de famille auquel participa le visiteur. Trois décisions furent prises. Il fallait tout d'abord aller dépendre les squelettes des miliciens et les cacher. Puis Sabatis et Jacataqua partiraient avec le guide à la rencontre de l'armée américaine pour lui offrir leurs services. Quant à Natanis, il partirait dans l'autre direction avec Enea et Front-Brisé. Il s'en irait à Sartigan où la famille pourrait se reconstituer quand l'armée y parviendrait. Le chien accompagnerait le groupe de sa maîtresse Jacataqua.

## Sartigan

Ce même jour, les quatre familles blanches de Sartigan et tous les Indiens se réunirent pour délibérer quant à la conduite à suivre face à l'invasion imminente. Toute la Nouvelle-Beauce savait déjà que s'en venait le corps expéditionnaire américain. Une copie de la lettre du général Washington aux Canadiens était parvenue dans les mains du gouverneur à Québec. Aussitôt, Carleton avait rappelé un piquet de sentinelles de faction à Sartigan depuis le début de l'été pour surveiller et intercepter les agents américains circulant par cette voie. Par contre, il y dépêcha deux espions, Joseph Duval et William Stammrer, leur fournissant le parfait prétexte pour qu'ils entrent en contact avec les envahisseurs à leur arrivée même à Sartigan. Ils se feraient traiteurs donc fournisseurs de l'armée d'Arnold et ainsi, seraient en mesure de la suivre pas à pas jusqu'à Québec et de la connaître sous toutes ses coutures pour en informer Carleton. De plus, puisque Washington avait donné l'ordre de payer et de bien payer les denrées achetées au Canada, les deux hommes tâcheraient de soutirer le maximum des Américains.

Chaque assistant s'était trouvé un coin sur l'herbe jaunie, écrasée par l'incessant va-et-vient des Indiens et par les bêtes de Joseph et du sieur Maheux, lesquelles ont pacagé par là tout l'été. Les chefs de famille se sont regroupés près de l'emplacement des débats, l'endroit des habituels feux de camp, un feu qui ne s'allumerait pas, car la réunion était tenue au coeur de la journée. Et cela contrariait les Sauvages friands de harangues nocturnes.

Le vieil homme aux allures de chef était resté le même, quêtant ses repas, accueillant les visiteurs. Inusable comme ses hardes de cuir et ses couvertures sans couleur. À cause de lui, on n'avait jamais plus senti le besoin de se donner un véritable sachem au village des Abénakis. Surtout que la guerre était chose d'un lointain passé maintenant. Et parce qu'après Natanis, l'on n'avait pas pu identifier en quiconque les caractères d'un meneur.

C'est cet homme qu'on avait appelé à présider l'assemblée. Il avait pour tâche de donner le motif de la réunion, d'avance connu de tous par ailleurs, puis de convier les orateurs à prendre la parole un à un.

Les Indiens étaient flattés de voir que les Blancs faisaient cet honneur à un des leurs, et c'est précisément pour leur plaire que les Blancs avaient demandé la collaboration du vieil homme et avaient voulu tenir l'assemblée chez eux.

Il se fit solennel et fort long dans son exposé initial, montrant les quatre points cardinaux, le ciel, la forêt, les rivières, les maisons des Blancs, le village, le soleil et les pierres pour expliquer la venue d'une grande armée d'Anglais qui allait se battre contre une autre armée d'Anglais. Et qu'il fallait maintenant décider avec laquelle se ranger.

Ce fut Absalon Maheux qui demanda la parole le premier. Il s'accrocha les pouces au cordon qui tenait ses pantalons, rajusta sa tuque, jaugea l'assistance pendue à ses lèvres, dit en désignant le sud :

–Ceux qui viendront de par là parleront de paix pis surtout de liberté. Si le Canada embarque avec les autres colonies, on va se débarrasser des Anglais d'Angleterre qui nous gouvernent depuis quinze ans... pis qui nous écrasent.

Il parla des misères de la conquête, de la ferme familiale de Beaumont ravagée par les Anglais comme mille quatre cents autres sur les côtes du fleuve, des humiliations que doit subir un peuple fier qui fut vaincu.

–Les nations d'Amérique doivent se serrer les coudes tout comme elles devront le faire dans cent, deux cents ans, parce que c'est pas le monde du vieux continent qui vont venir nous porter à manger. Ils viennent icitte pour prendre, pas pour donner. Pis quand ça fait plus leur affaire, ils s'en vont comme la France nous a fait. Aidons nos frères américains. C'est comme ça que pensent tous les habitants de la Beauce, à Saint-François, à Saint-Joseph, à Sainte-Marie. J'ai entendu des opinions pareilles partout.

Les paroles allèrent droit au coeur de Marguerite et Joseph qui avaient cent fois les raisons de Maheux pour vouloir que le pays soit nettoyé de l'Angleterre. Mais ils avaient vieilli plus vite que d'autres. Par l'épreuve et par les larmes. Et chacun, tout comme Natanis, savait trop bien que la hache de guerre comporte deux tranchants. Ils se joignirent aux applaudissements copieux de tous, mais avec modération.

Habile complimenteur, Duval commença par vanter Maheux pour ses dons de la parole publique.

–Le talent de l'orateur est à la mesure de son coeur. Monsieur Maheux a donc un coeur large comme la Chaudière. Et profond comme le fleuve. J'aimerais le voir siéger au conseil créé en vertu de l'Acte de Québec. J'aurais confiance de voir mes intérêts diablement bien défendus auprès du gouverneur par un homme tel que lui  Et je suis d'accord avec tout ce qui a été dit, tout... Il faut garder nos coeurs au rappel, à la force, à la gloire... mais aussi à l'avenir. Et pour se bâtir un bel avenir, il faut tout prévoir. Tout. Il faut penser, par exemple, que les Américains pourraient se faire battre étant donné qu'ils ont à faire face à la nation la plus puissante de la terre. Ah ! s'ils remportent la victoire, il n'y aura aucune raison de s'inquiéter, aucune... aucune raison de craindre que les Anglais n'envoient une armée par ici pour réprimer la rébellion, aucune raison d'avoir peur que la Nouvelle-Beauce soit mise à feu et à sang comme les côtes du Saint-Laurent il y a quinze ans. Si les Américains gagnent, pas d'Anglais pour pendre notre monde, pour accrocher au bout d'une corde et laisser manger par les corbeaux ceux qui auront pris les armes contre eux, pour refouler les nations sauvages jusqu'à la mer ou pour les massacrer. Mais... mais si les Américains sont battus, qui c'est les premiers qui auront les Anglais sur le dos ? Ceux du Massachusetts ? Non. Ceux du Connecticut ? Non. Ceux du New-York ? Non plus. Qui ? Nous autres... les Canadiens pis les Sauvages, nos frères. Il faut penser à ça, mes amis, mes bons amis. C'est comme de se bâtir juste au bord de la rivière Chaudière au mois d'août quand elle dort, quand elle ronronne comme un chat en s'amusant entre les pierres. Mais quand vient le mois d'avril, vous le savez...

L'homme avait un nez d'aigle et les arguments plus nombreux et collants que les ventouses d'une pieuvre. Il convainquit chacun et même l'orateur qui l'avait précédé qu'il faudrait accueillir les Américains poliment, leur vendre ce qu'ils voudraient, mais en passant par son entremise et celle de Stammrer qui tous deux, serviraient de couverture aux yeux des Anglais, et surtout, ne jamais leur faciliter la tâche, par exemple en s'engageant dans leur armée.

Le projet qu'il proposa exerçait bien moins de séduction

sur chacun que les propos de Maheux : cependant, la plupart se rangèrent de son opinion lors d'un vote à main levée qu'il commanda et dirigea lui-même. Ébranlé par ce discours, Absalon Maheux s'abstint. Jean Bernard l'imita, mais lui, sans trop savoir pourquoi. Comme par distraction...

On voulut que Joseph, le plus respecté du groupe des Blancs, prenne la parole. Il se leva difficilement, fit trois pas en avant, s'appuya sur sa bonne jambe.

–Mon ami Absalon et monsieur Duval ont chacun raison. Nous autres, ça nous regarde pas, la guerre entre Anglais. On se battra pas, ni de contre les uns, ni de contre les autres. On va respecter Notre-Seigneur pis on va se mêler de nos affaires. C'est comme ça qu'on va être ben chez nous. C'est tout ce que j'avais à vous dire, mes amis... pis  à vous autres itou, les Sauvages.

## Sauvagerie

Pendant que Natanis s'en allait à Sartigan, Sabatis et l'autre Indien ainsi que Jacataqua et son chien, après le camouflage des squelettes, empruntèrent le sentier des Indiens à l'autre bout du lac tandis que les hommes de Steele venaient dans la direction inverse. Les deux groupes ne se croisèrent pas, car les Blancs furent sentis, détectés par le flair et l'oeil exercé des Sauvages et du chien réunis. On les évita. Ils auraient pu aisément prendre Sabatis pour Natanis...

Un homme du groupe de Steele, John Joseph Henry, se rappelait des événements de la journée au soir du quatre octobre alors que l'on avait tenté sans succès de capturer Natanis. Il se promit d'écrire un jour le récit de cette aventure et des autres qui suivraient jusqu'à Québec, si Dieu lui prêtait vie bien entendu. Pour l'heure, il notait tout dans sa mémoire, s'imprégnant les choses en les accompagnant de regards sur la ligne sombre de la montagne, lançant dans le feu de camp des écorces séchées :

*"Nous avons accosté à quelques milles de l'endroit où se trouvait supposément la cabane. Nos canots furent mis sur la rive et confiés aux soins de deux d'entre nous. Nous arrivâmes à la maison de Natanis après une marche d'environ trois milles par un pays plat couvert de pins etc. Nous approchant de tous côtés avec la plus grande circonspection. Nous courûmes à la cabane, nos fusils prêts, et croyant fermement que nous avions fait prisonnier Natanis. Certains étaient persuadés d'avoir vu à deux cents verges du lieu, la fumée de son feu. Mais l'oiseau s'était envolé. La maison est bien située sur une rive de vingt pieds de hauteur à environ vingt verges de l'eau avec un plateau herbeux tout autour... La maison est propre et bien rangée pour une cabane indienne, avec deux portes, l'une devant et l'autre derrière. Elle contient maints objets de fabrication indienne, disposés comme s'ils n'avaient pas été abandonnés tout à fait par le propriétaire. En outre, il a été remarqué que les charbons sur la terre, selon leur apparence, avaient été enflammés à l'intérieur de la présente semaine..."*

## Norridgewock, le 7 octobre

Il y eut un regroupement général en ce dernier lieu habité par des Blancs avant que l'armée ne s'enfonce dans la sauvagerie. Il avait été rendu nécessaire par l'état des bateaux, une bonne moitié requérant des réparations. Ils avaient dans le ventre trois séries de rapides déjà et donc autant de portages. Dans plus d'une dizaine, l'on retrouva de la poudre et de la farine ruinées par l'eau s'infiltrant par les fissures.

Arnold marchait rapidement parmi les hommes au repos couchés par terre entre les arbres ou debout par groupes bavards, attendant de nouveaux ordres de leurs officiers. Mais auparavant, il faudrait la fin du travail des réparateurs ainsi que la tenue d'un conseil d'officiers, le premier depuis le rassemblement d'une cour martiale quelques jours plus tôt, et qui avait condamné à mort un dénommé James McCormick pour le meurtre de Ruben Bishop.

Le comportement du colonel en cette occasion avait sensiblement augmenté sa popularité déjà grande. Au lieu de faire appliquer sur l'heure la sentence de mort, il a envoyé McCormick, pauvre ignorant qui avait perdu la raison à cause du rhum et alors abattu Bishop lors d'une rixe, au général Washington, lequel, Arnold le savait bien, ferait preuve de clémence envers le bougre irresponsable.

Ce n'était là qu'une des raisons pour lesquelles chaque homme, sans pourtant se trouver à l'attention, disait, même de loin, au passage d'Arnold : "Bonjour colonel !" Il en venait de toutes les directions, de ces salutations, et le colonel y répondait par des signes de la main à son chapeau et des "Bonjour messieurs !" énergiques et qui érigeaient un nouvel étage de patriotisme dans le coeur de chacun.

Il s'assit derrière sa table de camp, sous la tente. Déposa son tricorne près d'une lanterne sans flamme puis relut une lettre qu'il avait écrite précédemment à l'intention de quelques marchands de Québec qu'il savait favorables à la cause rebelle et surtout qu'il connaissait bien déjà.

Oswald entra. Il reprocha à son chef de s'éreinter la vue à travailler ainsi dans le noir. Et il alluma sa lanterne.

–Si je m'arrache les yeux, notre bon docteur Senter verra bien à les remettre à leur place.

–Le voici justement qui attend dehors. Il nous amène deux Indiens qui voudraient se mettre à votre service.

–Qu'il les envoie avec les autres Sauvages ! Je dois préparer la réunion et recevoir les officiers au plus vite.

–C'est qu'un des Indiens s'appelle Sabatis. Il se dit l'ami d'Enneas que vous connaissez depuis hier. Senter pense qu'il connaît bien Natanis. Quant à l'autre, vous devriez faire sa...

connaissance.

–Bon, bon, faites-les entrer.

Le colonel se remit à sa lecture. Il entendit à peine les pas feutrés, ne fut remis en alerte que par son secrétaire :

–Monsieur, voici Sabatis et... Jacataqua, les deux Indiens en question.

Arnold leva les yeux. Il sourit aussitôt de stupéfaction nerveuse.

Oswald et Senter gardaient leur sérieux. La jeune fille prit la parole :

–Nous savoir l'armée venir. Nous vouloir servir.

–Et en plus, elle parle anglais ! fit le colonel ébahi.

–Et elle parle mieux le français encore, dit Senter, jeune homme à la voix plus mince et tranchante que la courbure de son nez.

–Votre nom déjà ?              .

–Jacataqua... Et lui Sabatis.

–C'est votre père ?

–Non.

–Votre mari ?

–Non.

–Votre oncle, votre cousin ?

–Pas savoir.

–Les Indiens ne connaissent pas toujours leurs liens du sang, intervint Senter.

–Je sais, je sais. On dit que vous connaissez Natanis, est-ce la vérité ?

Jacataqua et Sabatis se consultèrent du regard, lui s'inquiétant sans avoir compris la question, et elle s'interrogeant sur la réponse à donner.

Elle décida d'avouer :

–Oui.

–Il est de votre maison... de votre famille ?

–Oui.

–Où est votre maison ?

Elle expliqua avec des gestes vifs et gracieux de ses doigts exécutant des tracés sur la table :

–Près d'un lac... à l'entrée d'une rivière.

–On nous a dit que Natanis avait tué des hommes... des hommes de Fort Western, l'année dernière.

Elle hocha si vite et si vigoureusement la tête qu'il la crut. D'autant que sa jeunesse et sa beauté le séduisaient. Mais aussi l'inquiétaient. Au milieu des hommes, elle les rendrait fous, les conduirait par sa seule présence à se battre, peut-être à s'entre-tuer pour elle. Il était drôlement familier avec les exigences violentes de la chair de l'homme dans semblables circonstances.

–Natanis sera-t-il là-bas ? demanda-t-il, lui qui regrettait l'ordre donné à Steele de s'emparer de lui... ou bien de le tuer si nécessaire.

–Lui avoir peur... Lui partir...

–Partir ?

–Oui.

–Pour... Québec ?

–Pour Sartigan.

–Et toi, Sabatis, est-ce que tu comprends l'anglais ?

–Lui pas comprendre. Natanis comprendre. Sabatis pas comprendre, intervint Jacataqua.

–Et... il sait le français ?

–Lui comprendre français. Jacataqua parler français.

Elle eut un sourire d'intense fierté en ajoutant sur des signes de tête affirmatifs :

–Et Jacataqua... écrire... savoir écrire.

Le colonel eut soudain envie d'elle. Il n'avait pas eu de femme depuis des mois. Mais voilà bien la dernière chose qu'il pouvait s'offrir. Se permettre pareil caprice et vouloir commander une armée : mélange empoisonné s'il s'en trouvait un ! Pourtant, il voulait les adjoindre tous les deux, ces Indiens qui auraient valeur de soldats sous les murs de Québec et qui, d'ici là, pourraient rendre de notables services à l'armée dans la sauvagerie.

Aussitôt posée, la question de leur utilisation fut résolue. Cette lettre qu'il avait sous les yeux, il l'enverrait à Québec par Enneas et Sabatis. Et au passage de Sartigan, Sabatis pourrait convaincre Natanis des bonnes intentions des Américains à son égard désormais, et du désir d'Arnold de l'engager à bon salaire. Ainsi, tous les Abénakis jusqu'à Québec risquaient de basculer dans le camp américain. Car si les années avaient décimé la nation, sa réputation, elle, demeurait intacte. Et fort vive !

Par l'entremise de Jacataqua, il fit comprendre à Sabatis ce qu'il désirait de lui. L'Indien acquiesçait au fil des explications avec des sourires enfantins. On lui demanda ensuite d'aller chercher Enneas et de revenir après la réunion des officiers. Puis Arnold dépêcha son secrétaire pour quérir l'un des deux volontaires accompagnant l'armée, n'importe lequel. En attendant, il s'amusa à essayer de provoquer Senter et Jacataqua :

–On dit, mon cher docteur, que les femmes indiennes connaissent cent moyens de guérir cent maladies, et que nos médecins les plus compétents, plutôt que d'aller s'instruire à Boston, à New York ou même à Londres, devraient aller à l'école des Sauvages. Quelle est votre idée sur la question ?

–Je crois sincèrement que cette opinion est parfaitement fondée, colonel.

–À quel endroit avez-vous étudié la médecine ?

–À Newport, Rhode Island.

–Et qu'est-ce qu'on vous disait là-bas sur la question ?

–Rien du tout.

–Vous connaissez des drogues indiennes ?

–Quelques-unes.

–Vous savez que j'ai moi-même travaillé pendant près de dix ans dans une apothicairie à Norwich, Connecticut ?

–Je le savais, colonel.

–Et que j'ai maintes fois assisté le docteur Lathrop quand il opérait ?

–Je le savais, colonel.

–Je ne vous en ai rien dit pourtant.

–Colonel, c'est que monsieur Oswald dit beaucoup de bien de vous.

–Ah bon ! Et vous, Jacataqua, est-ce que vous accepteriez d'aider notre bon docteur ?

Elle regarda Senter, sourit. Arnold lui posa dix autres questions puis répéta la même sur l'aide qu'il désirait lui voir apporter au médecin. Alors Senter questionna aussi :

–Est-ce que vous connaissez des herbes pour soigner la petite vérole ?

Son regard s'assombrit comme un lac quand un nuage passe devant le soleil.

–Non, appuya-t-elle de plusieurs hochements de tête, car le seul nom de cette maladie l'effrayait au plus haut point.

–Et pour guérir la dysenterie ?

Elle fit des yeux inquisiteurs, regarda Arnold qui vint à son secours :

–Isaac... vous savez bien qu'elle ne connaît pas les noms des maladies.

–Croyez bien que je n'ai pas voulu la confondre, colonel.

Je suis aussi persuadé que l'important n'est pas de connaître le jargon du métier et tous les noms du codex mais de savoir concocter les médecines appropriées aux maux.

Oswald fut bientôt de retour. Il tint la porte de toile pour laisser entrer le civil demandé. C'était Aaron Burr qui s'avança en déshabillant la jeune Indienne d'un regard gourmand.

Il se mit dans une attention presque militaire à côté d'elle, devant la table, dit :

–Monsieur.

–Burr, accepteriez-vous la tâche, si on peut dire, de prendre sous votre... aile la jeune personne que voici ? Elle entre au service de l'armée. Mais les soldats, à cause de l'ordre et de la discipline, ne devront pas s'approcher d'elle, pas plus qu'ils ne le font avec mesdames Grier et Warner. Vous devrez vous comporter envers elle, jusqu'à Québec, comme un... mari et comme un protecteur. Il vous sera permis d'arrêter tout soldat qui tenterait de la toucher. Elle agira comme conseillère de survie, aidera à trouver de la nourriture en forêt si jamais cela s'avérait nécessaire, secondera le docteur dans ses actions médicales. Si vous refusez, je vous comprendrai et je demanderai à monsieur Ogden.

–Monsieur, dit énergiquement Burr, j'accepte... au nom de ma patrie.

Arnold commenta avec componction :

–Nul doute que votre sacrifice et votre... héroïsme seront reconnus par l'Histoire.


À la réunion des officiers, il manquait le capitaine Morgan qui, avec sa compagnie de carabiniers, devançait l'armée d'une quarantaine de milles. On présenta au colonel un dénommé Jakins, Allemand parlant français découvert à Norridgewock par le lieutenant Greene. Il accepta d'accompagner Enneas et Sabatis pour aller prévenir les Canadiens de l'arrivée prochaine de l'armée, pour les assurer des intentions amicales des Américains, connaître les leurs, de même que pour faire suivre la lettre adressée aux marchands de Québec. Mais un peu plus tard, Arnold devait se raviser sur l'exécution de cette mission. Il décidera de la reporter de quelques jours afin de ne pas laisser trop de temps aux Canadiens en cas d'hostilité de leur part.

## Sartigan, ce jour...

Enea et Natanis pagayaient; Front-Brisé avironnait. Le canot glissait comme un serpent entre les roches grises. La rivière avait un fort débit, le temps ayant été pluvieux toute la semaine. Et elle charriait une multitude de feuilles rouges et jaunes.

On arrivait à hauteur de la colline aux étoiles. L'homme voulut que l'on s'arrêtât. Il en donna le commandement, dirigeant l'embarcation vers la rive ouest pour mieux voir l'est. Tout était pareil, jusqu'à une épinette dont la tête dépassait les autres de deux hauteurs d'homme au moins.

Alors les souvenances descendirent de là-haut à sa rencontre, vinrent lui souhaiter bon retour. Le souvenir de la comète, plus vieux qu'Enea. Le rappel de ses communions avec le Grand-Esprit. Les ours envoyés du ciel et qui étaient venus s'offrir à son fusil et à sa hache semblables à des bénédictions. Les astres qui, là mieux qu'ailleurs, avaient toujours si bien nourri son éloquence.

Une bourrasque vint chercher un long frisson dans son dos et sur sa poitrine. La première neige ne tarderait pas, se dit-il. Les gelées matinales devaient blanchir les pierres depuis une lune au moins. Il fallait se remettre à pagayer pour se réchauffer ou bien devoir se pelotonner comme les femmes dans des couvertures épaisses.

Enea savait que l'on se trouvait maintenant tout près de

la maison de sa mère blanche. L'image de Marguerite était dans sa mémoire et bien claire, ces beaux yeux bruns comme une peau de castor dans ce visage blanc comme du lait. Et les livres de tant de couleurs ! Jamais plus elle n'avait revu un livre; ou plutôt, elle en avait revu des milliers dans le coin noir de sa couche au dedans de ses yeux clos. Et le grand fils de sa mère blanche qui ressemblait tant à Jacataqua... Ces images chevauchaient follement dans sa tête, s'embrouillaient pour mieux se nettoyer ensuite. Rien du village ne lui était resté. Tout ce qu'il y avait en elle s'écrivait par mots français sur des rappels de la cuisine de Marguerite, du jardin, de la grande, si grande maison grise.

Natanis annonça que l'on irait tout d'abord visiter l'ami blanc, Joseph, avant que d'accoster au village à l'entrée de la Famine.

Et sur le mille les séparant de la maison des Bernard, il put se rendre compte que tout n'était pas si semblable, comme il l'avait d'abord pensé. Sur la rive gauche, il vit des habitations. Il saurait plus tard qu'elles appartenaient à un seigneur anglais, William Grant, et à des censitaires. Puis il vit une autre maison de Blanc sur la Famine, derrière le village.

Alors il se sentit moins chez lui.

Jean labourait avec une paire de boeufs, un leur appartenant et l'autre propriété d'Absalon Maheux qui lui, faisait ce travail au printemps avec les deux mêmes bêtes.

Le pied accroché à la tablette de la fenêtre, la jambe allongée pour en soulager la douleur, Joseph fumait la pipe en reconstituant à travers les volutes bleues, des images aux nostalgies mouvantes. Au cours des longues périodes de temps humide, sa jambe finissait par barrer dans le genou, et cela le clouait à l'intérieur tant que le feu de la cheminée ou la chaleur du soleil passant par les vitres n'étaient pas parvenues à faire se réduire cette bosse qu'il portait depuis vingt ans sur le côté interne du genou.

–Tiens, y a un canot de Sauvages qui approche, dit-il à Marguerite qui brassait du ragoût dans un chaudron accroché au-dessus d'une flamme tranquille.

–Ça sera le vieux quêteux qui aura senti l'odeur de ma cuisine.

–Non, c'est trois personnes. Un homme pis deux femmes. De loin comme ça, l'homme me fait penser à... Mais... mais c'est lui ! C'est Natanis, la mère !

–Ben non, t'auras la berlue, Zèphe ! Natanis reviendra jamais par icitte; autrement, il se serait remontré le nez depuis huit ans qu'il est parti.

–Neuf.

–Je me demande... Jacataqua pis sa petite soeur, de quoi c'est qu'elles peuvent avoir l'air asteur. Doivent avoir des enfants toutes les deux.

–Viens voir, Marguerite. Ils s'en viennent vers icitte. Certain que c'est Natanis ! Il a blanchi comme un lièvre, mais c'est lui. Les deux femmes... je pense que je les connais pas. Y a une vieille pis une jeune.

Le regard un peu las, quelques fleurs d'années aux coins des yeux, Marguerite vint poser ses mains sur les épaules de son mari. Elle s'exclama sans hésiter :

–Ben certain que c'est lui ! Pis la vieille, c'est... c'est Front-Brisé. Pis l'autre... je sais pas... je pense... Non, c'est pas Jacataqua. Si c'est pas Jacataqua, ça doit être...

Elle fut prise d'un serrement de coeur au rappel de tout ce bonheur passé quand elle avait enseigné aux petits. Mais leur nombre avait sans cesse diminué, et deux ans après que Jean eut fini de suivre sa classe, elle avait dû s'arrêter faute d'écoliers. À l'arrivée des familles blanches, une grande fille chez les Gilbert avait pris la relève. Il valait mieux ainsi, car les difficultés croissantes de Joseph à travailler lui ôtaient le temps qu'elle aurait pu consacrer à l'éducation des petits.

"La vieille, c'est Front-Brisé !" a-t-elle dit. Pourtant, Front-Brisé, pas plus qu'elle-même, n'avait atteint la quarantaine. Et comment l'Indienne, elle, la trouverait-elle dans ses cheveux grisonnants et ce masque des années sur son front et au-dessus de sa lèvre supérieure ? Elle n'y pensait jamais vraiment trop, au temps qui passe; mais voilà que cette arrivée impromptue lui mettait subitement le nez dans les rides des années écoulées.

Elle se regarda les vêtements, une robe grise et lourde et une chemise sans couleur, pas tout à fait noire. Elle eut le goût de se faire coquette comme si une famille royale devait bientôt s'annoncer à la porte. Frapper ? Non pas. Natanis et les femmes resteraient dehors, sans bouger. En attente. Comme si les gens de l'intérieur avaient su obligatoirement par une sorte de flair animal, qu'ils étaient là. Après une heure environ, ils se retireraient sans se manifester davantage : telle était la discrétion abénaquise.

Pour s'assurer qu'ils ne rebroussent pas chemin, elle courut à la porte. Mais de là, pour un moment, elle ne les verrait pas venir. Ils déboucheraient du coin de la maison. Elle restait là, dans l'air cru de la porte entrebâillée, les yeux piqués par l'émoi comme si ces revenants arrivaient tout droit d'Acadie ou bien de Louisiane. Car ces Sauvages, qui avaient tout d'abord jeté de l'effroi dans son âme, s'étaient peu à peu glissés dans son coeur par leur admiration naïve et par leur innocence, et par leur pureté plus grande que celle des eaux de la rivière.

Si le temps le lui permettait, comme elle courrait jusqu'à son coffre pour mettre sa robe de L'Islet, d'Acadie. Elle s'en était bien fait d'autres depuis cette époque, mais celle-là, jamais elle ne l'avait portée à nouveau après l'avoir nettoyée de ses taches de sang et entreposée. La vraie grande occasion s'était toujours fait attendre ou bien s'était dérobée. Elle reluqua vers son fils qui commençait un autre sillon et tournait la tête parfois, par curiosité. Au loin, l'eau ensoleillée donnait l'air de réchauffer la vallée frissonnante. Un vol d'outardes passait en biais. La maison des Poulin fumait comme la pipe de Joseph.

Alors ils furent devant elle comme une apparition silencieuse et sacrée : Natanis en tête, puis Front-Brisé si terriblement voûtée, puis cette grande petite fille qu'elle reconnut aussitôt et qui eut droit, sans aucun mérite pourtant, à ses premiers élans. Elle ouvrit la porte entièrement, s'écria :

–Enea... ma petite Enea... de ce que t'es donc belle... de ce que t'es donc grande !

La jeune fille la regardait froidement, sans bouger, droite à côté des deux autres aussi impassibles qu'elle-même. Le coeur de Marguerite se chargea de larmes qu'il ne put réprimer, et qui lui remplirent aussi les yeux. Et puis à quoi bon les retenir puisque les Sauvages se valorisaient à voir pleurer les Blancs ?

–Enea, te souviens-tu... de ta maman blanche... des mots... des lettres... des images... des chiffres... te souviens-tu ?

L'Indienne faisait un mince hochement de tête à chaque pause de Marguerite.

–Tu me comprends ?... Tu me comprends pis tu caches encore ton coeur, petite, petite... On a ben moins de rides quand on se laisse pleurer... Viens... viens dans mes bras.

C'est Marguerite qui se précipita au-devant d'Enea. Elle la pressa sur elle en disant, la voix étouffée :

–Ma petite Sauvage... ma chère petite Sauvage... devenue quasiment une femme asteur.

La jeune fille dégageait des odeurs de forêt, ce qui fit comprendre à Marguerite qu'elle avait gardé ses enseignements au moins sur la propreté du corps. Alors, elle lui enveloppa les joues avec soin et tendresse pour lui souffler d'autres paroles de bienvenue.

319

–Ça fait un siècle que j'ai pas été aussi heureuse !... Un siècle. Pis Jacataqua, où c'est qu'elle est ?

–Avec Sabatis, répondit Natanis qui s'étirait le cou pour voir Jean qu'il croyait être Joseph.

Marguerite se trouva injuste de laisser les autres de côté. Et elle se rendit serrer les mains de Front-Brisé. Puis elle dit à Natanis :

–Rentre voir Joseph. Il est pas capable de marcher.

–Viens me voir, Natanis, cria Joseph qui entendait tout et avait bien hâte de se dénouer la gorge de cette boule dont il rendait sa pipe responsable.

–Elle est pas venue, Jacataqua ? insista Marguerite.

–Elle venir... avec l'armée... anglaise, dit Enea d'une voix belle et chaude, malgré de longs espaces laissés entre les mots.

–Pis t'as pas oublié ton français ! Mon doux Seigneur ! ma petite Sauvage la plus intelligente ! s'écria-t-elle en des éclats joyeux se mêlant aux pleurs.

Elle la serra à nouveau longuement. Puis elle dit :

–Venez, venez vous réchauffer. Il fait une bonne chaleur en dedans... Venez...

Elle prit Enea par la main et l'entraîna à l'intérieur.

Natanis était déjà accroupi sur ses jambes aux pieds de Joseph, lui parlait du grand sujet de préoccupation de tous : l'armée américaine en marche. Il dit qu'il avait fui pour ne pas être tué, qu'il avait quand même nettement plaqué son sentier jusqu'au lac Amaguntik pour empêcher les soldats de se perdre. Joseph cessa un moment de l'écouter, le temps d'une salutation aux deux femmes. Front-Brisé lui fit un mince sourire qui se perdit en grimace dans les plis de son visage. Enea, le dos contre la porte refermée, dévorait des yeux toutes choses de la maison qu'elle aimait plus encore que sa boîte musicale perdue...

Le soufflet qu'elle se souvenait avoir actionné. Le balai de paille. Tous ces plats de fer pendus parmi des cuillers, des fourchettes, des écuelles au-dessus de la cheminée. Le chaudron noir sur les flammes jaunes. Les chenets. Les bûches. Le banc de bois devant. Et l'autre banc sur la droite où sa mère blanche couchait les petits malades parfois. Puis le rideau accroché à la poutre et cachant le lit, l'entourant...

Mais il y avait au fond de la pièce une porte inconnue. Elle apprendrait plus tard qu'on avait agrandi la maison de ce côté. La table aussi lui était familière ainsi que les falots suspendus au plafond.

–Tu te rappelles de tout ça, Enea ? demanda Marguerite en approchant deux chaises des femmes,

–Oui.

Front-Brisé ne savait pas s'asseoir sur une chaise. Elle s'accroupit puis se laissa glisser jusqu'au plancher.

–Je vas remettre des morceaux de lard dans mon ragoût... Vous devez avoir faim ? Ça sera pas long qu'on va manger. J'ai du bon pain frais pis je vas vous donner du lait. Je sais pas ben si Jean vous a reconnus de là-bas. Il va venir manger que ça retardera pas. Il va être content de vous voir.

Enea savait que Marguerite parlait de cet homme qui ouvrait la terre sur la colline. Il avait mis ses mains sur ses hanches pour les regarder venir de la rivière à la maison. Sur le moment, elle avait cru avoir peur de lui; maintenant, elle savait que ce n'était pas la peur qui avait fait bouger son coeur, que c'était autre chose... La surprise sans doute comme celle de voir un ours tout à coup dans la forêt.

Elle se remit à son exploration visuelle tandis que Marguerite courait de la remise à la cheminée en parlant comme une pie. À côté de la porte, il y avait le même gros meuble qui montait jusqu'au plafond avec plein d'assiettes de fer-blanc, de pots brillants, de tasses cuivrées et deux théières dont l'une à l'anse brisée. Contre trois des poutres du plafond, on avait attaché un mousquet. Et en face du vaisselier, sur l'autre cloison, se trouvait un meuble à quatre tiroirs au-dessus duquel pendait un miroir grand comme au moins deux pistes d'ours réunies. Mais là, au plafond, apparaissait un nouvel objet, une sorte de bâton accroché en son milieu et au bout duquel pendaient, attachés par quatre cordes, deux plateaux ronds.

–Je vas leur dire que t'es pas un traître, affirma Joseph. Pis qu'un Sauvage, ça camoufle toujours sa piste. Pis que si tu l'as pas fait, c'est parce que tu voulais les aider. S'ils s'en prennent pareil à toi, tous les Sauvages vont se retourner de contre eux autres. Mais ils viennent pas icitte pour faire du mal au monde, c'est pour chasser les Anglais de Québec. Eux autres, c'est plus des Anglais, hein ? Asteur, on les appelle des Américains. Depuis que ça se parle qu'ils s'en viennent, le village est en train de se paqueter. Va falloir que tu te dépêches si tu veux te trouver une cabane.

Une demi-heure plus tard, Enea entendit du bruit provenant de la remise où Marguerite n'était plus depuis un bon moment. Elle sut que c'était l'homme de la colline. Son esprit ne parvenait pas à le rapprocher du jeune garçon d'autrefois dont elle n'avait gardé en sa tête que le dernier regard. Quelque chose flacotait dans de l'eau. Une porte s'ouvrit, se referma... Enfin la clenche claqua, et il apparut dans l'embrasure de la porte intérieure qu'il laissa retourner à sa place derrière lui.

Grand, corps aussi droit que celui d'Enea assise, cheveux foncés, coupés à l'acadienne, yeux aux paupières supérieures inclinées comme ceux de sa mère, il fit des sourires et des signes de tête vers chaque Sauvage. Aucun ne sourcilla.

Natanis salua d'un signe de la main et de deux mots abénaquis. Front-Brisé pencha la tête pour faire montre de sa soumission devant l'homme. Enea suspendit son âme au regard de l'arrivant. Elle restait interdite, le souffle court, les mains crispées sur les bords du fond paillé de sa chaise.

–Te souviens-tu de Jacataqua pis de sa petite soeur ? fit Marguerite en s'arrêtant un instant de mettre la table.

–Oui, sourit-il.

–Ben, c'est elle, la petite soeur à Jacataqua.

–Enea ? Enea ? répéta-t-il doucement.

La jeune fille sentit son coeur bondir comme une truite fraîchement sortie de l'eau, d'entendre son nom ainsi prononcé avec toute cette bonté.

–Pis tu peux lui parler parce qu'elle parle aussi ben le français que le jour où c'est qu'elle est partie d'icitte.

Joseph quitta à nouveau l'écoute des palabres de Natanis. Et en rajustant sa tuque, il jeta un coup d'oeil à la dérobée vers Jean et la jeune Indienne. Il lui sembla, dans un éclair, qu'ils étaient lui-même et Source-de-Vie, vingt ans plus tôt...

–La dernière fois, t'étais grande comme ça, fit Jean en montrant de la main ouverte une hauteur qui ne lui allait guère plus loin que les genoux.

Il lui semblait se souvenir de ce même visage encadré de tresses noires, le front ceinturé d'une bande de cuir entrelacée de morceaux d'étoffe de diverses couleurs, rouge, bleu, jaune. Quant au reste de son corps, elle le gardait si bien enveloppé dans une couverture... Le silence qu'elle tenait et son regard grand et profond avaient de quoi l'intimider, fût-elle une Abénakise. Il se rendit à la table, offrit à sa mère de l'aider. Front-Brisé retint un sourire tandis qu'Enea l'observait curieusement alors qu'il déposait des assiettes et des ustensiles.

Natanis et sa compagne refusèrent de manger à table. Ils étendirent une couverture sur le plancher et s'assirent de chaque côté. Marguerite leur porta du ragoût dans un plat de bois ainsi qu'un gros pain double complet.

Par à-coups imprimés à l'aide de ses mains et de ses reins, Joseph fit avancer sa chaise jusqu'à la table. Et Marguerite fit approcher la jeune fille. Jamais Enea n'avait été plus terrorisée, pas même le jour où les jeunes Blancs avaient voulu la prendre de force. Et pourtant, une voix intérieure lui ordonnait de s'asseoir avec les Blancs et non pas avec les siens. Elle se prostra dans une attitude d'expectative. Sûr que sa mère blanche lui dirait quoi faire, sinon elle ne s'en tiendrait qu'à des gestes imitatifs !

À sa place ordinaire, face à elle, Jean souriait.

Restée debout, Marguerite fit une prière :

–Seigneur Tout-Puissant, bénissez notre pain de ce jour, donnez-nous la paix sur cette terre pis la vie éternelle. Pis aujourd'hui, bénissez de manière spéciale nos amis les Sauvages qui sont icitte avec nous autres : Natanis, Front-Brisé pis notre belle, belle grande Enea... pis Jacataqua qu'on verra bientôt... pis Sabatis itou.

–Ainsi soit-il ! dirent en choeur les deux hommes par-dessus le bruit de ragoût englouti, transporté à la bouche des affamés par d'énormes quignons de pain arrachés à la miche.

Joseph se montra particulièrement fervent dans sa prière de reconnaissance. Il était assuré que le ciel avait permis le retard de Jacataqua et avait le sentiment que Jean tomberait amoureux de l'autre. Il était temps qu'il se trouve une épouse et ce ne devrait pas être Jacataqua, surtout pas sa demi-soeur.

Jean avait la miche de pain sur un hachoir près de lui. Il prit le couteau à dents, fit quatre tranches. Il en jeta une à côté de l'assiette de ses parents, tendit la troisième à Enea. Elle l'accepta d'une main qui tremblait un peu sous un regard qui coula sur celle de l'homme jusqu'à sa chemise de flanelle grise, ouverte au col sur une toison qui donnait à penser à celle d'un ours. Les yeux se rencontrèrent. Une seconde de plus que pour accompagner normalement le simple échange d'un morceau de pain...

Joseph le remarqua.

Marguerite déposa sur la table un plat rempli puis elle servit chacun.

Déjà Natanis et Front-Brisé avaient fini. Pain disparu. Ragoût nettoyé. Plat vidé tout à fait !

–Encore ? questionna Joseph en montrant le ragoût du bout de son couteau.

Tous les deux firent un signe de tête négatif. Et ils restèrent là, sans bouger, en attendant que la tablée ait elle-même terminé.

–Je vais manger pis ensuite vous servir du bon lait, dit Marguerite.

Ils ne bronchèrent pas.

Jean se rendit compte soudain que la jeune Indienne venait d'abandonner sa couverture en la rejetant sur le dossier de la chaise. Avec un étonnement admiratif, il détailla sa robe de cuir aux franges si nombreuses, si longues et si également taillées, qu'il n'en avait jamais vu de semblables.

Sa mère fut encore plus éblouie. Elle demanda qui l'avait fabriquée.

–Moi, dit Enea sans fierté, car elle pensait à une déchirure à hauteur de la hanche qu'elle avait dû raccommoder avec du lacet de cuir.

Elle hésita un instant puis baissa le bras gauche jusqu'à pouvoir cacher l'accroc à sa mère blanche.

Chacun entreprit de manger. Joseph plus intéressé à parler avec Natanis de la venue des soldats américains. Jean qui avalait de gros morceaux de pain enduits de beurre blanc et de ragoût brun. Marguerite qui utilisait lentement, simplement, mais avec méthode, ustensiles et aliments, sachant bien qu'elle était minutieusement observée par Enea qui la copiait en tous points.

## Sauvagerie

Senter entendait les plaintes jouissives que Jacataqua extrayait du corps de Burr, et cela l'indisposait. Ils étaient sous une tente auxiliaire mais si rapprochée de la sienne qu'il eût pu décrire chacun de leurs gestes tant ils lui étaient soufflés, grognés à l'oreille. Cette décision du colonel de confier l'Indienne aux soins de ce volontaire lui paraissait fort avisée, et plus brillante encore l'idée de l'adjoindre à son service, car il pressentait en avoir besoin et savait qu'il ne pourrait se trouver partout à la fois. Mais sa présence et surtout leurs ébats exacerbaient sa chair. Il se demandait comment il pourrait le supporter bien longtemps.

Burr se laissa glisser sur elle, jusqu'à la couverture posée sur leur lit de branches.

Elle ressentait un grand contentement dans son esprit, car elle avait donné le plaisir à l'homme, dans ses plus vives intensités. Rarement réponse mâle n'avait été plus puissante et durable ! Il a d'abord été brutal pour bien établir sa domination, l'a traitée de sauvagesse avec des regards de mépris en lui ordonnant de se dévêtir, ce qu'elle s'apprêtait à faire de toute manière. Et avant qu'il ne la batte, elle s'est emparé de son corps, l'a calmé peu à peu, libérant par le fait même l'esprit de sa hargne en le ramassant tout entier en un même point de sa chair. Dans la pénombre créée par la maigre flamme d'une mince bougie, d'une main faite fleur, de ses doigts pétales, elle lui a rebâti une furie entièrement canalisée et passant par elle, moins forte que sa force à elle, retenue selon sa volonté à elle, comme un couvercle de boîte à musique. Avec les bonnes pressions au bon endroit et au bon moment, il lui est arrivé de refermer le couvercle : alors son oeil rieur piqué de lumière, s'est mis à l'affût de la grimace du visage, et quand la lèvre inférieure est arrivée au bord du rictus, elle a repris la symphonie. Et cela a duré jusqu'au moment où le jeune homme a décidé qu'il serait, lui, le musicien. Alors il l'a jetée sur la couverture et s'est enfoncé en elle dans la rage infinie de son désir frénétique.

Même alors, elle a manoeuvré pour qu'il se souvienne, faisant obstacle de ses bras et de sa tête sans cesse secouée. Puis, après une reddition frissonnante, lui a crié des invitations insoutenables.

Il a coassé, hululé, mugi, gémi... s'est enfin répandu.

Et le voilà qui reprenait son souffle. Quand il y fut arrivé, il dit rudement :

—Va me chercher de l'eau, j'ai soif.

—De l'eau ?

—Ouais... tu sais, on se met ça dans la bouche, là, et ensuite on la pisse, là.

Elle pensa qu'il s'en trouvait une barrique chez Senter, de l'autre côté de la porte de toile et s'y rendit aussitôt en s'éclairant de la bougie.

Devant le grave et divin spectacle de sa nudité, le docteur ne put se retenir de se redresser sur son séant. Il l'observa coller la chandelle sur des gouttes de cire fondues une à une sur le tonneau, prendre une tasse et la mettre sous le robinet qu'elle ouvrit de l'autre main.

Tant de femmes blanches n'auraient pas su mieux s'y prendre ! Et il se mit à réfléchir sur les moyens d'isoler Burr pour s'approcher d'elle. Comme s'il l'avait flairé, le jeune volontaire souleva la toile dans un geste sec et bourru d'inquisiteur soupçonneux. Il maugréa :

—Reviens t'en, la sauvagesse.

Puis à Senter :

—Quant à toi, tu connais les ordres. Je te respecte, mais je respecte encore plus mes engagements. Aaron Burr n'a qu'une parole. Voisin de tente ou pas, fais-en ton deuil de la sauvagesse... et sans chagrin autant que possible.

—Ne te trouble pas, Burr, ne te trouble donc pas !

**Sartigan**

Dans leur chambre noire, Joseph dit soudain à sa femme après un long silence :

—Va venir un temps où c'est que je vas barrer pour le restant de mes jours.

—Ben non, c'est le temps pluvieux qui fait ça, tu le sais.

—Par chance que le Jean est grand pis fort !

—As-tu remarqué avec la petite Sauvage après-midi ?

—Oui... Mais je pense que...

—On sait jamais. Je l'aimerais comme bru, la petite. Je te dis que je lui en apprendrais, des choses !

—Malheureusement, Natanis restera pas longtemps par icitte. Quand l'armée va être passée, il va s'en retourner chez lui. Il s'est ancré là-bas, lui, comme nous autres dans le haut de la Nouvelle-Beauce. La quarantaine, ça fait pousser des racines en dessous des pieds, même les pieds des Sauvages.

Enea a hérité du même coin dans la même avant-dernière cabane du village, que Front-Brisé et Natanis ont choisie comme loge temporaire, car ils se sont déjà entendus pour repartir aussitôt l'armée passée.

Elle resta longtemps assise sur sa couche, les yeux fermés, le corps raide, le coeur avec sa mère indienne, la mythique Petit-Soleil dont Natanis disait depuis toujours qu'elle reviendrait quand reviendrait la grande comète, Petit-Soleil qui veillait depuis les étoiles sur ses filles, Petit-Soleil qui avait rappelé la matrone pour ne point se mourir d'ennuyance et d'errance au séjour des morts.

Dans son attique de toujours, Jean luttait contre ses élans sensuels. La sainte Église défendait d'y céder. Pourquoi le péché ? Pourquoi celui qui a faim offense-t-il le Seigneur en mangeant ? Un homme surtout dont la chair a tant besoin de chair de femme ! Et qui plus est, si le mets savouré est une femme sauvage ! Joseph qu'il aimait plus que s'il eût été son vrai père, n'avait-il pas vécu avec une squaw dans la sauvagerie ? Sa tête devenait une ruche bourdonnante de questions... nées entre ses jambes.

## Sauvagerie

Bien qu'il possédât l'endurance des meilleurs hommes des bois, le capitaine Morgan était crevé de fatigue. Dehors, le tonnerre se rapprochait de minute en minute et paraissait d'une humeur fracassante.

Ses carabiniers bûcherons devaient tous dormir déjà, eux qui avaient dû passer des journées terribles depuis Fort Western avec ces impossibles bateaux de quatre cents livres chacun et souvent inutilisables avec une charge utile sous peine de les voir s'éventrer sur les roches de la rivière. Sur des milles, il a fallu les faire avancer à force de halage sur les cordes et de pressions sur les pôles. Et puis trois longs portages, les épaules chargées de ces monstres : les chutes Titonic, Five Mile et Skowhegan. Certains hommes ont dû marcher dans l'eau terriblement froide, risquant à tout moment de se noyer en calant dans des trous profonds.

Qu'importe, il y avait la réputation de ces hommes à maintenir, et il les a fait arriver, ceux-là considérés comme les meilleurs de l'armée, à la Great Carrying Place. Et toute cette journée-là, ils ont tracé une piste sur l'abrupte rive droite de la rivière. Arnold ne saurait demander plus.

—Vous ne sauriez exiger de moi d'avoir sans arrêt Burr et cette Indienne sur les talons, gémit Senter quand il réussit à voir le colonel, le matin suivant.

Arnold ne posa pas la moindre question. Il subodora les

motifs du pauvre docteur et se rendit à sa demande, laissant caché à l'intérieur un sourire narquois. Il dit simplement :

–Je les prendrai avec moi... Et je les ferai aller d'une compagnie à l'autre... Tiens, avec les deux autres femmes. Envoyez-moi Burr.

## Sartigan

Il pleuvait depuis l'aube à Sartigan. Des clous tout d'abord qui avaient empêché les Bernard de se rendre à la messe à Saint-François. Surtout que Joseph restait captif de sa jambe. Et ensuite, une pluie égale et tranquille.

Jean s'occupa seul des travaux permis en ce jour du Seigneur. Et pour tuer le temps, il s'amusa à brosser les bêtes, chevaux, boeufs, vaches, taures, avec l'étrille. Ce n'était point là une oeuvre servile.

Cent fois, son esprit retourna la veille ou bien s'en alla planer au-dessus du village indien. En fin d'après-midi, avant l'heure du souper, il entreprit de traire la vache attitrée à l'approvisionnement familial, les autres allaitant toujours leurs veaux du printemps. Au milieu de la traite, il se sentit tout à coup inquiété... comme observé. Aussi vive que ridicule, cette pensée fut aussitôt chassée, et il ne tourna même pas la tête. Il y avait pourtant bel et bien un personnage silencieux dans l'embrasure de la porte et dans son attente rigide...

L'écume blanche étouffait le bruit des jets au fond du seau de bois qu'il serrait entre les genoux. Et puis la vie battait son plein dans toute l'étable. Les dents des chevaux broyaient du foin sec. Dans leur enclos, les porcs reniflaient leur paille noirâtre en se poussant parfois, l'un l'autre, d'aigus reproches. Et les veaux beuglaient leur faim. Et leur mère, l'oeil morne et lourd de patience, attendait.

L'ombre qui s'est profilée jusqu'à lui, il l'a machinalement attribuée à un nuage passant devant le soleil. Il lui fallut trois bonnes minutes pour y repenser et se souvenir que le soleil ne s'était pas montré, pas même le soupçon d'un rayon, de toute la journée. Alors il tourna brusquement la tête, fut saisi d'un vertige étrange qui l'empêcha de continuer à manipuler les trayons.

Enea, superbement découpée par la sombre clarté du jour, les yeux de glace et le regard de feu, les bras croisés devant elle et chargés des lanières de sa robe, immobile comme une statue de la Vierge, le regardait. Si intensément que son esprit trébucha dans ce regard en cherchant des mots béquilles.

–Enea... Enea... de quoi c'est que tu... Je te salue... Comme tu vois, je...

Elle resta ancrée dans son mystère et son mutisme. Il calcula les impératifs : terminer la traite et l'empêcher de s'en aller trop vite. Alors il se composa un sourire.

–Viens icitte... Approche-toi. Je vas... je vas te montrer comment faire.

Elle s'avança sur les pièces mal équarries du plancher, évitant les bouses et la crotte de poule.

–Tu vas tout salir tes mocassins.

Elle se planta à trois pieds pour attendre, interrogeant les mains de l'homme qui avaient promis de lui dispenser leur savoir.

Il déposa le seau et se leva de la bûche où il était assis, disant :

–Viens... Viens... Là, à ma place...

Elle ne bougea point.

–Viens... si tu veux que je te montre.

Montrer, apprendre, savoir, connaître : elle comprenait ces mots. Ils la touchaient du doigt et lui indiquaient des sentiers nouveaux aux promesses palpitantes. Elle fut bientôt assise, l'échine toujours raide. Il s'agenouilla d'une seule jambe, fit

331

jaillir quelques gouttes dans ses mains, se les frotta ensemble puis en couvrit les pis qui redevinrent luisants.

–Tiens, prends-en un.

Elle obéit et dut forcément se pencher, se courber le dos.

–Bon... Asteur, laisse couler... comme une pression dans ta main... de là... à là...

Et il montra l'index de la jeune fille puis traça une ligne jusqu'à son petit doigt.

Elle réussit du premier coup. Le jet blanc frappa le bord du seau. Elle recommença. Alors le lait se noya dans le lait. Lui-même en fit jaillir à son tour. Elle répéta le geste. Et lui. Et elle...

–Asteur, avec ton autre main.

La leçon ne tira aucun sourire, aucun mot de la Sauvage. Elle aimait voir ses mains faire et toute son âme était en elles.

Il vint au jeune homme l'idée de la faire rire comme il l'avait fait si souvent avec Porc-Épic et avec d'autres du village grâce à un manège connu de tous les enfants de toutes les fermes du monde. Il dirigea un pis vers sa bouche ouverte, ferma les yeux et pressa.

Le lait frappa bruyamment son nez, le fond de sa bouche, sa langue et sa joue. Puis il rouvrit ses paupières de vieillard, blanchies par les gouttelettes. Enea avait le visage à la surprise et tout peuplé de curiosité. Il vit se dessiner aux coins de ses lèvres deux sourires à peine esquissés, le second plus évident que le premier. Mais elle renoua bien vite avec sa froideur apparente.

Il la conduisit à la laiterie, une petite pièce proprette au bout de l'allée. Il y avait là, étendus sur des tablettes basses, des bols de loupe d'érable recouverts de linges gris, à demi remplis de lait et laissés au repos pour que la crème monte sur le dessus. Il mit son seau sur une table ronde au milieu.

Puis il y porta un des plats qu'il découvrit. Avec le linge, il s'essuya la face, disant :

–Tantôt, on va y mettre du sucre d'érable pis on va manger le lait crème avec du pain brun.

Sur une planche haute, il prit deux contenants de bois, renversés, et les disposa sur la table pour transvider le liquide de la traite qu'il laisserait aussi au repos jusqu'au lendemain alors que sa mère viendrait fabriquer du beurre.

–Tu veux boire du lait chaud ? demanda-t-il soudain sans penser puisqu'il le faisait lui-même chaque soir.

Il devina que oui dans son mince sourire. Il mit du lait dans un plat qu'il souleva avec précaution vers elle. Comme elle ne bougeait pas, il se dit qu'il devrait lui montrer cela aussi. Mais elle attendait qu'il se serve d'abord. Et lui but de son côté du rebord, leurs yeux s'échangeant de sublimes impondérables. Elle l'imita ensuite de ses lèvres aux sensualités riches et pures. Elle s'abreuva à deux longues reprises. Puis, d'un signe de tête, dans un profond respir, elle montra qu'elle avait fini. Il déposa le plat. Prit le morceau de tissu, s'en ramassa un coin sec entre les doigts. Et plus près encore, jusqu'à sentir la chaleur de son visage, il essuya la couronne blanche et diamantée que le lait avait déposée sur sa lèvre supérieure.

–C'était bon ? questionna-t-il, la voix gauche, émue.

Une faim de la femme, immense, figeante, venait de s'emparer de lui. Il eût pu la toucher, voulait le faire, le désirait de toutes ses forces. Mais toutes ses audaces coulaient à pic, irrémédiablement.

Enea se sentait au bord du gouffre de ne pouvoir trouver un mot à dire, un seul, le moindre... Il ne lui venait à l'esprit que des images, encore et toujours. Des montagnes. De l'eau. De la neige. Des raquettes. Des visages. Des fleurs sans nom. Des couleurs tournoyant comme des remous. Elle ouvrit la bouche, espérant qu'ainsi... Rien n'en jaillit. Alors, brusquement, elle tourna les talons et s'enfuit à toutes jambes en cachant de sa main ouverte l'accroc de sa robe.

Une heure plus tard, à table, Jean jeta simplement, sans faire montre de la moindre émotion :

–J'ai eu de la visite à la grange.

–Ah ! Qui donc ? demanda sa mère.

–La... Sauvage.

–Enea ? Pourquoi c'est faire qu'elle est pas venue manger avec nous autres ?

–Sais pas. Je pense qu'elle voulait rien que... rien que du lait chaud. Ce que les Sauvages ont dans la tête, c'est pas facile à deviner...

–Si tu rouvres tes yeux... aussi ton coeur, tu finiras tout le temps par trouver, dit Joseph en s'aidant de ses mains pour tâcher de faire s'étirer sa jambe sous la table.

## Sauvagerie

La fébrilité du colonel ne connaissait pas de limites. Il agissait continûment pour garder au plus haut degré le moral de ses troupes. Car les embûches étaient à la mesure d'une pareille armée de jeunes soldats solides et des plus vaillants.

En rattrapant et dépassant les compagnies, il pouvait assister régulièrement au spectacle des problèmes que leur causaient ces damnées barques.

Le mercredi de cette semaine-là, il atteignit les troupes de Morgan. Le capitaine lui confia qu'il faudrait trois cents bûcherons au moins pour tracer une belle piste, et encore, en y mettant un nombre incalculable d'heures. C'était la raison pour laquelle il avait donné l'ordre de ne plus déblayer que de ses plus gros obstacles la voie plaquée par les éclaireurs.

Burr, Jacataqua, Sabatis, Enneas et Jakins le suivaient, voyageant eux-mêmes par canot, ce qui permettait de ne point sentir les dos ronds hérissés de la capricieuse Kennebec ou plus simplement de les contourner par des portages, sans grand fardeau à traîner. Quant au docteur, avec ses aides et tout son équipement, il n'était pas loin de fermer la marche comme il se devait puisque malades et blessés seraient gardés sur place par les compagnies ou envoyés derrière.

Le jour suivant, Arnold franchit la Great Carrying Place. L'équipe d'Archibald Steele revint de sa mission. L'on s'était rendu jusqu'au lac Amaguntik. Le lieutenant déclara n'avoir rencontré ni Natanis ni aucun autre Indien. Il fit rapport d'une distance de quatre-vingts milles à parcourir, chiffre stupéfiant et qui ne correspondait aucunement à la carte de Montresor. Mais une belle rivière profonde et au courant à peine perceptible, la branche ouest de la Dead, donnait accès à une chaîne de sept lacs aboutissant à la hauteur des terres, elle-même séparée du lac Amaguntik par un portage de quatre ou cinq milles.

Un homme de l'équipe de Morgan avait été tué par la chute d'un arbre et un autre, Warner, blessé. Et Arnold apprenait de plus en plus de cas de dysenterie. En fait, l'armée comptait une dizaine de malades. Le colonel ordonna la construction d'une cabane pour héberger les mal portants et qu'utiliserait Senter à son arrivée. La compagnie du capitaine Goodrich s'y employa toute la journée du douze, une journée de soleil frais. On baptisa l'abri "Hôpital Arnold". Il fut demandé à Jacataqua et Burr d'y attendre la venue du médecin, l'Indienne susceptible de soulager les malades et peut-être de sauver des vies.

Elle se retrouvait maintenant en vue de l'enchanteur décor de chez elle puisque l'on était à quelques milles de l'extrémité est du grand lac de Natanis. Et cela la rendait particulièrement souriante avec chacun.

Un des soldats de Goodrich, Amos Bridge, fut le premier à devoir être hospitalisé. L'homme souffrait d'une vive diarrhée ainsi que de vomissements. Incapable de travailler, il arrivait à peine à marcher tant l'assaillaient le mal, la fatigue et la faiblesse combinées. C'est avec le frisson et d'incessants tremblements qu'il s'allongea sur son lit de branches de sapin pour y attendre l'arrivée du docteur que l'on escomptait pour les jours prochains. Le colonel demanda à Jacataqua de voir à cet homme et à ceux qui risquaient d'arriver avant Senter. Témoin de cette requête auprès de l'Indienne, Burr la laissa s'éloigner quand elle voulut aller quérir des plantes. Mais quand elle revint, au déclin du jour, il lui adressa de violents reproches au su et au vu des soldats :

–Par tous les diables de l'enfer, pourquoi autant de temps pour rapporter deux, trois insignifiantes poignées de branches ?

–Difficile... trouver, avoua-t-elle dans un sourire inquiet et coupable.

Les hommes de Goodrich étaient éparpillés, les uns sur le lac à pêcher, attrapant d'énormes truites saumonées, d'autres autour d'un feu de cuisson avec leurs prises grésillant déjà dans des poêlons, et le reste discutant par groupes de deux ou trois, assis sur des arbres tombés, laissés là en raison d'un surplus que la construction n'avait pas requis.

Le traitement que Burr faisait à Jacataqua répugnait à tous et à chacun. L'on acceptait les raisons invoquées par le colonel pour l'avoir mise sous la protection d'un civil tout en déplorant que son compagnon de voyage n'ait point été Matthias Ogden, l'autre volontaire, cousin de Burr, au lieu de ce faraud brutal.

Mais Burr cachait son jeu en présence du colonel. De plus, à cause de la semi-autorité qu'Arnold lui avait conférée sans trop y songer, il avait la menace facile. On ne le dénoncerait pas, mais gare à lui s'il venait à la battre : plusieurs avaient pris le mot.

Le mécontentement du jeune homme tenait à plusieurs raisons. Il n'avait pas le goût de manger de la farine et du porc à son repas du soir. Le pain dans les barils avait pris l'eau et suri, et les contenants avaient éclaté comme des cartouches jetées sur un feu. Ils étaient restés éventrés, disséminés tout au long de la Kennebec. Et Burr savait pertinemment que personne ne lui ferait de cadeau, pas même de poissons en surplus. Une bande de jaloux ! pensait-il de l'entière compagnie de Goodrich. Quant à pêcher lui-même, il n'avait aucune disposition pour cette activité.

À moitié accroché par la montagne ronde et la couronnant, le soleil dispensait encore des rayons rouges sur l'eau ainsi que dans cette clairière artificielle créée par les vingt-cinq bûcherons et constructeurs. Jacataqua restait là, interdite, les bras chargés de racines et branchages et les yeux d'un feu doux qu'y allumait l'horizon en flammes, devant son gardien à la lippe capricieuse et qui pleurait en lui-même sur les cris de son estomac vide.

–Faire bouillir... pour guérir soldat, fit-elle avec un regard interrogatif vers ce qu'elle transportait.

Burr ouvrit la bouche pour lui intimer l'ordre d'aller à la pêche d'abord, mais il dut se contenir, car se présentaient à elle deux amis du malade dont l'un dit :

–Notre feu est prêt. Il y a déjà de l'eau dans le chaudron. Qu'est-ce qu'il faut faire bouillir ?

Et il ajouta avec une pointe sarcastique à l'endroit du civil :

–Monsieur Burr... ne voudrait pas lui faire désobéir aux ordres du colonel de voir à la santé d'Amos, n'est-ce pas ?

–Cela va de soi, Festus Drake, et tel n'était pas mon dessein, répondit Burr en se mettant légèrement à l'écart.

Jacataqua le contourna, franchit la courte distance la séparant de l'hôpital. Elle se défit de son fardeau en le déposant le long du mur. Puis elle étala les végétaux avant que d'en choisir cinq qu'elle mit entre les mains de Drake en disant :

–Faire bouillir.

Les deux soldats tournèrent les talons, mais elle en retint un par le bras.

–Aider Jacataqua... ramasser gomme...

D'une écorce de bouleau, elle se fit un petit cornet puis elle dégaina son couteau pendu à sa hanche et entreprit d'inciser les bulles de résine des billes de la cabane. Le soldat l'imita. Drake revint et fit de même. À trois, ils en ramasseraient assez pour les concoctions de Jacataqua et même pour un gluau qui lui permettrait d'attraper des cailles.

Aaron Burr observa un moment puis il fit demi-tour, résigné à se contenter de farine et de porc salé, ce qu'il aurait de toute façon mangé à moins que l'Indienne n'ait été là pour lui trouver meilleure nourriture.


À un mille à l'ouest, à son camp, Arnold confia une seconde mission au lieutenant Steele, celle de se rendre cette fois jusqu'à Sartigan pour s'enquérir des sentiments des habitants canadiens et pour les rassurer, ne doutant plus qu'ils devaient savoir leur venue par Natanis. Et il doubla cette mission en ordonnant l'exécution de celle confiée six jours plus tôt à Enneas, Sabatis et Jakins.

Alors même qu'ils se mettaient en marche avec le courrier à destination d'un marchand de Québec qui ferait suivre une lettre à Schuyler, le colonel résuma son entreprise jusqu'à ce jour dans une lettre adressée au général Washington. Elle partirait une heure plus tard par quelqu'un retournant en arrière à destination de Cambridge.

*"A son Excellence. le général Washington,*

*Qu'il plaise à votre Excellence,*

*Une personne descendant la rivière offre la première opportunité qu'il me soit donné d'écrire à votre Excellence depuis que j'ai quitté Fort Western, lieu depuis lequel nous avons eu grande fatigue. Les hommes en général peu au fait des bateaux ont été forcés de les remorquer et de les haler sur plus de la moitié du parcours. La dernière division vient juste d'arriver ici au second portage entre la Kennebec et la Dead River. Trois divisions ont franchi le premier portage et les hommes ont bon moral. Nul doute que nous atteindrons la rivière Chaudière dans huit ou dix jours, les plus grandes difficultés étant, je l'espère bien, traversées. Il nous reste pour plus de vingt jours de provisions pour tout le détachement qui est de neuf cent cinquante hommes valides. J'avais dessein d'en faire l'exact décompte, mais je dois surseoir jusqu'à notre arrivée à la Chaudière. J'ai ordonné au commissaire d'engager des gens familiers avec la rivière afin de faire suivre des provisions (cent barils) qu'on laissera à la Great Carrying Place afin d'assurer notre retraite. Les dépenses encourues seront considérables mais puisqu'il est question de la vie et de la liberté d'hommes aussi braves, je crois que cela en vaut la peine, et si nous réussissons, les provisions ne seront point perdues.*

*Je n'ai aucune intelligence du général Schuyler et du Canada et n'en attends point avant d'avoir atteint l'étang de la Chaudière (lac Amaguntik) où un détachement d'éclaireurs me reviendra ce qui me permettra de planifier la suite de l'expédition...*

*Votre Excellence pensera peut-être que nous sommes en retard dans notre marche, mais il faut considérer la mauvaise construction et le poids des bateaux, la grande quantité de provisions à transporter et l'impétuosité de la rivière où nous aurions pu prendre les hommes pour des animaux amphibies tant ils durent marcher dans l'eau. Malgré la grande fatigue des portages, j'ai poussé les hommes le plus vite qu'ils pouvaient aller. Officiers et soldats ont généralement agi avec vaillance et bon esprit.*

*Je suis avec le plus grand respect,*

*Excellence, votre obéissant et humble serviteur,*

*B. ARNOLD*

## Sartigan

Depuis son étrange rencontre avec Enea, Jean était resté songeur. Cela datait de cinq jours et il ne l'avait pas revue. Ses parents aussi se demandaient pourquoi elle n'était point reparue, pas plus que les deux autres. Les Bernard s'étaient entendus pour n'en souffler mot devant leur fils. Si le Seigneur avait la volonté de les réunir, il trouverait lui-même le moyen. Et pourtant, ce jour-là, Marguerite n'y tint plus, autant pour elle-même que pour Jean et elle se rendit au village où elle discuta longuement avec Natanis et Front-Brisé.

Au milieu de l'avant-midi, elle revenait à la maison, accompagnée de l'adolescente abénaquise. Jean, qui en était à sa dernière journée de labour, les vit revenir dans le champ d'abatis qui séparait leur ferme du village. Une chaleur agréable se mit à tourbillonner au creux de sa poitrine.

Elles se rendirent sur le pont de la grange, devant les portes ouvertes. À l'intérieur, Joseph battait du blé avec un fléau.

–J'ai ramené ma petite Sauvage, fit Marguerite, le regard ébloui.

–Je le savais que tu réussirais, sourit l'homme assis.

Il n'aurait pas pu travailler debout, et on lui avait apporté une chaise.

–Comment c'est que va ta jambe ?

–Je me lève des fois, pis je marche. C'est moins raide un peu qu'hier.

–Pourquoi frapper les épis ? demanda soudain Enea à la grande surprise des Bernard qui s'échangèrent un regard de bonheur.

–C'est pour faire tomber les grains, tu vois.

Elle s'approcha de Joseph qui lui montra du bout de sa botte des amoncellements de graines sur le plancher.

–Tiens, essaye, dit-il en lui tendant le manche du fouet.

La première fois, le bâton batteur retomba mollement sur les gerbes étendues; mais à la seconde reprise, elle fit tournoyer habilement l'instrument qui frappa comme il se devait. Et les grains grêlèrent. Et elle continua tandis que les époux se parlaient. D'arrache-pied, tant que Marguerite ne vint pas lui arrêter le bras.

Elle occuperait le coin voisin de la cheminée, chambre des Bernard avant l'agrandissement et qu'ils occupaient encore l'hiver. On l'installa. Un lit à fonçure de bois recouverte d'une moelleuse paillasse bourrée également de bout en bout et joyeusement bruyante. Marguerite lui fit essayer la couchette, demanda comment elle s'y sentait.

–Comme... sur de l'eau... quand je... prendre... prends mon bain.

–Je vas te donner une jaquette; comme ça, tu pourras laver ta robe le soir pis la faire sécher toute la nuit devant la cheminée.

La femme se rendit dans sa chambre et en revint avec le crucifix qui lui avait été envoyé par Mère de la Nativité de la part de Sainte-Barbe, une croix de bois usé par le temps avec un christ buriné au corps d'argent décapé ici et là.

–Tiens... c'est pour toi. On va l'accrocher là, à la tête de ton lit.

Avant, Marguerite déposa le crucifix sur la paillasse blanche puis s'agenouilla en disant :

–On va faire une prière... pour remercier le bon Dieu de t'avoir ramenée à Sartigan. On va prier comme quand tu venais à l'école. Tu te rappelles quand t'étais petite ?

Souriante, l'Indienne se mit à genoux à son tour. Elle fut la première à faire son signe de croix, mais sans dire les mots qu'elle avait oubliés. Alors Marguerite lui sourit avec bienveillance et lui fit reprendre le geste avec la prière appropriée, et lentement :

–Au nom du Père...

–Au nom du Père...

–...et du Fils...

–...et du Fils...

–...et du Saint-Esprit...


Lorsque Jean rentra, Enea veillait à tourner la broche de la cheminée sur laquelle achevait de cuire un gigot d'agneau. Elle demeura à croupetons, le visage à la gaieté comme celui d'une fillette ayant tout juste reçu un miroir... ou une boîte à musique. Lui resta sans bouger, sur le pas de la porte, le visage grave, le coeur qui lui piquait les yeux. Sa mère le fit exprès pour ne pas intervenir à l'instant, se plaisant à constater le revirement de situation par rapport à six jours plus tôt quand il était arrivé et que la famille sauvage se trouvait à l'intérieur. Il avait souri, salué, accueilli presque dans l'exubérance, tandis qu'Enea était restée figée dans de la glace et des sentiments qu'elle ne comprenait sans doute pas. Et voilà qu'il donnait l'air d'un Indien timide dans ses longs bras ballants, bouche bée devant une jeune fille qu'on eût cru née auprès de ce feu qui lui dansait tout autour du sourire. Et Marguerite restait debout à brasser farine, lait et gras. Elle finit par dire avec une moue narquoise :

–Enea va vivre avec nous autres pour un bout de temps. Un mois ou deux... tant que Natanis restera à Sartigan. Quand c'est que Jacataqua arrivera, on va la prendre elle itou avec nous autres.

Jean ne trouva qu'un mot banal à dire simplement :

– Bienvenue !

Mais la Sauvage ne comprenait pas ce mot. Elle chercha dans son regard une lueur indiquant qu'il était content de la voir et de savoir qu'elle resterait. Il fit des gestes embarrassés de la tête, des mains, bredouilla :

–Ça sent la bonne viande... Savez-vous, la mère, j'ai fini ma planche... soit donc tous mes labours pour cette année.

–Elle va coucher là, à notre place d'hiver, dit Marguerite.

–Je vas pouvoir commencer le bois de chauffage pas plus tard que demain matin.

–De quoi c'est que t'en penses ?

–De quoi ?

–De voir Enea avec tout nous autres ?

–Qu'elle va être mieux icitte que dans une cabane du village, c'est certain...

## Sauvagerie

Dans les neuf jours suivants, la progression de l'armée fut d'une lenteur désespérante. Retards de mille sortes. Arrêts de divisions pour donner du répit aux hommes écrasés par les bateaux et les provisions à transporter entre les lacs. Marais. Ravins. Forêt dense demandant un temps infini aux hommes de hache qui effardochaient, plaquaient, abattaient les arbres les plus nuisibles à l'avance des porteurs.

Au passage du grand lac de Natanis, Arnold leva son drapeau comme quelqu'un qui eût pris possession des environs. L'un de ses officiers, impressionné par la hauteur de la montagne, l'escalada avec un petit détachement, espérant y apercevoir la hauteur des terres et le lac Amaguntik. On donna son nom à la montagne : Bigelow.

Pour décupler les problèmes, une pluie glaciale et drue se mit à tomber le dix-neuf. Elle diminuait d'intensité, reprenait, se calmait à nouveau : un ciel détestable et visiblement ricaneur mais qui permit en fin de compte, à cause de la lenteur forcée de la progression, à toutes les compagnies de se retrouver à peu de distance l'une de l'autre sur la branche ouest de la Dead River.

Celle de Morgan avait repris la tête et celle d'Enos fermait la marche.

En fin d'après-midi du vingt et un, sur les cinq milles le long de la Dead où s'échelonnaient les compagnies, peu d'hommes étaient visibles. La pluie poussée par des bourrasques violentes frappait les arbres dénudés, cherchait à les noyer, en tordait le faîte, en étirait la tête. Placé du côté ouest de la rivière, un observateur n'eût pu apercevoir qu'une grisaille lourde s'abattant sur le cours d'eau et sur l'autre rive, laissant parfois passer entre les pans de pluie l'image d'une tente accrochée, agrippée à la terre détrempée.

L'une d'elles était occupée par les trois couples de l'expédition, les Grier, les Warner et les Burr. Ce regroupement s'était fait quelques jours auparavant à l'instigation du jeune volontaire après le départ de l'hôpital Arnold. Ainsi, il n'aurait pas à surveiller Jacataqua sans arrêt, de crainte qu'elle ne tombe entre les bras d'un soldat. Car il désirait s'acquitter au mieux de sa mission pour bien paraître aux yeux du colonel qu'il détestait pourtant souverainement.

Warner était sévèrement blessé à la jambe. À l'hôpital Arnold, le docteur Senter avait parlé d'amputation. Warner s'était relevé, remis sur ses béquilles et sa misère en disant : "La liberté ou la mort ! Un homme amputé n'est plus un homme libre et ne pourra jamais le redevenir."

Jacataqua aurait pu aider à la réduction de l'enflure qui entourait la cheville noire, mais l'homme refusait tous les soins. Et chaque jour, il s'encourageait de voir que le mal, même s'il ne diminuait pas, ne semblait pas empirer non plus.

Au déclenchement de ce déluge, ce n'était pas lui pourtant qui se plaignait et gémissait, mais Aaron Burr qui levait le nez d'écoeurement sur des lamelles de porc qu'il lui eût fallu avaler crues. Car il n'était pas possible de faire du feu sous la tente à moins d'asphyxier ou de percer le toit pour alors donner prise au vent et voir se déchirer la toile de part en part. Il fallait donc manger froid ou bien jeûner.

L'intérieur a été divisé en trois parties. Celle du fond a été attribuée aux Warner. Jemima, jeune femme *"d'une grande beauté et d'une force peu commune"* avait soutenu son mari jusque là. Moralement plus encore que physiquement. Elle l'occupait sans arrêt par des bavardages émaillés de souvenirs et de projets, lui faisant suivre l'évolution de la conduite de Burr envers son Indienne, l'entretenant du colonel et de ses courses incessantes d'une bout à l'autre de l'armée pour fouetter les courages en montrant la victoire à bout de bras.

Au centre, les Grier, plus éclairés par les deux lanternes disposées à chaque tiers de la tente. Une femme grande, grosse, dure. Il lui arrivait de jeter un regard sévère à l'endroit de Burr en ayant l'air de dire : "Jeune homme, si je t'attrape au collet, je vais te soulever et te pendre au bout de mes bras." Eux avaient mangé de la fleur et du porc. Et ils se parlaient maintenant de la Pennsylvanie.

À plat ventre, Burr écartait parfois les rebords de toile de l'ouverture pour regarder ces murs d'eau se heurter, se contorsionner, mitrailler avec rage la surface rendue furieuse de la rivière. Il eût aimé le spectacle sans cette faim désagréable qui lui parlait de façon si bruyante par d'interminables borborygmes.

Assise sur son lit de branches humides heureusement enterrées par les six couvertures de Burr et l'une des siennes, Jacataqua observait son compagnon, le regardait avec affection et dévotion. Ainsi l'épiait son petit chien couché, aux yeux nerveux mais domptés par la mauvaise humeur de ce nouveau maître. Elle savait que le jeune homme avait faim : il avait été si hargneux à son endroit depuis une heure. Elle restait immobile, attendant que la pluie se fasse moins violente.

Lui se lassa de voir l'orage et se rejeta en arrière sur la couche, le visage tourné vers le mur de toile. Il se rappela les copains de l'école Tapping Reeve de Litchfield, Connecticut, qu'il avait quittés pour se rendre à Cambridge le jour suivant celui de la bataille de Lexington. Il regrettait le confort douillet d'alors qu'il avait troqué pour une grande vibration patriotique dont le prix à payer lui laissait maintenant dans la bouche un arrière-goût de cendre. Et il se vidait sur l'Indienne de ses frustrations et du fiel de son caractère. Une demi-heure plus tard, quand il rouvrit les yeux, il était seul dans son coin.

–Où est la sauvagesse ? demanda-t-il aux autres.

–Sortie, déduisit le sergent Grier à ne point l'apercevoir.

Lui pas plus que les autres n'avait vu partir Jacataqua tant elle s'était faite discrète en quittant.

–Pourquoi l'avez-vous laissée partir ?

–C'est toi, son gardien, Burr, pas nous autres, dit Grier.

–Chacun ne devrait-il pas faire sa part dans cette tente ? protesta Burr.

Il craignait que Jacataqua ne se soit enfuie pour ne plus revenir. Il avait le sentiment confus d'avoir été particulièrement odieux envers elle et il se disait qu'elle avait pu retourner à sa cabane près du lac, auquel cas il ne pourrait pas aller la reprendre, la distance ne le permettant pas. Et puis avec ce temps...

–Tudieu ! de tudieu ! ne cessa-t-il de maugréer en déliant la corde qui attachait le bas de la porte de toile à un pieu ancré.

Dehors, la même pluie épaisse...

Il songea qu'elle avait peut-être cherché refuge sous une autre tente et cela l'irrita au plus haut degré. Et tombent ces innombrables clous plaquant, traquant l'armée au sol, mais ne réduisant pas ces maudits sauvages à l'inaction. Et qu'elle reste avec les autres si elle s'y trouvait : il saurait bien la récupérer au matin. Et la punir sévèrement pour sa désobéissance !

Il continua longtemps de regarder dans le vague et l'inutile lorsque soudain, il l'aperçut qui revenait lentement, penchée au-dessus de quelque chose, son chien tournant autour. Elle émergeait de la forêt et semblait traîner un objet. Ou plutôt le pousser... En fait, elle soulevait une bête avec un bâton, la rejetait en avant, recommençait pour ainsi la faire rouler en direction de la tente.

–Qu'est-ce que tu fais là, la sauvagesse ? lui cria-t-il.

Elle ne répondit pas pour n'avoir rien entendu et poursuivit sa marche. Le sergent Grier se rendit à la porte, la vit. Il s'exclama à l'intention de sa femme :

–Pardieu ! l'Indienne a tué un porc-épic et voici qu'elle nous le ramène.

–Un porc-épic ! s'écria Burr, visage grimaçant.

–C'est la seule bête comestible que l'on puisse tuer avec un bâton.

–Mangeable ?

–Oui.

Par le fait de traîner ainsi la bête, la jeune fille avait pu lutter contre l'extrême froideur de cette pluie diluvienne qui la traversait jusqu'à l'os. Elle avait sa grande couverture, sa robe, son corps, son âme, tout ce qui s'appelait Jacataqua, chair et coeur, trempé, dégoulinant, mais satisfait. Son compagnon et les autres de la tente se régaleraient bientôt.

Parvenue à trois pieds de la porte, elle s'arrêta pour coincer la bête, ventre en l'air, entre deux pierres. Puis, sous les yeux courroucés de Burr et ceux émus des Grier, elle plongea sa lame dans la peau. Par quelques gestes habiles, elle écorcha la bête puis l'éviscéra. Et enfin, elle leva la carcasse à bout de bras et la laissa se laver de son sang par l'eau du ciel, après quoi elle rentra.

—Qu'est-ce que tu veux qu'on fasse avec ça ? demanda le jeune homme à la voix noire.

—Manger.

—On n'est pas des mangeurs de viande crue, nous autres. C'est bon pour les sauvages, ça !

—Dis-lui donc merci, Burr, au lieu de lui faire des reproches, grommela la femme Grier.

—C'est pour son bien que je la gronde. Regardez-la, elle va prendre une pneumonie.

—Au lieu de bûcher sur elle, aide-lui donc à se déshabiller et à se faire sécher.

Et la femme Grier accourut auprès de Jacataqua tandis que son mari prenait la carcasse et la mettait sur un morceau de toile posé au sol. Ensuite, pour le plus grand bonheur de l'Indienne, il décrocha une lanterne, mit la flamme à découvert, en soulevant le chapeau métallique, disant :

—On va la faire cuire, la viande, morceau par morceau. Ça va donner des forces à Warner... et à toi aussi, Burr.

—Un Blanc qui se respecte mange pas de ça !

—Tant pis pour toi : ça va en faire plus pour les autres.

Mais Burr finit par prendre aussi sa part de hâtelettes... En fait plus que sa part tant la chair était tendre, juteuse et odorante.

–Que diable se passe-t-il ici ? s'écria Arnold en se réveillant les deux pieds dans l'eau.

La toile de sa tente était battue par un clapotis qui en disait long sur ce qui pouvait se passer dehors. Il cria à son aide couché plus loin. Oswald se réveilla alors que le colonel ouvrait la porte. La moitié de la surface intérieure était envahie par l'eau, mais dehors, la terre entière paraissait noyée.

Il pleuvait toujours, d'une pluie tranquille cependant, et l'aurore permettait de voir la Dead répandue partout devant. Son autre rive se situait maintenant à flanc de colline à pas moins de douze arpents. Et l'eau coulait rapidement, charriant des troncs d'arbres, des barils, des planches et jusqu'à des embarcations entières.

–Dieu du ciel ! Oswald, il nous faut vider les lieux et sans tarder, sinon nous allons nous retrouver à Fort Western ce jour même, emportés là-bas par le flot.

Déjà habillés, les deux hommes prirent leurs petits objets personnels qu'ils enroulèrent dans leurs couvertures et ils évacuèrent la tente. D'autres, plus haut et plus bas, faisaient de même.

–Dieu veuille que tous les hommes soient sains et saufs ! soupira Arnold quand ils eurent atteint une hauteur d'une dizaine de pieds par rapport à l'eau.

Son voeu était exaucé. Mais ce déluge rendait alarmante la situation pour l'armée entière. Le niveau de la rivière avait monté de huit pieds. Il devenait difficile voire impossible en certains endroits de reconnaître la bonne direction. Une compagnie perdit plusieurs bateaux, des fusils et des provisions. Meigs et ses hommes virent disparaître six bateaux, des barils de farine et de porc, des mousquets, des vêtements et des espèces sonnantes.

Le jour même, Arnold dépêcha une centaine d'hommes du colonel Greene vers l'arrière et la division d'Enos pour aller quérir de nouvelles provisions. C'était la seconde fois en moins d'une semaine qu'il fallait faire appel aux surplus.

Et il tint un conseil de guerre au cours duquel il fut décidé de retourner les malades et les affaiblis auprès du colonel Enos qui devrait leur donner des compagnons d'escorte ainsi que des vivres pour trois jours afin de leur permettre d'atteindre au moins Norridgewock.

Deux jours plus tard, Enos tint lui-même un conseil de ses officiers auquel assistaient aussi le docteur Senter de même que le colonel Greene. Les arguments fusèrent de part et d'autre, tombèrent aussi dru que la pluie des derniers jours.

"C'est nous autres qui avons la plus grande part du cargo à transporter," dit le capitaine Williams.

"Seuls les malades et les timorés abandonnent," cria Greene comme pour toute l'Amérique.

"Le pire est traversé; Québec nous tombera dans les mains comme un fruit mûr," soutint Bigelow.

"Dans une semaine ou deux, ce pays sera peut-être enseveli sous la neige," opposa le capitaine McCobb.

"L'ordre de retourner ne peut émaner que du colonel Arnold d lui-même," argua Enos.

"Arnold n'est pas ici pour pouvoir juger sainement de notre situation. Nous avons le poids des approvisionnements, le poids des malades et le poids de ces maudits bateaux," s'écria le capitaine Scott.

"Un médecin ne démissionne jamais : je poursuivrai en avant," fit savoir Senter.

Les capitaines Topham, Thayer et Ward se rangèrent de l'opinion de ceux qui désiraient continuer. D'autres votèrent pour le retour.

Malgré son vote, Enos décida de s'en remettre non pas au choix de la majorité, mais à la volonté expresse de chacun. Ceux qui voudraient aller de l'avant pourraient le faire.

(De toute manière, il n'avait pas autorité sur les hommes de Greene.) Et les autres eurent liberté de rebrousser chemin pourvu qu'ils assurent le retour de tous les invalides. Pour cela, ils exigèrent la grande part des provisions, ne laissant aux autres que deux barils et demi de farine.

Ce mercredi, Arnold, bien qu'il ignorât encore la défection des gens d'Enos, dépêcha à Sartigan cinquante hommes conduits par le capitaine Hanchet afin de rapporter au plus vite des provisions. Et lui-même prit la décision d'accélérer sa propre avance.

Lors d'un portage, son groupe dépassa celui de Burr et des femmes. Il aperçut Warner qui avançait difficilement, soutenu par sa femme et, à l'occasion, par les Grier.

Du pied d'une pente rocailleuse, il leur cria de s'arrêter. Il parvint à eux par grands pas solides et alors apostropha le blessé :

–Monsieur, ordre fut donné que les malades et les blessés soient ramenés à Fort Western. Que faites-vous ici ?

–Monsieur, fit Warner, ainsi que vous le dites, ordre fut donné que les blessés soient ramenés mais personne ne l'a fait dans mon cas comme vous pouvez le constater.

–Il a refusé de partir, intervint Burr pour répondre au regard interrogateur du colonel.

–Je n'en ai jamais reçu l'ordre, soutint Warner.

–Vous vous êtes glissé entre les mots, monsieur, dit Arnold.

–Non pas entre mais sur les mots. Je n'aurais pas désobéi à un ordre reçu... et c'est pourquoi j'ai voulu poursuivre ma route, dit le blessé avec une lueur maligne au fond du regard.

–Mais vous avez plutôt l'air mal en point, dit le colonel en pointant le pied enveloppé dans une grosse torsade de tissu de laine.

–Cela ne peut que s'améliorer.

–Ou bien vous tuer.

–C'est bien ce que je dis : dans un sens ou dans l'autre, ça ne peut que s'améliorer.

–Pourquoi n'attendez-vous pas le docteur Senter ?

–Pardieu ! ce boucher a parlé de me couper la jambe. Là où ira ma jambe, monsieur, James Warner ira aussi.

–Je dois vous donner l'ordre de retourner en arrière; autrement, ce serait vous laisser courir tout droit à la mort.

–Monsieur, je vous en prie, le devoir et l'honneur m'ordonnent de poursuivre mon chemin. Colonel, à ma place, vous iriez en avant, et rien ne vous arrêterait.

Arnold hésita un moment, chose qui ne lui arrivait guère. Sûrement qu'il ne reculerait pas, lui, pour une blessure supportable : mais il avait le sentiment que cet homme ne pourrait pas s'en tirer. Alors il s'adressa à Jacataqua restée en retrait des deux groupes :

–Tu peux le soigner ?

–Lui... pas vouloir...

Il dit à Warner :

–Si vous acceptez ses soins...

Warner regarda au ciel. Arnold insista :

–Elle a guéri Amos Bridge de la compagnie de monsieur Goodrich. Si vous acceptez ses soins, je vous laisse poursuivre.

Warner acquiesça d'un signe de tête.

–Mesdames, messieurs, je vous salue, fit le colonel en reprenant sa marche vigoureuse.

Au bout de trois pas, il se retourna soudain pour adresser un dernier mot à Warner :

–Monsieur, peut-être qu'à la fin de cette expédition, l'on pourra dire de vous que vous avez été le soldat le plus courageux de cette armée... Quant à moi, je le pense déjà.

–Merci, colonel ! murmura Warner, ému.

## Sartigan, seconde quinzaine d'octobre

Chaque jour, chaque heure, chaque minute de sa vie depuis son arrivée chez les Bernard, Enea s'appliquait à s'instruire. Tout la passionnait. Elle s'abreuvait au moindre geste qu'elle tâchait d'imiter, comme si elle eût gardé jusqu'à ses seize ans toutes les capacités d'apprentissage de sa première enfance. Et Marguerite ne parvenait jamais à la fatiguer, à la rassasier.

Elle apprit tout les secrets d'un feu de cheminée : feu de cuisson lente, flamme vive, comment tisonner, ajuster le tirant d'air, actionner le soufflet, choisir ses bûches, les disposer sur les chenets, ne point se brûler avec les anses des chaudrons, se méfier des escarbilles qui vous trouent un vêtement sans avertir...

Marguerite lui montra à pétrir la pâte à pain, à utiliser le four extérieur autant que celui de la cheminée, à se servir de la baratte et des moules à beurre. Elle lui fit quérir de l'eau de la rivière à l'aide de deux grands seaux de grume fixés à une palanche accrochée aux épaules.

Un après-midi, elle conduisit sa protégée chez les Maheux où il y avait une corvée de courtepointe. La Sauvage se sentit dans un monde féérique comme celui où la transportait sa boîte à musique, de voir tant de femmes blanches qui se parlaient et riaient autour de couleurs aussi neuves et brillantes réunies fil par fil sur un même morceau de tissu. Ses oreilles bourdonnaient de les entendre parler de cardage, de filage de la laine, de brayage du lin, de teintures.

Ah ! là, elle en savait plus que les femmes blanches. Elle

connaissait l'origine de maintes couleurs : le muguet pour le vert doré, la sanguinaire pour le rouge foncé, la douce-amère pour l'orange brunâtre, la fleur de citronnelle pour le rose, la racine de caille-lait pour le brun rouge, le sumac pour l'orange, le raifort pour le jaune, la mûre pour le violet, l'écale de noyer noir pour le brun... Elle les savait, ces plantes, les voyait toutes dans sa tête, mais n'en connaissait point les noms et c'est pourquoi elle se tut sur le sujet comme sur tous les autres.

"Si tu restais tout l'hiver avec nous autres, je te montrerais à tisser, à filer la laine, à faire des bougies  Tiens, on va en faire demain, des chandelles. Pis à faire du savon..."

Enea s'attrista quand Sabatis apparut à Sartigan le jour d'après la venue des premiers soldats. Elle crut qu'il faudrait maintenant repartir. Mais Sabatis et Enneas passèrent leur chemin tout droit pour aller à Québec. Jakins, leur compagnon blanc, fit le tour des maisons pour parler des intentions bienveillantes des Américains. Il fit de même chez quelques citoyens éminents des autres paroisses blanches. Puis avec le lieutenant Steele, il retourna vers l'armée.

Marguerite fut à même de se rendre compte du grand bagage de connaissances que la jeune fille possédait. Elle savait tout du maïs, pouvait le moudre, en faire du pain, ou des crêpes, ou un breuvage chaud ou même une poupée en se servant de l'épi comme base et du reste, robe végétale et grains, pour l'habiller. Potirons et champignons ne pouvaient rien lui cacher. Séchage du poisson, préparation du pemmican, fumage de la viande : toutes ces choses la connaissaient, elle comme d'ailleurs toutes les femmes indiennes butineuses comme des abeilles.

Ce soir du vingt-huit octobre d'un samedi frais et sec qui avait été clair toute la journée, Marguerite entreprit de faire la silhouette de la jeune fille. Ce matin-là, Jean était allé dans le bois d'où il avait rapporté deux immenses écorces de bouleau qu'il a fixées sur des cadres faits de branches de merisier laissées apparentes.

À la brunante, après les travaux de fin de repas, elle fit asseoir Enea au bout de la table sur laquelle se trouvait une bougie allumée. On éteignit les lanternes. Une couverture fut tendue devant la flamme vacillante de la cheminée. Et le premier cadre fut mis en place sur un chevalet de fortune.

Assis, le pied accroché haut à l'échelle qui donnait accès à l'attique, Joseph fut profondément troublé par cette ombre qui s'était profilée dans son sang vingt ans plut tôt et y vivrait à jamais. Elle était là, la même, si pure... si neuve... si lointaine.

Jean fumait la pipe, installé à califourchon sur une chaise dont le dossier lui servait d'appui-bras. Il sentait un appel au mariage remuer toute sa substance. Chaque jour, chaque nuit, il a dû se battre contre le désir de se fondre en elle et cela le bourrait de remords de conscience. Pourquoi donc arrivait-il si difficilement à mortifier sa chair ? Pourquoi toutes ses prières, toutes ses invocations lui valaient-elles un si médiocre résultat ? Ce qui gâtait encore plus le mauvais sang qu'il se faisait, c'était de penser à ce pauvre Porc-Épic tournant dans les parages pour voir Enea et qui n'y était guère parvenu par ses bons soins : chaque fois, il l'a reconduit au village ou bien l'a simplement renvoyé sous le prétexte le plus futile.

Marguerite savait la fascination exercée sur ses deux hommes par l'étrangeté des Sauvages. Si Enea devait s'en aller dans quelques jours, au moins en garderait-on la forme de l'esprit imprégnée noir sur beige dans l'écorce tendre.

Et trace, et trace à la plombagine les contours de l'ombre projetée ! Elle commença par la plume de perdreau fixée à l'arrière de la tête.

–Bouge surtout pas ! ne cessait-elle de répéter.

Mots inutiles, car la Sauvage eût pu tenir la pose pendant des heures. Quant aux hommes, ils ne s'arrêteraient pas de jacasser comme des pies en suivant la progression du travail.

—Enea, t'as pas peur de perdre un peu de ton esprit ? taquina Joseph.

Elle n'en avait pas la peur, elle en avait le désir, car c'était pour la laisser dans cette maison aimée, cette part de sa personne.

—Enea, si l'esprit du mal s'empare de ta silhouette, il t'emportera en enfer, fit Jean pour voir si elle bougerait.

—Tu pourras dormir tranquille, Enea, fit Marguerite. La plombagine vient des Ursulines; j'ai mis de l'eau bénite aux quatre coins de l'écorce; pis toi, t'es la fille la plus pure du Canada. Ça fait que tu dois pas écouter Jean pis mon Zèphe qui veulent t'effrayer. L'autre silhouette, après la tienne, ça sera celle de Jean; je mettrai pas d'eau bénite sur le cadre. Ça fait que si le Malin veut s'emparer de quelque chose à soir, ça sera de son portrait à lui.

Jean éclata d'un long rire auquel il donna un effet sardonique intentionnel, mais qui ne manqua pas de l'inquiéter un peu lui-même dans cette pénombre mouvante qui dansa à son éclat.

"La fille la plus pure du Canada." Les mots se répercutaient comme en écho dans son âme. Il savait par sa mère que la Sauvage n'avait jamais connu l'homme, et cela décuplait son remords de la désirer autant sans en avoir le droit sacré. Heureusement qu'on avait dessein d'aller à la messe à Saint-François le lendemain. Il s'y confesserait, s'y laverait de sa propre concupiscence, renouerait pour toujours avec la sainte vertu.

Quand le tracé fut terminé, Marguerite le signala et mit son modèle au repos. Enea regarda avec un étonnement amusé et superstitieux ce contour d'elle-même qu'elle avait vu mille fois grâce à la surface de l'eau calme. Ce n'était pas comme de se voir dans un miroir. C'était aussi différent que de voir une montagne en plein jour comparativement à n'en apercevoir que la ligne de contour au coeur de la brunante puisqu'alors la montagne cessait de n'être qu'une chose pour devenir comme...comme un être vivant... endormi dans son imposante tranquillité.

–À toi, mon fils, asteur ! fit Marguerite en installant sur le chevalet l'autre écorce montée.

–Pourquoi moi ? Faites celle du père.

–Holà ! tu veux rire de moi ? dit sévèrement Joseph. Tuque ou pas tuque, moi, j'ai toujours l'air du diable lui-même. Ça fait que les silhouettes, hein...

Pour la millième fois, Jean avait oublié de penser au scalp de son père. Pour se racheter, il se rendit aussitôt à la chaise. La Sauvage se glissa lentement entre lui et la table. Il vit dans ses yeux un mélange de certitude et de dévotion qu'il ne parvint pas à départager. Bouleversé une fois encore par sa chaude présence, il prit place entre la flamme et l'ombre tandis que l'Indienne s'évanouissait furtivement dans l'obscurité voisine.

–Avec Enea, demain après-midi, je vas noircir le dedans des contours, dit Marguerite en se réinstallant sur sa chaise, et s'apprêtant à recommencer.

Mais avant même que la plombagine ne touche l'écorce, Enea revint, une bouteille opaque à la main. Dans des gestes solennels et muets, elle se mouilla les doigts à quatre reprises avec l'eau bénite et toucha un à un les quatre coins du cadre.


Sur la piste, en haut de la côte du Diable, au retour de Saint-François, dans leur charrette sans hayon tirée par leur cheval blond, les Bernard se parlaient du ciel et de la terre sans pour autant regarder ni vers l'un ni vers l'autre.

Le prêtre a conseillé de faire bon accueil aux Américains. Sur le siège de la conduite, Jean et Joseph en ressassaient les raisons. Des motifs sans grande utilité puisque leur coeur, de plus en plus, penchait du côté des rebelles.

À l'arrière, assises côte à côte sur la fonçure, envelop-pées chacune d'une couverture, Marguerite et la Sauvage s'instruisaient l'une l'autre. La femme blanche parlait de No-tre-Seigneur et l'autre du Grand-Esprit. Chacune emportait avec elle une bouteille remplie d'eau fraîche et fraîchement bénite par l'abbé Verreau à la chapelle Saint-François.

Pendant que Jakins et Steele retournaient vers Arnold, Sa-batis et Enneas, sur les conseils de Natanis, étaient allés re-mettre le courrier à Joseph Duval à Sainte-Marie. Puis ils étaient revenus à Sartigan avec le marchand et son collègue Stammrer, Quant aux lettres, Duval les a fait parvenir tout droit au gouverneur Carleton. Et ainsi, les Anglais entrèrent en possession de renseignements précieux sur les effectifs et mouvements de l'armée rebelle.

Arnold était trop avisé pour n'avoir point prévu l'éven-tualité d'une interception de courrier et c'est pourquoi il a donné des chiffres tout à fait erronés, parlant de ses deux mille hommes alors qu'il n'en disposait que de mille. Il s'était dit que pareille exagération pourrait clouer Carleton dans Qué-bec. Elle le servirait bien davantage, maintenant qu'il ne pou-vait compter sur guère plus de cinq cents soldats suite à la défection d'Enos.

### Sauvagerie, dernière semaine d'octobre

Au cours des journées du mercredi et du jeudi, Arnold et son groupe franchirent la chaîne des sept lacs par un temps difficile, mélange de pluie glaciale et de neige fondante sous un vent hargneux. Ils entamèrent le difficile portage de la hauteur des terres et *"dirent adieu aux eaux coulant vers le sud."*

Le jour suivant, fonçant à bride abattue, ils mirent derrière eux une 'prairie magnifique' sillonnée par une rivière capricieuse et bordée de collines feuille-morte. Ils y rencontrèrent Jakins ainsi que les détachements de Steele et Church. Les lieutenants portaient de bonnes nouvelles quant à l'esprit des habitants de Sartigan. En fin d'après-midi, on entrait enfin sur le lac Amaguntik. Après trois milles, à la vue d'une immense cabane indienne sur la rive ouest, il fut décidé de s'y arrêter pour dresser le campement. Le wigwam était désert; il n'était qu'une loge de service pour les Indiens nomades, et Natanis y avait passé une nuit au début du mois.

Le colonel pensa que l'endroit serait on ne peu plus favorable pour réaliser une jonction, soit d'y attendre le retour de Hanchet venu de Sartigan avec les approvisionnements, et le reste de l'armée qui arriverait dans les jours suivants de la hauteur des terres.

Après un joyeux repas pêché dans le lac, Arnold profita des quelques heures qui lui étaient données pour faire son second rapport de l'expédition à son général en chef. Il évoqua l'ampleur des difficultés, l'orage.

Au coucher du soleil, quelqu'un repéra la colonne volante du capitaine Hanchet qui, loin de revenir de Sartigan, était traquée sur une pointe de terre basse de l'autre côté du lac, à deux milles du camp, après s'être perdue dans les marécages

Il fallut maints aller-retour de bateaux pour la secourir. Et le capitaine qui avait été l'un des meilleurs hommes de confiance du colonel, se transforma, le poids de ses erreurs étant devenu celui de la frustration, en ennemi juré mais non encore déclaré.

Au matin du samedi, Arnold dépêcha en avant Steele et Church qui connaissaient maintenant le chemin de Sartigan et avaient donné d'excellentes preuves de leurs capacités, pour aller quérir de l'approvisionnement. Puis il envoya aux divisions de l'arrière une lettre d'instructions afin que ne se répète point la fâcheuse aventure de Hanchet. Il conseilla d'abandonner les bateaux sauf quelques-uns à garder pour les malades et donna les détails de l'orientation à suivre pour éviter les dangereux marais.

Lui-même se remit en route.

Entré sur la rivière Chaudière vers midi, son groupe fut bientôt aux prises avec des rapides qui coûtèrent trois bateaux et leur contenu de bagages, armes et vivres.

Le dimanche fut calme et permit de rapides progrès. Le soir, on campa à quinze milles de Sartigan.

## Sartigan

Arnold s'encourageait en passant devant l'embouchure de la Famine. Il se disait qu'il arriverait sans doute à recruter des Sauvages et des Canadiens pour combler le vide laissé par les départs et pour se renforcer sensiblement. Ces Français et Abénakis n'avaient-ils pas la réputation d'être les plus vigoureux et dangereux combattants de l'Amérique ? Le rat anglais ne pouvait pas leur avoir rongé le coeur. D'aussi vaillants hommes ne pourraient qu'être séduits par l'attrait de la liberté, eux sur qui la botte anglaise pesait depuis quinze ans. De plus, en les payant bien...

Cinq canots se suivaient à la file sur une rivière haute, encore gonflée par les pluies fortes de la dernière semaine. Neuf hommes dont deux Indiens. Les deux Sauvages dans le canot de tête. Deux soldats avec bagages dans le suivant. Arnold et deux pagayeurs dans le troisième. Puis Oswald et Jakins qui remorquaient une barque à bagages.

Le colonel voulut rencontrer des Blancs d'abord. Il ne devait point faire trop d'égards aux Indiens qui auraient voulu abuser en offrant leurs services à prix excessifs. Qu'ils viennent d'abord à lui ! Surtout que pour l'heure, le plus important consistait à acheminer les provisions qu'avaient dû se procurer Steele et Church, qu'au surplus, Hanchet et ses hommes le talonnaient de près. Il omit également de s'arrêter chez les colons et le seigneur anglais de la rive ouest, ses alliés les plus naturels lui paraissant être les Canadiens français. C'est donc à la première maison de l'autre rive qu'il choisit de payer sa première visite, en l'occurrence chez les Bernard. Par ces gens, il aurait sa propre idée de toute la situation. Il saurait le degré de sympathie à son égard, et on lui donnerait certainement des nouvelles de Steele.

Enea fut la première à voir venir les Américains. Il lui était arrivé de plus en plus souvent, ces derniers jours, de reluquer vers le sud par la fenêtre, non point par espérance mais par appréhension. Elle ne sentait pas sa soeur en danger, Sabatis ayant révélé qu'elle se trouvait avec l'armée.

Il était neuf heures du matin. On finissait de manger. Elle revint à table et, pour la première fois, parla sans aucune forme d'hésitation dans les mots :

–Des soldats de l'armée arrivent.

Marguerite courut à la fenêtre, dit :

–Neuf hommes. Y en a un avec un bel uniforme... ça sera un officier important.

–Viens t'asseoir. Comportons-nous comme d'accoutumance, conseilla Joseph.

Enea reprit sa place devant Jean : Marguerite retrouva la sienne. Les quatre occupants de la table attendirent en silence, les yeux agréablement troublés. Ce serait leur premier véritable contact direct avec les Américains, car Steele et Church, lors de leur première visite tout comme depuis leur seconde arrivée, étaient restés sur la Famine, au village indien où ils avaient campé. Et c'est chez Absalon Maheux qu'ils avaient commercé avec Duval et Stammrer.

La veille, Duval était venu acheter deux moutons. Il s'était procuré d'autres animaux plus loin. Toutes les bêtes ont été parquées chez Maheux d'où elles seront convoyées incessamment vers l'armée.

Les coups à la porte ne tardèrent point. Vu la marche lente de Joseph, ils eurent le temps de se répéter. C'était Jakins. Après s'être identifié, il dit :

—Le colonel Arnold, sollicite l'honneur de vous parler, monsieur.

Joseph regarda par-dessus l'épaule du visiteur. Il aperçut le profil de celui dont l'uniforme bien ordonné et d'une totale élégance ne pouvait que confirmer le grade. Il lui sembla voir une silhouette tracée par Marguerite tant son contour de visage était taillé au couteau. Le menton volontaire, les lèvres légèrement roulées et un nez long, mais pas au point de défigurer le personnage. Et cet oeil... si farouchement déterminé, et qui s'enfonçait dans son interlocuteur comme une vrille ! À n'en pas douter, un homme de substance, racé.

—Qu'il soit le bienvenu dans mon humble demeure ! Faites-le entrer, monsieur, avec tous ses compagnons. Les Sauvages itou.

—Nous ne serons pas longtemps, fit Jakins, homme au milieu de la trentaine, au visage rond et bienveillant.

—Le temps que vous voudrez.

Jakins répéta en anglais ce que Joseph venait de dire. Heureux de l'accueil, le colonel ôta son tricorne et s'avança en disant :

—I am Benedict Arnold from Connecticut. We come to restore liberty to our brethren of Canada.

Jakins traduisit. Joseph tendit la main.

–Bienvenue chez nous, monsieur !

Le colonel serra la main dans un geste sec. Puis il remit son chapeau puisque son hôte ne daignait pas ôter son bonnet. Et il entra suite à Joseph, curieux de le voir traîner sa jambe aussi misérablement. Seuls Jakins et Oswald l'accompagnèrent à l'intérieur. Le secrétaire referma la porte et resta là comme en sentinelle. Le colonel s'arrêta après trois pas, souriant à la tablée. À chaque occupant que le maître des lieux lui présenta, il souleva son chapeau et fit un léger hochement de tête. Joseph mit fin aux présentations par lui-même :

–Et je suis Joseph Bernard de L'Islet, dit-il avec la même détermination que le colonel avait mise dans sa voix l'instant d'avant pour se présenter lui-même.

–Pourquoi pas faire entrer les autres ?

Jakins répéta que la visite serait de courte durée. Alors Marguerite proposa de faire porter du lait et des galettes à ceux restés dehors et par la même occasion, offrit le même traitement à ceux de l'intérieur.

–You will be well paid, dit le colonel.

Ensuite, il fit transmettre par Jakins son plaisir de voir une maîtresse de maison aussi agréable à regarder et qui lui rappelait tant toutes ces dames de la bonne société de Québec qu'il avait eu l'occasion de connaître lors de ses nombreux séjours dans cette ville.

Marguerite rougit de plaisir confus de se sentir frappée par une fleur aussi inattendue et directe. Et le regard du colonel la subjugua. Une fois encore, le charme de Benedict Arnold produisait ses effets sur le beau sexe. Enea qui ne connaissait pas la jalousie, sourit pour sa mère blanche.

Le visage de l'Indienne troubla davantage le coeur du soldat, mais il se garda de le laisser paraître. Il se pencha, passa la main par-dessus la table.

–Jean Bernard, dit le colonel à la française, car il pouvait répéter dans cette langue un mot entendu, les noms des personnes surtout qu'il avait grande habileté à retenir.

Le jeune homme se leva et tendit la sienne. Et Jakins lui dit de la part du colonel :

–Vous êtes bâti solide, monsieur : comme un vrai Canadien.

–Acadien, précisa Marguerite.

Elle n'eut aucune pensée pour John Winslow, mais Joseph y songea, le temps d'un voile sur son regard.

On fit asseoir le colonel et son interprète. Joseph insista pour que le secrétaire vienne aussi. Finalement, les cinq hommes se retrouvèrent à table. Arnold enleva son couvre-chef qu'il déposa sur le meuble derrière lui. Ce qui donna à penser à Joseph de justifier le port du sien pour la nième fois.

–Vous m'excuserez de garder ma tuque... c'est que je suis un homme scalpé.

Ils furent vite devant un bon gros repas du matin : lait, pain, galettes, beurre, fromage, oeufs durs. Et ces étrangers se parlèrent bientôt comme de vieilles connaissances. Joseph qui, par son bonnet, avait introduit son passé de milicien, le résuma, raconta ses blessures, ses batailles, la fuite de L'Islet.

–Tout bien réfléchi, c'est l'Angleterre, la source de tous vos maux, insista le colonel. Tout comme des nôtres par ailleurs, ajouta-t-il, l'oeil furibond.

Joseph sourit, dit doucement :

–Elle vous a aidés passablement durant la guerre de Sept-Ans.

–Mais c'était pour elle-même, pas pour nous, monsieur. C'était pour établir, agrandir son royaume, sa domination et à vos frais... Et aux frais de tous les Américains... vous... nous, fit Arnold exubérant et qui laissait peu de temps à Jakins pour traduire.

Enea eut charge d'assurer la navette de l'intérieur à l'extérieur afin d'y faire se sustenter les autres hommes. Elle apprit par les Indiens que Jacataqua serait là dans deux jours pas davantage.

Arnold se fit parler de Natanis, du chemin pour Québec, de Duval, de ses lieutenants Steele et Church, des sentiments des autres habitants. Sur tous les sujets, y compris le dernier, Joseph répondit sans hypocrisie. Il dit que les Beaucerons étaient prêts à vendre aux rebelles tout ce dont ils auraient besoin mais que personne n'avait l'intention de s'enrôler par crainte des représailles anglaises.

–Mais nous allons souffler les Anglais hors de ce pays ! s'écria alors le colonel.

–Je vous dis ce que j'en pense, monsieur, c'est tout.

Il y eut un moment de silence. Arnold pensa qu'il serait mal venu d'insister auprès d'un tel homme. Il dit :

–Monsieur, je vous en sais gré.

Puis il s'adressa à Jean :

–Et toi, jeune homme grand et fort, serais-tu prêt à te battre pour défendre ta liberté ? Et pour celle de ton pays ?

Transporté par la flamme du colonel, envoûté par son incroyable force morale, Jean fut sur le point d'acquiescer, mais Joseph intervint :

–Monsieur, nous autres, on a choisi d'être neutres. C'est ça, notre liberté !

Arnold sourit faiblement quand Jakins lui répéta les mots. Il avala ce qui restait dans sa tasse avant de dire à voix retenue :

–Je respecte votre choix, monsieur. Et je le comprends. Mon souhait est que vous ne le regrettiez jamais. Les treize colonies se libéreront du joug anglais, Pardieu ! elles s'en libéreront; et alors, peut-être nous envierez-vous si par malheur nous n'étions pas parvenus à laver l'Amérique, toute l'Amérique, de l'esclavage britannique.

–Si ça devait arriver, nous grugerons nos libertés morceau par morceau, d'une année à l'autre.

–D'un siècle à l'autre !

–D'un siècle à l'autre.

Ainsi se termina la partie proprement politique de l'entretien. Arnold donna l'ordre à son secrétaire de se faire accompagner des deux Indiens pour se rendre au village abénaquis afin de ramener Steele et Church, et si possible ce marchand Duval, personnage qui ne manquait pas de l'intriguer. Puis il obtint de Joseph la permission d'ériger son campement sur son terrain même.

–Si vos hommes veulent, ils peuvent coucher dans la grange. Pis on peut vous donner une chambre à vous-même dans la maison.

Le colonel leva les bras et hocha la tête pour opposer un refus poli. Avant de quitter, il fit savoir à son hôte qu'un de ses officiers, le capitaine Morgan, avait lui aussi combattu sur la Monongahéla, vingt ans auparavant.

–Qui sait, je l'ai peut-être déjà vu... au bout du canon de mon fusil, sourit Joseph.


Ce jour-là, le colonel organisa l'opération secours. Il envoya un messager rapide aux officiers du détachement pour les prévenir de la venue prochaine vers eux du lieutenant Church accompagné de monsieur Bernard (nom qu'Oswald orthographia Barrin) et de huit Canadiens français, qui auraient avec eux cinq cents livres de farine, cinq vaches, deux chevaux et deux moutons, toutes choses achetées à Duval et Stammrer à un prix assez élevé pour faire sourciller le colonel. Un second groupe comportant Sabatis et Enneas devait suivre dans l'après-midi.

Le monsieur Bernard dit Barrin du premier groupe était pour sûr Jean, que le colonel avait engagé pour seconder Church. Le jeune homme partit à cheval, grosse bête blonde et lourde, joyeux, un peu ému de participer à cette petite aventure de deux ou trois jours qui s'offrait à lui et à cette grande aventure de l'invasion du Canada. De plus, il serait bien rétribué.

"Voilà qui l'incitera peut-être à s'enrôler," s'était dit Arnold en le choisissant.

## Sauvagerie

L'armée connaissait déjà les heures les plus critiques de cette expédition. Un entier détachement dont les officiers avaient mal interprété les instructions du colonel, pataugeait depuis deux jours dans les marécages qui avaient emprisonné la compagnie de Hanchet. Ceux-là n'avaient plus de bateaux tout comme la majorité des suivants à qui le colonel avait écrit de les abandonner.

Puisqu'il ne s'agissait point d'un ordre impératif et simplement d'un conseil, le capitaine Morgan jugea bon d'exiger le transport de plusieurs de ses barques jusqu'au lac Amaguntik. Les porteurs y arrivèrent, les épaules ensanglantées et l'antipathie au coeur.

Néanmoins cette décision leur fut hautement profitable. En barques, certains purent explorer la rivière jusqu'à son embouchure, déterminer l'étendue des marécages, revenir en arrière pour transporter la division à deux milles de là, sur une rive plus haute, au bout des marais.

Sans un seul bateau, il eût fallu abandonner Warner. Le pauvre homme avait maintenant tout le mal du monde à demeurer conscient; son transport jusqu'à Sartigan requérait à tout prix une embarcation. D'une enflure énorme, sa jambe était noircie jusqu'au genou.

À cause du malade, on attribua un bateau au groupe de Burr. Douze personnes y prirent place : les Grier, les Warner, le civil, l'Indienne et son chien de même que six soldats. C'était le deuxième bateau à glisser sur les eaux calmes et noires entre des horizons aux paysages admirables; Morgan était dans celui de tête avec le lieutenant McCleland et dix hommes. Une trentaine de soldats suivraient par la même voie tandis que les autres longeraient la rive est sur douze milles jusqu'à la Chaudière.

À l'avant, les pattes accrochées au rebord, le chien se donnait les airs d'un guide reniflant les horizons. Mais c'était Burr qui, à l'autre bout, avironnait. La tête sur les genoux de sa femme, Warner délirait. Le mal avait été trop fort et les dommages à sa jambe trop grands pour les médecines de Jacataqua. Avec ses tisanes, elle n'a réussi qu'à le soulager momentanément. Après une discussion avec les Grier, Jemima prit la décision de faire amputer le membre malade aussitôt que l'on rejoindrait le docteur Senter, ce qui ne saurait tarder puisque l'un des bateaux, derrière, emportait une bonne partie de son équipement. Le malade, s'il devait alors être conscient, serait trop faible pour s'opposer à l'opération.

En ce moment même, loin de longer le lac ou la Chaudière, le médecin était de ceux, avec les officiers Dearborn, Goodrich et Meigs plus une centaine d'hommes, à contourner un lac qu'ils savaient ne pas être le bon, et qui n'en finissait pas de baies et de pointes. La plupart d'entre eux avaient avalé leur dernière ration de farine l'avant-veille, et la faim les tenaillait. Déchirés par des branches dans des endroits inextricables, leurs habits n'étaient plus que haillons

La carte de Montresor ne faisait aucune mention de cette étendue d'eau dont le contenu devait bien finir par se déverser dans le lac Amaguntik. Des éclaireurs envoyés sur une élévation rapportèrent que le grand lac se trouvait à moins d'un mille à l'ouest. On piqua à travers bois pour atteindre, une heure après, le lieu même où s'était fait le rassemblement des compagnies du capitaine Morgan quelque temps auparavant.

Les gens de Morgan campèrent à l'entrée de la Chaudière dans un boisé de grands pins clairscmcs au tronc énorme. Comme si quelque bûcheron méticuleux avait pris soin, chaque année, de couper les repousses ou bien comme si les grands arbres, par une alchimie connue d'eux seuls, eussent empêché les intrus de s'implanter entre leurs majestés sombres et fraîches. En fait, tout comme le lac avait lui-même, par son ancien niveau d'eau, donné naissance à la 'magnifique prairie' de son extrémité sud au-delà des marécages, il venait chaque printemps balayer les cônes de pin et empêcher la reproduction des géants, cela pour leur plus grand bicn.

Les trois cents et quelques hommes réunis là montèrent une trentaine de tentes. Sur ordre de Morgan, toutes les provisions qui restaient furent rassemblées en un même point pour redistribution en parts égales, malgré les murmures de compagnies qui avaient usé de leurs vivres avec parcimonie.

Durant l'opération, le capitaine répétait à chacun que les secours de Sartigan arriveraient certainement le lendemain, qu'il n'y avait pas lieu de s'inquiéter pour la survie de tous et de chacun.

Le ciel se mourait dans une lumière rouge au-dessus des mornes collines de l'autre rive du lac.

—Il fera beau demain, disait le capitaine à chaque soldat tout en lui promettant de la viande fraîche pour le repas du lendemain soir.

–Ça sera veille de la Toussaint, répondit l'un d'eux, mi-figue, mi-raisin. Espérons que le colonel ne nous enverra pas des fantômes de boeufs ou des squelettes de vache pour nous sustenter.

Un autre fit exprès de se tenir l'épaule basse en guise de reproche pour les peines endurées lors du terrible portage de la hauteur des terres. Morgan comprit et lui dit :

–Les meilleurs hommes, les meilleurs sont les miens qui ont réussi à porter ces bateaux. Ceux qui ont traversé les Alpes avec des éléphants sont des enfants comparativement à vous, messieurs.

Le soldat redressa l'épaule et retourna auprès des siens, un coin d'orgueil enfoncé dans le coeur.

Morgan était assis sur le dernier baril de farine, surveillant la distribution qui se faisait juste à côté. Il était heureux de sa réponse au plaignard muet, laquelle ne lui avait pas été inspirée par son éducation fort limitée, mais par des propos entendus de la bouche d'Arnold. Il regrettait seulement d'avoir oublié le nom de ce grand chef qui avait fait passer les Alpes à son armée; il se le ferait rappeler par le docteur Senter qu'il espérait et comptait rejoindre le lendemain.

Il était bien au chaud, vêtu de peaux, d'un cuir frisé aux épaules, aux poignets, aux genoux et aux chevilles, le mousquet tenu haut d'une seule main, la crosse appuyée à son siège, l'épée en biais sur le côté gauche et la taille ceinte d'une large bande d'étoffe noire à laquelle s'attachait une outre de bois remplie d'eau, faute de rhum.

Il se servirait le dernier. Pour tromper sa faim et entre les paroles rudes mais bienveillantes dont il arrosait la maigre portion de farine que chacun recueillait dans sa tasse de bois ou de fer-blanc, il rêvait au portrait qu'un jour, il ferait faire de lui-même dans ses habits d'homme des bois.

Pendant ce temps, Jacataqua récoltait de grosses truites

brunes en pêchant à la ligne dans les eaux de la rivière. Elle en avait déjà douze que Burr cachait à mesure dans un grand sac de cuir, se marmonnant à lui-même des justifications :

–Si les soldats voyaient ces poissons-là, ils nous les voleraient. Nous avons un blessé à porter, nous autres; eux, ils n'ont que leur petite personne. Et puis bon Dieu, trois cents cinquante hommes pour quinze truites. T'es rien qu'une sauvagesse, t'es pas le Seigneur pour être capable de faire des miracles, hein ?

L'Indienne restait silencieuse, décrochant chaque poisson de l'hameçon, lui faisant jaillir les yeux d'un geste savant du pouce, l'ongle s'introduisant dans l'orbite et faisant office de lame. Puis elle appâtait de nouveau ce crochet de fer luisant qu'elle nettoyait vigoureusement chaque jour de l'année pour empêcher la rouille de s'en saisir.

–Assez ! On s'en va manger, ordonna Burr quand il eut compté vingt-quatre poissons.

Morgan n'était pas dupe du comportement du civil et quand il le vit passer tout près, sac au dos, suivi de Jacataqua qui elle, avait sa ligne enroulée sur un bout de branche, il leur cria :

–Bon appétit !

Culpabilisé, le jeune homme s'approcha en ramenant devant lui le sac qui roula lourdement sur sa poitrine.

–Il n'y a pas grand-chose là-dedans, monsieur

–Des gros ?

–Pas mal.

–Est-ce qu'on peut donner vos parts de fleur et de porc aux autres ?

–Monsieur, qu'ils les prennent ! On leur laisse avec tout notre coeur.

Le capitaine dit avec un sourire narquois :

–L'avantage pour un volontaire, c'est, d'un côté, d'avoir droit à la même part que les soldats, et de l'autre, de pouvoir garder pour lui-même ce qu'il récolte.

–Mais monsieur, pleurnicha Burr, nous avons un grand blessé à nous occuper.

–Je sais, je sais, coupa Morgan. Je voulais seulement te taquiner un peu.

L'officier aimait blagues et pitreries. De plus, lui, l'illettré, adorait mettre les autres dans l'eau bouillante, et de façon toute spéciale ces jeunes instruits qui savaient tout des mots et des livres, et pourtant, ne savaient rien ni du courage, ni de la persévérance, et encore pas mal moins de la culture du tabac.

–Va manger, ordonna-t-il en fermant lentement un oeil.

Puis il demanda que l'on fît du feu pour éclairer la distribution, car les résidus de lumière solaire ne suffisaient plus à assurer une bonne circulation des hommes devant les barils échafaudés les uns sur les autres sur le fond d'une barque renversée.

Avant de voir disparaître Jacataqua et son compagnon derrière les arbres et la pénombre, il cria :

–Tu viendras jouer aux cartes tantôt, Burr...

N'obtenant pas de réponse, il ne put savoir si l'autre avait entendu.


On alluma un feu entre les deux tentes du groupe, celle des couples et l'autre des soldats. Jacataqua donna les viscères et les têtes des truites à son chien. Burr donna deux poissons à chaque homme qui verrait à les faire cuire à sa façon. Tous choisirent de piquer la chair à bout de branche, car la faim ne permettait guère la fantaisie comme déjà près du lac de Natanis : cuisson au poêlon dans du gras de lard.

À trois milles, sur la rive du lac, une centaine d'hommes hâves, affamés et grelottants, s'étaient agglutinés par groupes de dix autour du feu pour tâcher de garder leur propre chaleur. Ils étaient entièrement dénués de ressources. Rien à manger. Plus de tentes pour s'abriter. Les vêtements en guenilles. Les bottes percées. L'esprit aussi se trouvait au froid, en haillons et troué.

Senter leur parlait :

—N'ayez pas peur de vous coller, de vous tasser les uns sur les autres. Pensez que c'est votre femme ou bien votre fiancée qui vous réchauffe.

Un coup de feu retentit soudain à quelque distance, couvert par les arbres. Partout, des yeux se croisèrent et s'interrogèrent. L'on savait que le capitaine Dearborn était parti à la chasse avec deux soldats à la brunante. Il avait son chien pour rabattre le gibier et le prendre en embuscade. La lumière du soleil couchant plus celle des lanternes bien disposées permettraient de voir luire les yeux d'un chevreuil dans la noirceur; il suffirait de bien viser. Dearborn était lui-même un tireur de première classe.

Un quart d'heure après, une première lanterne annonça l'arrivée des chasseurs. Son porteur avait aussi deux mousquets. Dearborn venait deuxième. Les soldats s'exclamèrent de joie de voir enroulé sur ses épaules, une bête qu'ils prirent pour un jeune chevreuil. Mais quand le capitaine jeta son fardeau près du feu, on vit bien que le corps était celui de son chien. Il dit :

—Messieurs, ceci va nous permettre de survivre...

—On mange pas du chien, nous autres, coupa une voix.

D'autres murmurèrent. Senter parla :

—Monsieur, du morceau que vous avalerez dépendra peut-être votre vie.

—Plutôt mourir que de manger du chien ! coupa une autre

voix lancinante.

–La viande sera partagée en autant de portions qu'il y a d'hommes; les parts non réclamées seront redivisées.

Les crâneurs avaient-ils vidé leur répulsion ou bien finassaient-ils pour inciter les autres à ne pas manger et ainsi en avoir plus pour eux-mêmes, mais est-il qu'une redistribution de restes ne fut aucunement nécessaire, car il n'y en eut point. Après le repas, la peau elle-même fut grattée, bouillie puis coupée en lanières qu'on se répartit.

Chaque groupe avait sous lui un lit de branches de conifères. Les soldats se couchèrent selon le conseil du docteur puis ils furent recouverts d'une imposante couche d'autres branches en guise de couvertures.

–Ayez pas l'idée de vous lever durant la nuit pour aller pisser ou pour autre chose, dirent les officiers en les abriant. Sinon tout le groupe en pâtira.

Toutes les couvertures disponibles avaient été mises à la disposition des officiers qui, en contrepartie, avaient pour tâche d'entretenir le feu. Dearborn fit une longue prière sonore émaillée de confiance en Dieu et en l'avenir. Il n'avait pas encore fini que plusieurs entraient dans la somnolence en suçant un délicieux morceau de peau de chien.


Au petit jour, tout le pays était capitonné de quatre pouces de neige. Çà et là sous les arbres aux abords d'un feu toujours actif, les tas d'hommes semblaient avoir disparu et s'être transformés en mulons blancs.

Le ciel les avait pris en pitié en exauçant leurs prières de la veille et les avait gratifiés d'une épaisse et chaude couverture supplémentaire. Personne n'avait le goût de se lever, d'autant plus qu'une grande quantité de poux avait été tenue à l'inactivité par les odeurs fortes des branches de sapin et d'épinette. Et puis chacun sentait que la faim ne manquerait pas de se ruer sur lui dès qu'il oserait bouger le petit doigt.

C'est dans un désagréable sursaut qu'ils furent quand même extraits de leur éphémère et factice bien-être. Dearborn tira un coup de feu et cria :

–Debout les gars ! Il faut se mettre en route...

Morgan entendit le coup de fusil. Il crut qu'il provenait du nord, quelque part sur la Chaudière, y fit répondre. Puis il ordonna une levée rapide du camp. Les soldats à pied roulèrent tentes et couvertures et se mirent aussitôt en marche. Chacun savait qu'il suffirait désormais de suivre la rivière pour parvenir aux habitations canadiennes et comptait bien y arriver au plus tard le lendemain.

L'un des premiers soins du capitaine fut de se rendre auprès de Warner dont il connaissait l'état désespéré. Il se fit accompagner du lieutenant McCleland. Grier les accueillit et les fit entrer sous la tente.

–Il a déliré toute la nuit, dit Jemima en interrogeant le capitaine de son regard affligé.

–Je peux voir sa jambe ?

Elle déroula la couverture de laine grise qui entourait le membre malade. Morgan ne sourcilla pas. Il dit froidement :

–Cet homme mourra aujourd'hui... au plus tard demain. J'ai vu des cas semblables. Il est trop tard, même pour couper la jambe. Laissez-le mourir en paix ici même. Qu'on lui rende ce service et à tous ceux qui doivent le transporter ! Si la descente de cette rivière était difficile...

–Monsieur, dit la femme, la voix blanche, s'il reste, alors je reste aussi.

–Et nous également, dit la femme Grier avec un énorme signe de tête qui parlait aussi pour son mari.

–Moi rester... fit Jacataqua en s'approchant.

Burr était de l'avis de Morgan, mais la présence du malade lui rendait la vie plus facile à cause du bateau, des récoltes de l'Indienne que l'on pouvait se partager à l'intérieur d'un groupe restreint, fermé autour de Warner. De plus, il avait dessein de faire la cour à cette femme lorsque son mari aurait quitté pour un monde meilleur, histoire de la consoler un peu. Le mieux de ses intérêts était donc qu'on emmenât le malade tant qu'il vivrait et tant qu'il ne constituerait pas un empêchement majeur de progresser en avant.

–Capitaine, dit-il, la main sur le coeur, laissez-nous transporter ce pauvre bougre. On ne peut pas le laisser mourir ici comme un chien.

Morgan fut impressionné par le trémolo vibrant de cette voix. Peut-être avait-il mal jugé Burr après tout ? Il fronça les sourcils, acquiesça en disant :

–Mais il ne faudra pas qu'il mette en danger la vie des autres.

Et il se retira.

On porta le malade jusqu'au bateau sur la civière improvisée faite de deux mousquets reliés par une couverture solidement attachée aux canons.

Les hommes à pied avaient une heure d'avance sur ceux des barques. Cela était voulu pour favoriser le plus possible les regroupements et, dans l'esprit de Morgan, pour garder une plus grande cohésion entre les soldats en raffermissant continuellement l'autorité des officiers.

Les bateaux entrèrent sur la Chaudière à peine un quart d'heure avant l'arrivée à leur lieu de campement des premiers soldats de la compagnie de Dearborn. C'est de l'espoir qu'ils purent donc lire dans ces milliers d'empreintes mouillées ainsi que dans les restes noircis des feux individuels et dans les braises chaudes du grand feu de camp dont il n'avait pas été possible de voir la lumière le soir précédent à cause de la distance combinée à la configuration du terrain entre les deux camps.

À moins d'un arpent, les barques furent joliment malmenées par un courant dangereux. Mais il ne se trouvait point d'arêtes rocheuses de chaque côté, et les parois, bien que violemment heurtées, ne se crevèrent point.

Six hommes pagayaient dans celle de tête. Des gars capables de sentir une rivière par son cours, par le fil de l'eau, par les rives, les tournants et même la végétation avoisinante.

Si Natanis avait été auprès de Morgan, il l'aurait certes renseigné sur les pièges de la Chaudière, un cours d'eau peu navigable à toutes fins pratiques, et surtout dans de pareils bateaux. Trop basse ou trop haute. Rocheuse et tortueuse : d'un serpentement hypocrite. Farcie de rapides et de petites chutes aussi vicieuses qu'imprévisibles. Seuls des Sauvages en canot d'écorce pouvaient s'en accommoder ou bien des Canadiens nés auprès d'elle, et pas tous encore.

Arnold lui avait bien payé son tribut, à l'ombreuse, quelques jours auparavant; mais, pensant que le reste de l'armée suivrait ses recommandations quant à l'abandon des barques à la hauteur des terres, il ne jugea pas nécessaire d'envoyer en arrière des instructions sur les façons de déjouer les malices de la capricieuse.

Suivaient Morgan, McCleland et le révérend Spring avec six hommes. Puis venaient les autres. Burr et son groupe étaient dans l'avant-dernier.

Se détachaient parfois des rives et des branches des arbres, des paquets ouatés de neige molle qui erraient en attendant quelques rayons salutaires qui restitueraient leur blancheur à l'eau noire et mouvante, leur soeur.

Deux écureuils roux se poursuivaient d'un arbre à l'autre dans un jeu qui ne pouvait avoir de rapport avec l'accouplement puisque ce n'était pas la saison. Comme cet énervement ne s'accompagnait pas non plus de gestes de cueillette, Jacataqua se dit que c'était la présence humaine qui rendait les bêtes folles. Elle seulement et son chien pouvaient suivre du regard le comportement erratique des rongeurs qui s'arrêtaient parfois tout sec pour se mettre à l'affût de quelque chose.

Il tardait à l'Indienne de retrouver sa soeur, de revoir sa mère blanche et surtout de parler à Front-Brisé. Toutes trois faisaient singulièrement défaut à son coeur partagé entre cette folie qui l'attachait à son maître blanc et ce profond mépris qu'elle lisait souvent dans son regard et ses paroles. Presque toujours, elle s'expliquait l'aigreur de Burr par des contrariétés du moment. Et les autres fois, elle l'acceptait simplement comme le lot à payer à cause de sa race indienne et de son sexe féminin. Les autres hommes l'avaient prise et ils étaient partis dans la plus totale indifférence : au moins celui-là daignait-il la garder avec lui.

Elle était presque certaine maintenant de porter en elle le fruit de sa semence. Toujours réglées comme la lune, ses indispositions auraient dû survenir depuis quelques jours. Mais il était arrivé si souvent à Front-Brisé et Enea de voir leurs incommodités retardées qu'il pouvait bien s'agir de la même chose pour elle. Car elle avait négligé de prendre ses potions depuis le début du voyage et c'est à cela qu'elle attribuait son dérèglement.

Elle ne ressentait ni bonheur ni peine à l'idée d'être enceinte. Voilà qui lui apparaissait simplement dans l'ordre naturel des choses comme le soleil se lève et se couche et comme la nuit succède au jour. Quand elle le saurait à coup sûr, elle l'annoncerait à son compagnon, non pas pour qu'il en soit lui-même heureux ou mécontent mais juste pour qu'il le sache et qu'il n'ait pas besoin de cesser de la prendre quelques soleils par lune.

Derrière elle, sur son lit de branches, la tête soutenue par sa femme, Warner délirait sporadiquement. Perdu dans les brumes de son coma, il lui arrivait parfois d'en surgir et de hurler, les yeux révulsés et les veines du cou saillantes : "Non... non... je ne veux pas... non... non..." Quelle horreur incommensurable le menaçait donc au point de rebâtir trois fois plus puissants ses nerfs et sa musculature l'espace d'un frisson que sa rage bizarre imprimait à toutes les échines ? Le docteur Senter avec son terrible couteau d'amputation à lame incurvée ou bien la scie aux formes macabres ? Ou passait-il devant les vitrines de l'enfer pleines de silhouettes lugubres ? Jemima ne saurait jamais que le moribond ne criait pas sur lui-même, qu'il n'était point saisi par avance des affres de sa propre fin, mais qu'il était frappé par un cauchemar prémonitoire dans lequel c'était elle-même qui mourait, la tête arrachée par un boulet de canon.

Un tournant révéla bientôt quelques rayons de soleil scintillant entre les arbres blancs. Et déjà, l'on rattrapait les derniers marcheurs dont la progression, depuis le confort des bateaux, ne semblait pas trop pénible.

Burr était inquiet. Avironner sur la Dead ou sur le lac Amaguntik n'avait rien de commun avec cette fonction sur une eau pareillement tumultueuse. Il ignorait que les rameurs dirigeaient l'embarcation plus encore que lui-même, ou plutôt il refusait de l'admettre et c'était lui qui avait pris l'habitude de crier les ordres et parfois les reproches. Mais voilà qu'il se faisait particulièrement silencieux depuis le départ du matin, par crainte de se voir imputer la responsabilité d'un éventuel naufrage. Par chance, les rares pierres émergeant en surface étaient coiffées de blanc et donc se repéraient aisément. Mais le temps était doux et le soleil aurait bientôt raison de cette neige hâtive.

Tournants, rives escarpées, branches basses, remous, rapides légers se succédèrent pendant une demi-heure. La descente avait bon train, mais personne ne songeait à s'en plaindre, car chaque minute rapprochait les estomacs d'un bon repas.

À l'approche d'une courbe, l'on perdit de vue les embarcations de tête comme cela était fréquent. Et en s'y engageant, l'on entendit des cris venir de l'avant. Mais déjà le bateau prenait une singulière accélération.

–Allons vers la rive, il y a naufrage devant, lança un rameur.

Les deux premiers bateaux avaient chaviré et tout ce qu'ils contenaient se trouvait dans le courant d'eau froide, les hommes nageant, pataugeant, les choses emportées ou bien coulant à pic. L'un d'eux fut heurté par la troisième barque et il perdit conscience. Happé par un tourbillon, McCleland tournoyait, cherchant en vain à s'accrocher à des roches baveuses qui le rejetaient à mesure dans son effroyable prison glaciale. Moins malheureux, Morgan fut servi par sa taille et la force de ses jambes et il atteignit la rive tout autant que Spring et les autres.

Les quatre bateaux suivants se fracassèrent l'un après l'autre dans des bruits mats, sur des rochers enveloppés d'énormes bouillonnements, mais leurs occupants avaient tous sauté déjà. À force de bras, de cris, de poussées sur les perches, les deux derniers parvinrent à la rive où des hommes réunis les amarrèrent à des arbres.

La rivière sembla ne point vouloir de l'homme assommé et le rejeta sur un fond plus élevé où il fut aussitôt repêché.

McCleland, lui, coula. Par la vertu du tourbillon, il reparut plus loin, et la rivière le vomit à son tour au même endroit que le précédent noyé.

Morgan cria des ordres sans laisser la rivière des yeux pour s'assurer du sauvetage de chacun. On apporta un câble envoyé par les rescapés de la dernière barque. Et le premier soldat fut rapidement suspendu par les pieds à une branche. Le capitaine regrettait de n'avoir point précisé son commandement et demandé que l'on s'occupe d'abord du lieutenant McCleland qui lui, devrait attendre ou bien que l'on apporte un second câble ou bien que le premier noyé soit ranimé.

Il y avait partout des soldats frissonnants affalés sur la neige d'une rive aux arbres rares et malingres tant le roc était omniprésent dans ce secteur. D'autres s'occupaient déjà d'allumer un feu.

En regardant Warner étendu sur la neige fondante, Burr avait l'oeil à la menace. Jacataqua accourut auprès des noyés. Quelqu'un frappait le pendu dont la queue de veste retombait pour laisser à découvert sa poitrine et son dos.

L'Indienne s'agenouilla près de l'autre. Elle plaça sa tête sur sa poitrine pour lui écouter le coeur. Il battait faiblement. Alors de sa main gauche, elle lui écarta les mâchoires et de l'autre, lui pinça le nez.

–Elle va le tuer; elle l'empêche de reprendre son souffle, s'écria un soldat en la voyant mettre sa bouche sur celle du noyé.

–Qu'est-ce que tu fais ? lui cria Burr qui arrivait à son tour dans la confusion générale.

–Laisse-la faire, ordonna Morgan dans sa calme autorité. Il avait plus grande confiance dans les procédés des Indiens qu'en ceux des grosses têtes blanches. Le révérend Spring arrivait aussi, engoncé dans une couverture qui ne réduisait en rien ses frisson sauvages. Il dit à Jacataqua :

–Que fais-tu là ?

–Elle lui souffle de l'air dans les poumons, répondit Morgan pour elle.

–Ne faudrait-il pas tout d'abord que l'eau en sorte ?

Le capitaine haussa les épaules. Comme pour satisfaire le révérend, la jeune fille s'assit à califourchon sur la poitrine de McCleland, laissa porter son corps, se souleva, répéta le manège.

Burr grimaçait de la voir ainsi chevaucher un mort de la même façon qu'elle l'avait souvent fait avec lui. "Putain !" se dit-il à l'abri de son regard contraint.

Elle reprit le bouche à bouche. Puis la séquence des pressions exécutées par son postérieur, se pencha encore en avant. À quinze pieds, on frappait toujours l'autre noyé. Burr regarda Spring qui regarda Morgan qui jeta un oeil contrarié sur les allées et venues des soldats auxquels il ne pouvait s'adresser pour le moment.

À bout de patience, car le résultat se faisait trop attendre, presque rageuse, Jacataqua se rejeta en arrière de tout son poids. Enfin l'eau jaillit de la bouche du "mort". Autre pression, autre jet.

Sur le second noyé, les hommes s'acharnaient à coups de paume de la main en cadence, se relayaient, l'un tirait sur la corde, relâchait subitement pour imprimer au corps une secousse : rien n'aboutissait malgré les illusions que l'on se criait parfois.

McCleland toussa, vomit. Burr regarda Spring qui regarda Morgan qui était fier. La victoire de Jacataqua était aussi la sienne. Senter en saurait quelque chose quand on le rattraperait.

Et le pendu resta mort. Et il resta pendu jusqu'à l'arrivée de Senter une heure plus tard. Le docteur fut fort étonné de ce que le capitaine s'empressa de lui raconter sur le miraculeux retour à la vie du lieutenant. Puis il s'enquit de son équipement.

–Tout est à l'eau, quelque part dans le fond des rapides que vous voyez là. Si vous désirez aller le quérir...

–Mes médicaments, mes instruments...

–Voyez par vous-même, monsieur : nous n'avons plus rien.

Plus de vivres depuis hier. La moitié des tentes sont parties avec le courant et rendues Dieu sait où. Une part de la paye des hommes a été gobée par cette Chaudière. Trente mille livres en espèces sonnantes ! Vous voulez rester et attendre un siècle ou deux que le niveau de l'eau baisse assez  pour laisser voir le fond de l'eau et permettre de récupérer le... trésor ?

–Qu'arrive-t-il pour les hommes ?

–C'est le sauve-qui-peut. Chacun pour soi jusqu'à Sartigan.

–Où est McCleland ?

–Dans cette tente.

Senter découvrit l'homme en proie à un frisson total, les dents s'entrechoquant, l'oeil perdu, la main vaguement tendue.

–Pourquoi diable l'a-t-on laissé dans pareil état ? Il faut l'envelopper de couvertures pendant que ses vêtements vont sécher.

Et il commanda à son aide d'aller quérir les couvertures requises tandis qu'il tâchait de réconforter McCleland à l'aide d'un reste de rhum qu'il avait dans sa trousse personnelle.

L'autre revint bredouille en disant :

–Chacun veut garder la sienne. Ils s'en vont tous. Ils ont faim. Aaron Burr possède plusieurs couvertures, mais il les garde pour Warner.

–Où sont-ils, ceux-là ?

–Au bord de l'eau, là-bas. Nous sommes passés derrière eux en arrivant. Ils vous réclament.

–Demandez au capitaine Morgan de le faire transporter le plus près possible du feu. Et veillez sur lui pendant que je serai parti.

Le docteur se rendit auprès de Warner étendu près d'un

petit feu que Jacataqua alimentait de végétaux et de mousse. Assise à ses côtés, sa femme lui frottait le visage de ses mains qu'elle ne cessait de rafraîchir dans la neige. Senter se fit montrer la jambe. Puis il examina les pupilles et donna aussitôt son appréciation :

–Même si j'avais mes instruments, madame, je ne lui couperais pas la jambe. Pour lui, il est trop tard, hélas !

–Je sais, dit-elle laconiquement.

–Plus vite il sera mort, mieux ce sera pour lui.

Elle dévisagea Senter, demanda :

–Voulez-vous lui tirer une balle vous-même ?

–Non, mais je veux ses couvertures... pour sauver une autre vie. Une vie qui est encore récupérable.

Burr coupa :

–Ces couvertures m'appartiennent, et pour l'heure, elles resteront à Warner.

–Pour prolonger la vie d'un homme condamné, vous sacrifiez celle d'un autre qui pourrait survivre, monsieur.

–Prenez celle-là, dit Jemima en se levant de la sienne.

–Et la mienne, vint dire la femme Grier.

Grier tendit la sienne puis Jacataqua. Senter remercia chacun et repartit à la hâte.

–Sauver un officier qui nous a jetés dans la merde ! maugréa Burr.

Et il évalua la situation. Chacun savait que la carte de Montresor indiquait une distance d'environ quarante milles séparant l'entrée de la rivière et Sartigan. En lui supposant une erreur de dix milles, cela voulait dire que deux bonnes journées de marche les conduiraient là-bas. Par ailleurs, on avait de fortes chances de rencontrer des provisions entre-temps. Et de toute manière, l'Indienne continuerait de pourvoir aux besoins de nourriture. Un seul danger donc : le froid.

Mais avec du feu, la tente et des couvertures, ce problème serait aisément résolu.

Sa réflexion fut interrompue par des cris d'hommes et les aboiements du chien derrière lui, à quinze pas. Il se retourna pour apercevoir trois affamés de la compagnie de Dearborn cherchant à traquer la petite bête qui, elle, le prenait pour un jeu, allant vers l'un et l'autre alternativement, sans aucun instinct de fuir. Deux hommes avaient déjà leur poignard prêt a frapper et à écorcher.

Jacataqua mit ses doigts dans sa bouche et siffla. La centaine de soldats encore sur place se mit à son écoute. Le chien courut jusqu'à elle et sauta dans ses bras. Elle l'enveloppa sur sa poitrine. L'animal se mit à lui lécher affectueusement la joue. Les assaillants s'échangèrent des sourires complices : le travail d'attraper le chien serait moins difficile que prévu. Ils s'avancèrent. De trois pas seulement, car alors deux canons de fusil s'appuyèrent en même temps sur les épaules de Jacataqua. Grier et sa femme mirent en joue les agresseurs.

–Un autre pas et deux d'entre vous y passeront, cria l'homme.

–Ils s'arrêtèrent, se questionnèrent des yeux.

–Grier, tu n'as pas le droit de menacer des soldats avec ton mousquet, dit l'un d'eux.

–Oui, monsieur, tant que tiendra l'ordre du "chacun-poursoi".

–T'as pas le droit de sacrifier des vies humaines pour protéger celles des bêtes, dit le second.

–Les vivres seront là aujourd'hui, au plus tard demain.

–Nous autres, on a faim depuis quatre jours, dit le troisième.

–T'as encore du gras sur le dos et autour du menton, rétorqua rudement la femme Grier. Mange-le.

–Les soldats hésitèrent puis ils retraitèrent en marmonnant.

Burr utilisa l'incident comme prétexte pour justifier un
départ précipité qu'il préconisait maintenant :

–Il y en a des pires peut-être qui s'en viennent, arqua-t-il.
Ils peuvent aussi bien nous tuer pour nous... manger. Quand
on est capable de manger du chien...

–Mais Warner ? dit la femme Grier.

–Le transporter est chose impossible. Et chacun sait qu'il
est un homme mort, alors...

Jemima intervint :

–Le capitaine Morgan, le docteur Senter, monsieur Burr...
ils ont tous raison. Partez. Vous devez partir. Je veillerai sur
lui jusqu'à la fin.

–Vous ne pouvez tout de même pas mourir avec lui, protesta Grier.

–Je ne mourrai pas, mais je ne le laisserai pas tout seul
non plus. Vous ne serez d'aucune utilité à rester ici. Partez !

–Jacataqua rester, fit l'Indienne avec un pas en avant vers
les Warner.

–Pas question ! s'écria Burr. Nous avons besoin de toi, la
sauvagesse. L'armée a besoin de toi. Pas question de veiller
sur un homme déjà mort !

–Avec l'Indienne, la tente, les couvertures, on peut rester
ici jusqu'à demain, proposa Grier.

Mais c'est Morgan qui, par inadvertance, trancha le débat
en criant de loin :

–Burr, Grier, il faut transporter McCleland.

Les deux hommes s'échangèrent un regard qui disait leurs
intentions. Et c'est Grier qui répondit :

–On a notre blessé, vous le savez, monsieur Morgan. Nous
avons décidé de rester avec lui jusqu'à demain. Si c'est pos-

sible, trouvez quelqu'un d'autre pour McCleland.

–À bien y songer, c'est la meilleure idée, conclut Burr.


Tous les soldats partirent. Tous ceux de Dearborn passèrent. Vers la fin de l'après-midi, contre toute attente, Warner reprit ses sens. Il murmura qu'il avait soif. Et il but si longuement que l'effort le plongea à nouveau dans le coma. Mais cette eau, providentielle ou satanique, prolongea sa vie jusqu'au lendemain.


Dans une longue discussion, la veille au soir, entente avait été prise : on lèverait le camp à la barre du jour, que Warner soit trépassé ou pas encore. Tous se mirent en route, y compris Jemima. De sa part, ce n'était qu'un faux-semblant pour que les autres s'en aillent. Après cinquante pas, elle s'écria en larmes :

–Je ne peux l'abandonner. Je vous rejoindrai après sa mort.

Et elle retourna auprès de lui.

Le moribond l'entendit-il dans son effrayante nuit ? Sans doute pas, mais une heure plus tard, il rendait l'âme. Elle écouta son coeur éteint, garda un long moment sa tête sur la poitrine vide, se sentit épouvantablement seule. Puis elle fit une prière avant de prendre son fusil qu'elle se mit à l'épaule. Et elle partit.


Ce premier novembre fut le second jour le plus critique pour toute l'armée hormis pour l'avant-garde qui installait le quartier général d'Arnold à six milles au nord de Sartigan, en un lieu que les habitants canadiens appelaient la Punaise.

La faim s'échelonnait le long de la rivière depuis la première compagnie jusqu'à la dernière. Ou ce qui pouvait s'appeler une compagnie. Plus rien n'avait de corps dans cette armée, ni les détachements, ni même les groupes restreints et encore moins l'esprit des hommes. Chacun craignait par-dessus tout de devoir coucher à la belle étoile sans avoir encore rien avalé de toute cette journée-là, ce qui donnerait un formidable mordant à la froideur de la nuit. Même les hommes de Dearborn, dans leur dispersion selon l'endurance de chacun, avaient oublié les conseils de Senter, en tout cas pour l'heure et tant que la clarté et leur estomac guideraient leurs visages émaciés franc nord.

Le docteur et son aide avaient été réduits à transporter eux-mêmes le lieutenant McCleland, demi-comateux et souvent agité d'une toux convulsive. Des soldats désignés à cette fin par Morgan s'étaient désistés après deux milles, sous prétexte que l'ordre du 'chacun-pour-soi' ne devait pas faire d'exceptions. Passer dans les ravins, traverser les affluents de la rivière, patauger dans des passages marécageux, glisser dans des descentes trop rapides, avoir sans cesse à bout de bras un poids de plus de cent livres : quelques milles de ce régime peuvent venir à bout des âmes les plus magnifiques et des muscles les plus puissants. Et quand le corps lui-même est déjà épuisé par la faim et le froid, on finit par chercher des explications à fournir au malade pour justifier son abandon, et cela, même si l'on est médecin.

Senter soulignait la nécessité pour un docteur d'armée de voir à tous les malades et disait à son aide qu'il devait maintenant s'en trouver plusieurs devant, à le réclamer. De la sorte, il parlait indirectement à un McCleland déjà fiévreux et en début de péripneumonie lorsque s'amena le groupe de Burr. Lors d'une discussion animée, il fut décidé que la seule façon de sauver chacun y compris le malade consistait à le laisser là aux soins de l'Indienne et des Grier. Ils y attendraient le secours qu'on leur enverrait incessamment.

Évaluant ses forces et la distance restant à parcourir, Burr acquit la conviction qu'il n'avait plus besoin de Jacataqua. Pour le moment du moins. Il choisit de partir avec le docteur, son aide et la femme Warner qui avait réussi à combler son retard la veille au soir.

L'Indienne resta devant l'entrée de la tente pour voir partir son compagnon. Il la reverrait dans un jour ou deux à Sartigan, selon ce qu'il avait promis vaguement. Pas une seule fois, il ne se retourna pour voir ses yeux perdus. Il se fondit plus vite que Jemima dans la nature brunâtre qui s'était déjà départie de sa blancheur de la veille, car la femme était vêtue de noir vif et de rouge brillant.

Jean et Church rencontrèrent les premiers soldats au milieu de l'après-midi. Deux moutons furent aussitôt abattus. Les hommes étaient si heureux que plusieurs n'arrivèrent pas à dormir, malades d'avoir trop bourré leur estomac affaissé par un jeûne prolongé. Quant à ceux-là restés dans la sauvagerie, ils campèrent sur leur faim une nuit de plus, empilés les uns sur les autres dans les quelques tentes qui avaient survécu au naufrage. Certains se risquèrent à manger crues des racines qu'ils croyaient comestibles; d'autres firent bouillir des mocassins, cherchant vainement à en tirer un soupçon alimentaire tel celui prodigué par la peau du chien de Dearborn; d'autres encore avalèrent leur savon à barbe. Et autour des feux, les promesses de Daniel Morgan se promenèrent en amertume d'un oeil à l'autre, s'élevèrent dans des fumées sarcastiques ou bien éclatèrent dans des escarbilles de rires sans autre substance que celle du ressentiment. Qu'arrive le premier janvier et on ne signerait pas pour un autre six mois pareil contrat de misère ! Enos avait eu raison de rebrousser chemin : il savait, lui, que l'homme ne vit pas que d'eau froide. D'autres faisaient taire les grommeleurs en développant dans des exposés bien charpentés des idées patriotiques telles : "La liberté ou la mort !" "Un homme vrai pour une vraie patrie !" "Nous avons déjà une victoire morale !"

Burr eut de cette chance qui s'attache si souvent aux pas

des êtres vils, de repérer dans les eaux de la rivière, flottant doucement, attendant d'être ramassée, une tente défaite, les sangles brillant au soleil. Cent hommes et plus étaient passés par là sans la voir. Et Burr dormit heureux après une longue conversation avec Jemima Warner.

Dès l'aube, Church et son équipe se remirent en marche. On dispersa les bêtes et les barils au fil des détachements rencontrés.

–Nous sommes quasiment les derniers, déclara Senter lorsque Jean Bernard et deux autres convoyeurs, comme lui à dos de cheval, parvinrent à ce groupe dans une petite prairie de tous les jaunes.

Le regard de Jean se voila.

–Où est l'Indienne ? Jacataqua ?

Burr leva un sourcil. Ce Français aux airs frustes connaissait donc la sauvagesse ?

–Over there... ten or twelve miles... with a wounded soldier, dit le docteur.

Et devant l'incompréhension manifeste de ses interlocuteurs, Senter mima, montra deux fois cinq avec ses doigts, insista sur le mot "miles" et toussota pour faire deviner la maladie.

Jean pensa qu'il pouvait s'agir de l'Indienne et, avec ses compagnons, il se remit en route vers le sud avec les provisions transportées, non sans avoir mimé à son tour que le lieutenant Church suivrait bientôt avec de la viande fraîche et de la fleur.

–But they do not need food... they have the Indian girl ! protesta Burr sans obtenir de réponse.

Trois heures plus tard, depuis une hauteur, Jean aperçut à courte distance de cheval sur une colline dénudée la tente que l'on espérait depuis le moment où l'on avait vu de la fumée s'élevant dans le ciel. Il tira lui-même un coup de fusil pour attirer l'attention. Grier lui fit réponse. Dix minutes encore et l'on débouchait dans la clairière.

Debout dans sa solitude chagrine, Jacataqua se prit aussitôt d'attention pour le jeune homme sur le cheval de tête. Jean savait déjà, lui, qui elle était. Et surtout, il en revoyait une image de l'école à chaque pas de sa bête. Se souvenait comme elle était belle et joyeuse. Saurait-elle l'être davantage que sa soeur, maintenant qu'Enea était devenue grande et qu'elle s'était laissée apprivoiser ? Toute son âme s'accrochait déjà aux yeux de cette Sauvage, toute sa curiosité ainsi qu'une émotion si étrange, si inusitée !

La monture s'arrêta enfin. Tous deux avaient le sentiment de se regarder dans un miroir... un miroir de l'autre sexe, d'une autre race.

L'échange dura aussi longtemps que la femme Grier n'eut pas jeté à voix dure :

–Must make a sled for McCleland !

Absalon Maheux regarda avec intérêt cette ressemblance frappante entre Jacataqua et Jean puis il fit avancer son cheval vers les Grier pour proposer autre chose qu'un brancard.

## La Punaise

Alors que s'achevait la grande misère des troupes, le colonel oeuvrait fébrilement à son quartier général. Après avoir fait acheter tout ce dont l'armée avait besoin et loué les services de transporteurs, il a dépêché aux trois prochains villages des porteurs de la proclamation de Washington, ce vibrant appel à l'indépendance et à la liberté.

Il apprit le remplacement du général Schuyler par le brigadier-général Richard Montgomery à la tête de l'autre corps expéditionnaire chargé de l'invasion du Canada et procédant par le lac Champlain.

Ses acheteurs lui procurèrent aussi diverses choses, couvertures, chemises, robes, couteaux, hachettes, qu'il offrirait aux Indiens lorsque le moment serait venu de les rencontrer et de s'adresser à eux.

Il viendrait, ce jour, le samedi, quatre novembre, Entretemps, il écrivit à un militaire de Québec, son contact dans la ville, afin d'obtenir des renseignements sur les effectifs de Carleton de même que sur une présence éventuelle de navires de guerre anglais à Québec. Et de sa main propre, il rédigea une lettre à l'intention de sa soeur afin de la rassurer sur son état de santé et pour lui raconter les difficultés du voyage.

Quand il eut terminé, il sortit de sa tente pour respirer de l'air frais et réfléchir. Le jour tirait à sa fin. Il neigeait tranquillement.

Il eut tout d'abord quelques pensées pour New Haven, ses fils, Hannah. Puis il se rappela sa première entrevue avec le général Washington laquelle avait déterminé une profonde amitié qui, à n'en point douter, durerait toujours. Il ferait ses preuves à Québec et, fort de l'appui du commandant en chef auprès des membres du Congrès, nul doute qu'il obtiendrait sans tarder le grade de major général.

Mais quel succès espérer remporter à Québec avec une moitié d'armée ? Ce traître d'Enos l'obligerait-il à attendre Montgomery pour procéder à l'attaque de la forteresse ? Comment recruter des Canadiens et des Sauvages pour remplacer tous ces soldats perdus ? Il y avait beaucoup d'âme chez ces habitants français; qu'il suffise d'en recruter un, un seul à Sartigan et l'enrôlement se ferait bien plus aisément dans les autres paroisses. Ces Bernard de la première maison lui trottaient dans l'esprit. Il retournerait les voir, chercherait à engager leur fils, non pas comme soldat mais en tant que conducteur et commissionnaire, tâche que le jeune homme accomplissait en ce moment même avec huit de ses compagnons et Church. Mais le garçon n'était pas revenu, il le savait. Il savait aussi qu'il restait les hommes de Greene dans la sauvagerie. Sans doute la forêt rendrait-elle finalement tout le monde tôt le lendemain, mais ce Bernard pouvait, lui, fort bien retarder, car on a appris de Senter que le jeune homme s'est donné pour mission d'aller au secours de McCleland.

Et ces Sauvages de Sartigan qui ne s'étaient toujours pas manifestés, il faudrait qu'il les rencontre coûte que coûte le lendemain, devrait-il pour cela faire les premiers pas et demander à être reçu par leurs chefs.

Il arriva enfin, ce jour suivant qu'il sentait si important, déterminant. Au sortir de sa tente, Arnold découvrit, ébloui, une vallée blanche qu'il regarda longuement jusqu'au bout de l'horizon. La neige se compactait bruyamment sous ses pas. Malgré les apparences, le temps s'annonçait d'une grande douceur. Et le soleil ranimerait l'espoir au coeur de ses hommes.

Il retourna sous la tente où il mangea en compagnie de son secrétaire et de Jakins. Bientôt, un messager de Morgan lui apporta la nouvelle confirmant l'arrivée au village indien de la dernière compagnie ainsi que le départ de là-bas pour le quartier général, de deux chefs, toutes plumes dehors, ornés de broches, bracelets et breloques, visages peints, délégués de tous les Abénakis de la région, et qui désiraient connaître de le bouche même du commandant de l'armée, les raisons de cette invasion de ce pays, le leur et celui des Canadiens français.

Ainsi prévenu, Arnold fit monter une table devant sa tente et il y fit déposer une panoplie de cadeaux colorés. Un soleil brillant vint en rehausser l'éclat. Le hasard voulut qu'il sorte le premier, un quart d'heure après, pour découvrir dans leur apparat, silencieux dans leur attente, deux Indiens qui se tenaient droit, les bras croisés, fiers mais quelque peu inquiétants aussi.

La surprise fit bredouiller le colonel :

—Mes... amis... my friends... I am happy to see you here. God bless you.

Il écarta les bras, les mit en croix, dit très fort pour montrer son coeur et se faire entendre de ses aides :

—Bienvenue, my friends !

Jakins et Oswald sortirent aussitôt.

—Je suis... Natanis, dit l'un d'eux en français.

—Le colonel Arnold que voici, chef de la grande armée américaine que tu as accueillie dans ton village, avait le désir profond de te rencontrer, Natanis, pour t'offrir ces modestes présents et pour te demander le privilège et l'honneur de s'adresser à ton peuple.

—Mon peuple veut savoir pourquoi une querelle aussi grande que tout un pays sépare le roi et ses enfants, exprima Natanis sur le ton de la grandiloquence.

—Si Natanis le veut, j'irai moi-même parler à son peuple, en ce jour, à son village, répondit le colonel par Jakins.

—Quand le soleil s'en ira derrière les collines, l'Aigle Noir pourra venir dans notre village. Il pourra parler à mon peuple... et dire pourquoi les soldats viennent avec leurs fusils comme des ennemis.

—Le colonel dit qu'il se rendra chez toi au coucher du soleil comme tu le demandes, fit Jakins, Et qu'il emportera de la viande pour toutes vos femmes et pour tous vos enfants et pour vous-mêmes, les guerriers les plus braves de tous les braves Indiens, et qu'il vous proposera un pacte d'amitié.

Natanis sourcilla, regarda les présents et fit demi-tour sans rien ajouter. Et il partit avec son compagnon, leurs pas donnant l'air de glisser à fleur de sol et de neige.

—Il ne faudra pas oublier les cadeaux, avertit le colonel, sinon tout sera raté.

À midi, toute blancheur avait disparu sous les doux rayons du soleil. Quatre chevaux montés arrivaient au bord de la Famine. Chacun portait deux cavaliers. Sur celui de tête, il y avait deux convoyeurs de la famille Poulin. Puis Absalon Maheux et McCleland. Le malade n'avait plus conscience depuis la veille au soir. Maheux, le meilleur cavalier de la Beauce et homme solide, s'était fait attacher McCleland au corps, contre le dos. Car un brancard traînant derrière comme l'avait proposé la femme Grier aurait certainement tué le pauvre malade tant le parcours était accidenté en certains endroits et que de plus, il fallait souvent chevaucher dans l'eau, entre les pierres.

La troisième bête emmenait le couple Grier.

Puis venait Jean avec Jacataqua assise derrière lui, une main sur son épaule et l'autre lui enserrant la taille.

À partir du moment où la Grier a coupé abruptement leur silencieux regard, les deux jeunes gens n'ont pas cessé de se parler. Tout y a passé. Enea qui savait faire du beurre. Marguerite qui brûlait de la revoir. Joseph et sa pauvre jambe. Porc-Épic dont Jacataqua gardait un joyeux souvenir. Jean raconta ses chasses et ses pêches; elle fit de même. Il lui fit voir dans le ciel clair l'image de ses labours. Elle parla de la matrone qui, au milieu du lac, seule dans un canot, s'était mise debout puis était doucement tombée à l'eau, et n'avait alors exécuté aucun mouvement de natation pour se sauver, comme si elle eût embrassé volontairement la mort. Elle révéla qu'on avait repêché son corps puis qu'après une nuit funéraire et avoir gardé sa main droite pour la faire inhumer par un missionnaire, l'on avait redonné le reste d'elle-même au lac après l'avoir entouré de pierres pour que la femme repose à jamais en paix au fond de l'eau. Elle avait posé sa tête contre Jean pour boire à la tristesse que ce souvenir affreux faisait couler dans son coeur.

Mais de tout le trajet, pas un mot, pas un seul mot concernant Aaron Burr.

Alors même que le défilé commençait à remonter la Famine pour aller guéer plus haut, Burr réapparut dans sa vie et son champ de vision. Elle le vit parmi un groupe réuni autour d'un feu de l'autre côté de la rivière, entre la rive et le village indien, lieu où campaient des centaines d'hommes qui y passeraient une journée de repos sur ordre du colonel, pas rien que pour chasser l'épuisement de leur corps, mais pour refaire leurs forces depuis ces choses exquises qui leur étaient vendues par les Canadiens.

Les femmes de toutes les maisons de Blancs cuisinaient comme des forcenées. Duval et Stammrer faisaient la cueillette de pain frais, de fèves au lard, de ragoût, de laitages et les partageaient entre les deux campements de Sartigan et de la Punaise. Les soldats s'étonnaient à chaque distribution de goûter des aliments aussi délicieux et nourrissants. Ils avaient jeûné, ils avaient mangé de la viande crue, des racines, de la peau de chien; sans doute ne s'attendaient-ils point à pareil régime frugal chez les Canadiens, mais au grand jamais à tant de bienveillance et de douceur si bien cuisinées, deux parfums qu'exhalaient en abondance tous les mets servis.

On était au coeur d'une distribution. Les Sauvages profitaient de ce que les Américains payaient pour la nourriture et ils répondaient sans hésiter aux bruyantes invites du marchand espion. Les soldats achevaient de passer devant les tables de service bondées de miches de pain, de chaudrons noirs, de barils de lait, contrôlées par les marchands eux-mêmes aidés de jeunes filles indiennes servant d'apéritifs au regard des hommes. Derrière, venait une file interminable : tout le village aux mille coloris sur une seule ligne sinueuse qui se perdait quelque part entre les wigwams.

Le vieil homme était en tête. Une fois encore, il eût voulu payer sa croûte avec ses idées, mais le pauvre palabrait tout seul, expliquant la vie et les choses à un peuple trop terre à terre pour prêter la moindre attention à ses bizarreries d'homme qui pense trop et donc divague.

Pas loin dans la file se trouvait Front-Brisé qui, myope comme une taupe, ne pouvait reconnaître Jacataqua puisqu'elle avait déjà du mal à voir les quatre chevaux.

Et la jeune fille avait maintenant un oeil troublé, fixé sur Aaron Burr. Et sur Jemima Warner assise près de lui. C'est à ce moment qu'elle eut la certitude de porter son fruit. Alors elle ne vit plus que lui, oubliant jusqu'à son chien qui traversait la rivière à la nage pour aller retrouver Front-Brisé.

Burr ne jeta qu'un regard éclair sur le défilé puis retourna à sa conversation animée. Par contre, à l'appel de son devoir, le docteur Senter laissa son repas, héla son aide et se mit en route vers la maison des Maheux où il parvint en même temps que le premier cheval. On détacha McCleland qui fut emmené à l'intérieur et étendu sur un lit près de la cheminée.

–Par chance que je n'ai pas perdu aussi ma lancette, dit Senter à son aide en se penchant sur le malade, je vais pouvoir utiliser la méthode Sangradoine.

–Croyez-vous qu'une saignée soit indiquée dans un cas de péripneumonie ?

–Eau chaude et saignée font parfois des miracles, qui l'ignore ?

–Pourquoi n'avons-nous pas appliqué le remède dans la sauvagerie ?

–À cause du froid, parbleu ! Le froid est le pire ennemi des malades qui subissent une saignée. Mais ici, nous pouvons opérer.

–Il y a une de ces chaleurs odorantes, soupira l'aide en s'essuyant le front.

Quelques minutes plus tard, Senter procéda. Pour ramasser le sang, la femme Maheux prit le même plat de fer-blanc dont elle se servait lors des boucheries pour cet usage. Le docteur tenait hors de la couche le bras incisé. Agenouillée, la femme regardait les gouttes rouges tomber, abondantes, au bout de chaque doigt. Ce n'est pas cela pourtant qui lui donnait froid dans le dos mais plutôt la respiration plaintive et striduleuse du moribond

Les Grier rendirent leur cheval aux Poulin. Ils rejoignirent Jemima. La bête lente de Jean fut ainsi la dernière à passer par le camp. Des yeux étonnés s'attardaient à cette étrange ressemblance entre les deux cavaliers, et l'on se murmurait des commentaires. Plusieurs surveillaient Burr du coin de l'oeil. Il leva à peine la tête pour ajouter une angoisse de plus au regard terriblement bouleversé de Jacataqua.

–Si Arnold veut me coller encore une fois cette sauvagesse sur le dos, il va se tromper, murmura-t-il à Ogden.

–T'as été chanceux de l'avoir, ta sauvagesse, mon cher cousin, rétorqua l'autre.

–Que dis-tu là ? Chanceux ? Je pourrais t'en dire, moi.

Jacataqua n'entendait rien de ce que Jean, bavard comme un panier percé, alimenté de choses à dire par le brouhaha de la place, énonçait avec enthousiasme.

–Regarde, c'est Front-Brisé : tu veux descendre ? dit-il soudain.

Elle gardait la tête tournée, le coeur cloué à l'image de Burr.

–Jacataqua, dit le cavalier en lui donnant un léger coup de coude, c'est Front-Brisé qui s'en retourne au village.

Ce qu'il adviendrait de l'Indienne à leur arrivée à Sartigan n'avait pas été prévu. En l'esprit de Jean, elle viendrait d'abord chez lui pour y retrouver Enea et surtout pour se laisser embrasser par Marguerite. Jacataqua ne savait plus vers qui se tourner. Courir vers Burr ? Rejoindre Front-Brisé ? Suivre Jean ?

Front-Brisé savait que Jacataqua était de retour. Elle en a

eu le sentiment tout d'abord quand les chevaux embrouillés ont passé devant sa vue. Puis le chien est venu l'avertir, lui japper sa joie, tourner autour d'elle en éternuant de contentement. Les chevaux des Poulin étaient passés : à coup sûr celui qu'elle entendait venir devait-il lui ramener sa nièce au sang anglais. Elle se tourna à petits pas, mit sa main en visière sur son front. Le cheval la couvrit bientôt de son ombre.

–Je suis revenue, dit Jacataqua en abénakis.

–J'ai prié le Grand-Esprit pour qu'il te protège, dit Front-Brisé en montrant le ciel, la colline sacrée de Natanis et la rivière pour faire voir l'omniprésence du dieu invoqué.

Depuis le mois où elle se trouvait là, Jean avait aperçu Front-Brisé à quelques reprises, tout d'abord chez lui à son arrivée puis au village indien, mais pas une seule fois d'aussi près et en pleine lumière. Il se dit qu'elle devait avoir quatre-vingts ans tant cette peau, ces cheveux, ce dos étaient...

"Les Indiennes sont comme ça, elles se fanent en pleine jeunesse," a-t-il si souvent entendu dire. "C'est la misère !" expliquait-on. Il lui passa une idée folle. Non point par la tête, mais par le coeur. Non point si folle, car il lui semblait qu'elle venait d'une autre tête que la sienne : garder les deux jeunes filles à la maison, ne plus les laisser s'en aller, plus jamais. Leur donner la vie des Blancs : dure mais bonne. Des légumes, de la viande, du manger chaud, des laitages. Une maison à l'épreuve des grands vents d'hiver, des couvertures, des conversations, des connaissances. Tout ce qu'Enea embrassait à bras si grands ouverts depuis un mois.

Mais la vue de cet être si pitoyable devant lui, fit surgir en son âme un grand remords. Elle deviendrait alors la seule femme de sa cabane. Un jour prochain arriverait où Front-Brisé ne pourrait plus charquer la viande, tanner les peaux, chauffer son feu. Il faudrait des bras vigoureux pour prendre soin d'elle. Pris dans leurs chasses, Natanis et Sabatis ne le pourraient guère. Prisonnière de son corps et de sa solitude, perdue là-bas sur cette rivière Dead, la pauvre femme finirait un jour ou l'autre par s'abandonner comme la matrone. Tout ça ne tenait pas debout, pas plus qu'un poisson hors de l'eau. Comment donc le changer ? Comment couper à la misère ses effroyables griffes ? Comment l'empêcher de mettre le grappin sur un peuple pour le broyer de génération en génération ? Après Front-Brisé, ce serait au tour de Jacataqua et d'Enea de crever comme des chiennes, elles-mêmes dévorées par le dénuement le plus complet. Comment détruire le cercle du diable ? Faudrait-il y sacrifier Front-Brisé ?

Durant sa réflexion, les deux femmes continuaient de s'entretenir dans leur langue. La jeune fille restait avec lui et il lui sembla donc qu'elle ne descendrait pas de cheval. Il sentit sa main dans son dos et il lui parut, dans une perception visuelle par le côté, qu'elle montrait son ventre. Il ne s'y intéressa pas davantage, et sa pensée s'envola vers Enea. Elle devait oeuvrer comme une fourmi en ce moment même et comme depuis l'aube, l'inépuisable Enea ! La si désirable Enea !

Tout au long du voyage, il a senti dans son dos la chaleur et la poitrine de Jacataqua; et cela, parfois, l'a troublé. Mais la seule pensée du corps d'Enea le bouleversait encore plus. Par deux fois, il a vu son corps nu pendant qu'elle faisait sécher sa robe de cuir. Vision bien fugitive... Marguerite lui a montré à s'envelopper d'une couverture pour ne point offenser le Seigneur.

–Partons, dit Jacataqua.

–Tu restes pas au village ?

–Je vas revenir. Au coucher du soleil, il y aura une grande réunion : les soldats, le colonel Arnold, les Indiens.

–Ah !

La suite du trajet fut silencieuse.

Penchée au-dessus de la mare, les cils enfarinés, Enea pétrissait la pâte. Depuis l'arrivée des soldats, on n'en finissait plus de fabriquer du pain. Deux, trois fournées par jour.

"L'odeur restera longtemps," disait Joseph avec humeur.

"C'est meilleur," disait souvent la Sauvage en comparant dans son esprit avec les galettes indiennes de pâte non levée, faites de farine de maïs et cuites sur des pierres chauffées.

Sur un hachoir rougi posé sur la table, un couteau glissait dans les pièces de viande, s'enfonçant comme dans du beurre mou. Marguerite hachait en menus morceaux un entier quartier de porc. Aidé par les femmes, Joseph a fait boucherie tôt le matin aux fins de remplir une dernière commande des marchands pour les besoins de l'armée. Lui-même dans la grange découpait à la scie l'autre partie de la carcasse mise sur une échelle soutenue par des chevalets. Il se chargea de deux pièces et descendit le pont de son pas difficile. Un groupe de soldats arrivait au même moment du village.

Le meneur, un géant habillé en homme des frontières, s'approcha avec un sourire de curiosité et se présenta :

–Sir, I am Daniel Morgan from Virginia.

À l'oreille du Canadien, ce nom avait une consonance familière, mais...

–Et moi, Joseph Bernard de L'Islet et de la Nouvelle-Beauce.

–I was told you were at Fort Duquesne in 1755 ?

Joseph acquiesça, et son regard s'éclaira. Mais aucun d'eux ne se souvenait du visage de l'autre.

–I have no interpreter but maybe we could talk anyway.

–Yes, yes... Venez... à la maison.

Morgan fit signe à Joseph de l'attendre un moment, le temps qu'il donne l'ordre à ses compagnons de poursuivre leur route jusqu'à la Punaise pour y produire un rapport d'activités et prendre des ordres. Et il suivit son hôte qui le fit entrer à sa suite en le présentant aux deux femmes :

–C'est monsieur Daniel Morgan. Le colonel Arnold nous a parlé de lui : comme moi, il était autour du fort Duquesne dans le temps.

Morgan sourit, resta debout au milieu de la pièce. Sa tête frôlait une poutre du plafond. Joseph déposa la viande flasque avec l'autre, sur la planche.

–Assoyez-vous, mister Morgan, dit-il ensuite en lui approchant une chaise. Pis attendez-moi cinq minutes : je vas aller chercher la viande qui reste dans la grange.

Les signes des mains plus les mots semblables dans les deux langues suffirent à faire comprendre le capitaine.

–I will help you, sir...

–No, non, reposez-vous un peu, ça sera pas long.

Puis s'adressant à Marguerite :

–Sers donc du rhum au capitaine Morgan !

–Faut que t'allumes le feu, autrement le ragoût sera jamais prêt pour la grande réunion, fit-elle, les sourcils sévères.

–Je vas tout faire ça pour toi pis tout va arriver à point.

–Couper tout un cochon en petits morceaux, même avec la Sauvage quand elle aura fini de pétrir, j'y arriverai jamais, moi.

Joseph haussa les épaules et dit à Morgan qui venait de s'asseoir :

–Les femmes, ça s'inquiète toujours pour trois fois rien !

–Zèphe, ce monde-là devront pas retourner chez eux pis dire qu'on les a nourris comme des bêtes, qu'on leur a servi de la viande crue pis du pain tapé.

L'homme haussa les épaules une autre fois. Il soupira,

adressa une moue à Morgan et sortit lentement.

Jamais l'Indienne ne leva les yeux de sa huche. Elle se sentait intimidée par cet étranger, bien que ses habits la rassurent un peu, et elle avait donc retrouvé toute sa gravité.

Marguerite s'essuya les doigts sur son tablier gris-bleu. Le tonnelet de rhum était dans la remise. Elle y prendrait aussi une tasse de bois.

Resté seul avec la Sauvage, Morgan, après un silence lourd, chercha à lui dire quelque chose :

–Do you know Jacataqua ?

Enea s'arrêta une seconde de pétrir puis elle recommença de plus belle sans répondre.

–She will be here today.

Parti du camp avant l'arrivée des chevaux, le capitaine ignorait qu'en ce moment même, Jacataqua et Jean descendaient de leur monture au pied du pont de la grange. Joseph les accueillit.

–Vous arrivez du ciel, vous autres. Me faut de l'aide pour mettre le gros chaudron de fer sur le feu, pis ta mère a besoin de plusieurs mains pour couper le cochon en miettes.

–Mon père, vous souvenez-vous de Jacataqua ?

–Certain ! On avait hâte que t'arrives.

La jeune fille perdit son air préoccupé, mais elle demeura silencieuse. Joseph dit à Jean :

–Emmène le cheval dans la grange : comme ça il pourra manger à sa faim tout seul, pis viens me donner un coup de main pour la viande.

Bientôt, les mains lourdes de pièces de lard, tous trois entraient dans la maison.

–Here she is as I said ! dit Morgan, les coudes appuyés sur ses genoux et ses grandes mains enveloppant sa tasse.

Enea se redressa. Elle regarda alternativement Jean et sa

soeur. Ainsi faisait Marguerite qui perdit le sens de son travail. Toute sa nostalgie du temps passé ne refit pas surface comme à l'arrivée d'Enea puisqu'on attendait Jacataqua d'un jour à l'autre et que, dans son coeur, elle l'avait déjà embrassée mille fois. Ses premiers mots furent banals :

–De ce que vous vous ressemblez, vous autres ! On dirait quasiment le frère pis la soeur.

–C'est d'avoir été à la même école ! fit Joseph hypocritement.

Les arrivants se dirigèrent vers la table pour se vider de leur fardeau.

Marchant devant le capitaine, Joseph lui adressa un mot :

–Le rhum est bon ?

–Good... étira l'autre. Bon... bon.

Jacataqua passa devant sa soeur, s'arrêta un moment. Leurs yeux solennels se dirent toute leur affection. Et comme chacune en avait à raconter à l'autre ! Elles se parleraient des journées entières, mais là, elles restèrent muettes.

Puis Jean, l'air gauche, tenant une épaule de porc dans chaque main, s'arrêta à son tour devant Enea. Il se sentait heureux et triste, impuissant et tout-puissant, fou du moment et désespéré du lendemain. Elle avait les yeux plus noirs, plus profonds que jamais sous cette farine blanche et comique. Chacun, de toutes ses forces, eût voulu étreindre l'autre. Leurs bras les justifiaient d'avoir à se retenir. Le pain et la viande les séparaient.

Droite et froide, Jacataqua se laissait embrasser par sa mère blanche qui gardait ses poings fermés pour ne point la tacher de sang.

–Ma belle, belle Sauvage ! s'exclama-t-elle avec une forte émotion dans la voix. Belle comme la rivière. Grande comme... comme le ciel. Courageuse, hein, je le sens. Solide, je le sais. De ce que je voudrais donc que tu sois ma fille.

Toi, ma Jacataqua... pis Enea... toutes les deux.

Sans comprendre les paroles, Morgan avait la rudesse un peu émue. L'image de ses filles Nancy et Betsy et de leur mère Abigail, sa compagne depuis 1761 qu'il avait épousée en 1773, le transportait tout droit chez lui, à Winchester, sur sa ferme à tabac de Virginie. Bien qu'il possédât des esclaves et que ses fonctions de capitaine de milice l'aient conduit à raser des villages Mingo et Shawnee l'année précédente, le plus souvent, il sentait son âme plus proche des Indiens et de la nature que des Blancs et de la civilisation. Il respectait Jacataqua. L'acharnement de Burr sur elle l'écoeurait au plus haut point.

Marguerite s'excitait :

—Vous devez avoir faim ? Jean, occupe-toi de te prendre à manger pis de lui en donner, Enea, t'as fini ? Tu viendras m'aider... Joseph, ton monsieur Morgan, penses-tu qu'il a mangé ? Jacataqua, reste autour de moi pour me parler de... de toi, de ton voyage avec l'armée, de tout.

Le front de l'Indienne se rembrunit.

Une demi-heure plus tard, tous se trouvaient debout autour de la table, y compris Morgan, à couper de la viande. Entre-temps, on avait allumé le feu dehors, monté le chaudron qui fut rempli d'eau aux trois quarts. Et les trois qui n'avaient pas mangé se partageaient du pain et du fromage tout en travaillant.

—Parlez-moi de ça : du monde en masse pour faire l'ouvrage ! Par chance que c'est pour nourrir une armée ! dit Marguerite sans préciser davantage sa pensée.

Enfin Morgan et Joseph pourraient échanger par l'intermédiaire de Jacataqua. Par bribes permettant une traduction plus facile, ils se résumèrent d'abord la bataille de la Monongahéla. Des images poussiéreuses revenaient en chacun et il les disait à l'Indienne qui les écourtait tout en les rehaussant de ses mots remplis de brillances.

–I remember an Indian girl... She was prisoner with a Frenchman in the same wagon where I was myself half-dead.

À mesure que Jacataqua redisait le contenu en français, Joseph regardait tour à tour Marguerite et Jean qui comprenaient aussi pour avoir maintes fois entendu le récit partiel de cette aventure. Soudain, Morgan leva son couteau pour désigner la tête de son hôte, disant :

–The man had been... had been...

Les visages devant ses yeux et les images derrière éclairèrent tout à coup sa lanterne. Il laissa tomber le mot 'scalped' tandis que Joseph, tournant la tête pour ne pas être vu des autres, soulevait le bord de sa tuque. Il fit aussitôt dire par Jacataqua :

–Pis vous-même, monsieur, vous aviez été fouetté sous mes yeux.

Morgan défit sa ceinture, ôta sa veste. En se retournant, il souleva sa chemise à mi-dos. Il avait la peau en rigoles, en ravines et en éminences avec des chapelets de bosses alignées en biais. Il se rhabilla. Les deux hommes se sourirent avec intensité.

–But... your Indian girl ? hésita-t-il.

–Tuée, le jour de la bataille.


Marguerite envoya Enea peler des oignons, les couper en dés pour les jeter ensuite dans le chaudron de fer. Et à son fils, elle demanda de s'y rendre aussi avec des seaux de viande.

Ils furent trop embarrassés pour se parler d'autre chose que de ragoût. Il rit de la voir pleurer à cause des oignons. Sauf qu'en lui-même, il pleurait de la voir rire en pensant qu'elle partirait sans doute dans un jour ou deux.

–Sais-tu comment faire du ragoût ?

–Oui.

–Moi, je le sais pas.

Elle montra son plat, dit :

–Oignons... eau... viande... cuire... farine... sel...

Puis elle jeta les oignons dans l'eau qui fumait comme la Chaudière certains matins glacés. Il fit de même avec sa viande, dut cogner chaque seau sur le rebord du grand chaudron pour que tous les morceaux se détachent du bois.

–Là, il faut faire... brunir la farine, dit-elle en retournant vers la maison et en laissant couler de vraies larmes à travers celles causées par les oignons.

Tout l'après-midi, il y eut un incessant va-et-vient depuis Sartigan jusqu'à Saint-François. Le ravitaillement de l'armée, le regroupement des compagnies, les ordres envoyés par le colonel, des messages dépêchés au quartier général, quelques habitants se rendant à la messe, célébrée le samedi cette semaine-là par le curé desservant, d'autres Sauvages se pressant vers le village, attirés par la nouvelle de la tenue de la grande réunion : coeurs vibrants, excitation, fascination, odeurs se promenant en bouffées de par les environs, roues de voitures qui avancent en grinçant...

“La commande qu'on a faite, c'est prêt ?” s'informe Duval chez les Gilbert. “Il va faire beau à soir !” se disent entre eux les quatre gros hommes forts de la famille Poulin qui, sans honte, tout comme les Bernard, mettent la main à la pâte et secondent les femmes. “S'il se réveille, faut lui faire boire de l'eau chaude, oublie pas, Absalon,” répète la femme Maheux.

Jusqu'aux Anglais de la rive ouest, excepté le seigneur, qui font cuire des mets pour les soldats !

Jamais Natanis n'a vu circuler autant de monde depuis la guerre de Québec en 1759 ! Et jamais il n'aura assisté à une réunion aussi grandiose depuis le rendez-vous des trente-trois nations sur la montagne de Montréal en 1757. La frénésie lui coule à pleines veines depuis quelques jours, depuis qu'il n'a plus à se cacher de peur d'être tué, depuis que le village s'est tourné vers lui qui a la réputation de lire dans le ciel, qui sait haranguer une foule, qui a fait cent courses au pays des Anglais, qui a combattu aux côtés des Français dans toutes les batailles victorieuses, qui a des paroles sages plein la bouche, qui possède des forces connues de lui seul.

L'exaltation générale lui communiquait un goût de jeunesse, un goût de hache.

Malgré l'aide apportée aux rebelles, il avait eu l'idée quelquefois d'exciter les siens à se battre contre ces envahisseurs. Mais ses amis français avaient un trop gros morceau de coeur avec eux, il l'a bien compris en parcourant la Beauce depuis son arrivée. À la réunion, il trouverait la voie : ou bien s'engagerait à combattre avec les rebelles ou bien déciderait de retourner chez lui et de poursuivre sa vieille vie vide.

En attendant, c'est lui qui dirigeait la préparation du feu. À son retour de la Punaise, il a annoncé la nouvelle de la réunion puis mobilisé les chasseurs, les a transformés en chercheurs de bois sec et en bûcherons. Il a fouetté leur orgueil en leur parlant du plus grand feu de camp jamais vu de mémoire d'homme, un feu qui éclairera la Famine et la Chaudière à perte de vue, qui s'élèvera plus haut que les collines, brillera plus que la comète, un feu auquel assisteront le Grand-Esprit et Notre-Seigneur.

C'est dans une prairie située entre le village indien, le camp américain, la Famine et la Chaudière que les Sauvages allaient porter leurs fagots. Là, Natanis les faisait ordonner en une pyramide gigantesque par une équipe dont chacun, non seulement acceptait ses commandements, mais les requérait en raison de l'inusité de la tâche. Il était habituel de faire un feu, mais pas un aussi gros.

Les yeux clos, le charbon dans les orbites, le visage blanc plus que de la chaux, tel un cadavre de cire, McCleland agonisait. Senter et son aide devaient s'occuper du reste de l'armée. Il y avait de la dysenterie, des affaiblis, des estomacs en séquelles de rejet de foie cru. Des attelles à renouveler sur des jambes tordues, des pansements à refaire sur des genoux râpés, un bras déboîté à réexaminer. Ils ont fait ce qu'ils pouvaient pour McCleland : son sort serait dorénavant entre les seules mains du Tout-Puissant.

Le malade respirait par à-coups rapprochés. Toute la maison était dehors. Les enfants partis jouer avec les petits Sauvages. Angélique se pavanant sans doute autour des soldats. Angélique, c'était la seule grande qui restait : les autres, mariées, vivaient à Saint-François et à Saint-Joseph. La femme roulait sa pâte sur la table et ses idées d'une paroisse à l'autre. Et surveillait McCleland. Il ne se réveillera plus, elle le sent. Pauvre homme ! Venir Dieu sait d'où et mourir à cet âge sans même avoir combattu. Quelle ironie ! Aller prendre une forteresse et crever bêtement pour des pieds mouillés. À peine plus âgé que la Louise !...


Arnold se fit précéder par son secrétaire et le lieutenant Jakins avec ordre de l'attendre à la maison des Bernard. À un quart d'heure de distance, il se mit lui-même en route à pied avec le major Meigs. Il fallait de toute urgence discuter des finances de l'année. Le naufrage près du lac Amaguntik et des dépenses journalières plus hautes que prévues pourraient causer un assèchement des coffres en moins de deux semaines. Voilà qui l'obligerait également à attendre le général Montgomery. Et puis comment alimenter le patriotisme des soldats en les privant de leur argent si péniblement gagné ?

—N'y a-t-il aucune chance de récupérer cet argent qui fut perdu là-bas ?

–Le capitaine Morgan vous en dira quelque chose, monsieur. Un homme qui voudrait nager en cet endroit-là ne pourrait que se noyer.

–Même un Indien ?

–Tout pareil, monsieur.

–Donc, c'est perdu pour l'éternité ?

–Oui, monsieur, pour l'éternité.

Le colonel poussa de profonds soupirs. Il resta longuement silencieux sans s'arrêter de regarder l'eau scintillante et nerveuse de cette rivière que l'on remontait par la piste des colons et des Sauvages de Sartigan, une piste noire encadrée d'arbres nus. Il se plut un moment à en imaginer les beautés vertes de juin, rouges de septembre et jaunes d'octobre, telles les splendeurs de la Thames à Norwich... Amélia...

De sa botte grise, Meigs frappa une pierre qui roula devant eux sans soulever la moindre poussière tant le sol restait humide. Ce que voyant, le colonel se demanda jusqu'à quel niveau pouvait descendre cette Chaudière après deux semaines de temps sec. Et puis cela se produisait-il seulement en ce pays, une si longue absence de pluie ? Son inconnaissance le contrariait.

–Si cet argent... disons plutôt cette fortune est définitivement perdue, major, il n'est pas de notre intérêt d'en faire mention par écrit. À la fin de la campagne, nous en ferons part verbalement au commandant en chef et au président du Congrès. Messieurs Washington et Hancock  sauront bien s'il y a lieu ou pas de relater l'incident aux délégués des provinces... Et puis, de toute manière, les soldats qui ont rebroussé chemin perdront leur solde pour leur défection : cela va contrebalancer pour le trésor noyé dans ces eaux.

Comme trésorier de l'armée, Meigs, honteux d'avoir aussi mal gardé les cassettes, acquiesça aussitôt :

–Vous avez parfaitement raison, colonel. Et puis... pour

ce que j'écris dans mon journal, vous savez !

–Très bien. Avez-vous en mains ce qu'il faut pour payer le prix d'un cheval ? J'ai l'intention de m'en procurer un à Sartigan.

La conversation se poursuivit sur les dépenses envisagées à court terme.

Plus ils s'approchaient de la maison, plus les effluves se dégageant du chaudron noir leur flattaient les papilles. Entre la maison et la grange, un groupe bavard formé des Bernard, du capitaine Morgan de même que de Jakins et Oswald parlait par éclats de voix et par gestes. On se salua d'abord par des signes puis par des poignées de mains et des mots de la plus stricte politesse.

Lorsqu'il s'adressa à Jean, le colonel trouva une façon additionnelle de s'assurer de ses services comme convoyeur, faute de l'enrôler comme soldat. Au lieu de demander à acheter un de leurs chevaux, il offrirait à ces gens de le louer à l'armée. Ils en tireraient moins d'argent d'un coup, mais pourraient ainsi récupérer l'animal quand on serait rendu à Québec. Et pour cela, bien entendu, il suffirait que le jeune homme accompagne l'armée. Mais pour arriver à ses fins, le colonel devait manoeuvrer de la bonne manière; aussi, achemina-t-il par son traducteur :

–Messieurs, n'auriez-vous point une monture à me vendre ?

Joseph hésita un bref instant puis il répondit, l'air tout à fait désolé :

–On a ben deux chevaux, mais on en a besoin.

–You will be well paid, insista le colonel.

Les Bernard avaient déjà entendu cette phrase dont les mots sonnaient agréablement à leurs oreilles : comme les grelots d'une carriole.

–C'est comme on vous dit : sont pas à vendre, fut-il néanmoins répondu laconiquement.

Arnold parla à Jakins à voix basse, mais tout de même assez élevée pour être entendu. Les Bernard devinèrent qu'il avouait comprendre leur volonté. Joseph commençait à regretter un peu son refus net.

L'interprète dit :

–Le colonel, qui est commerçant de chevaux et qui les aime beaucoup, vous demande s'il pourrait quand même voir vos bêtes. Pour lui, vivre un mois entier sans cheval, c'est comme être privé de... de femme.

–Ben certain ! sourit Joseph. On en a deux : un qui est noir pis l'autre isabelle.

–Le noir.

Jean courut chercher le cheval, une grosse bête calme faite pour de durs labours bien plus que pour chevaucher par monts et par vaux.

Arnold lui écarta les babines jusqu'au mors de bride pour découvrir de longues dents jaunes qu'il examina d'un oeil expert. Puis il ouvrit la gueule de ses mains puissantes auxquelles pas même une tête de cheval ne saurait résister, découvrit que la bête faisait du lampas. Mais il ne parla que de son âge :

–Not very young ! grimaça-t-il.

–Douze ans, dit Joseph.

–Et les jarrets bourrés de capelets. Je vous le loue pour un mois : dix shillings par jour.

Les Bernard se consultèrent du regard, ébahis, fortement tentés mais hésitants.

–Mais comment qu'on pourra le ravoir ?

Le colonel sourit, fit dire :

–J'engage le jeune homme au même prix de dix shillings par jour. Le moment venu, il pourra revenir ici avec la bête.

412

–De quoi c'est que vous en dites, le père ? demanda Jean, les yeux étincelants.

–Que le colonel Arnold est ben madré pis ben intelligent itou ! C'est une manière détournée de t'enrôler dans l'armée. Pas mal ratoureux ! Les Anglais nous ont brûlé à L'Islet, je veux pas qu'ils viennent faire pareil icitte, tu le sais. À Québec, ils nous prennent déjà pour des rebelles parce qu'on a refusé de combattre de leur bord.

Puis s'adressant à Jakins :

–Faites savoir à monsieur Arnold qu'on va plutôt lui vendre le cheval au bout du compte.

–Pis nous autres ? protesta Jean.

–Après leur guerre, on s'en retrouvera ben un, pis un pas mal plus jeune.

Arnold eut un éclat de rire. Il avait été déjoué. Qu'importe, il l'aimait bien ce Joseph boiteux. Quant à son cheval, il ne valait pas beaucoup plus que les clous qu'il portait dans les sabots, mais il pourrait faire l'affaire jusqu'à Québec.

D'un mouvement incroyablement leste, il sauta sur le dos de la bête où il s'immobilisa pourtant en douceur, sans surprendre ni énerver l'animal. Jean fut émerveillé de tant d'agilité. Suivi de Joseph et Jakins, le colonel fit avancer la bête jusqu'au chaudron puis la guida autour en questionnant :

–C'est pour l'armée, ce ragoût qui sent si bon ?

–Pour la réunion de tout à l'heure.

–Il sera cuit à temps ?

–Il parait !

–Ce cheval, comment il se comporte dans l'eau ? Il pourrait traverser la rivière ?

–Sans misère !

–Même quand l'eau est haute... ou basse comme elle l'est en ce moment ?

–Elle est pas basse, elle est à son plus haut à part qu'au printemps.

–Quand est-elle à son plus bas niveau ?

–Des fois, à l'étiage, au mois d'août, on voit le fond de la rivière tout partout.

–Vous êtes sûr ?

–Monsieur, en 70, y a eu une sécheresse qui a duré un mois. On voyait plus rien que des taches d'eau icitte et là.

Arnold regarda au loin, dit :

–Pas vite mais plutôt solide, votre bête !

Et il cria à Meigs resté plus loin vers la grange et qui discutait avec le capitaine Morgan.


Les Indiens revivaient. Résurrection inespérée. Renaissance d'une nation. Ils éclataient dans un flamboiement aussi grandiose que celui de l'immense feu de camp. Mais ô combien éphémère et factice !

En ce soir du **quatre novembre 1775**, tous les yeux de l'Amérique étaient là, l'esprit tourné vers une même flamme qui, grâce aux préparatifs méticuleux de Natanis, s'élevait jusqu'au ciel, éclairait les deux rivières, la terre entière. Une flamme sans frontières. Une flamme libre comme le vent.

Des yeux de Sauvages, de Canadiens, d'Anglais, d'Américains, d'Acadiens ! Tout le village indien, un seul coeur multicolore à l'énorme frénésie. L'oeil de l'Angleterre sondant tous les autres par la vertu inquisitrice des marchands Duval et Stammrer, et celle du seigneur Grant terré quelque part derrière une éminence de la rive ouest. Et puis ces paupières des Canadiens si souvent closes sur des pensées de labeur et d'eucharistie. Et au centre, sur une estrade haute, l'envahisseur bienveillant, le conquérant des choses à refaire et à redonner, dispensateur de liberté, fier de jeunesse et fort d'espérance : Benedict Arnold, le grand Aigle Noir, patriote de l'humanité.

Quant au Français, malgré sa vieille démission, sa retraite acharnée, son coeur borgne d'avant et d'après les Plaines d'Abraham, s'il n'avait plus d'yeux pour s'inonder de lumière américaine, il se promenait quand même d'une bouche à l'autre, se bâtissant, tel un vieux fantôme entêté venu tout droit des Ursulines, une présence à l'épreuve de toutes les flèches, même celles aux pointes trempées d'or. Le Français n'était là que langue, mais il était sur toutes les lèvres.

Tous les yeux : non pas tout à fait !

Il y a Jacataqua à la recherche de Burr et qui va d'un petit groupe d'hommes assis à un autre groupe assis. Il a été demandé que personne ne restât debout pour que tous, sans exception, puissent voir et entendre les orateurs. Qu'importe, elle avance ! Elle regarde un moment les sept, huit soldats réunis, visages fraîchement rasés et pour plusieurs rayés d'estafilades, continue son chemin de solitude. Son feu à elle, n'éclaire pas comme le soleil, et elle doit gagner les connaissances pas à pas, à la sueur de ses pieds.

"Va t'asseoir, la sauvagesse," s'écrie l'un. "Viens donc t'asseoir, la sauvagesse," rit l'autre. Mais la plupart savent ce qu'elle court et la prennent en pitié. "Burr est par là." "Un peu plus loin..."

Tous les yeux : non pas tout à fait !

Sous la maigre flamme d'une vieille lanterne au métal ténébreux, ceux de McCleland sont à jamais fermés à la vie, et ceux de la femme Maheux assise près de lui guettent la mort qui se laisse caresser par des souffles imperceptibles, jamais ultimes.

Tous les yeux : non pas tout à fait !

En pleine lumière, il arrive à Duval d'en fermer un pour cracher et expulser un peu de ce judas qui l'habite.

D'un côté, sur l'estrade, il y a quatre chefs superbement

emplumés : l'un du campement de la rivière Le Bras, l'autre de celui de Saint-Joseph et le troisième de Sainte-Marie. Et Natanis... La Nouvelle-Beauce dans sa pureté sauvage, restera debout, solennelle et puissante, jusqu'à la fin des harangues marquant le début des danses.

De l'autre, il y a quatre officiers : Morgan, Meigs, Greene et Bigelow. Joseph Bernard est assis près d'eux sur le même banc grossier fait de billes. Il est là sur invitation conjointe de Natanis et du colonel. Arnold et Jakins sont au centre, debout comme les Indiens : ils sentent sur leur visage la chaleur du feu.

Et en bas, vers le village, sur la gauche du feu, les Sauvages, assis sur leurs jambes, femmes et enfants sur des couvertures, s'échelonnent dans les pentes légères. Ils sont soûls de pain, de ragoût, de viande fumée et de viande crue avalée comme dessert. Et parmi eux, se trouvent des habitants canadiens, les Poulin, les Gilbert, d'autres venus de Saint-François, Absalon Maheux. Au pied de la tribune, de ce côté, Marguerite et Jean attendent le retour d'Enea.

Tous les yeux : non pas.

Dans le wigwam, il y a Front-Brisé qui est malade. Elle a eu des picotements dans les doigts et le bras gauche. Cela a commencé au coucher du soleil quand elle s'apprêtait à suivre Enea et Marguerite à la fête. Puis le ciel l'a frappée dans ce même bras et jusque dans la mâchoire : une douleur fulgurante, atroce, comme elle n'en avait jamais eu de semblable. Elle s'est retenue pour ne point tomber, abattue par la souffrance. Puis elle a senti des coups de poing dans sa poitrine ou plutôt des coups de pied : quelque chose semblait vouloir éclater, se déchirer, jaillir hors d'elle-même. Ses jambes n'arrivant plus à la supporter, elle s'est assise sur sa couche sans se plaindre. Elle a ordonné à Enea de partir avec sa mère blanche. Qu'elles aillent se mettre à l'écoute de Natanis ! Pendant ce temps, elle se rebâtirait des forces par le repos. Son insistance fut telle que la Sauvage dut s'en aller, le coeur rempli d'inquiétude.

Après le repas, Enea retourna au wigwam en ce moment même où Jacataqua s'enfonçait dans la pénombre en direction de la Famine où, selon un groupe, s'étaient dirigés Burr et la femme Warner.

Front-Brisé s'était endormie. Enea repartit en silence, la laissant à la garde de petit chien de sa soeur.


Jacataqua entendit des voix. Elle s'immobilisa. La lumière de la lune commençait à se conjuguer à celle maintenant diffuse du feu de camp. Son oeil perçant balaya l'inconnu. Sur sa droite, elle repéra ceux qu'elle cherchait : ils se distinguaient nettement devant le miroir de l'eau, surtout Burr qui portait des vêtements pâles et dont le visage s'harmonisait avec la couleur pisseuse de sa chemise.

–Aaron, tu es un ami agréable, mais tu es beaucoup plus jeune que moi.

Il coupa d'une voix décidée :

–Et qu'importe puisque je vous aime, Jemima !

–Non, non, Aaron. Ce n'est pas moi que tu aimes, c'est la nature, c'est l'aventure. Tu aimes la seule femme qu'il y ait dans ton décor comme tu as aimé Jacataqua dans les splendeurs de la sauvagerie.

–Jacataqua, c'est rien qu'une sauvagesse ! dit-il, boudeur et rude.

–Tu l'as dit cent fois. Mais Jacataqua, c'est une femme aussi, une femme comme moi, un être humain... qui parle, qui pense et surtout... qui t'aime beaucoup.

–Pardieu ! Jemima, mais nous, nous sommes des Blancs, pas des maudits Sauvages !

–Regarde-moi bien, mon ami, je ne suis pas plus blanche

que Jacataqua.

–Vous vous moquez de moi. Jemima, Jemima, écoutez-moi. Chaque soir quand je m'endors, je rêve à l'avenir, je sens l'avenir, je le vois... aussi grand et brillant que la flamme là-bas. Je vous parle de mon avenir, à moi. Je ne sais pas comment cela va se produire, mais je sais que le seul nom d'Aaron Burr deviendra un jour glorieux et prestigieux, qu'il sera connu par toutes les colonies, en Angleterre et ailleurs. Je veux de toutes mes forces, et les étoiles seront mes témoins, que le nom d'Aaron Burr, pour les vivants et pour la postérité, inspire le respect universel. Et je veux partager ces ambitions, cet avenir, avec une femme de qualité, une femme comme vous, Jemima.

Il la prit dans ses bras.

L'Indienne restait silencieuse, n'osant les interrompre. Elle entendait clairement tous les mots sans très bien les comprendre. Quelque chose lui commandait d'attendre pour ne pas mécontenter son compagnon.

La femme Warner le jugea bien imbu de lui-même, cet envahisseur, et elle le repoussa, disant :

–Aaron, mon mari vient de mourir. Je le pleure chaque minute de ma vie quand je suis seule. Je pensais avoir trouvé en toi un ami, quelqu'un de... généreux pour m'aider à traverser cette épreuve cruelle. Mais voilà qu'à mes problèmes, tu ajoutes celui de m'aimer comme on aime une image un mirage. Laisse-moi... laisse-moi aller. Je veux maintenant retourner avec les autres soldats pour écouter les chefs et le colonel.

Elle se détacha de lui et prit un pas inquiet, un pas qu'elle suivait des yeux, en direction du feu. Elle faillit hurler de saisissement quand il lui arriva presque de se buter à Jacataqua. Elles se regardèrent avec intensité mais sans rien se dire. Jemima hocha la tête vers Burr qui lui faisait dos, un dos voûté et le corps tourné vers la Famine. Il finira par avaler la rebuffade, pensa-t-elle en reprenant sa route.

L'Indienne s'approcha sans bruit, resta derrière lui, en attente. Elle savait qu'il souffrait. Elle l'aiderait en lui donnant le plaisir et il oublierait sa blessure intérieure.

Après un long moment de souffle coupé, Burr fut alerté par la voix d'un chef, grave et puissante, et qui s'en allait courir sur les collines sinueuses. C'était la première harangue; il décida de revenir. À son tour, il se cogna sur Jacataqua. Le choc au coeur, deuxième en moins de dix minutes, le mit dans une fureur indescriptible. Cette sale squaw finirait-elle par le laisser tranquille ? C'est à cause d'elle que Jemima lui avait refusé l'amour. Il la dompterait une bonne fois pour toutes.

Jacataqua sut, par ses yeux aux rages rouges, qu'il la battrait. Qu'importe pourvu qu'il ne la frappe pas sur le ventre, qu'il ne trouble point son propre fils en train de faire son petit nid !

Il lui assena un coup de poing en plein visage, maugréant sur le ton d'une hargne totale, mais sans trop élever la voix pour ne point alerter les soldats les plus rapprochés :

–Chienne, fille de chienne, putain bâtarde, vas-tu cesser de me suivre le nez dans le derrière ? Va donc te coucher devant toute l'armée... et te faire empaler par tes bons à rien à plumes.

Tombée à la renverse, elle respira à fond pour reprendre ses esprits. Elle sentait le sang lui couler du nez. Et elle l'essuya avec la pan de sa couverture qui retombait en avant sur sa robe de cuir. Alors elle reçut un terrible coup de botte sur une cuisse, puis un second qui glissa jusqu'à son ventre. Restée silencieuse, maintenant courbée sur elle-même comme un foetus, elle dit misérablement :

–Pas là... Ton fils... être là... Aaron... Jacataqua... porter... ton fils.

Burr eut un hurlement rauque d'une bête frappée en plein flanc par une flèche qui déchire et désespère. Il siffla :

–Tu mens, tu mens, sale enfant pourrie d'Abénakis. Et je vais te faire ravaler tes mensonges. Relève ta robe. Je vais te les faire manger, tes mensonges. Écarte tes jambes. Je vais te le décrocher de là, ton avorton.

Jacataqua obéit. Il se radoucirait bientôt, elle le savait. Le mal aigu dû au coup de pied persistait. Elle le sentit à peine quand il la pénétra.

–Je vais te les défoncer, tes entrailles puantes pour que jamais un enfant de chienne puisse naître de toi... jamais... jamais... jamais...

Et entre chaque coup de boutoir, il éructait, grognait...

Jacataqua imprima à sa main toute la douceur qu'elle connaissait des pétales d'une fleur, ce velouté de la coupe blanche d'un grand liseron, des petites langues des marguerites, et elle entreprit de lui caresser doucement le dos, les fesses. Elle introduisit ses doigts entre leurs jambes, se rendit au scrotum...


Lorsqu'il eut terminé, Burr lui enveloppa la gorge entre ses doigts et serra. Sans relâche. Elle eut le réflexe de saisir son couteau, mais retint sa main et pria en retenant son souffle et sa douleur.

–Si tu me suis encore, la sauvagesse, je vais t'égorger. Compris ?

Elle mit cinq minutes à retrouver son corps, un peu de ses énergies, à absorber les plus cuisantes douleurs sur son arcade sourcilière, son oeil, en son ventre. Il fallait qu'elle se redresse, qu'elle marche, le corps droit, le pied assuré, qu'elle passe entre les soldats pour aller retrouver Enea, sa mère blanche, son monde. La mort qu'elle avait ressentie dans ces doigts fous, tordus et brûlants sur son cou, lui avait ouvert l'esprit. Elle ne devrait plus se mettre sur la route de cet homme sinon il la tuerait et il tuerait son fils avec elle. Quand Front-Brisé ne serait plus malade, sans doute au matin, elle se confierait à elle.

Burr avait réussi à s'en débarrasser.

Emporté par son assourdissante faconde, Natanis achevait de poser son interminable question filandreuse, la même qu'à la Punaise : "Pourquoi cette guerre entre les enfants d'un même roi ? Pourquoi venir chez les Abénakis et leurs amis, l'arme au poing ?"

Jacataqua retrouva sa soeur sur la couverture des Bernard. Elle s'assit un peu en retrait, fit descendre son serre-tête en travers pour qu'il cache son oeil. Personne ne remarqua ses enflures, les taches de sang sur son visage et ses mains.

Durant les dernières phrases de Natanis, même le silence total de tous eut le frisson tant les mots avaient allure de prophétie lugubre :

*"L'Aigle Noir vient conquérir la forêt vierge. La forêt vierge cédera à l'Aigle Noir, mais le Roc le défiera L'Aigle Noir va s'envoler vers le soleil. Les nations vont l'admirer et chanter ses louanges. Cependant, du plus haut de son ascension, sa chute est certaine. C'est quand ses ailes frôleront le ciel, qu'une flèche lui traversera le coeur."*

Et le chef recula avec les autres.

Impressionné, Jakins ne voulut pas qu'Arnold sache la teneur de cette fin de harangue. Il traduisit en conséquence sans parler de flèche traversant le coeur.

À son tour, le colonel s'avança, Jakins sur les talons. Il sortit solennellement de sa veste et déplia une longue feuille de papier et lut, s'arrêtant entre chaque phrase pour donner à l'interprète le temps de traduire :

"*Amis et frères,*

*Je me sens moi-même fort heureux de rencontrer tant de frères des quatre coins du grand pays, surtout que nous nous rencontrons en amis et que nous sommes également concernés par cette expédition. Frères, nous sommes les enfants de ce peuple qui maintenant prend la hache contre nous. Il y a plus de cent ans, nous étions tous une seule famille. Alors la religion nous a séparés et nous sommes venus dans ce grand pays par consentement du roi. Nos pères ont acheté des territoires sauvages et leurs descendants sont devenus un grand peuple. Aussi nombreux que les étoiles du ciel. Nous avons semé, labouré, nous nous sommes enrichis. Maintenant un nouveau roi et sa clique veut prendre nos terres et notre argent sans notre consentement. Nous croyons cela injuste et tous nos grands hommes depuis le Saint-Laurent jusqu'au Mississippi, se sont rencontrés à Philadelphie où ils ont parlé. Ils ont envoyé une prière au roi lui disant qu'ils seraient frères et combattraient pour lui mais ne donneraient point leurs terres et leur argent. Le roi, au lieu d'entendre notre prière, a envoyé une grande armée à Boston et cherche à soulever contre nous nos frères du Canada L'armée du roi à Boston est venue dans les champs, les maisons et a tué une grande quantité de femmes et d'enfants qui étaient paisiblement à leur travail. Les Bostonnais ont appelé à l'aide leurs frères du pays. Ils sont venus et en six jours ont levé une armée de cinquante mille hommes qui a reconduit les troupes du roi jusqu'à leurs bateaux et tué et blessé quinze cents de leurs hommes. Depuis, ils n'osent plus sortir de Boston. Maintenant nous avons appris que les Français et les Indiens du Canada nous ont appelés à l'aide, que les troupes du roi les oppressent et leur font payer un gros prix pour leur rhum etc qu'ils les pressent de prendre les armes contre les Bostonnais, leurs frères qui ne leur ont fait aucun mal. Par le désir des Français et des Indiens, nos frères, nous sommes venus à leur aide avec l'intention de chasser les sol-*

*dats du roi après quoi nous retournerons dans notre propre pays et laisserons celui-ci la jouissance paisible de ses propres habitants. Maintenant, si les Indiens, nos frères, veulent nous joindre, nous leur serons reconnaissants et leur donnerons une Portugaise par mois, une gratification de deux dollars et leur fournirons leurs provisions, et ils auront la liberté de choisir leurs propres officiers."*

Le propos du colonel prit fin de façon abrupte, mais il l'avait voulu ainsi pour laisser les Sauvages sur des mots de récompense et sur des promesses agréables.

Il sonda la foule d'un long et solennel regard puis recula pour céder la place à Natanis. Les officiers l'entourèrent. Des rumeurs colorées vinrent de la foule. Les soldats applaudirent.

—Félicitations ! dit Meigs quand Arnold fut à nouveau près de lui.

—Merci.

—Du grand art ! souligna Bigelow.

—C'est mieux écrit quand ça passe par Eleazer, mais peut-être que pour les Sauvages...

—Eleazer est déjà entouré d'Indiens qui veulent s'enrôler. Voyez, colonel. On parle de cinquante.

—Imaginez, messieurs, que l'on réussisse à prendre Québec sans devoir attendre Montgomery.

Jakins ne bougeait pas. Il avait l'esprit accroché à cette flamme étrange dans le regard de Natanis quand il avait parlé de l'Aigle Noir dans ses mots d'images troublantes.

—Il nous faut maintenant au moins un habitant canadien pour les raisons que vous savez. Éparpillez-vous et conduisez-les tous vers moi pour que je tente personnellement de les convaincre.

Seul un Gilbert, jeune homme de dix-huit ans au regard taciturne, accepta les offres du colonel; mais il refusa de signer quoi que ce soit. Il serait ce convoyeur et commissionnaire, emploi pour lequel Arnold lui eût préféré Jean Bernard.

Porc-Épic et les autres jeunes Indiens avaient des fourmis dans les jambes. Eux avaient tous signé sous la supervision de Natanis. Des grands X égrianchés ! Quel besoin de ce geste puisqu'ils s'engageaient de consentement ? Si ça pouvait contenter l'Aigle Noir !

La moitié des braves n'avaient jamais fait la guerre; ils n'étaient encore que des enfants lors des dernières grandes batailles. Il leur tardait de danser autour du feu en arborant les couleurs appropriées. Mais tout cela était si neuf et inhabituel que pas un parmi eux n'avait pensé à préparer les teintures. Fort heureusement, d'autres, des plus âgés, y avaient vu. Les chefs avaient confié la tâche au vieil homme. Entre les harangues et la danse, à son aire de beauté installée derrière l'estrade, il recevait un à un les jeunes gens qu'il décorait avec fantaisie, traçant sur leur visage des chemins belliqueux à prédominance rouge.

Marguerite devina, découvrit les blessures de Jacataqua à force de la voir penchée chaque fois qu'elle se tournait vers elle et surtout parce qu'elle était restée en retrait, ses genoux touchant à peine la couverture. La femme dit, la voix insistante :

–Approche-toi, Jacataqua !

L'Indienne avait eu le temps de mettre ses mains sur son visage et elle paraissait en état de prière.

–Qu'y a-t-il ? demanda Jean qui, avec Enea de l'autre côté, encadrait sa mère.

Marguerite se lança vers Jacataqua, marchant à quatre pattes. Elle lui serra fortement les poignets, disant :

–Montre-moi ton visage !

Mais la jeune fille avait trop honte. Si le vieil homme dessinait les signes du courage sur les joues et le front des guerriers, elle portait les marques de la défaite, de la déroute, de l'anéantissement.

Marguerite dut exercer toute la force qu'il y avait en elle pour briser cette barrière qui l'empêchait de voir ce sceau de la dégradation que l'Indienne n'avait pas cru aussi visible malgré cette boursouflure qu'elle sentait autour de son oeil.

Toute la joue depuis la lèvre supérieure, était noire et tuméfiée, et l'oeil lui-même était énorme et entièrement fermé. Marguerite releva le bandeau, hocha la tête, horrifiée.

–Qui c'est qui t'a fait ça ?

Jacataqua resta muette. Enea et Jean s'approchèrent à leur tour, virent aussi le mal couleur de charbon, le sang.

–Réponds à Marguerite, dit la femme comme si elle eût été dans son école, dix ans auparavant.

Peine perdue !

Enea partit en coup de vent, courut vers la plate-forme. Jean pensa qu'elle devait aller chercher Joseph et Natanis.

–Faut soigner ça. On va s'en aller à la maison. Je vas lui mettre une couenne de lard.

–Es-tu tombée ? questionna Jean.

Elle fit un signe négatif.

–Elle était sous la protection d'un civil durant le voyage dans la sauvagerie, dit le jeune homme qui l'avait appris de Jakins à l'heure du repas.

–Où c'est qu'est rendue Enea ? On va s'en aller, fit Marguerite en aidant Jacataqua à se remettre sur ses pieds.

Enea revenait, tirant le colonel par la main. Il n'aurait pas su résister à sa volonté farouche et toute-puissante. Rendue devant sa soeur, elle la montra d'un doigt. "Un doigt qui pourrait pointer l'armée tout entière et surtout moi-même," se dit Arnold en grimaçant. Il s'approcha de la blessée, lui enveloppa la pointe des épaules en demandant :

–Is it Burr ?

Elle baissa l'oeil gauche et ne dit rien.

Il se tourna vers Marguerite et, les yeux mouillés d'une détermination totale, le poing roulé et vibrant, il dit :

–Madame... this will never happen again.

Puis il tourna vivement les talons et repartit en criant :

–Monsieur Jakins, envoyez le docteur Senter auprès de ces gens. Messieurs les officiers, que l'on se mette à la recherche de ce salaud d'Aaron Burr et qu'on me l'amène !

Arnold passa la nuit au camp voisin. Au petit jour, accompagné du docteur, il se rendit au chevet de McCleland. Il prit arrangement avec Absalon pour l'enterrement, car le lieutenant "ne saurait vivre plus longtemps que vingt-quatre heures" pronostiqua le médecin.

Et le colonel donna un ordre sévère à la femme Maheux pour qu'elle se repose et cesse de veiller un mort en sursis et de lui tenir en vain les mains moites.

–Monsieur, il faut prier pour quelqu'un qui se prépare à paraître devant Notre-Seigneur, dit-elle faiblement.

–Mais vous tombez de fatigue, madame !

Il fit savoir qu'il laisserait deux hommes en poste jusqu'à la fin de McCleland; ils aideraient à voir aux choses de l'inhumation.

Les ordres furent ensuite donnés aux officiers. Les deux camps de Sartigan et de la Punaise devraient être levés le jour même.

–C'est fini la belle vie, blagua-t-il devant Morgan. Nous

devons être à Québec dans au plus trois jours.

–Les Indiens sont impatients, monsieur, ils ont dansé long-temps après notre départ hier soir. Jusqu'à la dernière flamme si on peut dire.

–Tant mieux, ils seront moins nerveux aujourd'hui. Ont-ils choisi leurs officiers ?

–J'ai été le choix de Natanis. Tous ceux de Sartigan ont fait comme lui. Les autres iront avec la deuxième division et messieurs Topham, Hubbard, Thayer.

–C'est le major Bigelow et le colonel Greene qui ne seront pas les hommes les plus heureux du monde de les avoir.


Derrière chez Joseph et devant la maison passaient les soldats vaguement regroupés par petits pelotons. Des hommes rebâtis par cette halte magnifique *"en un pays superbe"*. Redevenus obéissants. En quête de gloire ! Québec, la place forte par excellence du continent depuis un siècle avait déjà chargé d'honneur et de prestige les Wolfe, les Montcalm, les Saunders et combien d'autres ! Mais surtout pas besoin d'être officier, d'avoir son nom dans les rapports, dans les journaux et dans l'Histoire à s'écrire, il suffirait de dire simplement : "J'étais à Québec !"

Enea avait souvent l'oeil à la petite fenêtre où elle voyait au moins ceux longeant la rivière ou bien en canot. Elle désirait voir venir Natanis, Front-Brisé, Sabatis ou Enneas qui avaient tous rendez-vous chez les Bernard pour le repas du midi. Le dernier repas ! Tous suivraient l'armée, elle le savait depuis la veille au soir alors que durant les danses, on avait tenu un conseil de famille avant que Jacataqua et elle-même ne soient ramenées à la maison par Marguerite.

Quelques arguments avaient amené la décision. D'abord les hommes s'étaient enrôlés et avaient l'obligation de partir. Et les femmes ne pourraient guère rester seules avec les froids qui frappaient déjà aux portes. Surtout Front-Brisé qui paraissait bien faible, étendue sur sa couche sombre dans une sorte de somnolence angoissante. Il y avait au village huron près de Québec un homme de médecine qui possédait de grands secrets et une réputation qui rayonnait par toutes les rivières. Et pour veiller sur Front-Brisé tant qu'elle serait malade, il faudrait l'une des autres femmes. Jacataqua avait dit qu'elle désirait suivre l'armée et rester auprès d'elle.

"Enea peut-elle abandonner sa soeur blessée et Front-Brisé malade ?" se demandait la jeune Indienne tout comme la veille avant de déclarer qu'elle partirait aussi. Et puis le moment de s'en aller, de quitter sa mère blanche pour continuer sa route était maintenant venu. Tel était son destin : comme l'eau de la rivière qui ne cesse de couler, comme les nuages qui passent, comme les saisons qui se succèdent. Et pourtant... Elle avait entendu dire à Joseph que son pays à lui, c'était Sartigan, frontière sans frontières entre le monde des Blancs et celui des Indiens, pays qui permet aux deux pieds de s'enfoncer dans la terre pour les enraciner à tout jamais. Non... cela valait pour Joseph et Marguerite chassés de partout, mais pas pour une Sauvage appartenant à la sauvagerie et à la grande liberté.

Elle s'efforçait de ne point penser à Jean. À quoi bon, même de le regarder, maintenant que le cours de leur vie se séparait tout juste après s'être rejoint !

Et lui voulait garder son coeur loin de la cheminée. Avec un baril d'eau fraîche et un autre de lait, il s'est installé au bout de la grange en vue des soldats qui défilaient. Ce serait son adieu à l'armée, à ces hommes pour la plupart d'à peu près son âge et qui avaient mis devant ses yeux les glorieuses magies du rêve. Il avait frôlé leur aventure, y ajoutait maintenant sa goutte d'eau... et de lait.

Burr osa s'approcher tandis qu'il servait un petit groupe; Jean le dévisagea puis lui ordonna par gestes et mots coléreux de passer son chemin.

–Ignorant ! You do not even know the word liberty ! maugréa l'autre en s'en allant, les bras accrochés au fusil qui lui passait en travers des épaules comme un joug.

Les femmes Grier et Warner passèrent aussi, ensemble. Jemima savait pour les blessures de Jacataqua. Elle se sentait responsable. Et demanda à la voir. À Jean puis à Marguerite, à la maison. L'Indienne lui fut amenée. Elle portait un large bandeau, compresse de gras de lard salé. Jemima lui prit les mains et lui dit avec ardeur :

–I love you so much, Jacataqua. Hope you' be well very soon !

Elle entendit le silence reconnaissant de l'Indienne puis rejoignit les Grier. Jamais plus elle n'adresserait la parole à cet Aaron Burr.

Les hommes continuaient de passer, joyeux, bavards, certains pressés d'arriver au lieu du prochain campement pour bien manger et jouer aux cartes, d'autres pensant qu'il importait de s'arrêter saluer ce Canadien qui les avait secourus quelques jours auparavant.

Arnold s'amena. Seul. Et l'un des derniers, sur son cheval qui prit naturellement la direction des bâtisses familières. Il ne restait personne. Il ne mit pas le pied à terre. La monture s'arrêta. Son cavalier accepta la tasse d'eau que Jean tendait.

–Peut-être que vous aimeriez mieux du lait, colonel ?

–Only water, thank you, sir.

Et il but d'un trait l'entier et frais contenu.

–Did somebody pay for this ? demanda-t-il ensuite en sortant une bourse de sa poche intérieure.

–Non, non... c'est donné. Vous avez payé assez cher pour le cheval, sourit Jean.

L'autre comprit que les breuvages allaient en supplément avec la monture. Il souleva son chapeau, disant :

–My greetings to you and your family !

Et il clappa pour faire repartir la bête qui eut tout d'abord quelques pas d'un trot léger.

Devant la maison, le colonel salua du tricorne à tout hasard, le geste heureux d'avoir connu d'aussi braves gens.


Les Indiens arrivèrent tard, vers midi. Le soleil se cachait sous des nuages de plus en plus denses et sur un horizon sud-est noir d'encre. Il y avait deux canots. L'un occupé par Natanis, Sabatis et Front-Brisé, et le second par Enneas et les bagages. Après le repas, au départ, on répartirait à nouveau les charges ainsi que les bras valides.

Front-Brisé était prostrée, perdue. Et si vieillie depuis ces deux jours !

À croire que son ridement était devenu quotidien ! Les hommes durent l'aider à débarquer puis à marcher jusque chez les Bernard. On y fut accueilli par tous ceux de l'intérieur, y compris Jean revenu par la nature des événements.

Tout était prêt pour le repas. La table mise pour les Blancs et les jeunes filles. Et près de la porte, sous l'attique de Jean, la natte où prirent place les arrivants.

Tout ressemblait au jour de l'arrivée de Natanis un mois plus tôt. Pourtant, rien n'était plus pareil. Au bonheur nostalgique d'alors succédaient maintenant une tristesse omniprésente, un terrible mal de vivre, une fin. Le regret se buvait dans le lait, se mangeait dans les croûtons de pain, se mâchonnait dans les grillades de lard, roulait dans les gorges avec les oeufs durs.

Marguerite a choisi de noyer la mélancolie dans de bonnes choses qu'elle dispensait en abondance. Joseph avait un grand vague à l'âme de penser que l'armée n'était déjà plus qu'un souvenir, cette armée qui avait occupé les esprits et les coeurs depuis plus d'un mois. Et finie la douce présence d'Enea ! Plus de ce rayonnement qu'elle a diffusé dans toute la maison malgré tant de pluie et d'humidité qui l'ont cloué le plus souvent à sa jambe : il en resterait quelques images dans la besace aux réminiscences. On les reverrait bien tout de même quand ils repasseraient pour s'en aller là-bas. Pour une heure ! Et peut-être pas du tout ! Qu'adviendrait-il à Québec ? Les guerriers seraient-ils détruits par la puissance anglaise ? L'Angleterre, qui avait consacré trente mille hommes et une puissante flotte pour conquérir la forteresse, seize ans auparavant, laisserait-elle une poignée de rebelles mal équipés s'en emparer sans coup férir ?

Maintenant que la fête était terminée, Natanis voyait ses ardeurs fondre comme les premières neiges. Il était peu loquace et sa réserve atteignait ses deux compagnons, eux-mêmes intimidés par cette réception chez des Blancs. La guerre exerçait si peu d'attraits sur lui, maintenant que la danse avait pris fin. Et surtout à voir Front-Brisé qui lui paraissait terriblement malade. Sans cet homme de médecine là-bas, il serait resté à Sartigan. Pour ne pas épuiser Front-Brisé par un voyage qui la tuerait peut-être à moitié comme Petit-Soleil.

Et Front-Brisé avait si mal dans sa poitrine et son dos qu'elle s'attendait à mourir d'une heure à l'autre. Et l'espérait de tout son esprit. Elle but un peu de lait, mais ne mangea rien, pas même sur invitation des hommes et de Marguerite qui s'inquiétaient autant que Natanis.

Jacataqua n'avait plus mal qu'à sa cuisse. La douleur du ventre se faisait plus sourde et lointaine. Celle du visage avait disparu par la vertu des soins de Marguerite bien que l'oeil demeurât globuleux et tout noir sous le bandage, et que la figure, visiblement, resterait coutuse pendant plusieurs jours. Sa tête, ses mains, ses jambes : tout lui semblait perdu, désemparé, lointain. Une seule chose lui semblait intimement liée à sa substance, près du coeur et de l'esprit : l'enfant dans son sein. C'était lui qui avait dû avoir si horriblement mal durant toute la nuit.

Enea et Jean se faisaient face comme à chaque repas depuis une lune. Il était le seul de la maisonnée à parler beaucoup. Gaieté factice qui ne trompait pas ses parents ! Les mots sous-tendaient des rires faux :

–J'ai pas compris trop trop ce que les gars m'ont dit, mais j'ai deviné. Ils riaient de voir que j'avais envoyé Burr tout droit chez le diable. Si vous aviez vu venir le colonel Arnold sur notre cheval ! Facile à comprendre pourquoi c'est faire que les Sauvages l'ont baptisé l'Aigle Noir !

Les Indiens assis par terre se tournèrent vers la table, se mirent à l'affût des propos du jeune Blanc.

–Natanis, ça voulait dire quoi, la flèche qui percera le coeur de l'Aigle Noir ? Arnold va se faire tuer à Québec pis en même temps gagner la bataille ?

L'Indien ne répondit pas. Son regard s'alluma d'un éclat étrange. Il se remit à son repas. Un prophète n'a pas à expliquer ses visions; que celui qui veut comprendre comprenne !

–Des nouvelles du soldat que t'as secouru avec Absalon ? s'enquit Joseph qui couvrait son pain d'une couche de beurre.

–Jakins a dit qu'il mourrait aujourd'hui.

–La seule personne à Sartigan qui pourrait encore le sauver, c'est ben la Marie Maheux, soupira Marguerite.

–De quoi c'est que tu veux qu'elle fasse ?

–Je sais pas. On dirait qu'elle a une force, la Marie, une force que d'autres ont pas.

–Ben moi, je pense que la seule personne qui pourrait encore faire quelque chose pour le soldat, c'est notre Jacataqua, dit Joseph, le regard perdu au fond d'une boîte imaginaire à vieux souvenirs.

–Front-Brisé est malade : Jacataqua doit venir, intervint Natanis.

–Seigneur, c'est sûr ! dit Marguerite. On soigne d'abord son monde.

Il y eut un long silence que Jean dut interrompre afin de tâcher de renouer avec des propos badins :

–Y en a qui ont dit que le colonel est ben bon pour mener des hommes pis des chevaux, mais qu'il est faible comme un enfant devant une femme. Ils disent ça à cause d'Enea qui l'a traîné par le bras hier soir. C'est Vincent Gilbert. Il dit qu'il sait l'anglais, le Vincent : il veut nous faire des accroires, c'est sûr...

Personne ne sourit, ne sourcilla, bien que le conteur cherchât des signes d'encouragement sur les visages. La Sauvage resta muette et sombre, le regard tombé sur du sucre trop abondant qu'elle avait rogné d'un pain avec son couteau et mis dans son assiette de bois avec du lait gras. Elle avait faim pour n'avoir rien mangé depuis la veille, mais c'était dans un morceau de foie d'ours qu'elle eût aimé mordre à belles dents, du foie cru et juteux de bon sang rouge. Non, elle ne comparait point les aliments des Blancs à ceux des Indiens; c'était sa façon de vouloir replonger à l'instant même dans sa vie d'autrefois vers laquelle, de toute manière, il lui faudrait retourner le jour même.

Elle avait le regret profond de ne s'être jamais offerte à Jean. Si elle portait son fruit, peut-être voudrait-il la garder ? N'y avait-il point plusieurs Blancs avec des squaws à la messe à Saint-François ? Non, ça ne l'aurait pas attaché à elle, pas plus que Burr n'avait voulu de Jacataqua parce qu'elle était enceinte de lui ! Qu'importe puisque de son ventre, elle aurait fait renaître sa chair ! Et chaque fois qu'elle aurait vu l'enfant, chaque jour, chaque instant lui en donnant l'envie, elle aurait voyagé par l'esprit jusqu'à Sartigan, survolant montagnes et futaies comme un geai bleu, tournant au-dessus de ses labours pour le regarder ouvrir la terre, plongeant vers lui et battant des ailes pour le rafraîchir, se posant sur son épaule pour lui chanter une tendresse.

Il resterait jusqu'à la mort tout ce qu'il était devenu pour elle. Il était la matrone et le lac, il était la montagne et Natanis, il était la rivière et le bain matinal, la flamme du réconfort et la boîte musicale, la peau chaude et les couvertures, toutes les couleurs et Petit-Soleil perdue, les mots sur les écorces, les fleurs et l'air frais, les papillons et les étoiles, la lune et la neige, le jour et les saisons, la nuit et la pluie, il était Front-Brisé, Jacataqua, le soleil, le matin, l'arbre droit, l'eau qui coule. Elle verrait toujours son image et ses yeux où qu'elle poserait son regard noir. Il serait le souffle de son esprit, sa pensée même.

Le temps s'assombrit. Cela se voyait de par toute la maison. Jean se leva, se rendit à la cheminée, brassa les tisons puis leur jeta trois rondins de bouleau sec dont l'écorce commença aussitôt à pétiller. La flamme s'enfla un moment et répandit sa lumière éphémère. Il prit une éclisse de cèdre dans une section de la boîte à bois, s'en servit pour allumer une des lanternes en attente le jour sur la tablette. C'était une lanterne d'intérieur, en verre, avec bougie, et qu'il se rendit suspendre à sa place du soir au-dessus de la table en disant :

–Tiens, ça va nous aider à voir un peu plus clair !

–T'as vu, c'est un brouillard de neige ! s'exclama Marguerite. Ça durera pas.

Enea et Jean s'accrochèrent au mince espoir qui tombait avec ces flocons blancs : Natanis ne se mettrait pas en route par un temps pareil. Folle et vaine espérance car ni la neige, ni la pluie, ni le froid, ni le vent ou la grêle n'auraient empêché un Indien de partir après qu'il en ait pris la décision. Seule une grande poudrerie hivernale avait une volonté supérieure à celle d'un Abénakis en mal de partir.

—Le temps est venu, dit Natanis comme si au lieu de le retenir, le brouillard l'eût incité à se presser.

Emportée par un élan de femme blanche, Marguerite fut sur le point de s'opposer à ce départ par un ciel pareil. "Attendez une heure, une demi-heure, que ça se passe... Le ciel va se nettoyer... Vous allez prendre du mauvais par ce mauvais temps, c'est couru. C'est de la neige mouilleuse, ça."

Toutes ces considérations passèrent simplement en un profond soupir. Lorsque Natanis ne voulait rien entendre, il avait l'air de n'avoir jamais connu un seul mot de français et il répondait dans sa langue ou bien parlait alors avec quelqu'un de son sang.

Joseph se leva. Il savait, lui, que le mieux maintenant, était de serrer chaque Sauvage dans ses bras et de les laisser s'en aller comme ils le désiraient, comme leur liberté le leur dictait, comme il le fallait.

—As-tu ben enveloppé ta poudre pis tes mousquets... tes couvertures, dans le canot ? C'est de la neige fondante qu'il tombe là.

—Oui, fit simplement Natanis.

—Je voudrais pas t'empêcher d'être brave à Québec, mais tâche de pas courir au-devant des balles, dit Joseph en serrant fortement les bras de son vieil ami.

On aida Front-Brisé à se mettre sur ses jambes. La pauvre femme tendit avec peine une main que Joseph trouva horriblement froide et moite. Elle dit alors un mot français, le premier que les Bernard lui aient jamais entendu dire :

—Bon !

Son visage impassible n'avait pas plus de signification que le mot tout court, mais son regard les balaya lentement toute la pièce, s'arrêta sur Marguerite, Jean, revint à Joseph. Son geste semblait devoir durer toujours; il finit sur celui des Blancs qui avait le coeur le plus indien. Joseph lui enveloppa la main comme pour la réchauffer. Puis il mit la main sur l'épaule de chaque brave, disant :

–Bonne chance !

Marguerite vint à son tour saluer chacun. Jean attendit qu'elle revienne à table pour l'imiter. Il y avait une sorte d'accord tacite planant dans l'air et voulant que les deux jeunes filles soient les dernières à sortir. Il semblait à chacun que les choses devaient être ainsi. Joseph ferma enfin la porte sur le départ pénible de Front-Brisé soutenue par les trois autres hommes. Il voulait que Marguerite et Jean, et lui-même, assomment de tendresse et de baisers ces Sauvages qu'on ne reverrait jamais et que chacun d'eux avait l'impression affligeante de renvoyer pour toujours à leur misère noire.

"Oh! mon Dieu, mon Dieu, pourquoi les départs, pourquoi les séparations, les déchirements, cet arrachement d'un être aimé du fond du coeur, ce vide laissé, ce trou béant, ces débâcles dans l'âme, bien plus terribles que celles de la rivière ?" Comme vingt ans plus tôt sur un rivage acadien, comme huit ans auparavant en cette même pièce, Marguerite eût voulu de toutes ses forces s'effacer, disparaître à cette longue misère du coeur, s'enfoncer dans le brouillard extérieur et se perdre à tout jamais.

Elle caressa longuement la joue non tuméfiée de Jacataqua en disant, sans croire que la chose fût possible :

–Y a de la place pour toi icitte avec nous autres. Si tu veux revenir, je vas te montrer tout ce que j'ai montré à ta soeur.

La dernière fois qu'elle avait quitté cette maison à l'âge de onze ans, Jacataqua était restée droite et froide pour tuer le mal comme une Indienne doit savoir le faire. Maintenant, elle gardait le regard de son oeil libre rivé à terre, honteux, angoissé. Les adieux aux deux hommes furent brefs, comme sans douleur. Et elle se rendit à la porte pour y prendre sa grosse couverture dont elle commença à s'envelopper.

Dehors, le chien jappa. Il savait que sa maîtresse était sur le point de lui revenir.

Enea avait un regard de toutes les douleurs quand les Bernard l'entourèrent. Son coeur frappait sa gorge et sa gorge poignardait ses yeux comme en rage d'y faire jaillir du sang.

Marguerite courut à son lit, en ramena le paqueton qui contenait les menus objets appartenant à la jeune fille dont son cher crucifix; elle prit aussi cette superbe couverture en patchwork, la plus belle de la maison et la donna à Enea. Ainsi, elle serait moins inquiète, la sachant un peu plus au chaud dans le canot ou sous le wigwam.

Joseph ne désirait plus être là, Il avait cette flèche en travers de la gorge. Il avait envie de se cacher... de... Il prit Enea sur lui, la pressa. Elle posa sa tête sur sa poitrine pour écouter son coeur comme elle le faisait tous les soirs avec sa boîte à musique. L'homme fut pris de tremblements incontrôlables de la lèvre inférieure et du menton. Il murmura :

–Si tu repasses en revenant de Québec, arrête nous voir.

Puis il se détacha d'elle et se rendit à la fenêtre avec l'esprit fixé sur l'idée de jurer contre cette humidité qui reprenait de plus belle, et pour la défier en restant debout à regarder la lente progression vers les canots du groupe d'Indiens blancs de neige.

Jean était là sans y être vraiment. Il s'était réfugié à deux pas, près de la cheminée, les bras posés sur la tablette, une jambe repliée devant l'autre, le dos courbé, le regard brûlant figé sur la flamme. Il voulait confusément quelque chose. Ne pas se tourner pour les voir sortir... Ou bien être le dernier à l'embrasser. Il lui donnerait un baiser : le premier et le dernier. Et ce ne serait point son corps qui le demanderait, car son corps était loin de lui en ce moment; ce serait son âme, son tourment, son angoisse de sentir déjà si cruellement son absence. Ne plus la voir quand il rentrerait à la maison après les travaux. Ne jamais la revoir revenir de la rivière, les tresses battant sa poitrine de sa marche sous les seaux lourds d'eau fraîche. Descendre de l'attique et ne plus la trouver assise à la table, le regardant de ses yeux pétillants, heureuse des odeurs de bonne cuisine qu'elle avait déjà générées de ses mains, attendant dans sa discrétion que chacun se lève. Car seule Marguerite aurait pu la surprendre endormie, et rarement encore ! Comment avoir le goût désormais d'aller à la chasse avec Porc-Épic en pensant qu'elle ne serait pas là, comme la flamme de la cheminée, à son retour. Comment se sentir bien à voir passer les furies blanches de la Chaudière du printemps sans son regard aux douceurs étranges à côté du sien ? Comment nourrir ses ambitions d'abatis ? Courir aux framboises dans les brûlés ? Aller aux devants d'une autre armée ? Comment prier ? Comment...

Au contraire de Joseph, Marguerite ne la serra pas sur elle, mais se réfugia dans ses bras comme une enfant perdue. Elle entendit le coeur d'Enea battre à grands coups sourds, résonner jusqu'au sien. La jeune fille répondit à l'appel et posa ses mains dans le dos de sa mère blanche : geste nouveau pour elle.

Jacataqua était prête, le visage tourné vers la porte, attendant sa soeur. Alors Enea vit ces trois dos qui cherchaient à dissimuler de la peine, Joseph, Jean, Jacataqua, et ces trois têtes abattues qui ne réussissaient point à le faire. Sans doute qu'au printemps, on repasserait par là pour s'en aller sur la Dead et sûr qu'on s'arrêterait; mais ce départ, elle le sentait, était le grand, le vrai. La maison alors ne serait plus son chez-soi; elle s'y poserait comme un oiseau, le temps tout juste d'effleurer la branche.

Marguerite ne dit rien en se retirant. Joseph avait parlé pour elle, et Jean le ferait peut-être aussi. Elle lui dit :

—Mon garçon, embrasse-la, faut qu'elle parte rejoindre les autres.

Il se tourna vivement, mû par un cri énorme qu'il dut

pourtant retenir dans des muscles agités, enragés. L'image qu'il eut d'elle remplaça un bouleversement par un autre plus violent encore : elle avait les joues emperlées de larmes.

Elle n'eut alors aucune hésitation, franchit elle-même la distance de trois pas les séparant et elle le prit dans ses bras en les introduisant sous les siens. Elle savait l'existence d'un lien puissant entre eux, fait de sourires, de mots agréables, de fleurs verbales, de rires enjoués, de coups de pouce et de cet immense désir dans sa chair. Peut-être qu'il lui crierait de rester ? Elle ne le pourrait pas, à quoi bon ? Elle le pressa comme pour l'étouffer, tête rejetée en arrière, montrant ses larmes et ses lèvres telles des offrandes sacrées.

Lui n'avait plus de force que pour se faire tendre. Il laissa ses mains glisser sur elle, ses épaules, son dos. Elle s'avança la tête et lui baisa le visage... cent fois, follement, furieusement, ivre des simples mots qu'il ne cessait de répéter comme les Avé d'un chapelet :

–Enea... Enea...

Puis la Sauvage se retira en tranchant net dans l'étreinte et les émotions. Elle retourna à Marguerite qui l'enveloppa de sa couverture. Et elle prit son baluchon, s'immobilisa un court moment pour regarder sa propre silhouette sur l'écorce accrochée au-dessus de son lit, marcha vivement jusqu'à sa soeur. Devançant Marguerite, elle actionna elle même la clenche de la porte et sortit la première.

Sans trop s'en rendre compte, Jean se rendit à la fenêtre. Il s'exclama d'une voix aiguë qui glissait visiblement à travers une gorge terriblement nouée :

–Par chance que c'est des Sauvages : sont capables de passer à travers la tempête.

–C'est pas une tempête, c'est rien que... qu'un nuage ou deux. Ça va revirer en pluie tantôt, dit Joseph.

Marguerite resta un moment le dos contre la porte, le coeur

rempli d'une résignation douloureuse. Puis en silence, elle rejoignit les hommes silencieux qui lui laissèrent de l'espace entre eux, chacun s'appuyant un bras sur le côté de l'ouverture.

Les jeunes filles trottinaient vers les bateaux en attente, prêtes à partir et paraissant déjà si loin dans cette neige épaisse et lourde. L'oeil ne pouvait voir l'autre rive : et la vue qui, jusqu'à l'eau, s'offrait à lui, l'étourdissait...

Chacune regardait ses mocassins pour éviter de perdre pied. Pas une seule fois l'une ou l'autre ne releva la tête pour adresser un dernier regard à la maison qu'elles venaient de quitter.

Elles montèrent avec Enneas. Natanis poussait déjà sur une perche qui conduisit son canot dans le courant. Bientôt, les deux embarcations peuplées de six fantômes s'estompèrent petit à petit, leur image s'étiolant, blanchissant, finissant par se fondre avec le néant.

Leurs amis de la maison restèrent à l'affût d'une accalmie qui leur redonnerait un moment leurs Sauvages effacés. Le ciel leur dit non cent milliards de fois.

–On dirait... que tout ça... c'était un rêve, c'est étrange, dit Jean, le premier à chercher à sortir de son angoisse muette.

–Pourtant, c'était ben vrai, soupira Joseph.

–Des fantômes, qu'on dirait ! insista le jeune homme.

–Non, Jean ! Les fantômes font pleurer personne, c'est eux autres qui pleurent, dit Marguerite.


Jean passa des heures assis devant la fenêtre, à fumer un mauvais tabac qui empestait la maison de fond en comble. Il avait reçu une longue pipe blanche en cadeau d'un soldat reconnaissant. Il n'avait envie que de s'étourdir de fumée, cherchant malgré lui à rattraper le temps passé, le temps perdu. Parfois, il se raclait la gorge pour la nettoyer de ses irritations physiques et morales.

Marguerite s'occupa de ses travaux coutumiers. Joseph disparut dans leur chambre. Au mitan de l'après-midi, il lui cria de venir. Elle le retrouva couché, mains croisées derrière la tête, coudes déployés. Il avait quelque chose d'important à lui confier, ça se devinait à son regard. L'air étant cru, elle prit un châle dans sa commode et se l'entortilla autour des épaules puis s'assit au pied du lit.

–Trouves-tu ça fin, ce qu'on est après laisser faire ? Qui c'est de nous trois qui va se décider à courir derrière la Sauvage pour la ramener icitte ?

–On peut pas Joseph, tu le sais.

–Pourquoi qu'on peut pas ? Fais-moi donc comprendre !

–Ben... juste la chambre, icitte, on peut pas hiverner dedans, si on veut pas mourir gelés comme des glaçons. Nous faut le coin de la Sauvage au bord de la cheminée.

Les yeux mouillés, agrandis, l'homme dit :

–La Sauvage couchera en haut... avec son homme... avec son mari.

Marguerite fit un sourire émerveillé puis s'assombrit vite.

–Comment aller en chercher une sans vouloir de l'autre ?

–En faut une avec Front-Brisé. Si notre Jean se marie, ça sera pas avec toute la nation abénaquise. Pis c'est la seule manière pour incliner Natanis à laisser partir Enea. Comme ça, il sera content.

Marguerite soupira :

–Ça fait mille fois que je les vois mariés, ces deux-là, mais il est un peu tard...

–Tard ? Tard ? Non pas ! Qu'il parte sur-le-champ avec son cheval; il va les rejoindre avant la fin de la journée quelque part à Saint-Joseph ou à Sainte-Marie.

–Sont en canot pis ça fait trois heures.

–Ils vont pas plus vite que l'armée qui est à pied, elle... Va chercher notre Jean. Un grand gars de dix-neuf ans, c'est le temps de marier ça.

Le regard brillant de Joseph accusait une détermination inébranlable. Chacun d'eux aimait la Sauvage de tout son coeur et on la laissait s'en aller vers n'importe qui, n'importe quoi : c'était le comble de la folie, la chose la plus absurde qu'il ait jamais vue de toute son existence. Stimulé par ses propos et les pensées qui les avait amenés, sachant à coup sûr que ce n'était point sa propre jeunesse qui lui mettait les idées en tête mais le bon sens, il se leva. Marguerite le devança, ouvrit la porte. Ils sortirent ensemble, elle tout juste devant lui, s'arrêtèrent près de la table, à quelques pas du jeune homme installé à califourchon, le menton sur les mains croisées, la pipe morte entre les dents, regardant la rivière jusqu'à perte de vue sous un ciel maintenant nettoyé.

–Prends ton cheval pis va la retrouver. T'as tout le temps de la rattraper avant le coucher du soleil. C'est dimanche aujourd'hui : l'armée s'arrêtera vite. Emmène-la avec toi chez le curé Verreau à Sainte-Marie. Demande-lui de bénir votre mariage. C'est certain que Front-Brisé pis Natanis vont la laisser partir si tu la prends pour femme pour le restant de ses jours ou des tiens. Jacataqua pourra s'occuper de Front-Brisé; elle est connaissante en remèdes pis en tout. Perds pas de temps, pars.

Joseph avait parlé tout d'une traite. Au premier signe d'essoufflement, Marguerite enchaîna :

–Moi, j'ai besoin d'aide. À part de ça, il faut des enfants dans cette maison-là. Écoute ton père. Pars. Pis reviens-nous marié avec notre belle petite Sauvage. Tu trouveras jamais mieux qu'elle, jamais de toute ta sainte vie.

Jean gardait ses yeux fermés et son esprit bien ouvert. Les paroles de ses parents glissaient en lui comme un bon vin d'espérance, transformaient sa peine profonde en bonheur nerveux. Il n'arrivait guère à y croire. Se mit à trouver des objections, non point pour s'opposer mais pour s'assurer de régler d'avance tous les problèmes.

"Elle voudra pas..."

"Elle le veut plus que tout au monde."

"Le curé Verreau refusera de bénir ce mariage."

"Pourquoi c'est faire, si Natanis l'accepte, lui ? Tu lui diras que s'il refuse, il te condamne à vivre en état de péché mortel avec la Sauvage..."

"Mais Natanis, lui ?"

"Natanis pis Front-Brisé, ils ont besoin de Jacataqua pas d'Enea. En plus que Natanis a toujours favorisé les mariages des filles abénaquises avec des hommes blancs. Il le sait ben que c'est mieux comme ça pour elles. En plus que tu vas lui offrir une bourse comme remerciement. Ça sera comme une dot que tu vas payer pour Enea."

## Coeur de la Nouvelle-Beauce

Vers midi, Arnold, le docteur Senter, Jakins et Meigs visitèrent une famille de Saint-Joseph pour s'y procurer des victuailles. Ils furent accueillis par une vieille dame joyeuse qui fit mettre à leur disposition du rhum, des oeufs, du sucre d'érable et des viandes fumées.

Avant leur départ, elle sortit de la maison avec trois jeunes et jolies filles qui s'alignèrent et entonnèrent le "Yankee Doodle" avec des mots français rafistolés sur cet air fort populaire dans toutes les colonies, particulièrement depuis le début de la rébellion.

*"Yankee Doodle, nos amis,*
*Soldats de la liberté,*
*Soyez les bienvenus ici*
*Dans la fraternité."*

Depuis des semaines qu'elle y travaillait, à sa chanson et qu'elle la faisait répéter aux filles. Et elle-même, sur la cadence des mains frappées par le choeur puis par l'ensemble des spectateurs présents, exécuta une danse si remplie d'enthousiasme que les Américains furent portés à compter encore davantage sur l'hospitalité et l'appui des habitants des environs de Québec dans leur entreprise du siège de la ville.

Quel excellent présage que cette chaleur des gens de Saint-François puis de Saint-Joseph ! Et tous ces christs et images de la vierge aperçus tout le long du parcours : le ciel ne pouvait que bénir les vues de libérateurs aussi pacifiques !

C'est Sainte-Marie qui acclama, choya le plus les Américains. Alors qu'on les savait sur le point d'arriver, un comité de citoyens, inspiré en encouragé par le curé Verreau et un fermier voisin, chaud partisan des rebelles, prépara une réception qui serait donnée le soir même en l'honneur des officiers de l'armée. Trois jours plus tôt, *"avant et après la messe du jour des Morts, dans les maisons voisines de l'église où le monde était assemblé par le capitaine Parent et par le sieur Dumergue, on avait lu les manifestes que les rebelles avaient envoyés peu de jours avant leur arrivée."*

Les cuisines des maisons proches de l'église fonctionnaient à plein. Il y aurait dinde rôtie, vin espagnol et toutes les douceurs que ce pays pouvait offrir. Les bancs de la chapelle ont été déplacés. Des hommes y ont monté une longue table capable de recevoir jusqu'à trente personnes. Après le repas, il y aurait feu de camp aux abords de la chapelle avec danses indiennes.

Un comité d'accueil formé de deux femmes et deux hommes dont un fabricien se rendit à cheval au-devant du colonel. Aussitôt Arnold envoya derrière un messager pour réunir une douzaine des principaux officiers et par conséquent rassembler l'armée entière à Sainte-Marie, sans laisser des compagnies poursuivre leur chemin ou d'autres traîner.

Tandis que se montait le camp, Arnold, accompagné de son interprète, se présenta à la maisonnette du prêtre. Il était trois heures de l'après-midi. Le temps s'était éclairci. La neige avait épargné Sainte-Marie. En frappant à la porte, le colonel jeta un coup d'oeil inquiet sur le sombre manoir seigneurial qu'il apercevait à quelque distance vers le nord. Il ne s'attendait à aucune bienvenue de la part d'un seigneur, pas davantage celui-ci que l'autre de Sartigan qui était resté plus invisible qu'un spectre sur sa rive ouest tout le temps que l'armée était restée là-bas.

C'est un prêtre souriant et pourtant intimidé qui ouvrit aux visiteurs. Entre deux âges, l'oeil noir comme sa robe et fuyant mais pas de celui qui veut cacher son âme, l'abbé ressentait une grande satisfaction : il a réussi à amadouer le commandant de l'armée américaine et ainsi, protégerait ses ouailles. Car au-delà du manifeste de Washington, les esprits s'échaufferaient bientôt dans le feu de l'action. Surtout que les Canadiens étaient déjà nombreux à défendre Québec et parmi eux, le seigneur de la place, Gabriel-Elzéar Taschereau.

Jakins annonça qu'il accompagnait le colonel Arnold qui venait en personne accepter son invitation à dîner. "Si j'ai déjà échangé des coups de pistolet avec un Anglais pour avoir négligé de répondre à une invitation, je ne tiens pas à croiser le fer avec un prêtre catholique pour cette même raison," a-t-il blagué en arrivant aux abords de la chapelle.

–It will be a great honor, monsieur, dit-il après les mots de l'interprète et en ôtant son chapeau.

–Mais en attendant, vous voudrez bien prendre une tasse de thé messieurs ? Entrez, je vous en prie.

À la table du curé, autour de la théière anglaise, on échangea sur les dispositions des Canadiens, sujet d'intense préoccupation de la part du colonel. Le prêtre résuma ce qui s'était passé dans ses trois paroisses depuis le printemps, pour le plus grand contentement de ses invités. Il raconta en substance :

"Au printemps, Carleton a ordonné que soit levée une milice. Un de mes paroissiens, Étienne Parent, a accepté la charge de capitaine. Mais il a si bien travaillé, ou devrais-je dire manoeuvré, qu'il n'a pu enrôler un seul individu. Pour punir et menacer les citoyens, le seigneur Taschereau a fait emprisonner un homme; mais il a dû le relâcher sinon la population aurait mis son manoir à sac. Ensuite Parent a exécuté l'ordre d'arrêter trois espions envoyés par votre Congrès Continental en leur faisant dire d'abord de se sauver *"par une dame Provençal qui sait l'anglais."* Le lendemain, six de nos concitoyens, Landry, Routier, Marcoux, Parent, Ferland, Huard se sont mis à la poursuite des fugitifs, sachant tous qu'ils n'avaient aucune chance de les capturer. Monsieur Taschereau s'est rendu à une assemblée publique à Saint-Joseph au mois de mai, pour essayer de convaincre personnellement les gens de se soumettre à la volonté du roi. Il n'a parlé à personne, le pauvre. À son arrivée, l'assemblée s'est dispersée pour se reformer ailleurs. Et là, les habitants ont désigné deux hommes pour se rendre chez le bailli de Sainte-Marie afin qu'il *"exhorte les habitants à se révolter contre l'autorité du Roy."* Conseillé par son prédécesseur, le bailli a refusé de le faire; mais cela a valu aux deux hommes bien des désagréments. Un dimanche, l'un d'eux qui commandait à la porte de l'église, de la part du roi, à tous les habitants, de baliser leurs chemins, *"reçut des sottises de plusieurs habitants sur ce commandement et notamment de Jean Bilodeau, fils, qui lui dit : 'Où est-il ton Roy ? Il est dans la ville au bout d'un canon !'*

–J'ai bien remarqué l'affection que les habitants de Saint-Joseph et de Saint-François semblent porter à notre cause à tous, fit transmettre le colonel.

–Personne, ni dans l'une ni dans l'autre paroisse, n'a voulu s'enrôler dans la milice. Ceux désignés par l'autorité ont retourné leur commission au trésorier-payeur du gouverneur. Alors Carleton a demandé à monseigneur Briand, l'évêque de Québec comme vous le savez, de faire parvenir, par ma voix, aux paroissiens de toute la Nouvelle-Beauce, une exhortation à la soumission. Désirez-vous que je vous la lise, monsieur ?

Sans attendre la réponse, le prêtre se rendit à son bureau à deux pas et il en revint avec le document qu'il mit entre les mains de Jakins en disant :

–Tenez, monsieur, vous pourrez le traduire à mesure pour votre chef.

Et il tendit à Jakins la lettre de mandement.

L'interprète lut une première fois en silence, souriant tout au long, puis il recommença tout haut en anglais :

*"Nous avons appris avec une grande douleur, Monsieur que les habitants de Saint-Joseph et de Saint-François ont résisté aux ordres du gouverneur. Faites-leur bien entendre qu'outre le péché qu'ils commettent contre leur serment, ils s'exposent à de grandes punitions. J'avois envoyé ce mandement dans les deux autres gouvernements, et voyant qu'il n'y avait point de troubles, du consentement de M. Cramahé, j'avois différé de l'envoyer en bas jusqu'au retour de son Excellence. Je ne m'étais pas figuré que la rébellion et la désobéissance commençât par votre petit endroit, au reste c'est mon affection pour eux qui m'a pressé de les avertir. Car je n'en ai point d'ordre : peut-être s'ils s'arrêtent au plus tôt pourra-t-on cacher leur mauvaise conduite.*

*Jean-Olivier, évêque de Québec, le 4 juin 1775."*

Ému par le récit, Arnold déclara :

–Monsieur l'abbé, quoi qu'il advienne, ce pays de la Beauce restera cher au coeur des Américains : c'est une terre de fierté et d'indépendance autant que la nôtre.

–Vous devez sûrement vous demander pourquoi ils ne s'enrôlent pas dans votre armée pour combattre à vos côtés pour la grande cause de la liberté ?

–Je sais, je sais. Ils se rappellent de Wolfe et savent que les représailles anglaises pourraient être terribles. Ils m'ont fait part de cette décision à Sartigan, et je l'ai acceptée sans aucune aigreur.

–Mais la comprenez-vous, colonel ?

–Monsieur, tout le long de cette vallée, j'ai vu aujourd'hui des maisons humbles mais blanches, des visages d'enfants qui disaient la joie de vivre, des labours prometteurs, des prairies qui doivent se faire prodigue durant l'été, de la foi en Dieu plantée à tous les quinze arpents, des gens qui s'aiment et qui ont l'air de se sentir plus forts que le roi lui-même : peut-être qu'après tout, ils la possèdent déjà, leur liberté ?

Le curé leva les sourcils, but un peu, soupira :

–La seule grande misère qui reste encore chez nous, c'est celle des pauvres Sauvages. Mais elle tend à disparaître... avec les Sauvages eux-mêmes.


Entre Saint-Joseph et Sainte-Marie, Jean fut surpris par une noirceur qui tomba vite. Plus rien de l'armée jusque là sauf les traces de pas dans la neige jusqu'aux abords de Saint-François et ensuite sur la route détrempée. Et surtout pas un seul canot sur la rivière. Il lui suffisait, pensait-il, de laisser avancer sa monture pour que tôt ou tard, il rattrape tout le monde.

Parfois, pris d'un élan subit, il poussait l'animal à courir afin d'arriver au plus vite; puis il le laissait ralentir au gré d'une réflexion toute d'ambitions, de rêves à réaliser, de terre à bâtir, de forêt à conquérir, de fils qui grandissent.

Toute ce que la chapelle contenait de chandelles avait été approché de la table ou bien mis dessus. L'assemblée flamboyait. D'un côté, les Américains avec, au bout, à la place d'honneur, le colonel Arnold. À sa gauche, le prêtre; à sa droite, l'interprète. À la suite de Jakins, les officiers Morgan, Greene, Bigelow, Meigs, Steele, Goodrich, Ward, Hubbard, Dearborn, Hanchet, Topham, Thayer, Lamb, Lockwood, Oswald, Duncan, Savage, Brown, Church. De l'autre côté, des Canadiens : Basil Vachon, Jean Giguère, Jean Bilodeau, Jacques Parent, Joseph Gagnon, Claude Patry et Étienne Parent, ces deux-là du comité de réception, Gervais Houle de Saint-Joseph de même que Jacques Ducharme et huit autres choisis par Patry et reconnus comme d'ardents partisans des rebelles.

Le docteur Senter et le chapelain Spring, bien que tous les deux sur la liste des invités, ne se présentèrent pas, retenus au camp voisin par les devoirs de leur charge.

Puisqu'il s'agissait d'une réception donnée à des militaires et servant à des fins politiques, les femmes n'y étaient admises et requises que pour le service. Leur nombre égalait celui des invités. On avait dû en refuser, tant elles s'étaient offertes nombreuses pour assumer la tâche. Sous l'habile coordination de la femme Patry, elles allaient et venaient de l'extérieur de la chapelle où se trouvait un réchaud de fortune, à la table d'honneur, chacune n'ayant donc qu'un seul homme à servir. Elles bourdonnaient mais dans le plus grand silence. Il fallait de la discipline au cours de pareille assemblée alors qu'un seul personnage possédait l'habileté de communiquer aisément avec les deux groupes. Et puis n'était-il point de la plus grande irrévérence que de parler tout haut dans la maison du Seigneur ? À moins d'une dispense pour raison majeure comme c'était le cas pour les hommes de la table !

L'essentiel de la conversation entre le prêtre et le colonel fut une redite des propos du presbytère. C'est pourquoi Arnold put tout à loisir laisser vagabonder sa pensée vers l'avenir. Ses craintes d'échouer devant Québec augmentaient à mesure qu'il s'en approchait. Tout ce qu'il avait perdu d'hommes, de matériel, d'argent, de poudre, mais surtout la perspective d'avoir à se battre contre la milice canadienne le confirmaient dans sa désagréable décision d'attendre Montgomery. Le remplaçant de Schuyler n'avait pas pu subir autant de déboires que lui sur des voies d'eau connues et aisées malgré les forts à prendre.

Les Canadiens bavardaient entre eux tout comme le faisaient les officiers. La table et la langue ne constituaient entre les deux groupes qu'une frontière agréable : il suffisait que l'on se comprenne par gestes et sourires, et même à l'occasion par des mots que l'on se targuait de saisir au vol pardessus la dinde en sauce blanche dégustée à travers des "hum", des "good" étirés et des "extraordinary" que les femmes ne pouvaient manquer d'attraper au passage, elles aussi.

Au milieu du repas, il vint un messager qui se fit annoncer au prêtre par la femme Patry, une dame de forte corpulence à l'oeil aussi volontaire que le poignet. Cela concernait les Américains, et l'abbé le fit donc venir aussitôt auprès de lui. Tous se mirent à son écoute même s'il était un Canadien venu de Québec et parlant français. Il dit que monsieur Robichaud, courrier envoyé par le colonel deux jours auparavant depuis la Punaise, avait été fait prisonnier. Sa seconde mauvaise nouvelle disait que les Anglais étaient déterminés à brûler et détruire toutes les fermes de la région de Québec à moins que les hommes ne prennent les armes et ne viennent se porter à la défense de la garnison.

–Pardieu ! voilà bien la tyrannie à l'oeuvre ! s'écria Arnold.

Puis il s'excusa auprès du prêtre pour avoir juré dans son église. Et il s'adressa à ses hommes :

–Messieurs, demain, que chaque capitaine conduise sa

compagnie aussi vite que possible. Qu'aucun homme ne soit laissé derrière à moins qu'il ne soit invalide. Nous devons atteindre la Pointe-Lévy avant la fin du jour. Notre présence aux environs de la ville donnera une bonne raison aux citoyens de rester chez eux et, du même coup, les protégera, ce qui, tout compte fait, nous protégera également, en les empêchant de prendre les armes contre nous.

Natanis avait planté sa tente parmi celles des autres Indiens près de la rivière et des canots.

Les Sauvages n'étaient pas les seuls à voyager par voie d'eau puisque la plupart des officiers s'étaient procuré une embarcation à Sartigan ou au campement indien de Saint-Joseph. C'est la raison pour laquelle il y avait un soldat de faction au bord de l'eau. Lanterne d'une main et mousquet de l'autre, il patrouillait tout le secteur d'amarrage, les yeux petits et soupçonneux.

Jean se dirigea sur lui, parla de Natanis, d'Enea. Sans succès. Au nom de Jacataqua, le visage de l'Américain s'éclaira. Il conduisit le visiteur en marchant devant son cheval vers la tente qu'il cherchait.

Enea s'y trouvait en compagnie de Front-Brisé. La femme malade n'était plus jamais laissée seule maintenant. Il fallait voir à ses besoins, à sa nourriture, à sa chaleur.

Rien ne pouvait être plus dur que de voyager à ce temps de l'année. La tente était faite de mince toile et on ne pouvait y faire du feu. Il n'y avait point de neige pour calfeutrer le pied. La seule façon de se réchauffer la nuit, c'était de dormir les uns près des autres afin de créer une chaleur commune partagée par chacun. Et on ne pouvait guère se séparer du froid pénétrant venu de la terre qu'à force de branches de conifères. Le moindre vent s'infiltrait de toutes parts.

Pour encourager son monde, Natanis avait fait valoir, au moment de lever la tente, que cela ne durerait qu'une seule nuit, au plus deux. À Québec, on érigerait un grand wigwam en écorce et en toile, chaud et bon pour l'hiver.

Lui et ses compagnons de même que Jacataqua étaient partis au camp de l'armée situé à trois arpents au nord-ouest. Son feu pouvait déjà s'apercevoir depuis les tentes indiennes.

Assise sur sa couche, la Sauvage était à l'écoute de son coeur lourd, un coeur dix fois plus las que celui de Front-Brisé qui somnolait à ses côtés, enterrée de toutes les couvertures disponibles.

Elle regardait brûler une bougie qu'elle avait fabriquée de ses propres mains, guidée par Marguerite. Le rappel de ses larmes du midi en créait d'autres sur ses joues. Et bien qu'il arrivât à Front-Brisé d'ouvrir ses petits yeux égarés, Enea ne se cachait plus de pleurer comme une femme blanche et n'en éprouvait aucune honte. Elle n'aurait d'humiliation désormais que pour sa condition d'Indienne condamnée à la tristesse, au froid et à la faim, au vieillissement rapide qu'elle voyait sur Front-Brisé par rapport à sa mère blanche, à l'abandon et à la mort.

Cette pensée de mort, de fin, était sa seule consolation, sa seule espérance. Comme sa mère Petit-Soleil, elle la trouverait. Et peut-être au cours de cette guerre à venir. Alors elle s'endormirait. Et s'en irait connaître sa mère, revoir la matrone, écouter sa boîte musicale. Et reviendrait peut-être sur la terre dans un être nouveau, un corps d'enfant blanche, la fille de Jean, qui pouvait savoir ?

Des voix d'hommes lui parvinrent. Le pas d'un cheval s'approchait. Ce devait être le colonel qui passait par là. Mais l'on s'arrêta près de la tente : elle l'entendait nettement. Un cavalier sauta à terre. Deux êtres marchaient, arrivaient.

–Somebody's here ? cria-t-on en tâtant la toile pour mieux

avertir.

Elle courut à la porte, défit le noeud qui attachait la corde au pieu grossier, souleva la toile. Un gros visage aux joues pendantes se trouvait à quelques pouces du sien. Elle recula, entendit :

–I have a visitor.

La porte s'ouvrit brusquement. Un homme courbé entra. Ce n'était point la même personne. Il se redressa. Son visage apparut sous le reflet de la bougie...

Enea frissonna de toute son âme, sa substance emportée dans un vent de folie, par ce qu'elle crut un rêve, le rêve de renaissance qu'elle faisait un moment plus tôt, assise sur sa couche.

Et lui laissa enfin passer dans ses yeux ce sentiment profond, à la fois charnel et divin, aux tendresses viriles et chercheuses, plein de certitude : son amour qui franchirait tous les obstacles, que ni les montagnes, ni les furies du temps, ni même une armée ne sauraient plus retenir, museler... Dans cette pénombre, son regard était plus foncé, plus intense encore, et celui de la Sauvage, plus douloureux que jamais.

En la prenant dans ses bras, ce seraient les épousailles de leur coeur. Il franchit brusquement la faible distance les séparant et s'empara de son visage qu'il enveloppa de mains tremblantes. Ses doigts chauds palpèrent doucement les joues, les tempes, le front de chaque côté du bandeau, les yeux, comme s'il eût voulu s'imprégner d'elle pour l'éternité.

Elle atteignit la culmination de la souffrance et du bonheur intimement mêlés. La Sauvage ignorait qu'ils sont rares, ceux de ce monde qui ont le privilège d'accéder à ce double sommet. La femme amoureuse pénétrée par l'homme de sa vie une dernière fois avant qu'il ne la quitte pour aller vers une autre parvient à ces intensités concomitantes à la fabuleuse désespérance.

Il entreprit de défaire les cordons qui retenaient sur elle son épaisse couverture. Il ne fallait pas cet obstacle entre leurs corps. Pendant ce temps, elle gardait les yeux clos, l'être totalement offert, se laissant manipuler par des mains aimantes, telle une petite fille confiante. Puis il écarta les revers de son mackinaw et s'approcha pour la réchauffer. Elle n'avait plus que sa robe, lui que sa chemise : leurs vibrations pouvaient s'en accommoder pour le moment.

Et ils se fondirent dans leur chaleur commune.

Comme elle l'avait fait en partant, il couvrit son visage de mille baisers en répétant son nom tout autant. Quand le ressac de ces flots impérieux et tumultueux se fut quelque peu calmé, que le feu les réunissant eut repris un cours moins excessif, il réussit à dire dans le souffle de l'émotion :

–Je suis venu te chercher pour te ramener avec moi.

Elle l'interrogea du regard. Il poursuivit dans le même souffle :

–Pour que tu sois ma... femme... pour toujours. Le curé Verreau va nous marier. Demain. À soir. Tantôt...

–Mais... mais je suis rien qu'une... qu'une Sauvage !

Il ne lui répondit que par son regard puis par un baiser à l'immense apaisement, long, et qui la transforma en la femme la plus blanche de la terre.

Mais la dure réalité vint soudain bousculer le rêve, l'anéantir. Front-Brisé toussota. Juste de penser à partir, de quitter la malade, de l'abandonner, était déjà une affreuse offense au Grand-Esprit de même qu'à Notre-Seigneur.

–Je peux pas la laisser, murmura-t-elle.

–Mais Jacataqua sera avec elle !

Leur discussion fut interrompue par Front-Brisé qui réclama Enea près de sa couche. Elle lui parla longuement en abénakis, la faisant taire chaque fois que la jeune fille voulait dire quelque chose.

Jean avait la mort dans l'âme. Il se mit à regretter d'être venu pour arracher la Sauvage à une pauvre femme démunie que le départ d'Enea pourrait tuer. Il se rendait compte qu'il n'avait pas pensé suffisamment à cela et que ses parents n'y avaient guère songé non plus. Comment Jacataqua pourrait-elle être toujours présente à la malade ? Ce serait l'enchaîner effroyablement. Son coeur lui ordonnait de partir, de cacher sa honte aux yeux de la terre entière comme l'avait fait son ancêtre Cain.

Enea revint auprès de lui. Il devinait que Front-Brisé avait dit des choses de la plus haute importance : cela pouvait se lire dans le regard de la jeune fille. Elle résuma l'entretien.

Front-Brisé avait dit qu'avant la prochaine lune, elle serait sur pied ou bien morte, qu'entre-temps, la charge ne serait pas trop lourde à Jacataqua de s'occuper d'elle.

–Elle accepte que tu partes avec moi ? lui fit-il redire pour mieux s'en convaincre.

Enea fit un signe de tête.

Il tourna son regard vers Front-Brisé. Hélas ! il ne put apercevoir le maigre sourire qu'elle essayait d'avoir, la flamme n'éclairant pas assez son visage pour qu'il se distingue de ses environs noirâtres.

–Asteur, je vas aller voir Natanis. Je vas revenir, je vas revenir, ça sera pas trop long...

Ce n'est pas lui qui revint pourtant mais Natanis qui, après l'avoir écouté, voulait s'entretenir avec Front-Brisé. Pour cela, l'Indien avait quitté la perspective d'une fête, de harangues, de danses. Quand il en eut terminé avec la malade, il retrouva Enea à l'extérieur de la tente. Il lui dit sur un ton solennel :

–Que tes désirs s'accomplissent ! Tu peux épouser le jeune Blanc. Tu peux partir avec lui. Va vers lui. Il est avec Jacataqua, là-bas, près du feu. Natanis veillera sur Front-Brisé.

Elle prit la lanterne qu'il lui tendait et courut, le pied plus léger que celui d'une biche, vers lui, vers la vie.

Restait à convaincre le prêtre de les marier au plus tôt. Accompagné des deux soeurs, Jean pressa le pas vers la chapelle.

–Sont à la veille de sortir : le repas est fini, lui dit la femme Patry. Mais attends, je vas le prévenir tout de suite.

Elle revint chercher le jeune homme et le conduisit au prêtre. L'apercevant, Arnold n'en crut pas ses yeux. Il pensa que Jean venait enfin se joindre à l'armée après s'être décidé sur le tard.

Intimidé, la tuque à la main, les cheveux rebelles, Jean sourit, salua du geste timoré les Américains qu'il connaissait. Puis il s'entretint à voix basse avec le curé, expliqua qu'il voulait épouser une Indienne, qu'il avait le consentement de sa famille ainsi que de la sienne propre à lui. Le prêtre connaissait les Bernard au même titre que ses fidèles de la paroisse Saint-François et il avait bien remarqué cette jeune Sauvage avec eux, ces derniers temps. Mais était-ce bien de celle-là qu'il s'agissait ?

–Fais-la venir ici, demanda-t-il.

Pendant que Jean obéissait, l'abbé annonça en français, priant Jakins de traduire pour son monde.

–Messieurs, laissez-moi vous présenter deux jeunes gens que je vais marier en cette église demain matin. Cela, j'en suis sûr, va porter chance à votre armée et à la suite de votre expédition.

Jean rentra dans la chapelle avec les jeunes filles. Jacataqua resta près de la porte. Enea suivit son compagnon qui s'avança jusqu'à la table.

Le prêtre se leva, flatta son ventre et sa robe noire, s'exclama :

–Voici donc nos mariés de demain : Jean Bernard de Sartigan et...

–Enea, fille de Natanis, dit Jean.

–Et... Enea Natanis, dit le curé qui venait d'écourter le nom.

Les applaudissements fusèrent. Le colonel s'en mordait les doigts : pour la troisième fois, il s'était trompé sur la vraie nature de ce jeune homme qui, décidément, avait bel et bien opté pour l'amour et non point pour la guerre.

La Sauvage avait les yeux rivés sur son homme. Qu'elles étaient rendues loin, ses idées de mort ! Comment donc le ciel et la terre avaient-ils pu changer si radicalement en si peu de temps ? Elle n'arrivait plus à se poser des questions, ni même à penser à quoi que ce soit. Le bonheur ne stimule guère l'esprit, il le berce ! Et l'endort !

–Si vous les mariez à l'aube, fit savoir le colonel à l'abbé, je promets d'y assister avec un dc mes officiers au choix de... de l'épouse.

–Voilà qui sera fait, monsieur.

Restée en retrait et en attente, la femme Patry, oubliant le respect commandé par le lieu et par l'assemblée, vint dire :

–Quant à nous autres, on va garder de la mangeaille pour tous ceux qui seront au mariage.

–Et du vin aux frais de l'armée américaine, ajouta le colonel en levant son verre.

Cette halte joyeuse lui rappelait New Haven. Et d'assister à un mariage lui serait salutaire.

–Et je propose à chacun de boire sur l'heure en l'honneur de nos jeunes tourtereaux, dit-il encore.


Tandis qu'au presbytère, Jean dormait déjà, Enea et sa soeur se parlaient à voix basse dans leur tente. Chacune n'avait de pensée que pour l'espoir.

Jacataqua défit les tresses de l'autre et les recomposa avec minutie en y incorporant des lanières de tissu rouges et bleues.

Natanis et ses compagnons ronflaient. Front-Brisé somnolait légèrement. Elle cherchait à rester éveillée pour entendre des propos heureux comme il ne s'en était pas dits depuis tant de lunes autour d'elle. Les corps avaient assez réchauffé l'air ambiant pour que les jeunes filles n'aient pas besoin de s'envelopper de leurs couvertures; elles étaient en robe, agenouillées l'une derrière l'autre.

Enea mettait en lumière un sujet d'inquiétude et aussitôt Jacataqua y trouvait remède.

–J'ai besoin de laver mon corps.

–Tu demanderas à Marguerite en arrivant à Sartigan, parce que la rivière est trop froide, tu pourrais te noyer.

–Je ne sais pas les mots pour un mariage.

–Tu n'auras qu'à dire oui.

–Front-Brisé pourra venir ?

–Jacataqua va l'aider.

–J'ai le coeur rempli de soleil... mais il y a de la pluie en moi quand je pense à Front-Brisé... et à toi.

–J'ai lu dans les flammes... après plusieurs neiges, je te reverrai.

–À Sartigan ?

–À Sartigan.

–Nos enfants courront ensemble dans les labours ?

–Et dans la forêt.

–Sur le chemin de Saint-François ?

–Et sur le sentiers du long de la Mataka.

–Dans la grange ?

–Et parmi les wigwams.

Aux premières lueurs de l'aube, tous ceux de la cabane se mirent en route. Comme il était nécessaire que deux hommes soutiennent toujours Front-Brisé, il fallut le temps que le ciel s'éclaircisse pour atteindre la chapelle.

Les lignes de contour des bâtisses dessinaient des formes encore sombres. Ainsi apparaissait sur l'horizon le camp américain érigé derrière l'église autour du cimetière.

Ce serait une journée froide et ensoleillée.

Natanis se planta devant la porte pour attendre. Aussitôt, le curé Verreau ouvrit une fenêtre, se sortit à mi-corps à l'extérieur et invita les Sauvages à entrer dans la chapelle où l'air serait moins cru et où chacun pourrait s'asseoir en attendant le marié et le colonel qui ne sauraient tarder.

Le prêtre avait raison puisque le bruit de sabots de chevaux s'entendit en même temps que celui de la porte de l'église. Les Patry arrivaient en charrette avec l'officier choisi la veille par Enea, le capitaine Morgan, ainsi qu'avec Jakins et Oswald.

Tricorne et monture noirs, costume foncé, Arnold chevauchait parallèlement. Chacun était encore lourd d'une veillée qui avait fini tard et cherchait ses idées en silence. Car on avait longuement parlé de liberté chez le plus ardent partisan des rebelles de toute la vallée où les quatre Américains avaient été invités à passer la nuit.

Jean dormait encore comme une pierre. Un bruit d'eau versée le fit émerger de son sommeil. C'était le curé qui venait mettre à sa disposition un grand pot d'eau glaciale et en vidait dans un plat blanc.

–C'est pour tes ablutions matinales, mon garçon.

Jean prit conscience de tout, du lieu, de l'heure, de sa joie mêlée de crainte, de la bonté du curé. Il voulut le remercier :

–Monsieur...

–Es-tu sûr que tu veux encore l'épouser, ton Indienne, aujourd'hui ? Hier, ne fut-ce pas le choc de son départ qui t'auras incité à vouloir la retrouver ? Est-ce que... tu aurais besoin de te confesser ? Tu peux le faire maintenant, si tu veux.

Jean répondit en bâillant :

–J'ai rien à me reprocher, monsieur le curé, sinon que des fois, je sens que la Sauvage, je l'ôte à sa famille en la prenant pour femme.

–Pour la donner à tes enfants, à vos enfants : c'est ça, la vie ! Telle est la volonté du Seigneur, mon garçon. Bon... Je t'absous donc de toutes tes fautes. De toute manière, je n'ai pas le temps de te confesser. Presse-toi, le colonel nous a fait promettre. Et ta... ta... fiancée est déjà là avec tout son monde. Les Sauvages, ça se lève, le matin !

–Merci de tout coeur, monsieur le curé.

Le prêtre pointa un index long et accusateur vers le lit. Mi-figue, mi-raisin, il s'exclama :

–En retour, j'espère, que dis-je, je compte que toi pour ça, que tu ne refuseras point de payer ta dîme, contrairement aux fidèles de Saint-François qui cherchent ainsi à forcer Monseigneur à leur donner un curé résident.

–Mes parents...

–Tes parents et tous ceux de Sartigan s'acquittent bien de leurs devoirs envers la sainte Église, mais à Saint-François...

Il hocha la tête d'amusement et de contrariété et s'en alla.

Puis il revint dire subito presto :

–À Saint-François, les collines sont plus hautes et les ouailles se sentent peut-être davantage à l'abri de la main du Seigneur. Mais qu'ils fassent bien attention aux débâcles, hein, eux autres !

Jean s'extrayait de la chaleur engrangée par son corps

sous une montagne de couvertures. Le prêtre s'esclaffa et refermaa la porte. Le jeune homme sourit, non pas à la réflexion de l'abbé mais à cette folie amoureuse qui tournoyait dans sa poitrine, cent fois plus puissante que celle ressentie pour la Louise Maheux... mille fois.

Il faisait à moitié clair dans sa chambre, une pièce si basse que ses cheveux frôlaient les poutres. Chaque mur portait sa croix : aucun esprit malin ne pourrait se sentir le bienvenu dans ces lieux.

Le froid qui régnait n'affectait guère le jeune homme. Il était couvert d'un sous-vêtement de pure laine grise, fabriqué à la maison par les mains de Marguerite. Il s'étira un moment, se regarda les pieds, pensa qu'ils auraient besoin d'un bain. Mais le temps ne le permettait guère. Alors, avec ses mains, il se barbouilla le visage d'eau froide en se tenant au-dessus du plat à quelques pouces, pour éviter d'éclabousser le dessus de la commode et le plancher. Puis il s'habilla.

## Sartigan

La femme Maheux mit ses doigts dans un vase d'eau bénite et en aspergea le front, les lèvres et le cou de McCleland. L'homme avait enfin expiré quelque part aux petites heures. Son corps était froid et dur comme les pierres de la rivière et son esprit voguait vers l'empyrée.

Les deux jeunes soldats laissés derrière par le colonel, John Joseph Henry et Daniel Davidson, dormaient encore sur le plancher devant la cheminée où il ne restait que des braises repliées sur elles-mêmes dans de brûlantes robes noires.

Durant toutes ces heures où elle a veillé le pauvre garçon, vingt fois elle a dû répondre à l'interrogation : "Is he dead ?" Ce mot "dead", elle n'en savait que trop bien la signification, voilà pourquoi elle annonça aux soldats en les réveillant :

–McCleland... dead...

Par mots et par signes, ils lui firent comprendre qu'ils verraient à enterrer leur camarade aussitôt après avoir déjeuné. À son tour, elle leur fit savoir qu'il ne fallait pas l'enterrer ainsi, sans prières, comme un animal, que l'homme était catholique tout comme elle-même et tout Sartigan et qu'on l'inhumerait après une journée funéraire et les dévotions d'usage. Ce lit serait sa couche funèbre. On le transporterait à son dernier repos dans ces couvertures. Absalon et son fils verraient à creuser la fosse et à préparer les branches de sapin qui tapisseraient le fond du trou et recouvriraient son corps. Enfin, il serait porté en terre au coucher du soleil.

Les soldats approuvèrent tout. Comment ne pas se soumettre aux volontés fermes de cette femme pieuse ?

Elle fit lever les siens, les fit manger en même temps que les soldats. Absalon se rendit ensuite au cimetière des Indiens avec sa pelle. Son fils entreprit une tournée des autres habitants et du village pour faire savoir à tous qu'il y avait de la mortalité et inviter chacun à venir prier pour le mort.

Avant la fin du jour, toutes les personnes valides de Sartigan s'agenouilleraient auprès de l'Américain. Tous sauf le seigneur anglais de la rive ouest qui continuerait de se cacher tant qu'il sentirait dans le voisinage la moindre odeur de rébellion.

## Sainte-Marie

La veille au soir, sur ordre du curé, quatre bancs avaient été placés près de l'autel par le bedeau Bilodeau. Des bancs faits de larges pièces de bois équarries à la hache, avec un dossier ne dépassant pas les reins : meubles rustres et lourds. L'un, celui des mariés, était à mi-distance entre les autres et l'autel. Les autres se rejoignaient deux à deux par une extrémité.

Les Américains étaient à gauche. Oswald. Jakins. Le colonel en la place devenue la plus honorable par le simple fait qu'il l'occupait. Et à sa droite, le capitaine Morgan un peu embêté de voisiner Natanis. Tous debout mais pas Jacataqua et Front-Brisé qui étaient assises, l'une tordue, l'épaule contre celle de l'autre.

Bientôt, le prêtre arriva. En marchant d'un pas ferme vers les assistants, il s'exclama joyeusement :

–N'ayez crainte, mes amis : le jeune homme achève de se laver, il sera là dans deux, trois minutes.

D'autres fidèles, mis au courant de ce mariage impromptu lors du feu de camp, commençaient à envahir l'église. Suivirent des Indiens dont Porc-Épic. Puis quelques soldats de religion catholique. Et, en même temps que Jean traversait la cour de terre battue séparant le presbytère de l'église, s'amenaient des Blancs de tout Sainte-Marie venus pour trois bonnes raisons : assister à la cérémonie et fêter ensemble une autre fois avant le départ des troupes, adresser leurs souhaits aux époux et aux Américains et enfin, remettre de l'ordre dans leur église et aux environs.

Le curé déposa son livre des registres sur une table voisine de l'autel près d'un écritoire et l'ouvrit à la page préparée la veille au presbytère à partir des renseignements fournis par Jean. L'abbé en avait béni des dizaines de ces unions entre Blancs et Abénakises dans ses trois paroisses; il ne voyait pas cela d'un mauvais oeil. C'était la meilleure manière de blanchir les Sauvages, après tout. En même temps qu'il se revêtait de l'aube blanche, il relut son texte à l'écriture tourmentée.

"Ce 6 novembre, 1775, a lieu le mariage de Elène Nadeau, sauvagesse, fille de Natanis et de Marie-Josephte, ses pères et mères de Sartigan, avec Jean Bernard de Sartigan (Saint-François) Canadien de nation, habitué avec les Sauvages, fils de Joseph Bernard et de Marguerite Leblanc. Plusieurs Sauvages sont témoins. Aussi le colonel Benedict Arnold présent à la cérémonie..."

Pendant toute la durée de cette messe, Enea fut éblouie de lumière. Toutes les images passant devant ses yeux scintillaient, irisaient son regard noir. Même les couleurs ne se distinguaient plus et se confondaient dans l'éclat général. Elle dit oui quand le curé lui commanda de le dire. Elle s'assit quand son compagnon le fit. Elle ouvrit la bouche en un geste mécanique pour recevoir la sainte hostie.

Jean arrivait mal à nettoyer son esprit de ces promesses d'un plaisir fabuleux qu'il aurait, à découvrir le corps de sa jeune épouse, à le couvrir, à le prendre. Il avait beau garrocher ses idées dans ses champs, dans ses chasses, avec son cheval...

Morgan profitait du silence pour voyager en esprit jusqu'en Virginie.

Arnold se rappelait de la trop vertueuse Margaret Mansfield. La pauvre, il n'avait guère eu le temps de la pleurer encore; mais cela viendrait, cela viendrait.

Et Natanis s'imaginait que les Indiens n'auraient aucun mal à s'introduire dans Québec pour surprendre les défenseurs et ouvrir les portes à ses nouveaux amis américains pour en finir vite avec cette guerre.

Jacataqua se sentait heureuse pour sa soeur. Elle-même avait cent fois rêvé d'épouser un Blanc. Et elle avait travaillé pour cela. Cet événement inattendu ravivait ses espérances après sa terrible défaite aux mains d'Aaron Burr.

Seule Front-Brisé suivait les gestes rituels avec toute l'intensité que ses forces lui permettaient. Pour elle, Enea était maintenant sauvée. La promesse qu'elle s'était faite à la mort de Petit-Soleil, d'assurer sa survie, s'accomplissait devant ses yeux. Dorénavant, elle tâcherait de consacrer son coeur et ses mains à Jacataqua pour remplir l'autre part de son serment.

À la fin de la cérémonie, le curé donna la permission spéciale à tous de parler fort, de rire, de chanter dans l'église. Quant au père Jacques, il pourrait, tout comme la veille autour du feu, zigonner sur son violon tant qu'il voudrait. Ne restèrent que deux interdits : le "raide" et la danse. Si les Sauvages voulaient sautiller, ils n'auraient qu'à le faire dehors. Précaution superflue car les Indiens ne dansaient qu'après le coucher du soleil et autour d'un feu !

Les époux furent invités à prendre la place d'honneur à la table. Ils y reçurent les félicitations de chacun. D'abord celles du colonel pressé de partir. La poignée de mains qu'il échangea avec Jean en fut une d'absence, car l'un était tout à son bonheur et l'autre tout à son avenir.

L'heure qui suivit ne fut que confusion. Des retardataires venaient saluer les Américains. Des centaines d'hommes, qui avaient trouvé refuge dans les granges et maisons des habitants, se regroupaient sur la place de l'église avec ceux du camp. Et les officiers reformaient les compagnies. Les Indiens se cherchaient des vivres. Quelques femmes s'occupaient de donner à manger aux proches des époux. D'autres arrivaient avec des pains chauds et des tartes qu'elles vendaient à l'armée.

Se croisaient dehors et à l'intérieur des soldats, des Sauvages mercenaires, des vendeurs de victuailles, des patriotes à l'esprit rebelle, un prêtre qui ne savait trop où donner de la tête, des gens excités, occupés, tournoyants. Un seul point commun : leur désir d'embrasser la jeune mariée. Tradition inusable. Elle qui, de toute sa vie, n'avait jamais donné que cent baisers à un seul homme, en l'épousant dut recevoir un baiser d'au moins cent personnes différentes. À chaque reprise, elle relevait les coins de la bouche et disait un "merci" qui étonnait. L'on n'imaginait pas facilement qu'une Sauvage puisse ainsi s'exprimer le coeur tout comme une femme blanche.

Enea surveillait les siens du coin de l'oeil. Ils avaient mangé. Ils risquaient de disparaître à la manière indienne, comme des ombres furtives. Après chaque personne, elle s'apprêtait à les rejoindre. Le curé vint à son tour voir les mariés. Il leur apprit que le colonel venait de quitter Sainte-Marie, que dans une demi-heure, il ne resterait plus de l'armée qu'un souvenir, que le camp indien aussi était levé. La Sauvage gardait les yeux baissés devant lui. Personne d'autre qu'un prêtre ne lui aurait imposé cela par sa simple présence. Quand elle les releva, il n'y avait plus dans la chapelle que des personnages anonymes. Front-Brisé, Jacataqua, Natanis : tous les siens s'étaient évanouis comme s'ils eussent profité de son inattention.

Sous le regard inquiet de son compagnon, elle courut jusque dehors, zigzaguant entre les gens, en bousculant certains sans même s'en rendre compte. Lui s'excusa auprès du curé, la suivit. Il la trouva interdite sur le pas de la porte, abasourdie par cette césure brutale à laquelle pourtant elle s'attendait.

Il la prit sur lui par l'arrière, lui enveloppa les épaules, les bras, les mains, dit simplement :

–Je vais aller demander au bedeau de nous amener notre cheval pis on va partir. Ma mère, mon père doivent se morfondre à nous attendre, à pas savoir si je vas te ramener avec moi... Viens... viens...

Le voyage de retour fut peu bavard.

Jean se plaisait à regarder les terres défiler lentement dans leurs éclats d'automne : collines rousses souvent plaquées de labours brunâtres et aux faites beige ponctués de verts.

Après une maison blanche, une autre maison blanche. De

longues traînées d'argent hachurant la rivière. Un chemin montant, descendant, tournant, frôlant l'eau, la fuyant. Les sabots lourds d'un avenir assuré. Un bonheur qui pique les yeux. Le plaisir anticipé caressant le coeur et le corps.

Elle se tenait tout contre lui, ses bras le ceinturant, son corps appuyé. Il se rappelait ce voyage dans la forêt avec Jacataqua. Comme la différence lui apparaissait énorme ! Tout ce qui bougeait, bouillait maintenant, cette frénésie sensuelle dont il ne soupçonnait même pas la possibilité d'existence en lui quelques jours auparavant ! Enea, Enea, la plus douce, la plus désirée, la plus mystérieuse : fleur et femme, terre féconde, eau bienfaisante à la fraîcheur pure, corps sacré à découvrir. Enea, la Sauvage, sa Sauvage à lui !

Elle avait sommeil. À cause de leur chaleur commune. À cause du soleil, De sa nuit trop brève. Du pas régulier de leur monture. Des émotions du matin. De l'avenir accompli. De l'ivresse du vin et de celle de changer sa robe de misère pour une robe blanche, toute blanche.

Il lui montra la fertilité, le labeur, la persévérance, la paix, l'espérance, Notre-Seigneur planté partout : la vie omniprésente d'un détour à l'autre, d'un paysage au suivant, de village à village.

Sainte-Marie en liesse !

Saint-Joseph aux vents de liberté !

Saint-François aux puissantes épaules

Une fois encore, la neige avait perdu la bataille dans sa conquête du sol. Il en restait à peine quelques traces brillantes çà et là dans des replis de terrain, de rochers. Un soleil silencieux sonna les douze coups de midi...


Chez les Gilbert et les Poulin, des enfants vinrent quémander un sourire ou deux au couple passant. Jean nomma chacun par son prénom. La Sauvage répétait en faisant précéder ses Isaac, Zoël, Pierre, Jacqueline, Germaine, Julien, Louise, Philippe d'un large "bon jour"' aux syllabes séparées. Et alors les petits aux grands yeux contents couraient dire à leur mère que la Sauvage était "ben fine".

Joseph les vit venir. Il cria à Marguerite pourtant toute proche et qui fricotait sur la table :

–Les voilà ! Je le savais qu'on les reverrait ensemble, que je le savais donc ! Les voilà ! Gréyons-nous pis allons les embrasser dehors. Viens t'en, viens...

Sa jambe allant au mieux depuis le matin, il se hâta vers la porte. Marguerite y était déjà. Elle avait eu le temps de décrocher son mackinaw; elle l'aida à s'en revêtir avant d'enfiler le sien.

Debout, dehors, devant la porte, ils restèrent immobiles, leur coeur battant la chamade. Jean ne fit aucun geste non plus tant que le cheval s'approcha. Et par-dessus son épaule, la petite tête de la Sauvage ne bougeait pas davantage. Seule la bête eut l'air de s'exciter un peu. Elle reniflait de ses naseaux frémissants à travers de courts hennissement pointus. Elle se savait de retour à la maison.

Jean descendit puis il aida sa compagne à faire de même. Le cheval continua tout seul vers la grange restée ouverte. Les premiers mots du jeune homme, graves et bien mordus, furent :

–Maman, papa, je vous présente madame Jean Bernard, mon épouse devant Notre-Seigneur.

–Ma petite Sauvage, tu vas voir comme tu vas être ben avec nous autres ! s'exclama Marguerite, larmes aux yeux.

–Bienvenue dans notre maison qui sera ta maison pour toujours à partir d'aujourd'hui même, ajouta Joseph.

Enea ne sut pas qui avait dit la première et la seconde phrase. Peu importait puisque ça venait des Bernard. Et elle se jeta dans les bras de chacun.

—Venez manger, la table vous attend, dit Marguerite à travers les effusions.

Jean répondit à toutes leurs questions. Son voyage avait correspondu en tous points à ce qu'ils avaient anticipé, espéré. Et voilà maintenant que la mort du soldat leur donnait une belle occasion de laisser seuls les nouveaux époux. Pour que le voyage soit complet !

Quand il apprit la fin de McCleland, Jean se crut en devoir de dire qu'il irait aussi s'agenouiller auprès de sa dépouille.

—On va pas à un enterrement le jour de son mariage, objecta Joseph en avalant une bouchée de pain longuement triturée.

—Les Maheux vont comprendre ça, rajouta Marguerite. Laisse-nous faire, on va prier pour quatre.

—Attends-nous pas avant deux, trois heures après le coucher du soleil.

—On va s'emporter à manger pis veiller un peu chez Absalon.

Après le repas, ce fut la remise en ordre de la cuisine par les femmes tandis que les hommes allaient atteler le cheval à la charrette tout en fumant leur pipée du midi.

La Sauvage demanda à Marguerite si elle pouvait prendre un bain chaud comme elle l'avait habituée à le faire une fois par semaine depuis son arrivée dans cette maison.

—Asteur, quand tu voudras faire quelque chose, t'auras pas toujours à me le demander. C'est ton foyer autant que le mien. Y a un quart d'eau propre dans la remise. Une demi-heure dans le moyen chaudron pis elle sera pas mal dégourdie. On va installer le paravent de suite. Viens... Viens m'aider.

Mais elles commencèrent par remplir d'eau le chaudron de fer, puis apportèrent la grande cuve de bois devant la cheminée, s'aidant l'une l'autre en riant. Des couvertures fabriquées exprès avec des ganses furent pendues aux poutres aux crochets habituels. Tous les gestes étaient posés comme avant, en jacassant.

Les hommes rentrèrent. Aussitôt, ils furent avertis de se bien tenir à l'écart.

–Moi itou, je vas avoir besoin de me laver, maman.

–Tu vas attendre ton tour, répliqua Marguerite.

Elle fit déshabiller Enea et accrocha sa robe de cuir au mur, au lieu de l'ancienne chambre de la Sauvage que le jeune couple pourrait occuper jusqu'aux grands froids. Puis elle se rendit à sa chambre et fouilla dans un vieux coffre de cèdre au fond duquel se trouvait le seul souvenir d'Acadie qu'elle ait conservé et apporté de L'Islet à Sartigan en 1759 : sa robe de jeunesse, sa superbe robe longue en chintz beige. Elle la déploya, évalua sa grandeur par rapport à la taille de la Sauvage. Ça irait sans aucun doute. Elle sourit et fut sur le point de retourner à la cheminée quand elle pensa à prendre avec elle une capeline et un bonnet qu'elle trouva dans sa commode. Puis elle roula sa robe pour la cacher aux yeux des hommes et rejoignit la jeune fille nue qui tisonnait le feu pour l'activer.

–Tiens, aimerais-tu mettre ça ? demanda-t-elle à voix basse en étalant la robe en avant d'elle-même et y passant la main pour la défriper.

La Sauvagesse se redressa, regarda le vêtement de haut en bas. Les yeux pleins d'eau et de bonheur, elle fit signe que oui.

–Après ton bain, on va te l'essayer.

Quand l'eau fut tiède, elles s'aidèrent pour en transvider la moitié dans la cuve. Enea y embarqua et, sans frissonner, s'y assit.

Marguerite lui attacha les tresses sur le dessus de la tête.

Et ensuite lui savonna vigoureusement le cou et le dos. Après quoi, elle lui mit le gros morceau de savon jaune dans la main en disant :

–Tiens, frotte comme il faut. Partout, partout...

Conseil inutile, car la Sauvage, Marguerite le savait pourtant bien, se gardait au moins sept mois par année le corps plus propre qu'une femme blanche grâce à ses bains quotidiens.

Une voix forte se fit soudain entendre près de la cloison de couvertures :

–La mère, faudrait se grouiller. Le temps de monter chez Absalon.

–Dans vingt minutes pas plus, Zèphe.

Et Marguerite, à l'aide d'un plat à poignée, commença à puiser dans le chaudron pour aller verser l'eau sur le corps de l'Indienne s'y trempant d'abord la main chaque fois pour en connaître la température, car dans pareil chaudron sous un feu actif, si un liquide prenait tout son temps pour devenir tiède, il pouvait ensuite passer à vitesse surprenante à l'état d'ébullition.

Jean et Joseph s'entretenaient des chances de l'armée américaine de s'emparer de Québec.

–Avec un chef comme Arnold, moi, je pense que dans moins d'une semaine, ils seront dans la ville.

–Tout va dépendre des Canadiens de Québec pis des alentours. Si ces gens-là prennent parti pour les Anglais, les Américains sont finis.

Les deux hommes étaient assis à la table, coudes appuyés, s'exclamant entre deux poffes de boucane.

–Parce que prendre Québec, c'est pas de l'ouvrage pour amateurs. A fallu trente mille Anglais en 59. Pis si les Français de France s'étaient pas mis le nez dans l'histoire, on serait encore français, nous autres, hein !

–Vous pensez qu'elle va revenir un jour, la France ?

–En '60, '61, je l'espérais comme tout le monde. Asteur, non. Même l'Angleterre va devoir partir un jour. Quand ? Ça, le bon Dieu le sait pis le diable s'en doute.

–Nous autres, pourvu qu'ils nous laissent notre religion pis qu'ils nous lâchent la paix...

–Arnold a-t-il pensé que tu les rattrapais pour t'enrôler ?

–Non. Il a fait boire tout le monde à notre santé... À matin, il est venu nous faire ses souhaits. Il était pas mal pressé. Il voulait que l'armée soit rendue à la Pointe-Lévy avant la fin de la journée.

–Seigneur de Dieu ! Il sait pas ce qui les attend dans les fonds de terre noire d'en bas après une semaine mouilleuse comme on vient d'avoir. C'est deux jours au moins que ça va leur prendre.

–J'ai oublié de vous dire que le capitaine Morgan était venu au mariage.

–Comment ça se fait ?

–Le colonel a demandé à Enea de désigner un officier qu'il pourrait emmener avec lui à l'église en plus de ses aides. Elle a choisi le capitaine. Elle m'a dit ensuite que c'était lui qui pouvait le mieux vous remplacer.

Joseph rajusta sa tuque et hocha la tête sans arrêt pendant plusieurs secondes en souriant. Jean poursuivit :

–Parlez-moi donc de lui... pis de George Washington.

–Ça doit te paraître une éternité, vingt ans en arrière, toi, hein ? Ben pas à moi...

Le bavardage se termina avec le bain d'Enea. Il arrivait à Jean de jeter un coup d'oeil du côté du paravent, subodorant quelque joyeux complot ourdi par sa mère.

–Les hommes, on a fini, annonça Marguerite. Regardez

par icitte, vous allez voir une nouvelle Sauvage.

Elle fit placer Enea debout devant une couverture puis, grimpée sur une chaise, en décrocha deux des trois attaches.

–Un, deux, trois...

Alors elle laissa tomber le rideau en chantonnant :

> *"Que les filles sont belles ô gai,*
> *Que les filles sont belles."*

La Sauvage apparut à Jean dans toute sa splendeur blanche. Ni bonnet ni capeline que Marguerite lui avait essayés sans trop de succès. Les pieds nus sur le plancher. Et l'Acadie, l'Acadie perdue enveloppant son corps comme un exil ajusté. Ce n'était pas tant la robe qui, en dépit des froissures, lui seyait si merveilleusement, que son sourire fin, léger comme de la mousseline avec cette nuance foncée qui ne la quitterait jamais. Teinte d'un bonheur diffus, étrange, à contours vagues...

–T'es la plus belle fille du Canada ! jura Joseph, joyeux.

–Pis toi, Jean, de quoi c'est que t'en penses ? demanda Marguerite.

–Que je vas... ben que je vas la demander en mariage une deuxième fois. Pis qu'elle devrait mettre ses mocassins pour pas geler des pieds. Pis que parlant de pieds, ben c'est à mon tour de me laver... si vous m'avez gardé un peu d'eau chaude ?

–T'auras qu'à t'en refaire !

Dès lors, Joseph et Marguerite, par regards et clins d'oeil, s'entendirent pour s'en aller au plus vite, répétant qu'ils ne seraient de retour que tard le soir. Au moment de partir, Marguerite fit asseoir Enea sur le lit du coin après avoir isolé son fils dans l'aire des ablutions.

–Attends-le icitte, murmura-t-elle. Lui... il va te montrer

quoi faire.

–Je le sais.

–Tu sais quoi faire ? s'étonna la femme à voix retenue.

–Jacataqua m'a montré.

Marguerite hocha la tête.

–Bon... Mais fais-en pas trop, hein ! Pas tout de suite. Plus tard... Je t'en reparlerai.


Après s'être lavé en chantonnant et en sifflotant, n'osant parler à sa femme, timoré comme ça lui arrivait souvent lorsque seul avec la Sauvage, le jeune homme s'essuya lentement en se questionnant.

Devait-il se rhabiller ? Ou juste s'entourer la taille d'une couverture ? Après tout, elle l'avait bien déjà vu nu jusqu'aux hanches. Mais ce n'était plus la même chose, maintenant qu'ils étaient mariés. Il faudrait qu'il soit plus... réservé.

Pendant ce temps, elle défaisait son baluchon pour y prendre son crucifix et le remettre à sa place au-dessus de la tête du lit. Et elle s'agenouilla pour prier. Et pria, cria sa reconnaissance au Grand-Esprit qui lui avait permis de quitter le wigwam et à Notre-Seigneur qui lui avait ouvert la porte du monde des Blancs. Certes, elle ne serait jamais une Blanche, mais elle ferait en sorte que pas une seule fois de toute sa vie, son homme ne connaisse le regret de l'avoir prise pour squaw... non pour femme.

Lui était prêt maintenant. Il eut l'idée d'aller tisonner le feu. Mais il régnait dans la pièce une bonne chaleur sans excès. Son désir de la retrouver n'avait d'égal que sa crainte. Assis sur la chaise, le corps penché en avant, il regardait intensément les flammes tranquilles qui semblaient supporter le chaudron noir en craquetant.

Une petite voix, comme jaillie d'une source lointaine, se fit soudain entendre tout près, le fit presque bondir tant son accaparement par la jonglerie était profond. Il tourna la tête en la relevant. Elle était là, apparue comme ce jour pendant la traite des vaches, en silence et en mystère.

–Je suis prête.

Il lui fallut le temps de revenir de sa surprise pour se rendre compte qu'elle n'avait plus sa robe, qu'elle était nue devant lui.

Ce teint foncé du visage, elle l'avait par tout le corps, un corps aux lignes souples. Elle lui apparaissait comme... comme la vallée qui se serait mise debout immobile. Non point tout à fait. Il y avait depuis ses épaules et jusqu'à ses genoux des mouvements ondulatoires étranges, aux promesses chaudes comme la terre beauceronne.

Le feu crépita, flamba soudain, puis s'apaisa à nouveau.

Jean vibrait. Les reflets de la flamme et de la femme piquaient son oeil et son âme. Jamais autant qu'en cet instant il ne s'était senti un aussi puissant esprit de laboureur. Une force directrice issue de l'entre-jambes noir de l'Indienne vola jusqu'à lui, s'empara de sa force créatrice, transforma sa chair en soc de charrue. Ouvrir la terre pour la féconder : cela seul comptait. Des millions d'années l'y inclinaient, le voulaient à sa place; il eût été bien inutile de vouloir leur résister.

Il se leva, regarda le feu. Une seule seconde. Le temps pour son âme d'y jeter ses vieux habits : la timidité, la peur, la crainte de faire mal, les noires menaces de sa religion, la pudeur.

Il tourna les yeux vers elle, les jeta sur elle, les fit couler sur ces voluptueux mystères se succédant comme autant d'obstacles surmontables et provocants. Des épaules aux rondeurs douces. Poitrine aux sombres clartés, allumée d'ombres et d'éclats, aurore et crépuscule, vigoureuse dans la perfection du galbe, en attente des caresses qui disposeront la terre à s'ouvrir, à s'offrir... Ventre beau dans sa discrétion palpitante. Et nuit qui crie ses appels en des ondes bourdonnantes : sexe humble qui demande la fierté mâle, amphore veloutée aux soifs profondes...

D'un mouvement communément entendu par leurs désirs irrésistibles, ils se rapprochèrent. Elle se glissa dans sa chaleur; il s'inclina sur sa beauté.

Elle exhalait le propre et le pur.

–Je suis prête, redit-elle une seconde fois.

Elle voulait répondre à fond et au plus tôt aux demandes du corps sagitté de l'homme dont elle sentait sur le sien toutes les ardeurs. Ses propres élans en étaient de disposition, d'accueil, d'hospitalité généreuse et féconde, utilisant chaque portion du coeur pour en nourrir les aveugles passions.

Chacun puisait son désir dans l'insondable de l'autre. Parce qu'il les séparait, l'univers voulait impérativement les fondre en un ensemble définitif.

Ils s'entraînèrent mutuellement hors de l'enclos vers un autre enclos. Au bord du lit, elle défit le noeud qui retenait sa couverture...


La prière des Bernard terminée, consciente qu'il s'agissait des derniers à venir s'agenouiller près du corps, la femme Maheux noua par-dessus la tête de McCleland la couverture grise sur laquelle il gisait. Puis elle fit de même aux pieds. Ses camarades soulevèrent le corps par ces noeuds et entreprirent une marche à petits pas à jambes écartées vers la porte menant à l'extérieur et à la charrette d'Absalon. Ils passèrent entre des femmes à genoux, des signes de croix, des Sauvages curieux, des hommes qui se murmuraient des projets aux exhalaisons de tabac et des 'besoin d'aide?' dits trop bas pour être entendus.

Derrière la gueule du tombereau, ils imprimèrent un mouvement de balancier à leur charge pour la lancer sur l'étroite plate-forme où elle produisit le bruit mat d'un sac de choux.

Le temps de s'envelopper d'un épais châle noir, la femme sortit et cria à son mari, après s'être placée derrière la voiture :

–Allons-y !

Absalon clappa. Le gros cheval à la tête lourde et triste se mit en route vers le cimetière.

–Vas-tu pouvoir suivre ? demanda Marguerite à Joseph.

–Je finirai ben par me rendre, crains pas. Veut, veut pas, on y arrive un jour ou l'autre au cimetière, infirme ou non.

Le convoi funèbre se forma. Les soldats, les Bernard et les autres, tous animés d'un semblable respect craintif.

Après avoir enveloppé son corps sous le sien sans l'écraser, après que leurs lèvres se soient donné mille caresses, se furent dit sans même parler, d'innombrables folies douces, il se mit entre ses jambes ouvertes.

Une troisième fois, elle répéta :

–Je suis prête.

La voix serina à son oreille comme un air de printemps; Jean poussa alors en avant pour enfin s'enfoncer dans ce ventre à la tendre fermeté virginale mais qui l'acceptait si divinement. Le vertige, qui les avait environnés jusque là, vint les quérir pour les porter tous deux ensemble en des exils superbes.

La douleur merveilleuse qu'elle eut quand il la pénétra devait ensuite décupler son extase, enfiévrer ses appels. Saisie par un plaisir infernal et céleste, elle eût voulu crier, hurler comme une louve, griffer, lacérer le corps de l'homme pour qu'il creuse en elle encore plus profondément, jusqu'à son esprit, jusque dans l'éternité de sa substance profonde, disparaître en lui, s'effacer comme une neige hâtive sur de l'eau ensoleillée, mourir à la nature et à la vie, revivre en sa chair et en son sang.

Dans les frissons refusant la vie et les souffles la réclamant, elle se sentait femme louve : l'objet d'un seul homme et à jamais. Elle serait l'arbre porteur de ses fruits. Elle serait le panier aux promesses de l'éternelle survivance.

Et lui, espaçait ses formidables coups de reins du nom chéri et sans cesse répété de la Sauvage. Tout un pays naîtrait de leurs essences. Un pays d'élans. D'abondance.

Il se répandit soudain. Sans même que son corps fébrile ne l'ait prévenu. Tout comme une Chaudière d'été gorgée de pluie chaude et qui s'enfle subitement, et sans crier gare frappe aux portes des collines. De longues intensités venues de toutes ses chairs se déposèrent dans le ventre aimé comme autant de graines d'avenir.


Les dernières branches de sapin furent jetées dans la fosse, sur le corps. On voulait donner au disparu une sorte de couverture chaude, de linceul odorant pour le protéger de l'épaisse couche de terre froide et humide qui écraserait sa poitrine. Puis Absalon entreprit de combler le trou tandis que les assistants tout autour répondaient aux Avé commandés par la femme Maheux.

Il lui arriva un moment d'absence, à la Marie fatiguée.

Marguerite et Joseph s'échangèrent un regard. Ils savaient qu'une part de leur esprit était encore à la maison.


Restés l'un dans l'autre. Les époux avaient longuement somnolé. Puis Enea caressa doucement la nuque de son homme. Il se reprit à frémir. Et lui chuchota encore à l'oreille:

–Je suis prête...


***

# *ÉPILOGUE*

Le 18 novembre, après les camps de Sainte-Marie et de la Pointe-Lévy, Arnold et ses troupes s'installèrent à Pointe-aux-Trembles où, le 1er décembre, ils furent rejoints par Richard Montgomery et son corps expéditionnaire.

Le 20 novembre, Front-Brisé mourut. De froid, de faim, de chagrin, ou simplement de fatigue ? Ou bien s'agit-il d'une punition du Grand-Esprit imposée à Natanis parce qu'il avait repris la hache de guerre ? Ce matin-là, Jacataqua la trouva, l'âme partie par ses yeux restés ouverts.

Le jour suivant, Jacataqua retourna à Sartigan avec son chien. Elle vécut quelque temps chez les Bernard jusqu'au jour où Absalon Maheux la réclama auprès de sa femme atteinte d'un mal étrange des poumons, semblable à celui du soldat McCleland...

Le 31 décembre, à la faveur d'une tempête de neige, les troupes américaines se lancèrent à l'assaut de Québec. Richard Montgomery fut tué. Arnold eut la jambe fracassée. Natanis fut blessé au poignet et fait prisonnier. Morgan, Greene, Bigelow, Meigs : capturés ! Plus de quatre cent cinquante hommes furent tués, blessés ou pris.

Arnold se retira à Pointe-aux-Trembles pour y passer l'hiver, soutenir le siège, panser ses plaies. Au printemps, une flotte anglaise amena quinze mille hommes à la rescousse de la colonie. Carleton et Burgoyne refoulèrent les Américains à Montréal. Puis à Saint-Jean, puis à l'Isle-aux-Noix, puis au lac Champlain où se poursuivrait la brillante carrière militaire à peine commencée de Benedict Arnold.

Durant l'hiver, la femme Maheux mourut malgré les soins attentifs et généreux de Jacataqua. L'Indienne continua d'habiter sous ce toit. En juillet, elle donna naissance à un fils. En août, elle épousa Absalon. Dans ses registres, le curé Verreau l'inscrivit sous le nom de Jacqueline Nadeau.

Quant à Natanis, il fut soigné, humainement traité et relâché en même temps que les prisonniers américains. Il passa, dit-on, près de Sartigan, mais ne s'arrêta ni chez les Bernard, ni chez les Maheux et il disparut à tout jamais avec son fidèle et imperturbable Sabatis.

Vingt-cinq ans plus tard, des Maheux avaient épousé des Veilleux, des Vachon, des Cloutier, des Jacques, des Doyon. Des Bernard avaient marié des Champagne, des Gilbert, des Poulin, des Lessard, des Perron, des Breton, des Dulac, des... La Nouvelle-Beauce devenait la Beauce...

En cette même année de 1801, deux ans après le décès de George Washington, Aaron Burr devint vice-président des U.S.A. sous Thomas Jefferson. Il sera classé par l'Histoire comme le deuxième personnage le plus noir de ce pays, tout juste après... ce grand Aigle au coeur percé d'une flèche depuis vingt ans, et qui rendait l'âme à Londres, le douze juin.

# FIN

## UN MOT DE L'AUTEUR

Gore Vidal écrivait : *"Un roman historique peut être aussi rigoureusement exact qu'un ouvrage d'historien."*

Voltaire disait : *"L'Histoire n'existe pas, il n'y a que des fables plus ou moins plausibles."*

Que l'on me permette d'insérer ma modeste citation entre celles-là de géants : *"Si notre Histoire sait savamment être, elle ne sait pas toujours se livrer."*

Un roman historique respectueux de l'Histoire peut transformer les 'cadavres de cire' que des historiens nous exposent avec rigueur et savoir, en personnages charnels capables de créer une impression vive et durable dans l'esprit des lectrices et lecteurs, pour ainsi les inscrire plus profondément dans toutes leurs 'mémoires sensuelles'.

Tel était mon objectif en écrivant *La Sauvage* : divertir tout en livrant une tranche d'Histoire sans la déformer plus que les historiens eux-mêmes.

Faut-il ajouter que ce roman n'aurait pas vu le jour de la même façon sans le travail trop peu connu des auteurs, historiens ou documentalistes dont la liste suit plus loin.

Toute ma reconnaissance aux responsables de la **Société Historique du Maine (Portland)** et de celle du **Connecticut (Hartford)** pour leur aimable accueil et pour les facilités qu'ils ont mises à ma disposition dans mes recherches là-bas.

Mes hommages aux membres de **The Arnold Expedition Historical Society** de Gardiner, Maine, qui ont sensiblement augmenté ma passion pour le personnage Benedict Arnold.

Merci à l'abbé **Honorius Provost**, grand archiviste, qui m'a mis le nez devant quelques pistes fort précieuses et à **Roger Bolduc** dont une page de *'Saint-Georges d'Hier et d'Aujourd'hui'* fut la bougie d'allumage lors de mon départ vers cette merveilleuse aventure dans... l'Hier.

# OUVRAGES CONSULTÉS

**Alladio, M.,** *Histoire des Armes d'épaule*, Paris, 1980.

**Arnold I.N.,** *The Life of Benedict Arnold, his patriotism and his treason*. Chicago, 1880.

**Assiniwi, Bernard,** *Histoire des Indiens T3*, Montréal, 1974.

**Aubert de Gaspé, P.,** *Les Anciens Canadiens*, Montréal, 1975.

**Bélanger, L.,** *L'Islet, 1677-1977*, L'Islet, 1977.

**Bladeo, M.E.,** *The March to Quebec, a mystery solved*, Morristown, 1980.

**Boily, R.,** *Le Guide du Voyageur à la Baie St-Paul*, Ottawa, 1979.

**Bolduc, R.,** *Saint-Georges d'hier et d'aujourd'hui*, Saint-Georges, 1969.

**Boorstin, D.J.,** *The Americans, the colonial experience*, Toronto, 1958.

**Bradley, Robert L.,** *The Forts of Maine*.

**Brownell, D.,** *Heroes of the American Revolution*, Santa Barbara, 1982.

**Branet, M.,** *Les Canadiens après la Conquête*, Montréal, 1980.

**Byam, M.,** *La Découverte de l'Amérique*, Paris, 1971.

**Carroll, P.N.** et **Noble, D.W.,** *The free and the unfree : a new history of the United States*, New York, 1977.

**Casault, F.E.J.** *Notes historiques sur Saint-Thomas de Montmagny*.

**Castonguay, J.** *Les Défis du Fort St-Jean*.

**Cayouette, R.** et **Grondin, J.L.,** *Les oiseaux du Ouébec*. Orsainville, 1977.

**Chamberlain, S.** et **N.G.** *The Chamberlain selection of New England rooms (1639-1863)* New York, 1972.

**Clarke, G.F.,** *Expulsion of the Acadians*, Fredericton, 1955.

**Copeland, P.F.** *Everyday dress of the american colonial* *period*, New York,1975.

**Danne, C.** *Le cheval américain*.

**Desautels, Y**. *Les coutumes de nos ancêtres*, Montréal, 1984.

**Douville, R**. et **Casanova, J.D**., *La vie quctidienne des Indiens du Canada*, Paris, 1967.

**Douville, R**. et **Casanova, J.D**. *La vie quotidienne en Nouvelle-France*, Paris, 1964.

**Faust, P.L.** *Living in colonial America*, Washington.

**Ferron, M**. *Les Beaucerons, ces insoumis*, Montréal, 1974.

**Filteau, G**. *La Naissance d'une Nation*, Montréal, 1978.

**Flexuer, J.T**. *Washington, the indispensable man*, New York, 1969.

**Fournier, R**. *Lieux historiques du sud de Montréal*, Ottawa, 1976.

**Frégault, G**. *Histoire de la Nouvelle-France*, Montréal, 1975.

**Gaudet, P**. *Le grand dérangement*, Ottawa, 1922.

**Gooding, S.J.** *An introduction to British Artillery in North America*, Bloomfield, 1965.

**Gravel, A.** *Benedict Arnold sur le lac Mégantic*, Sherbrooke, 1964.

**Gross, R.B**. *If you grew up with George Washington*, New York, 1982.

**Groulx, L.** *Histoire du Canada français*, Montréal, 1960.

**Groupe Fleurbec**, *Plantes sauvages des villes et des champs*.

**Higginbotham, D**. *Daniel Morgan : revolutionary rifleman*, North Carolina, 1961.

**Hilton, S.W.** *Arnold's march to Quehec*.

**Klinger, R.L.** *Distaff Sketch Book: a collection of notes and sketches on women's dress in America*.

**Klinger, R.L.** *Sketch Book 76: an american soldier*.

**Lafiteau, J.E**., *Moeurs des Sauvages américains comparées aux moeurs des premiers temps*.

**Lauvrière, E**. *La Tragédie d'un peuple*, Paris, 1924.

**Lessard, M**. et **Marquis, H**. *Encyclopédie des antiquités du Québec*, Ottawa, 1971.

**Lonergan, C.V.** *The Northern Gateway*.

**Mauldin, B**. *Mud and Guts*, Washington, 1978.

**Maurault, J.A**. *Histoire des Abénakis*, 1866.

**McDowell, B**. *The Revolutionary War*, Washington, 1967.

**McGovern, A**. *If you lived in colonial times*, New York, 1964.

**Millar, J.F.** *Ships of the American Revolution*, Santa Barbara, 1982.

**Morison, S.E.** *The Oxford history of the American people*, New York, 1965.

**Neering, R**. et **Garrod, S**. *La vie en Acadie*, Toronto, 1978.

**Neering, R**. et **Garrod, S**. *La maison des pionniers*, Toronto, 1980.

**Neering, R**. et **Garrod, S**. *La vie en Nouvelle-France*, Toronto, 1978.

**Norton, M.B**. *Liberty's daughters, the revolutionary experience of American women*, Toronto, 1980.

**Pell, J**. *Ethan Allen*, Lake George, 1929.

**Pell, J**. *Fort Ticonderoga, a short story*.

**Pick, C**. *Ships*.

**Provost, H**. *Chaudière-Kennebec, grand chemin séculaire*.

**Provost, H**. *Sainte-Marie de la Nouvelle-Beauce*, Québec, 1970.

**Provost, H**. *Les Abénaquis sur la Chaudière*, Québec, 1983.

**Recher, J.F**. *Journal du siège de Quéhec en 1759*, Société Historique de Québec, 1959.

**Richard, E**. *Acadie*, Québec, 1918.

**Richard, J.A**. *Cap-Saint-lgnace*.

**Roberts, K**. *Arundel*, New York, 1930.

**Roberts, K**. *March to Quebec*, 1938.

**Royster, C.A**. *A revolutionary people at war*, New York, 1979.

**Sélection du Reader's Digest.** *L'art de vivre au temps jadis*, Montréal, 1981.

**Self, M.C**. *Les Chevaux*, Editions Chantecler, 1973.

**Sloane, E**. *A reverence for wood*, New York, 1965.

**Sloane, E**. **A museum of early American tools**, New York, 1964.

**Sloane, E**. *Diary of an early American boy*, New York, 1965.

**Smith, J.H**. *Arnold's march from Cambridge to Quebec*, New York, 1903.

**Soyez, J.M.** *Quand l'Amérique s'appelait Nouvelle-France*, Paris, 1981.

**Sprull, C.** *Women's life and work in the southern colonies*, New York, 1972.

**Stanley, G.F.G**. *Nos soldats*, Editions de l'Homme, 1980.

**Stanley, G.F.G**. *L'invasion du Canada*. Société Historique de Québec.

**Tarr, L.** *La voiture à travers les âges*, Paris, 1968.

**Thompeon, L.** *Guns*.

**Upper Canada Historical Arms Society**, *The military arms of Canada*, Bloomfield, 1963.

**Utley, B.** *Women of the Revolution*, Harrisburg, Pa.

**Vidal, Gore,** *Burr*, New York, 1973.

**Wallace, W.M**. *Connecticut's Dark Star of the Revolution : General Benedict Arnold*, Hartford, 1978.

**Wilbur, C.K**. *Revolutionary Medicine*, 1980.

**Wright, J.W.** *Some notes of the continental army*, Cornwallville, 1975.

**Zim, H.S**. et **Gabrielson, I.N.** *Birds*, New York, 1949.

## À PROPOS DES LIEUX...

Amaguntik (lac) : lac Mégantic ou Étang de la Chaudière.

Belle Rivière : Rivière Ohio.

Belle-Rivière (région de) : Couloir de l'Ohio.

Carillon : maintenant Ticonderoga.

Chignictou : Chignectou.

Fort Duquesne : maintenant Pittsburgh.

Fort Edward : sur l'Hudson au sud de William-Henry.

Fort Edward : en Acadie, à Piziquid.

Fort Halifax : maintenant Waterville, Maine.

Fort Saint-Frédéric : maintenant Crown Point, N.Y.

Fort Western : maintenant Augusta, Maine.

Grand'Prée : ou Grand-Pré.

Grand lac de Natanis : Flagstaff Lake, élargissement de la Dead River.

N.B. Le véritable *Natanis Lake* est le dernier de la chaîne des sept lacs à la tête de la Dead avant la hauteur des terres.

Isle-aux-Noix : Ile-aux-Noix.

Jacques-Cartier : maintenant Donnacona.

La Malbay ou la Malbaie.

New-York (prov. du): État de New York. New York (ville): New York City.

Pointe-à-la-Caille : lieu de la première église de Saint-Thomas de Montmagny.

Pointe-aux-Trembles : Neuville.

Pointe-Lévy : Lévis.

Saint-Sacrement (lac) : Lake George.

Saint-François : village abénaquis sur la rivière du même nom.

St-François : maintenant Beauceville, Beauce.

Saint-Thomas : Montmagny.

SARTIGAN : village abénaquis, maintenant Saint-Georges, Beauce.

Sauvagerie du Maine : nord du Maine autrefois rattaché au Massachusetts.

Vache (la) : chute de Montmorency.

## Du même auteur...

# La saga des Grégoire
## en 7 volumes

La saga des Grégoire compte 7 romans biographiques :
1. *La forêt verte* (1854-1884)
2. *La maison rouge* (1884-1895)
3. *La moisson d'or* (1895-1908)
4. *Les années grises* (1908-1918)
5. *Les nuits blanches* (1918-1929)
6. *La misère noire* (1929-1950)
7. *Le cheval roux* (1950-1995)

Cette saga beauceronne compte 3,700 pages remplies de fraternité humaine, d'entraide, d'amitié, d'amour... et aussi de grands deuils. Mais à part quelques chicanes folkloriques sur fond de respect, elle est quasiment dénuée de violence, de colère et repose de tout ce qui hurle si fort de nos jours...

Au coeur de la série : le **magasin général** depuis sa fondation en 1880 par une jeune fille de 15 ans (Émélie Allaire) et son père. Un siècle en avance sur son temps, femme aguerrie par les drames incessants, Émélie épouse en 1885 leur commis Honoré Grégoire. Le couple se bâtira un avenir prospère et aura 13 enfants (1887-1910).

pour renseignements sur la disponibilité des ouvrages
de l'auteur, voir

www.andremathieu.com